King & Maxwell

Bezoek onze internetsite www.awbruna.nl voor informatie over onze boeken, volg @AWBruna op Twitter of bezoek onze Facebook-pagina Facebook.com/AWBrunaUitgevers.

David Baldacci

# King & Maxwell

A.W. Bruna Fictie

*Oorspronkelijke titel*
King & Maxwell
Copyright © 2013 by Columbus Rose, Ltd.
Published by arrangement with Lennart Sane Agency AB.
*Vertaling*
Jolanda te Lindert
*Omslagbeeld*
© Cristina Carra Caso / Arcangel Images
*Omslagontwerp*
Studio Jan de Boer
© 2013 A.W. Bruna Uitgevers, Utrecht

ISBN 978 94 005 0116 4
NUR 332

Dit boek is gedrukt op papier dat het keurmerk van de Forest Stewardship Council (FSC®) mag dragen. Bij dit papier is het zeker dat de productie niet tot bosvernietiging heeft geleid. Een flink deel van de grondstof is afkomstig uit bossen en plantages die worden beheerd volgens de regels van FSC. Van het andere deel van de grondstof is vastgesteld dat hiervoor geen houtkap in de laatste resten waardevol bos heeft plaatsgevonden. Daarom mag dit papier het FSC Mixed Sources label dragen. Voor dit boek is het FSC-gecertificeerde Munkenprint gebruikt. Dit papier is 100% chloor- en zwavelvrij gebleekt en wordt geleverd door Arctic Paper Munkedals AB, Zweden.

Voor Shane, Jon en Rebecca, en de hele cast en crew van de *King &*
*Maxwell*-televisieserie: bedankt voor het zo goed tot leven brengen van
mijn personages.

# 1

Tweeduizend kilo.

Dat was ongeveer het gewicht van de inhoud van het krat. Het krat was met een vorklifttruck van de oplegger getild en stond nu achter in de kleinere bestelbus. De achterklep was dichtgedaan en afgesloten met twee verschillende sloten, een sleutelslot en een cijferslot. Elk slot zou onverwoestbaar zijn, maar in werkelijkheid was elk slot natuurlijk te openen en elke deur open te breken, als er maar genoeg tijd was.

De man klom achter het stuur van de bestelbus, trok het portier dicht, deed hem van binnenuit op slot, startte de motor, trapte op het gaspedaal, zette de airco aan en verstelde zijn stoel. Hij had een lange rit voor de boeg en niet veel tijd om zijn bestemming te bereiken.

En het was zo heet als de hel. Misschien wel heter. Het landschap zag er vervormd uit in de opstijgende, hete lucht. Hij keek er maar niet naar, anders moest hij misschien wel kotsen.

Hij had liever een gewapend escorte gehad, het allerliefst een Abramstank, maar daar was geen budget voor en dat was ook niet het plan. De grond was rotsachtig en, verderop, bergachtig. De wegen hadden meer gaten dan asfalt. Hij had wapens en meer dan genoeg munitie bij zich, maar hij was de enige inzittende en had slechts één vinger om een trekker over te kunnen halen.

Hij droeg geen uniform meer. Dat had hij ongeveer een uur geleden voor de laatste keer uitgetrokken. Hij raakte zijn 'nieuwe' kleren even aan. Ze waren versleten en niet echt schoon. Hij haalde zijn wegenkaart tevoorschijn en legde hem opengeslagen op de zitting naast zich.

Toen reed de vrachtwagen met oplegger weg en was hij alleen in the middle of nowhere in een land dat grotendeels nog in de middeleeuwen leefde.

Hij keek naar het indrukwekkende landschap om zich heen en dacht even aan hoe hij hier verzeild was geraakt. Op dat moment had het moedig geleken, heldhaftig zelfs. Maar nu vond hij zichzelf de grootste stomkop ter wereld, omdat hij deze missie met zo'n kleine overlevingskans op zich had genomen.

Maar goed, hij was hier. En hij was alleen. Hij moest een opdracht uitvoeren en daar kon hij dus maar beter aan beginnen. En als hij dood-ging, nou ja, dan waren zijn wereldse zorgen voorbij en was er minstens één iemand die om hem rouwde.

Behalve de wegenkaart had hij een gps. Maar dat was net een gaten-kaas, alsof de satellieten boven hem niet wisten dat dit een land was en dat hier ook mensen waren die van a naar b wilden. Vandaar de ouder-wetse, papieren versie op de stoel naast hem.

Hij zette de bestelbus in de versnelling en dacht aan de inhoud van het krat. Het was een bijzondere, speciale vracht die ruim tweeduizend kilo woog. Zonder deze vracht was hij ten dode opgeschreven en zelfs mét deze vracht was hij misschien ten dode opgeschreven. Maar zijn kansen waren een stuk groter mét.

Terwijl hij over de oneffen weg reed, rekende hij uit dat hij twintig uur stevig door moest rijden. Hier waren geen snelwegen. Het zou een moei-zame en hobbelige rit worden. En misschien zouden er zelfs mensen zijn die op hem schoten.

Er zouden ook mensen zijn die hem aan het einde van de rit opwacht-ten. De vracht zou worden overgeladen, net als hij. Er waren berichten heen en weer gestuurd. Beloftes gedaan. Verbintenissen aangegaan. Nu was het alleen aan hem om zich hierdoor heen te slaan en moesten de anderen zich aan hun woord houden.

Dat had tijdens de eindeloze besprekingen met mensen in overhemd en stropdas en met hun smartphones die continu piepten allemaal pri-ma geklonken. Maar hier, in zijn eentje, met niets om zich heen behalve het meest onaangename landschap dat je je maar kunt voorstellen, klonk het allemaal bedrieglijk.

Maar hij was een soldaat en dus ging hij ermee door.

Hij reed naar de bergen in de verte. Hij had nog geen snipper persoon-lijke informatie bij zich. Wel had hij documenten die hem een veilige doorgang door het gebied zouden moeten bieden.

*Zouden moeten bieden, niet boden.*

Wanneer hij werd aangehouden en de documenten onvoldoende ble-ken, zou hij zich eruit moeten kletsen. Als ze vroegen of ze mochten zien wat er in de bestelbus zat, moest hij weigeren. Als ze bleven aandringen, had hij een klein metalen doosje met een matzwarte buitenkant. Aan de zijkant zat een schakelaar en bovenop een rood knopje. Wanneer hij de schakelaar omzette en het knopje indrukte, was alles nog steeds in orde. Maar zodra zijn vinger het knopje losliet terwijl het apparaat nog aan-stond, zouden hij en alles en iedereen binnen een afstand van twintig

8

vierkante meter van de aardbodem worden weggevaagd.

Hij reed twaalf uur door en kwam geen levende ziel tegen. Hij zag een kameel en een ezel ronddwalen. Hij zag een dode slang. Hij keek naar het rottende lijk van een mens; het karkas was door aasgieren tot op het bot schoongevreten. Het verbaasde hem dat hij maar één dood mens zag. Normaal zouden er veel meer zijn geweest. Dit land had heel veel bloedbaden meegemaakt. Regelmatig probeerde een ander land dit land binnen te vallen. Ze wonnen zo'n oorlog al snel en daarna verloren ze al het andere en gingen weer naar huis met hun tanks tussen hun benen.

Tijdens deze twaalf uren zag hij de zon ondergaan en weer opkomen. Hij reed naar het oosten, zodat hij de zon tegemoet reed. Hij klapte de zonneklep naar beneden en reed door. Hij speelde de ene rock-cd na de andere keihard af. Hij luisterde twintig keer achter elkaar naar Meat Loafs *Paradise by the Dashboard Light*, zo hard als zijn oren het konden verdragen. Hij glimlachte elke keer als de stem van de honkbalverslaggever te horen was, want dat klonk hier een heel klein beetje misplaatst.

Ondanks dat Meat Loaf tegen hem schreeuwde, vielen zijn oogleden steeds dicht en schrok hij weer wakker nadat zijn bestelbus was gaan slingeren. Gelukkig was er geen ander verkeer. Er waren niet veel mensen die hier wilden wonen. Dat zou je een slecht voorteken kunnen noemen. Idioot gevaarlijk zou een andere, accuratere omschrijving zijn.

Nadat hij dertien uur achter het stuur had gezeten, was hij zo moe dat hij besloot te stoppen om een dutje te doen. Hij was goed opgeschoten en had wel een beetje tijd over. Maar net toen hij wilde stoppen, keek hij naar de weg voor zich en hij zag wat eraan kwam. Zijn vermoeidheid verdween. Zijn dutje zou even moeten wachten.

De pick-up reed recht op hem af. Hij reed precies midden op de weg en blokkeerde daardoor de weg in beide richtingen.

Twee mannen zaten voorin, drie stonden in de laadbak, allemaal hadden ze een machinepistool in de hand. Het was de *Welcome Wagon*, Afghaanse stijl.

Hij reed gedeeltelijk van de weg af, liet het raampje zakken en de hitte naar binnen golven, en wachtte. Hij zette de muziek uit en Meat Loafs bariton verdween. Deze mannen zouden de wonderbaarlijke uithalen en de seksueel getinte teksten niet kunnen waarderen.

De pick-up stopte naast zijn bestelbus. Terwijl twee van de mannen, die een tulband droegen, hun machinepistool op hem gericht hielden, stapte de man die naast de chauffeur zat uit en liep naar het portier van het andere voertuig. Ook deze man droeg een tulband; uit de banen zweet die in de stof waren getrokken bleek wel hoe heet het hier was.

De chauffeur keek naar de man die naar hem toe liep. Hij pakte de stapel documenten van de zitting naast hem. Ze lagen naast zijn volledig geladen Glock die al een kogel in de kamer had. Hij hoopte dat hij zijn wapen niet zou hoeven gebruiken, want een pistool tegen een machine-geweer zou maar één resultaat hebben: zijn dood.

'Papieren?' zei de man in het Pasjtoe.

Hij gaf ze aan hem. Ze waren naar behoren ondertekend en van hun eigen zegels voorzien door de verschillende hoofdmannen die zeggen-schap hadden over deze stukken land. Hij ging ervan uit dat ze zouden worden gerespecteerd. Dat kwam vooral doordat in dit deel van de we-reld het niet gehoorzamen aan de orders van een hoofdman meestal re-sulteerde in de dood van diegenen die ongehoorzaam waren geweest. En de dood was hier bijna altijd wreed en bijna nooit snel. Ze wilden graag dat je zelf voelde dat je doodging.

De man was drijfnat van het zweet, zijn ogen waren rood en zijn kleren waren al even smerig als zijn gezicht. Hij las de papieren door en knip-perde even met zijn ogen toen hij de belangrijke handtekeningen zag.

Hij keek de chauffeur onderzoekend aan en gaf vervolgens de papieren terug. De blik van de man dwaalde nieuwsgierig naar de achterkant van de bestelbus. De hand van de chauffeur sloot zich om het zwarte doosje en hij drukte de knop aan de zijkant in, waardoor hij het apparaat acti-veerde. De man zei weer iets in het Pasjtoe. De chauffeur schudde zijn hoofd en zei dat de bestelbus niet kon worden geopend. Dat die afgeslo-ten was en hij niet in het bezit was van de sleutel en de cijfercombinatie.

De man wees naar zijn wapen en zei dat dat zijn sleutel was.

De vinger van de chauffeur drukte het rode knopje in. Zodra ze op hem schoten, zou zijn vinger het knopje loslaten en zou deze *idiot switch* de explosieven tot ontploffing brengen en hen allemaal doden.

Hij zei in het Pasjtoe: 'De stamhoofden waren heel duidelijk: de lading mocht pas op de eindbestemming worden onthuld. Heel duidelijk,' her-haalde hij nog maar een keer. 'Als jullie daar een probleem mee hebben, moeten jullie dat maar met hen opnemen.'

De man dacht hierover na en liet zijn hand naar zijn pistool in zijn hol-ster zakken.

De chauffeur probeerde normaal te blijven ademen en zijn handen niet te laten trillen, maar de wetenschap dat je over een paar seconden naar de vergetelheid kunt worden gestuurd, doet bepaalde fysiologische dingen met het lichaam waar je geen macht over hebt.

Er verstreken vijf gespannen seconden, waarin absoluut niet duidelijk was of de tulband zich zou terugtrekken of niet.

Ten slotte trok de man zich terug, hij stapte weer in de pick-up en zei iets tegen de man achter het stuur. Even later reed de wagen snel weg met achterlating van een grote stofwolk.

De chauffeur deactiveerde de detonator en wachtte tot ze bijna uit het zicht waren, voordat hij zijn bestelbus weer in de versnelling zette. Hij reed eerst langzaam, maar trapte vervolgens het gaspedaal dieper in. Zijn vermoeidheid was verdwenen.

Hij had de muziek niet meer nodig. Hij zette de airco lager, want hij had het opeens erg koud. Hij hield zich precies aan de voorgeschreven route. Het was geen goed idee om hier rond te dwalen. Hij scande de horizon of er nog meer pick-uptrucks met gewapende mannen zijn kant op kwamen, maar zag niets. Hij hoopte dat inmiddels doorgegeven was dat de bestelbus vrije doorgang moest worden verleend.

Bijna acht uur later bereikte hij zijn eindbestemming. Het werd al donker en het begon harder te waaien. Het was bewolkt en het leek alsof het binnen een paar minuten zou gaan plenzen.

Hij had verwacht dat er één ding zou gebeuren zodra hij hier arriveerde.

Maar dat was niet zo.

# 2

Het eerste wat misging, was dat zijn brandstof op was toen hij voorbij de geopende deur van het stenen gebouw stopte. Hij had extra jerrycans, maar kennelijk had iemand zich verrekend.

Het tweede wat misging, was het pistool dat in zijn gezicht werd geduwd.

Dit was geen tulband die met een machinepistool zwaaide. Dit was een blanke man, net als hij, met een .357-pistool en de haan al naar achteren getrokken.

'Is er een probleem?' vroeg de chauffeur.

'Niet voor ons,' zei de man, die zwaargebouwd was en een onderkin had, en dichter bij de veertig dan de dertig was.

'Ons?' De chauffeur keek om zich heen en zag dat er nog meer blanke mannen uit de schaduwen tevoorschijn kwamen. Ze waren allemaal gewapend en al hun wapens waren op hem gericht.

Dit grote aantal blanke gezichten paste hier helemaal niet.

'Dit hoort niet bij het plan,' zei de chauffeur.

De andere man liet zijn legitimatie zien. 'Het plan is veranderd.'

De chauffeur bekeek de identiteitskaart en de badge. Hieruit bleek dat de man Tim Simons heette en CIA-agent was. Hij zei: 'Als we in hetzelfde team zitten, waarom is er dan een pistool op mijn gezicht gericht?'

'Ik heb geleerd om in dit deel van de wereld niemand te vertrouwen. Eruit, nu!'

De chauffeur hing zijn volgeladen rugzak over zijn schouder en stapte op het beton van de vloer. Hij had twee dingen in zijn handen.

Het ene was zijn Glock die nutteloos was nu er zoveel wapens op hem gericht waren.

Het tweede was het zwarte doosje. Dat was wel heel nuttig. Sterker nog, dat was de enige troef die hij had. Hij activeerde de detonator en drukte het knopje in.

Hij liet hem aan Simons zien. '*Fail-safe,*' zei hij. 'Als ik dit rode knopje loslaat, vliegen we allemaal de lucht in. Deze bestelbus zit vol bedrading en stukjes semtex. Genoeg om hier een diep gat in de grond te blazen.'

'Onzin,' zei Simons.

'Zo te horen ben je niet echt goed gebrieft voor deze operatie.'

'Volgens mij wel.'

'Denk dan nog maar eens goed na. Kijk maar eens onder de wielkasten.'

Simons knikte naar een collega die een zaklamp pakte en onder het rechterachterwiel van de bestelbus dook. Hij kroop eronderuit en draaide zich om. Zijn blik zei genoeg.

De gewapende mannen keken weer naar de chauffeur. Het feit dat zij in de meerderheid waren, was zojuist irrelevant geworden. Hij wist dat, maar hij wist ook dat dit een hachelijk voordeel was. Kijken wie het eerst bang wordt, kan op zijn best maar één winnaar opleveren. Maar het kan net zo goed met twee verliezers eindigen. En hij had bijna geen tijd meer. Dat zag hij aan de vingers die in de richting van de trekkers gleden, aan het feit dat de mannen achteruitliepen om zich snel uit de voeten te kunnen maken. Hij wist wat ze dachten door elke beweging die ze maakten: zorg dat je buiten het bereik komt van de bommen met semtex, óf je laat hem de boel tot ontploffing brengen zodat hij zichzelf doodt óf je schakelt hem uit met één schot en dan maar hopen dat je de lading redt. In beide gevallen bleven zij leven, en dat zou hun belangrijkste doel zijn. Ze konden nog wel een keer een vracht stelen, maar geen extra leven toveren.

'Tenzij jullie veel sneller kunnen rennen dan Usain Bolt, komen jullie nooit op tijd buiten de explosiezone,' zei hij. Hij liet het doosje zien. 'En dan hebben we een eeuwigheid om over onze zonden na te denken.'

Simons zei: 'Wij willen wat er in die bus zit. Als je ons dat geeft, ben je vrij om te vertrekken.'

'Ik vraag me af hoe dat moet.'

Simons likte langs zijn lippen en keek naar het doosje. 'Daar staat een pick-up, met een volle tank en extra brandstof achterin, en met een gps. Daar wilden wij mee vertrekken, maar jij mag hem hebben.'

De chauffeur keek naar de zwarte wagen. Er stond een groene pick-up naast.

'En waar rij ik dan naartoe?' vroeg hij.

'Ik neem aan weg uit dit rotgat.'

'Ik heb een missie.'

'Die missie is veranderd.'

'Zullen we hier maar gewoon een einde aan maken?' Hij verminderde de druk op het knopje.

'Wacht,' zei Simons. 'Wacht.' Hij stak zijn hand op.

'Ik wacht.'

'Stap toch gewoon in die wagen en verdwijn. Je lading is het toch niet waard om voor te sterven, wel?'

'Misschien wel.'

'Je hebt familieleden in de VS.'

'Hoe weet jij dat?'

'Dat weet ik gewoon. En ik ben ervan overtuigd dat je hen wilt terug-zien.'

'En hoe verklaar ik het verlies van die lading?'

'Dat hoef je niet, vertrouw me maar,' antwoordde Simons.

'Dat is het probleem juist, ik vertrouw je niet.'

'Dan zullen we hier allemaal sterven.'

De chauffeur keek naar de pick-uptrucks. Hij geloofde geen woord van wat hem was verteld. Maar hij wilde hier heel graag levend vandaan ko-men, ook al was het alleen maar om de zaak later goed te maken.

Simons zei: 'Luister, we zijn duidelijk niet de taliban. Verdomme, ik kom uit Nebraska. Mijn legitimatie is echt. We staan aan dezelfde kant hier, oké? Waarom zou ik hier anders zijn?'

Ten slotte zei de chauffeur: 'Jij wilt dus alleen maar dat ik me rustig uit de voeten maak?'

'Dat was mijn aanbod.'

'Hoe stel je je dat voor?'

'Ten eerste moet je dat knopje niet loslaten,' stelde Simons voor.

'Dan moet jij die trekker niet overhalen.'

De chauffeur liep naar de pick-uptruck.

De mannen weken uiteen om hem door te laten.

'Ik neem die groene,' zei hij.

Hij zag dat Simons in elkaar kromp, en dat was goed. Hij had de juiste beslissing genomen. De zwarte wagen was duidelijk een boobytrap.

Toen hij bij de groene wagen was, keek hij naar het contact. De sleutels zaten erin. Er was ook een gps aan het dashboard bevestigd.

Simons riep: 'Wat is het bereik van die detonator?'

'Dat hou ik even voor mezelf.'

Hij smeet zijn rugzak op de stoel naast hem, stapte in de wagen en startte de motor. Hij keek naar de brandstofmeter. Vol. Hij hield zijn vrije hand klaar bij de detonator.

Simons vroeg: 'Hoe kunnen we erop vertrouwen dat je de boel niet laat ontploffen zodra je een flink stuk uit de buurt bent?'

'Dat is een kwestie van bereik,' antwoordde hij.

'En dat heb je ons niet verteld.'

'Je zult me dus moeten vertrouwen, Nebraska. Net zoals ik erop moet vertrouwen dat deze wagen niet vol explosieven zit die jullie tot ontploffing brengen zodra ik hier weg ben. Of misschien gold dat voor die andere wagen.'

Hij trapte het gaspedaal diep in, waarop het voertuig met veel lawaai het stenen gebouw uitreed. Hij verwachtte dat er op hem zou worden geschoten. Dat gebeurde niet.

Hij dacht dat zij ervan uitgingen dat ze zouden sterven als hij uit wraak het knopje zou loslaten.

Toen hij ver genoeg bij hen vandaan was, keek hij naar het zwarte doosje. Als die mannen echt van de CIA waren, was er hier veel meer aan de hand dan hij nu wist. Maar hij wilde dit uitzoeken. En de enige manier om dat te doen, was door verder te gaan. En in leven te blijven.

Hij deactiveerde de detonator en gooide hem op de stoel naast hem.

Nu moest hij alleen nog zorgen dat hij hier verdomme vandaan kwam.

Hij hoopte dat dat mogelijk was. De meeste mensen kwamen alleen maar naar dit deel van de wereld om te doden of gedood te worden.

# 3

Sean King reed en Michelle Maxwell zat naast hem.

Normaal was het andersom. Meestal reed zij, alsof ze aan een formule 1-wedstrijd meedeed. Dan hield Sean zich stevig vast en mompelde een paar schietgebedjes, zonder echter te geloven dat die zouden worden verhoord.

Er was een goede reden dat hij vanavond, en de afgelopen eenentwintig avonden, achter het stuur zat. Michelle was eenvoudigweg niet zichzelf, tenminste, nóg niet. Het ging steeds beter met haar, maar haar vooruitgang ging veel langzamer dan ze zou willen.

Hij keek naar haar. 'Hoe gaat het?'

Ze bleef strak voor zich uit kijken. 'Ik ben gewapend. Dus als je me dat nog één keer vraagt, schiet ik je dood, Sean.'

'Ik ben gewoon bezorgd, oké?'

'Ja, dat snap ik wel. Maar ik ben al drie weken uit dat revalidatiecentrum. Volgens mij ben ik weer helemaal in orde. Dus hou je bezorgde vragen maar voor je.'

'Je was zwaargewond, Michelle. Je had het bijna niet gehaald. Je was bijna doodgebloed. Geloof me, ik ben er steeds bij geweest. Na wat jou is overkomen, kun je beter zeggen dat je nog máár drie weken uit het revalidatiecentrum bent.'

Michelle raakte haar onderrug en bovenbeen even aan. Daar zaten littekens. Die zouden nooit meer weggaan. De herinnering aan hoe ze die verwondingen had opgelopen, waren even levendig als die eerste messteek in haar rug. Dat was gedaan door iemand van wie ze had gedacht dat die een bondgenoot was.

Maar ze leefde nog. En Sean had haar constant terzijde gestaan. Maar nu begon zijn bezorgdheid haar vreselijk te irriteren. 'Dat is waar. Maar ik heb twee volle maanden in dat revalidatiecentrum gezeten. En ik genees snel. Dat zou jíj moeten weten.'

'Het was gewoon kantje boord, Michelle. Kantje boord.'

'Hoe vaak ben ik jou al niet bijna kwijtgeraakt?' zei ze, en ze keek hem even aan. 'Dat hoort bij ons werk. Dat is het risico van het vak. Als we

16

op veilig willen spelen, moeten we iets anders gaan doen.'

Sean keek voor zich uit, terwijl de regen met bakken naar beneden kwam. Het was een koude, sombere avond. De wolken beloofden nog veel meer regen en schoten als coyotes langs de hemel. Ze reden door een bijzonder verlaten deel van Noord-Virginia en kwamen terug van een bespreking met een voormalige cliënt, Edgar Roy. Ze hadden hem een doodvonnis bespaard. Hij was zo dankbaar als een goed functionerende autist met ernstig beperkte, sociale vaardigheden maar kon zijn.

'Edgar zag er goed uit,' zei Michelle.

'Hij zag er heel goed uit, vooral als je rekening houdt met het alternatief: een dodelijke injectie,' antwoordde Sean, die opgelucht leek door de verandering van onderwerp.

Toen Sean een veel te snelle bocht nam op de drijfnatte, bochtige weg greep Michelle haar armsteun vast om in evenwicht te blijven.

'Rustig aan,' zei ze waarschuwend.

Hij deed net alsof hij stomverbaasd was. 'En dat zeg jij?'

'Ik rij snel omdat ik dat goed kan.'

'Niet waar, mijn verwondingen en specialistenrekeningen bewijzen het tegendeel,' katte hij terug.

Ze keek hem vuil aan. Daarna vroeg ze: 'En wat doen we nu we de zaak-Edgar Roy helemaal hebben afgehandeld?'

'We gaan gewoon door met ons werk als privédetective. Zowel Peter Bunting als de Amerikaanse regering heeft ons rijkelijk beloond, maar dat zetten we op een bankrekening voor het pensioen of als appeltje voor de dorst.'

Michelle keek naar de regen op de voorruit. 'We kunnen er ook een boot voor kopen. Die hebben we misschien nodig om thuis te komen.'

Sean wilde iets terugzeggen, maar werd opeens afgeleid. 'Verdomme!'

Hij rukte het stuur naar links, waarop de Land Cruiser zijwaarts over het gladde wegdek gleed.

'Stuur erin mee,' zei Michelle rustig.

Sean stuurde mee in de slip en had het voertuig al snel weer onder controle. Hij trapte op de rem en bracht hen op de vluchtstrook tot stilstand. 'Wat wás dat verdomme?' snauwde hij.

'Je bedoelt, wíé was dat,' zei Michelle. Ze maakte het portier open en leunde naar buiten in de regen.

'Michelle, wacht!' riep Sean.

'Stuur de lichten naar rechts. Snel!'

Ze trok het portier weer dicht en Sean reed terug de weg op.

'Doe de grote lichten aan,' zei ze.

Dat deed hij en in het felle licht konden ze verder vooruitkijken, voor zover de duisternis en de regen dat toelieten.

'Daar!' zei Michelle en ze wees naar rechts. 'Schiet op, ernaartoe!'

Sean trapte op het gaspedaal en het voertuig spoot naar voren.

Degene die over de rechtervluchtstrook rende keek maar één keer achterom. Maar dat was genoeg.

'Het is een kind,' zei Sean verbaasd.

'Een tiener,' verbeterde Michelle hem.

'Nou, het was bijna een dode tiener,' zei Sean ernstig.

'Sean, hij heeft een wapen.'

Sean boog dichter naar de voorruit en zag dat de jongen een wapen in zijn rechterhand had. 'Dit ziet er niet goed uit,' zei hij.

'Hij lijkt doodsbang.'

Hij zei bits: 'Wat had je verdomme dán verwacht? Hij rent midden in een onweersbui met iets van metaal in zijn hand. Hij zou absoluut bang horen te zijn. Bovendien reed ik bijna over hem heen en dan was hij niet meer bang, maar dood geweest.'

'Zorg dat je dichterbij komt.'

'Wat?'

'Zorg dat je dichterbij komt.'

'Waarom? Hij heeft een wapen, Michelle!'

'Wij ook. Geef nu maar gas.'

Hij begon sneller te rijden, terwijl Michelle het raampje liet zakken.

De lucht werd verlicht door een bliksemflits van duizenden volts, waarna er zo'n luide donderslag volgde dat het net was alsof er een wolkenkrabber instortte.

'Hé!' riep Michelle tegen de jongen. 'Hé!'

De tiener keek weer achterom, met een lijkbleek gezicht in het licht van de koplampen.

'Wat is er gebeurd?' riep Michelle. 'Ben je oké?'

De jongen antwoordde door het wapen op hen te richten. Maar hij schoot niet. Hij verliet de weg en rende een weiland in, glijdend en glibberend over het natte gras.

'Ik ga de politie bellen,' zei Sean.

'Wacht nog even,' zei ze. 'Stop maar.'

Sean nam gas terug en bracht de Land Cruiser een paar meter verderop tot stilstand.

Michelle sprong eruit.

'Wat ben je verdomme van plan?' brulde Sean.

'Hij zit duidelijk in de problemen. Ik wil weten wat er aan de hand is.'

'Realiseer je je wel dat hij misschien in de problemen zit doordat hij zojuist iemand heeft doodgeschoten en nu zo snel mogelijk bij de plaats delict vandaan wil zien te komen?'

'Dat denk ik niet.'

Hij keek haar vol ongeloof aan. 'Dat denk jij niet? Waar baseer je dat op?'

'Zo terug.'

'Wat? Michelle, wacht!' Hij probeerde haar arm te grijpen, maar greep mis.

Even later rende ze al door het weiland. Binnen een paar seconden was ze drijfnat van de regen.

Sean sloeg ongelovig met zijn hand op het stuur. Hij schreeuwde tegen het raam. Hij kalmeerde, bestudeerde de ligging van het terrein en gaf gas. Bij de eerstvolgende kruising sloeg hij rechts af en trapte vervolgens het gaspedaal zo diep in dat de achterkant van de wagen opzij schoot. Hij corrigeerde dit, reed door, en vervloekte zijn partner luidkeels bij elke bocht in de weg.

# 4

Michelle had in haar leven al veel dingen achtervolgd. Als sprinter en later als olympisch roeier had ze het constant tegen anderen opgenomen. Als politieagent in Tennessee had ze heel veel misdadigers achtervolgd als die probeerden te ontsnappen. En als agent van de Secret Service was ze meegerend naast limousines met belangrijke leiders erin.

Maar vanavond nam ze het op tegen een slungelige tiener met een tomeloze energie en jonge ledematen. De jongen had een aanzienlijke voorsprong en rende alsof de duivel hem op de hielen zat. En bij elke stap gleed ze uit. Ze had het gevoel alsof ze door één meter hoog water liep, maar dan over land.

'Blijf staan!' riep ze, toen ze even een glimp van hem opving voordat hij een andere kant op rende en een pad tussen een paar bomen insloeg.

Hij bleef niet staan, maar rende gewoon door.

Michelle was nog lang niet voor de volle honderd procent genezen, ondanks alles wat ze hierover tegen Sean had gezegd. Haar rug deed pijn. Haar been deed pijn. Haar longen brandden. En het hielp ook niet echt dat ze werd verblind door de wind en de regen.

Ze rende over het pad en trok voor de zekerheid toch maar haar pistool. Ze voelde zich altijd beter als ze haar Sig in de hand had. Ze verdubbelde haar inspanningen, vocht tegen de pijn en de vermoeidheid en slaagde erin de afstand tussen hen te verkleinen. Ze werd even afgeleid door een bliksemflits gevolgd door een donderslag. Een boom naast het pad werd gegeseld door de harde wind en dreigde om te vallen, maar gelukkig had ze nog wat energie over en kon ze haar tempo versnellen. De ondiep gewortelde boom klapte ongeveer drie meter achter haar neer, maar de dikke takken misten haar maar net. Elke tak op zich had haar schedel kunnen verbrijzelen.

Dat was op het nippertje!

De tiener was gevallen toen de boom neerklapte, maar nu stond hij alweer en begon weer te rennen. Maar de afstand tussen hen was nu kleiner.

Ze sprak reserves aan waarvan ze niet wist dat ze die had en schoot naar voren alsof ze werd gelanceerd. Ze dook en raakte hem achter tegen zijn benen. Hij viel voorover in de modder, terwijl Michelle zich opzij liet rollen en daarna opstond, met brandende longen, hijgend. Ze bukte zich, maar hield haar blik op hem gericht, haar wapen in de aanslag, omdat ze zag dat hij zijn wapen nog steeds vasthad, hoewel één blik op zijn wapen bevestigde dat ze niet bang hoefde te zijn dat hij ermee zou schieten.

Hij draaide zich om, zodat hij op zijn billen zat, en trok zijn knieën op. 'Wie ben je verdomme? Waarom zit je me achterna?'

'Waarom ren je rond met een wapen in je hand tijdens een onweersbui?'

Hij leek heel erg jong, niet ouder dan vijftien. Zijn kastanjebruine haar plakte tegen zijn gezicht vol sproeten en leek bloedrood.

'Laat me toch met rust!' schreeuwde hij.

Hij stond op en Michelle rechtte haar rug. Ze stonden nog geen meter bij elkaar vandaan. Michelle, met haar één meter zevenenzeventig, was minstens zeven centimeter langer dan hij, hoewel hij met zijn lange benen en schoenmaat zesenveertig waarschijnlijk veel langer zou zijn dan zij tegen de tijd dat hij uitgegroeid was.

'Hoe heet je?' vroeg ze.

Hij begon achteruit te lopen. 'Laat me alsjeblieft met rust.'

'Ik probeer je te helpen. Mijn partner en ik reden zonet bijna over je heen.'

'Je partner?'

Michelle besloot dat een leugen op dit moment beter was dan de waarheid. 'Ik ben politieagent.'

'Een agent?' Hij keek haar argwanend aan. 'Laat me dan maar eens een legitimatie zien.'

Ze stopte haar hand in haar jasje en haalde er haar privédetectivevergunning uit. Ze hoopte dat die er in het donker goed genoeg uitzag. Ze hield hem even onder zijn neus. 'Oké, ga je me nu vertellen wat er aan de hand is? Misschien kan ik je helpen.'

Hij sloeg zijn ogen neer en ademde onregelmatig, waardoor zijn magere borstkas snel op en neer ging. 'Niemand kan me helpen.'

'Dat klinkt wel heel zwaar. Zo erg kan het toch niet zijn...'

Zijn lippen begonnen te trillen. 'Luister, ik... ik moet terug naar huis.'

'Rende je daarvandaan?'

Hij knikte.

'Komt dat pistool daar ook vandaan?'

'Dat was van mijn vader.'

Michelle veegde haar natte haren uit haar ogen. 'We kunnen je wel naar huis brengen. Vertel maar gewoon waar het is.'

'Nee, ik loop wel. Het is niet ver.'

'Dat is geen goed idee. Niet in deze storm. Straks kom je onder een auto of een boom terecht, en dat is allebei al bijna echt gebeurd. Hoe heet je?'

Hij zei niets.

Ze zei: 'Ik ben Michelle. Michelle Maxwell.'

'Ben je echt een politieagent?'

'Vroeger wel. Daarna was ik een agent van de Secret Service.'

'Echt waar?' Nu klonk hij als een echte tiener. Een geïmponeerde tiener.

'Ja. Maar nu ben ik privédetective en ik werk nog weleens voor de politie. Goed, hoe heet je?'

'Tyler, Tyler Wingo,' zei hij.

'Oké, Tyler Wingo, dat is een goed begin. Kom, dan gaan we nu naar mijn auto, stappen we in en...'. Ze keek naar iets achter hem, maar had niet meer genoeg tijd om iets te zeggen.

Sean greep Tyler van achteren vast, sloeg het pistool uit zijn hand, schopte het weg en draaide hem om.

Tyler wankelde even en wilde er weer vandoor gaan, maar Sean hield zijn pols stevig vast. Met zijn één meterachtentachtig en zijn ruim negentig kilo kon hij de jongen gemakkelijk tegenhouden.

'Laat me los!' gilde Tyler.

'Sean, het is al goed,' zei Michelle. 'Laat hem maar los.'

Sean liet de jongen met tegenzin los, bukte zich en raapte het pistool op. Hij keek ernaar. 'Wat is dit verdomme?'

'Een Duitse Mauser,' zei Tyler met een chagrijnige blik.

'Zonder een trekker,' zei Michelle. 'Zag ik in het licht van de koplampen. Daardoor is het een beetje lastig om dat ding als wapen te gebruiken, tenzij je het naar iemand gooit natuurlijk.'

'Klopt,' zei Sean.

'Tyler wilde me net vertellen waar hij woont, zodat wij hem daarnaartoe kunnen brengen,' zei Michelle.

'Tyler?' vroeg Sean.

'Tyler Wingo,' zei Tyler knorrig. 'En je kunt mijn vaders pistool maar beter niet beschadigen. Dat is een collector's item.'

Sean stopte het wapen achter zijn riem. 'Dan is het behoorlijk stom van je om daarmee in de regen rond te rennen,' zei hij.

Tyler keek naar Michelle. 'Kunnen jullie me gewoon naar huis brengen?'

'Ja,' zei ze. 'En misschien kun je ons onderweg vertellen wat er is gebeurd.'

'Ik heb je toch al gezegd dat je niets kunt doen.'

'Daar heb je gelijk in, we kunnen niets doen als je ons niets vertelt,' zei Michelle.

'Kunnen we nu naar de auto gaan?' zei Sean. 'Anders is de enige plek waar we heen gaan het ziekenhuis om onze longontsteking te laten behandelen. Als we niet eerst door de bliksem worden geraakt,' voegde hij eraan toe na een nieuwe bliksemflits die werd gevolgd door een oorverdovende donderslag.

Ze liepen terug naar de plek waar Sean de Land Cruiser had geparkeerd. Achterin lagen een paar dekens. Michelle pakte er drie en gaf een ervan aan Tyler, die hem om zijn schouders sloeg. Ze gaf een andere aan Sean en sloeg zelf de derde om haar schouders.

'Bedankt,' mompelde Tyler.

Hij stapte achterin en Michelle ging naast hem zitten.

Sean reed. 'Waar gaan we naartoe?' vroeg hij.

Dat vertelde Tyler hem.

'En hoe komen we daar?' vroeg Sean. 'Ik ben hier niet bekend.'

Tyler vertelde hem welke afslagen hij moest nemen. Daarna reden ze een straat in met een paar oudere huizen aan het eind van een doodlopend stuk.

'Welk huis?' vroeg Sean.

Tyler wees naar een huis aan de rechterkant. Alle lampen waren aan.

Michelle en Sean keken elkaar aan. Op de oprit stond een donkergrijze Ford met een kenteken van het Amerikaanse leger. Toen ze de oprit opreden, kwamen er een vrouw en twee geüniformeerde legerofficieren de overdekte veranda op.

'Waarom zijn zij hier?' vroeg ze aan Tyler.

'Om te vertellen dat mijn vader in Afghanistan is gesneuveld,' zei Tyler.

# 5

De vrouw haastte zich door de regen naar hen toe toen Sean, Michelle en Tyler uit de wagen stapten. Ze gleed uit op een van de betonnen traptreden, maar herstelde zich snel en rende over het kleine, doorweekte grasveldje. Met elke ademhaling kwam er een wolkje condens uit haar mond.

'Tyler,' riep ze. Ze was klein, ongeveer één meter zestig, en heel tenger, maar toch omhelsde ze Tyler met zoveel kracht dat het leek alsof ze hem fijnkneep. 'Goddank, je bent oké,' zei ze. 'Goddank.'

Sean en Michelle zagen dat Tyler geen enkele emotie toonde. Even later duwde hij haar van zich af. 'Hou toch op,' zei hij. 'Je hoeft niet langer net te doen alsof. Hij is dood.'

Ze bleef staan, drijfnat van de regen, terwijl de mascara over haar wangen liep. Daarna gaf ze hem een klap. 'Verdomme, Tyler Wingo, je hebt me de stuipen op het lijf gejaagd!'

Michelle ging voor haar staan. 'Oké, hier schiet dus niemand iets mee op.'

'Wie zijn jullie?' wilde de vrouw weten.

Sean zei: 'Gewoon een paar mensen die uw zoon zagen lopen en hem veilig naar huis hebben gebracht. Dat is alles. Nu gaan we weer weg.'

De twee soldaten op de veranda hadden hun beste uniform aan en een stugge uitdrukking op hun gezicht. Een van hen was een Case Notification Officer die de ondankbare taak had naaste verwanten te vertellen dat hun familielid gesneuveld was. De andere was een legerpredikant die de taak had om de verwanten bij te staan tijdens deze moeilijke periode.

Michelle legde haar arm op Tylers schouder. 'Gaat het?'

Hij knikte zwijgend en keek naar de twee mannen op de veranda met een blik alsof ze buitenaardse wezens waren die hem kwamen halen.

Michelle haalde een visitekaartje uit haar zak en gaf dat aan hem. 'Als je iets nodig hebt, moet je ons bellen, oké?'

Tyler zei niets, maar stopte het kaartje in de zak van zijn jeans en liep naar de veranda.

De vrouw zei: 'Ik wilde hem helemaal niet slaan. Ik was alleen zo bezorgd. Dank jullie wel dat jullie hem thuis hebben gebracht.'

Sean stak zijn hand uit. 'Ik ben Sean King. Dit is Michelle Maxwell. Gecondoleerd met uw verlies. Dit soort dingen zijn nooit makkelijk, vooral niet voor kinderen.'

'Het is voor ons allemaal niet makkelijk,' zei de vrouw. 'Ik heet trouwens Jean Wingo. Tyler is mijn stiefzoon.'

Sean wilde de Duitse Mauser uit zijn zak halen, maar Michelle hield hem met een blik tegen en zei: 'We vinden het heel erg voor u, mevrouw Wingo. Tyler lijkt een goeie jongen. Als we iets voor u kunnen doen, moet u het ons laten weten.'

'Dank u wel, maar het leger zal ons wel helpen. Zij hebben een zorgprogramma voor de familie waar deze soldaten ons net over vertelden. Morgen nemen zij contact met ons op.'

'Dat is mooi,' zei Sean. 'Ik ben ervan overtuigd dat ze een grote steun voor u zullen zijn op dit moment.'

'Hoe lang is Tyler eigenlijk weg geweest?' vroeg Michelle.

Jean zei: 'Hij is een uur of twee geleden het huis uit gerend. Ik had geen idee waar hij was. Ik was erg ongerust.'

'Dat begrijp ik,' zei Michelle en ze keek fronsend naar Tyler, die op de veranda naar hen stond te kijken. De twee soldaten probeerden met hem te praten, maar het was wel duidelijk dat hij niet naar hen luisterde.

'Nogmaals, we vinden het heel erg,' zei Sean. Tegen Michelle zei hij: 'Zullen we gaan? Ik weet zeker dat de officieren en de Wingo's heel veel te bespreken hebben.'

Michelle knikte, maar bleef naar Tyler kijken. Ze liet hem een van haar visitekaartjes zien, als een herinnering. Daarna stapten zij en Sean in de Land Cruiser en reden weg.

In de achteruitkijkspiegel zag Michelle dat de Wingo's en de soldaten langzaam het huis binnenliepen. Terwijl Sean sneller ging rijden, verschoof zij voorzichtig in haar stoel.

Sean zag dat ze het moeilijk had. 'Een beetje beurs? Dat is je eigen schuld. Tijdens een onweersbui achter een tiener aan rennen! Je hebt waarschijnlijk elke spier in je lichaam verrekt. Mijn knieën doen al verschrikkelijk veel pijn, en ik heb niet half zo hard gerend als jij.'

'KIA,' zei Michelle.

'*Killed in action*,' zei Sean. 'Gesneuveld op het slagveld. Het is vreselijk. Iedere dode, Amerikaanse soldaat is er eentje te veel, vind ik.'

'Tyler en zijn stiefmoeder kunnen volgens mij niet met elkaar opschieten.'

'Alleen maar omdat ze hem een klap gaf? Hij was ervandoor gegaan. En zoals ze al zei, ze was doodongerust. Ze reageerde overdreven. Dit is het ergste wat een gezin kan overkomen, Michelle. Je moet het haar maar vergeven.'

'Inderdaad, ze was doodongerust. Maar Tyler is twee uur weg geweest en toch was ze niet eens nat toen ze het huis uitkwam om hem te slaan. Als het mijn kind was, zou ik achter hem aan zijn gerend. Hij is er niet met de auto vandoor gegaan. Hij was lopend. Kon ze dan niet achter hem aan gaan? Waarom niet, was ze bang voor een beetje regen?'

Sean wilde iets zeggen, maar hij bedacht zich. Na een tijdje zei hij: 'Ik weet het niet. Die soldaten waren ook niet nat. Maar misschien is het hun werk niet om achter kinderen aan te gaan. Wij waren er niet bij. We weten niet hoe het is gegaan. Misschien is ze hem in de auto achternagegaan.'

'Dan zou ze ook nat zijn geweest. Ze hebben geen garage. Zelfs geen carport. En weet je nog wat Tyler zei? Nadat hij haar had weggeduwd, zei hij dat ze wel kon ophouden met net doen alsof, nu zijn vader dood was. Ophouden met net doen alsof ze wat? Alsof ze van Tylers vader hield?'

'Misschien wel, misschien niet. Maar daar hebben wij niets mee te maken.'

'En waarom heeft Tyler juist dat pistool van zijn vader meegenomen?'

'Ik zei toch dat het onze zaak niet is. Snap je dat soms niet?'

'Ik hou niet van dingen die onverklaarbaar zijn.'

'Luister, we weten helemaal niets van hem af. Misschien had dat pistool een bepaalde betekenis voor Tyler. Misschien was die knaap zo van slag door wat hij had gehoord dat hij gewoon het eerste pakte wat hij zag en ervandoor ging. En waarom praten we hier eigenlijk over? Hij is weer thuis waar hij hoort.' Sean keek naar zijn riem. 'Shit, ik heb zijn pistool nog steeds. Ik wilde het net teruggeven toen jij me zo vals aankeek. Waarom deed je dat eigenlijk?'

'Omdat we nu een reden hebben om terug te gaan, bij voorkeur morgen.'

'Teruggaan? Waarom?' riep hij uit.

'Ik wil meer te weten komen.'

'We hebben die knaap gevonden en thuisgebracht. Ons werk zit erop.'

'Ben je dan niet een heel klein beetje nieuwsgierig?'

'Nee. Waarom zou ik?'

'Ik zag hoe hij naar zijn stiefmoeder keek. Ik hoorde wat hij zei. Ik zag helemaal geen liefde.'

'Zo is het leven. Iedereen heeft een verstoord gezinsleven. Alleen de mate waarin verschilt. Maar dat betekent niet dat ik midden in die traumatische situatie wil springen waar zij zich nu in bevinden. Op dit moment hebben ze behoefte aan de steun van hun familie en vrienden.'

'Wij zouden Tylers vrienden kunnen zijn.'

'Zeg, waarom doe je dit in vredesnaam?'

'Wat doe ik?'

'Je bemoeien met het leven van mensen die we niet eens kennen?'

'Dat doen we toch altijd, als onderdeel van ons werk?'

'Ja, ons wérk! Niet met zoiets. Dit is geen zaak, dus ga er ook niet zo mee om. Niemand heeft ons ingehuurd, Michelle. En dus bemoeien we ons er niet mee.'

'Ik heb het gevoel dat ik Tyler ken, of in elk geval dat ik weet wat hij doormaakt.'

'Hoe dan? Je vader leeft nog...' Sean zweeg.

Michelles vader leefde inderdaad nog, maar haar moeder niet. Zij was vermoord. En Michelle had in eerste instantie haar vader verdacht van die moord. En dat had er uiteindelijk toe geleid dat ze een probleem had met een herinnering uit haar jeugd die tijdens haar hele volwassen leven aan haar was blijven vreten.

Een vriend van Sean, een psycholoog, had ten slotte tot haar kunnen doordringen en was in haar verleden gaan graven. Met zijn hulp had Michelle uiteindelijk haar evenwicht hervonden, hoewel dat niet gemakkelijk was geweest. En Sean wilde niet dat zij ooit weer iets dergelijks zou moeten meemaken. Die messteek zou uiteindelijk genezen, maar de emotionele littekens die ze had opgelopen, zouden blijven. Het gewicht van elk daarvan was immens, hij wist niet hoeveel ze nog kon verdragen zonder te worden vermorzeld.

Sean tikte op het stuur in het ritme van de regen op het dak van de wagen. Hij keek naar Michelle, die er erg verloren uitzag. En hij had het gevoel dat hij haar weer kwijtraakte, net nu hij haar weer terug had gekregen.

'Natuurlijk kunnen we dat pistool wel terugbrengen,' zei Sean zacht. Hij veegde wat natte haren uit zijn gezicht. 'Dat kunnen we morgen wel doen; hopelijk regent het dan niet.'

'Dank je wel,' zei Michelle, zonder hem aan te kijken.

Ze reden naar Michelles appartement waar Sean zijn auto had achtergelaten, een Lexus-cabriolet met hardtop. In de overdekte garage stapten ze uit.

Sean gaf haar de sleutels en vroeg: 'Red je het wel, vannacht?'

'Na een lekker warm bad ben ik weer in orde. Jij zou ijs op je knieën moeten doen.'

'Oud worden is balen.'

'Je bent niet oud.'

'Maar al wel bijna.' Hij speelde met zijn eigen sleutels. 'Je zou morgen moeten gaan roeien op de Potomac. Daar knap je altijd van op.'

'Sean, hou op je druk te maken. Ik word echt niet weer gek.'

'Je bent nooit gek geweest,' zei hij vol medeleven.

'Maar wel bijna,' antwoordde ze.

'Wil je gezelschap vannacht?' vroeg hij.

'Nee, vannacht niet. Maar bedankt voor het aanbod.'

'Ik ben ervan overtuigd dat er niets aan de hand is met Tyler Wingo.'

'Je hebt waarschijnlijk gelijk.'

'Maar we brengen dat pistool terug en dan zien we wel.'

'Bedankt dat je aardig voor me probeert te zijn.'

'Ik probeer niet aardig voor je te zijn. Ik ben diplomatiek.'

'Dan bedankt voor je diplomatie.' Ze liep naar de lift die haar naar haar appartement zou brengen.

Sean keek haar na tot ze veilig in de lift stond, hoewel dat helemaal niet hoefde. Hij had gezien hoe ze vijf mannen tegelijkertijd uitschakelde zonder dat het zweet haar zelfs maar uitbrak. Toch hield hij haar in de gaten. Toch maakte hij zich zorgen om haar. Hij nam aan dat dat normaal was als je iemands partner was.

Hij liep naar zijn auto, stapte in en reed weg, langzaam, met een veilige snelheid.

# 6

Sam Wingo keek naar de wegenkaart.

Ten eerste was hij zijn lading en bijna zijn leven kwijtgeraakt. Ten tweede stond de pick-uptruck die hij had meegenomen nu zonder benzine, midden in Afghanistan, niet bepaald een plek waar je met een lege tank wilt komen te staan.

Daarna had hij niet veel keus gehad. In het noorden lagen drie van de stan-landen, in het westen lag Iran en in het oosten en zuiden Pakistan. Geen van die landen vormde een ideale ontsnappingsroute. Als Amerikaan kon je misschien beter in een van de stans zijn dan in Iran of zelfs in Pakistan. Maar Wingo wist heel goed waar hij uiteindelijk naartoe wilde: naar India. Dus was het zinloos om door een van de stans en via China naar India te gaan. Dat was gewoon te ver.

Nadat hij zonder brandstof was komen te staan, had hij een man aangehouden die een reservekameel bij zich had. Hij had hem in de lokale valuta veel meer geld betaald dan de man waarschijnlijk ooit eerder had gezien. Daarna had Wingo het dier over een stuk van het meest woeste terrein van het land gejaagd, in de brandende zon, zodat elk stukje blote huid rood en droog was geworden.

In de vroege ochtenduren bereikte hij de buitenwijken van Kaboel. En eindelijk had hij bereik met zijn mobiele telefoon. Onderweg had hij zijn telefoon uitgeschakeld om de batterij te sparen. De kameel had immers geen stopcontact.

Hij belde zijn superieur op, kolonel Leon South.

'Wat is daar in vredesnaam gebeurd?' vroeg South.

'Ik hoopte dat u me dat kon vertellen,' zei Wingo.

'Waar zit je?'

'Ik ben in een hinderlaag gelopen. Twaalf tegen één.'

'Waar zit je, Sam?'

Wingo vond het niet prettig dat de man die vraag al twee keer had gesteld. Wingo vroeg: 'Waar zit u?'

'Dit is een regelrechte ramp!' snauwde South.

'Ik kon niets beginnen. Zoals ik al zei, was het twaalf tegen één. En hun aanvoerder had een legitimatie van de CIA. Die zag er heel echt uit, maar toch geloofde ik hun verhaal niet.'

'Onzin.'

'Tim Simons. Hij zei dat hij uit Nebraska kwam. Controleer dat maar.'

'Ik controleer helemaal niets voordat jij je hier hebt gemeld.'

'Ik kon er niets tegen beginnen, meneer.'

'Je had een fail-safe, Wingo. Maar omdat je nu met me praat, denk ik dat je die niet hebt geactiveerd ook al had je de opdracht die te gebruiken als er iets fout ging. Als je je afvroeg wie ze waren, waarom ben je dan nog in leven?'

'Op die legitimatie stond CIA. Zelfs al was ik sceptisch, toch wilde ik niet het risico lopen onze eigen jongens op te blazen.'

'Dat kan me niets schelen, ook al stond er op die legitimatie dat hij Jezus Christus was. Realiseer jij je eigenlijk wel wat je hebt gedaan?'

'Ja, dat is wel bij me opgekomen.'

'Waar is de bestelbus?'

'Dat weet ik niet.'

'En de lading?'

'In de bestelbus, voor zover ik weet.'

'Dit is niet goed, Wingo, helemaal niet goed.'

'Ja, ook dat is wel bij me opgekomen.'

'Als jij iets met die lading hebt gedaan...' begon South.

Maar Wingo viel hem in de rede. 'Als ik die had gestolen, denkt u dan echt dat ik de tijd zou nemen u te bellen?'

'Wel als je je zou willen indekken.'

'Met die lading, waarom zou ik dat doen?'

'Zou het je niet kunnen zeggen. Ik denk niet als een crimineel of een verrader.'

'Wat ik allebei niet ben.'

'Dat is goed om te horen. Geen probleem dus. Maar je moet je echt hier melden.'

'Niet voordat ik meer weet.'

'We hebben je speciaal voor deze missie uitgezocht. We hebben alle voorbereidingen getroffen, god weet hoeveel tijd en geld geïnvesteerd, meer risico's genomen dan we hadden moeten doen en nu is alles naar de kloten. Ik wist wel dat we nooit één man in zijn eentje op pad hadden moeten sturen. De verleiding was gewoon te groot.'

'Ik ben nooit in de verleiding gekomen.'

'Ja hoor, er dwaalden gewoon een paar kerels midden in dat verdomde Afghanistan rond en heel toevallig hebben ze jou bestolen.'

'Ik zou worden opgewacht door een paar vrijheidsstrijders, niet door de CIA.'

'Ze waren niet van de CIA!' schreeuwde South.

'En dat weet u zeker?' snauwde Wingo.

South haalde moeizaam adem, maar de kolonel gaf geen antwoord.

'Ze waren daar. Ze wisten wat er in de bestelbus zat. Hun legitimatie leek echt. Deze man, die Simons, zei dat het plan was veranderd.'

'Het plan was niet veranderd. Als dat zo was, had ik dat wel geweten.'

'Ik verzin deze bullshit niet, meneer. Dit is wat er is gebeurd.'

South zei een tijdje niets. 'Oké, geef me een beschrijving van die vent. En van al die kerels die bij hem waren.'

Dat deed Wingo. Dat was eenvoudig genoeg. Hij was getraind om dat soort details te onthouden. En trouwens, als iemand een pistool in je gezicht duwt, vergeet je niet hoe hij eruitziet, want dat kan zomaar het laatste gezicht zijn dat je ooit zult zien.

'Ik zal zien wat ik kan achterhalen, Wingo. Maar het feit dat je daar nog bent, is voor veel mensen die ertoe doen hier het bewijs dat je schuldig bent.'

'Wat is er gebeurd met de mensen die ik daar zou treffen?'

'Zij waren op de ontmoetingsplek.'

'Nee, dat waren ze niet.'

'Laat ik het nog preciezer formuleren: ze zijn gevonden in ondiepe graven achter het gebouw op de ontmoetingsplek.'

Wingo hapte naar adem. 'Dan heeft de CIA hen vermoord!'

'Of misschien heb jij dat gedaan.'

'Meneer...'

'Heb jij hen vermoord?' brulde South.

'Nee,' snauwde Wingo. 'Als die mannen niet van de CIA waren en het plan niet was veranderd, dan waren ze ingeseind. En dat betekent verdomme dat we ergens een lek hebben.'

'Luister, Wingo, jouw aandeel in deze klus is voorbij. Je moet je hier melden, je debriefing geven en dan zien we wel verder.'

'Ik moet dit in orde maken,' zei Wingo.

'Wat jij moet doen is je hier melden, soldaat!'

'Waarom, zodat u me ergens in een gevangenis kunt stoppen? Zo te horen bent u behoorlijk overtuigd van mijn schuld.'

'Het is niet echt belangrijk of je wel of niet schuldig bent. Jij hebt je missie goed verknald en directe orders naast je neergelegd. Hoe je het ook wendt of keert, je zult een hele tijd achter slot en grendel zitten.'

Toen hij dit hoorde, leunde Wingo met zijn hoofd tegen de muur van

31

het gebouw waar hij naast stond. De moed zakte hem in de schoenen, die daar stevig in de Afghaanse modder stonden.

*De rest van mijn leven in de militaire gevangenis?*

'Ik wil dat u contact opneemt met mijn zoon en hem vertelt dat het goed met me gaat,' zei Wingo. 'Ik wil niet dat hij zich zorgen maakt.'

Wingo hoorde dat South zijn keel schraapte. 'Dat is onmogelijk,' zei South.

'Waarom? Hij heeft te horen gekregen dat ik MIA, *missing in action*, was. Vertel hem gewoon dat ik ben gevonden. Ik wil niet dat hij zich zorgen om me maakt.'

'Hij denkt niet dat je vermist bent.' South zweeg even. 'Hem is verteld dat je KIA was.'

Even zei Wingo niets. 'Waar hébt u het in vredesnaam over?' fluisterde hij geschrokken.

'De kans was heel groot dat je niet levend terug zou komen, Wingo.'

'Ik ben nog niet dood.'

'Het is al gebeurd. Het kan niet ongedaan worden gemaakt zonder deze missie grote schade toe te brengen. Nog grotere schade,' voegde hij eraan toe.

'Ik kan het niet geloven. Mijn zoon denkt dat ik dood ben? Wie heeft daar toestemming voor gegeven?' brulde Wingo.

'Daar kun je alleen jezelf maar de schuld van geven. Wij dachten dat je dood was. Je hebt geen verslag uitgebracht.'

'Ik kon geen verslag uitbrengen. Dat was onmogelijk, tot nu.'

'Nou, je hebt veel meer om je druk over te maken dan dat, soldaat,' zei South. 'Ben je nog steeds in dat land? Ik kan wel een helikopter of een Humvee sturen, afhankelijk van waar je bent.'

'Ik ben niet in het land,' loog Wingo; zijn hoofd tolde.

South zei langzaam en met veel nadruk: 'Vertel me precies waar je bent en dan stuur ik wat mensen om je op te pikken.'

'Dat denk ik niet, meneer.'

'Wingo!'

'De volgende keer dat ik bel, zou ik graag een paar echte antwoorden willen, in plaats van deze bullshit. En als mijn zoon hierdoor iets overkomt, wat dan ook, dan hou ik u daar persoonlijk verantwoordelijk voor.'

'Wingo!'

Maar Wingo had de verbinding al verbroken. En daarna zette hij zijn telefoon uit. Hij had de gps-chip die erin zat al onklaar gemaakt. Hij wist dat South in Kaboel gestationeerd was, zodat de goede kolonel met de auto waarschijnlijk al binnen een kwartier bij hem kon zijn. Maar Wingo was niet van plan om in de buurt van Kaboel te blijven rondhangen. Of in Afghanistan.

Hij begon te lopen. Uit alles wat South had gezegd en uit alles wat ongezegd was gebleven, begreep Wingo dat ze hem de schuld van dit alles in de schoenen zouden schuiven.

Hij voelde zich alsof er een stuk of tien AR 15-kogels in zijn lichaam drongen, bij de gedachte dat zijn zoon Tyler dacht dat zijn vader dood was.

Hij trok de banden van zijn rugzak strakker en versnelde zijn pas. In deze rugzak zat alles wat hij bezat. Maar South wist welke identiteitsbewijzen hij had gekregen en dat betekende dat hij die niet kon gebruiken, want anders zou hij binnen de kortste keren voor de krijgsraad worden gesleept. Hij moest zorgen dat hij Afghanistan uit kwam en via Pakistan naar India gaan. Hij kon zich verbergen in New Delhi of Mumbai, en daarna plannen maken. Dat zou hem ook de tijd geven om zijn uiterlijk te veranderen en een nieuwe identiteit aan te nemen, want hij was niet van plan in India te blijven. Zijn uiteindelijke bestemming was zijn huis. Hij wilde dit op de een of andere manier rechtbreien.

Hij keek naar zijn telefoon en zette hem aan. Moest hij zijn zoon bellen? Hij aarzelde, probeerde te bedenken wat de gevolgen hiervan konden zijn. Ten slotte vond hij een tussenoplossing. Hij typte een zorgvuldig geformuleerde mail en drukte op Verzenden.

Daarna liep hij snel door.

Duizenden kilometers bij hem vandaan zoemde Tyler Wingo's telefoon. Iemand pakte de telefoon. En daarna zou niets meer hetzelfde zijn.

# 7

De roeispanen kliefden scherp door het donkere water.

Het regende niet meer en het was onbewolkt. De wind die het slechte weer had meegebracht, was uit het zuidwesten gekomen, en het was nog steeds zo koud dat je adem condenseerde.

Michelle bewoog de riemen met een soepele beweging die ze had aangeleerd tijdens vele jaren van varen in smalle bootjes met een diepgang van amper dertig centimeter. Ze hoefde niet eens na te denken bij wat ze aan het doen was. Het enige wat ze hoefde te doen was trekken en terug, trekken en terug, in een compleet rechte lijn omdat elke afwijking kostbare seconden kost. Elke spier in haar lichaam was daar op een bepaald moment bij betrokken, vooral haar ruggenwervel en onderlichaam waar het lichaam het sterkst is.

De enige boot op de Potomac was een politieboot die langzaam in zuidelijke richting naar de Memorial Bridge voer. Michelle ging de andere kant op en voer recht naar de oude boothuizen die aan de oever bij Georgetown lagen.

Sean zat op de motorkap van zijn Lexus en zag dat zijn partner systematisch terugroeide naar haar beginpunt. Hij vond het fijn dat ze zijn raad had opgevolgd en haar lichte roeiboot te water had gelaten. Daar vond ze rust, wist hij; een van de weinige plaatsen waar ze die zou kunnen vinden. Hij nam slechts één keer zijn blik van haar af, toen een groep meeuwen opvloog, rondzwermde, zich liet vallen en weer opvloog.

Dat was echte vrijheid, dacht Sean. Leek hem heerlijk.

Weer keek hij naar zijn partner. Ze waren één keer met elkaar naar bed geweest, en daarna nooit weer. Hij had zich afgevraagd waarom niet. Ach, daar waren veel uiteenlopende redenen voor. De seks was fantastisch geweest, maar de volgende ochtend verwarrend, hoewel ze er allebei schuldig aan waren dat ze die heilige grens hadden overschreden en een perfecte samenwerking hadden geruïneerd.

Ze stopte bij de helling van een van de geel-groene boothuizen. Sean liet zich van de motorkap glijden en liep naar haar toe om haar te helpen. Ze droeg een donkerblauwe eendelige outfit van lycra zodat ze zich gemakkelijk kon bewegen. Hierdoor kon hij zien dat ze geen grammetje vet te veel had, maar het maakte ook duidelijk dat ze heel mager was.

Samen bonden ze de roeiboot op het dak van haar Land Cruiser en Michelle stak de roeispanen door het open raam van de achterklep van de wagen; ze waren zo lang dat ze de stoelen voorin raakten.

Sean keek in haar auto. Die lag vol troep; allemaal dingen die ze al heel lang geleden had moeten weggooien.

Ze zag hem kijken en zei: 'Niets zeggen. Ik ruim het wel een keer op.'

'Tuurlijk. Als je niet langer bij het stuur kunt?'

'Dat is erg grappig, Sean. En jij beweert altijd dat je geen ochtendmens bent.'

Sean pakte twee bekers koffie uit zijn auto en gaf haar er eentje. Ze nam een slok.

'Je zag er goed uit op het water,' zei hij.

'Op die onzin zit ik dus echt niet te wachten.'

'Wat bedoel je?'

Ze rekte haar schouder uit tot ze een knakje hoorde. 'Ik ben langzamer dan ooit. Op dit moment zou ik niet eens een plaats in een highschool-team kunnen veroveren.'

'We worden allemaal oud.'

'Niet allemaal. Tylers vader niet.'

Sean dronk zijn koffie op en keek naar het water. 'We trekken ons officieel terug uit Afghanistan, maar we hebben nog steeds doden. Waarvoor sterven die dan?'

'Die vraag kun je in zo ongeveer elke oorlog stellen.'

'Ik had niet gezien dat er geen trekker op die Mauser zat,' bekende hij.

'Ik kon dat wapen waarschijnlijk beter zien dan jij. Hij liep aan mijn kant van de weg. Als we in Engeland hadden gereden, had jij het misschien gezien en ik niet.'

'Je kunt nog altijd heel goed liegen.'

'Wel handig in ons werk.'

'Ik weet dat ik zei dat we ons weer met nieuwe zaken moesten bezighouden, maar misschien had ik het mis. Misschien zouden we wat geld moeten opnemen en ergens naartoe moeten gaan.'

Michelle keek hem onderzoekend aan. Ze leunde tegen de motorkap van haar auto en vroeg: 'Waarom heb je je opeens bedacht?'

'Omdat ik een spontaan mens ben.'

'Jouw idee van spontaniteit is super tanken in plaats van euro.'

'Je hebt nooit echt vrije tijd gehad, Michelle. Het was alleen maar ziekenhuis, operaties, revalidatie. Dat was hard werken. Je bent aan vakantie toe. We zijn allebei aan vakantie toe.'

'En je appeltje voor de dorst dan?'

'Eerlijk gezegd hebben we meer dan genoeg geld om er een tijdje tussenuit te gaan, en dan hebben we nog genoeg over. Ik stem voor een warme, zanderige plek waar ze drankjes met limoen en zout voor je neus zetten. Dan zie je mij in mijn zwembroek en ik jou in je bikini.'

'Waarom? Zodat iedereen mijn littekens kan zien?' vroeg ze op scherpe toon.

Seans gezicht betrok. 'Je weet heus wel dat ik het zo niet bedoelde.'

Haar blik werd minder hard. 'Dat weet ik,' zei ze zacht.

'Bovendien heb ik ook een paar littekens,' zei hij. 'En die heb je allemaal al gezien,' voegde hij er glimlachend aan toe.

'Een ervan is eigenlijk wel schattig.'

'Dus wil je tenminste eens overwegen of we er even tussenuit kunnen gaan?'

'Dat klinkt inderdaad aantrekkelijk.'

'En Tyler Wingo?'

'Ik denk dat ik me wilde bemoeien met iets wat me niet aangaat. Misschien kunnen we dat pistool als pakketpost naar hem sturen.'

'Kijk, dat klinkt beter. Ik zal weleens zien of ik een leuk reisje kan vinden en dan kunnen we dit binnen een paar dagen geregeld hebben. Ben je weleens in Nieuw-Zeeland geweest?'

'Nee.'

'Ik ben daar een keer naartoe geweest toen ik de vicepresident bewaakte en het woord paradijs voor dat land is een understatement. En het is daar nu zomer.'

Haar telefoon ging. Ze keek naar het scherm. 'Hou die gedachte even vast. Hallo? Ja, met Michelle Maxwell.'

Ze luisterde even en zei toen: 'Oké, ik begrijp het.' Ze luisterde nog zeker een minuut en zei toen: 'Dat kunnen we wel doen. Geef me het adres.'

Ze zag dat Sean gebaarde dat ze zich niet moest vastleggen, maar dat negeerde ze. Ze verbrak de verbinding en stopte de telefoon weer in haar waterdichte heuptasje.

'Wie was dat?' vroeg Sean.

'Tyler Wingo.'

'Wil hij zijn pistool zo graag terug?'

'Nee. Hij heeft het niet over dat pistool gehad.'

'Waar dan wel over?'

'Hij wil ons inhuren.'

Sean keek haar verbaasd aan. 'Ons inhuren? Waarvoor?'

'Om uit te zoeken wat er met zijn vader is gebeurd.'

'We weten wat er met zijn vader is gebeurd. Hij is gesneuveld terwijl hij als soldaat in Afghanistan was. En we gaan niet naar Afghanistan om zijn dood te bevestigen, als hij dat soms wil. Het leger kan het prima zonder onze hulp stellen. En je zei zonet zelf dat je je bemoeide met zaken die je niet aangingen. Wij wilden in een vliegtuig naar Nieuw-Zeeland stappen.'

'Maar dat was voordat hij ons belde. Tyler wil ons spreken.'

Sean slaakte een diepe zucht. 'Waar, bij hem thuis?'

'Nee, voorlopig wil hij niet dat iemand anders het weet. Hij noemde niemand bij naam, maar ik begreep wel dat hij niet wil dat zijn stiefmoeder het weet.'

'Ten eerste is hij minderjarig en dus kan hij ons niet inhuren. Hij is niet gemachtigd een overeenkomst met ons te sluiten.'

Ze keek hem teleurgesteld aan. 'Dat is gewoon juridische rompslomp. Je bent geen advocaat meer, hoor!'

'Eens advocaat, altijd advocaat. En het is geen rompslomp. Op die manier krijgen we ons geld.'

'Ik weet zeker dat hij ons betaalt.'

'Ik ben blij dat jij daar zoveel vertrouwen in hebt. Maar ik ben niet van plan geld aan te nemen van een verdrietige tiener als er geen onderzoekswerk voor ons te doen is. Zijn vader is KIA. Dat is een uitgemaakte zaak. Het Pentagon is er heel goed in om een stoffelijk overschot te identificeren. En soldaten hebben een identiteitsplaatje om en ze hebben DNA-monsters van hen en zo. Als zij zeggen dat hij dood is, dan ís hij dood.'

'Ik weet niet of Tyler in twijfel trekt of zijn vader dood is. Er is een andere reden dat hij ons wil inhuren.'

'Wat?'

'Hij wil weten hoe zijn vader is gestorven.'

'Heeft het leger dat dan niet aan hem en zijn stiefmoeder verteld? Dat is een van de dingen die ze doen wanneer ze de naaste familie inlichten.'

'Kennelijk was Tyler niet tevreden met hun uitleg.'

'Dit is waanzin, Michelle. Die jongen denkt niet logisch na, dat is wel duidelijk.'

'Misschien is het inderdaad waanzin,' gaf ze toe. 'Maar er is iets voor te zeggen om een bedroefde tiener te helpen die zich in een bijzonder moeilijke situatie bevindt.'

'En jij denkt dat we dat kunnen?'

'Dat hebben we al heel vaak gedaan voor heel veel mensen; sommigen waren zelfs veel jonger dan Tyler.'

'Dat is zo,' zei Sean weifelend. 'Maar als hij ons niet thuis wil zien, waar dan wel?'

'Op zijn school.'

'Zijn school? Hij heeft net te horen gekregen dat zijn vader gisteren is gesneuveld en toch gaat hij vandaag naar school?'

'Dat vond ik ook wel gek. Maar ja, als hij en zijn stiefmoeder niet met elkaar kunnen opschieten, dan wil hij misschien liever niet bij haar zijn. En misschien denkt hij dat hij, als hij gewoon doorgaat met zijn leven, er dan misschien minder aan denkt dat hij zijn vader nooit meer zal terugzien.'

'Ach ja, iedereen gaat weer anders om met zijn verdriet,' zei Sean.

'Dat denk ik ook. En hij is nog maar een kind.'

'Hoe laat wil hij ons ontmoeten?'

'Hij is om kwart over drie vrij. Om halfvijf moet hij zwemmen. Tussendoor kan hij ons ontmoeten.'

Sean begon te grinniken.

Michelle haalde haar autosleutels uit haar heuptasje. 'Wat is er zo grappig?'

'O, ik was even bang dat we tijdens de pauze op het schoolplein een vertrouwelijke bespreking met een cliënt zouden moeten voeren.'

'Hij zit op de middelbare school, niet op de basisschool. En ze hebben geen pauzes meer tegenwoordig.'

'Neem me niet kwalijk. Maar ik snap gewoon niet waar dit toe moet leiden.'

'Nu kunnen we hem tenminste zijn pistool teruggeven, hoewel het misschien geen goed idee is om hem een wapen te overhandigen als hij zich op het terrein van de school bevindt. Misschien kunnen we ergens anders afspreken.'

'Welke middelbare school?' vroeg hij.

Ze vertelde het hem.

'Daar zijn we gisteravond langsgereden. Aan de overkant van de straat zijn een paar winkels met een Panera Café. Bel hem maar terug en zeg dat we hem daar wel ontmoeten.'

'Nee, ik bel hem niet, ik stuur wel een sms'je. Dat doen de jongeren van tegenwoordig.'

'Wat jij wilt.'

'Je bent niet enthousiast over deze zaak, hè?' vroeg ze.

'Dit is geen zaak,' antwoordde hij.

'Het is een potentiële zaak,' verbeterde ze hem. 'Afhankelijk van wat we te horen krijgen.'

'Je laat dit niet rusten, hè?'

'Ik weet niet waarom, Sean. Ik weet echt niet waarom dit me zo bezighoudt, maar het is wel zo. En ik moet dit doen. Oké?'

'Prima. Wie a zegt, moet ook b zeggen.'

'Nu klink je pas echt oud.'

'Onze nieuwe "cliënt" heeft zijn puberteit nauwelijks achter de rug: natuurlijk voel ik me oud.'

Ze kneep even in zijn schouder. 'Bedankt dat je me dit gunt.'

'Daar leef ik voor,' antwoordde hij. 'Maar je moet me één ding beloven. Als dit geen echte zaak is, en ik kan je nu al vertellen dat het dat niet is, dan moet je het laten rusten en gaan we op vakantie. Beloof me dat.'

'Dat beloof ik je. Als dit geen echte zaak is, gaan we naar Nieuw-Zeeland en trek ik een bikini aan. Maar dan moet jij een Speedo aantrekken.'

Hij zei: 'Dat zou niet bepaald bevorderlijk zijn voor het toerisme in Nieuw-Zeeland.'

Maar wat hij echt dacht, was: *ik ben gewoon heel blij dat ik niet hoef te treuren omdat ik jou ben kwijtgeraakt.*

# 8

Tyler ontmoette hen in het Panera Café tegenover zijn middelbare school. Hij droeg een schooluniform: een kakikleurige broek, een zwarte polotrui met het logo van de school en zwarte schoenen.

'Wil je koffie?' vroeg Michelle aan hem toen ze met z'n drieën naar binnen liepen.

'Ik neem gewoon wat water,' zei Tyler.

'Krijg je in het zwembad niet genoeg water binnen dan?' vroeg Sean een beetje gekscherend.

Tyler leek hem niet te horen en liep gewoon door.

Sean en Michelle namen een kop koffie, terwijl Tyler zijn eigen flesje water bestelde. Hij sloeg hun aanbod om dat voor hem te betalen af. Ze gingen aan een tafeltje achterin zitten. De enige andere mensen in het café waren studenten die een laptop bij zich hadden en twee moeders met jonge kinderen in een wandelwagen. Een knappe brunette, ongeveer even oud als Tyler, zwaaide naar hem. Hij zwaaide verlegen terug, waarna hij zich tot Sean en Michelle wendde.

'Ik wil jullie inhuren.'

Sean leunde achterover en sloeg zijn armen over elkaar. 'Dat zei Michelle al. Waarom?'

'Dat heb ik al tegen haar gezegd,' antwoordde Tyler. 'Om wat over mijn vader uit te zoeken.'

'En je zegt dat het leger je niet heeft verteld hoe hij is gestorven?'

'Nee, ze zeiden dat hij was doodgeschoten.'

'Oké. Dat is in Afghanistan gebeurd, toch?'

'Dat zeiden ze.'

'En jij gelooft dat niet?' vroeg Sean.

'Misschien wel. Ik bedoel, ik weet het niet.'

'Oké, maar we zijn niet in Afghanistan, Tyler. We hebben niet echt een manier om naar Afghanistan te gaan om over de schouder van het leger te kijken. Geen bevoegdheden. Geen bronnen. Niets.'

Tyler nam een slok water en nam er de tijd voor om te antwoorden. 'Maar jullie zijn privédetectives. Jullie hebben toch zeker wel mogelijkheden om dingen uit te zoeken? Ik bedoel, dat is toch wat jullie doen, of vergis ik me?'

'Ja, dat is zo,' zei Michelle en ze boog zich naar hem toe. Ze keek even naar Sean en zei toen tegen Tyler: 'Maar alles op zijn tijd. Hoe heet je vader?'

'Samuel, maar iedereen noemt hem Sam.'

'Wat heeft het leger je precies verteld over je vader?'

'Ze zeiden dat hij met zijn eenheid in Kandahar was. Dat hij op een avond op patrouille was en dat iemand hem heeft doodgeschoten.'

'Was die iemand van de taliban, Al Qaida, een overgelopen Afghaanse soldaat?' drong Sean aan.

'Ze zeiden dat ze dat niet wisten. Degene die hem doodschoot, is ontsnapt, zeiden ze, maar ze zijn nog steeds naar hem op zoek.'

Sean knikte langzaam. 'Dat soort dingen gebeurt helaas in een oorlog, Tyler. Ik ben er zeker van dat het leger alles zal doen om uit te zoeken wie je vader heeft omgebracht en ervoor zal zorgen dat hij wordt bestraft.'

'Wanneer komt zijn stoffelijk overschot aan op de luchtmachtbasis in Dover?' vroeg Michelle.

Tyler schudde zijn hoofd. 'Dat hebben ze niet gezegd.'

Michelle fronste. 'Maar het lichaam van iedere gesneuvelde soldaat komt via Dover het land binnen. Normaal gesproken laat het leger de familie daarnaartoe komen als het stoffelijk overschot aankomt. En dan kun je de begrafenis laten plaatsvinden op de Arlington National Cemetery. Alle soldaten die in de strijd zijn gesneuveld krijgen die eer.'

Sean keek haar verbaasd aan. 'Hoe weet je dat allemaal?'

'Ik heb gisteravond even wat informatie opgezocht.'

Sean fronste zijn wenkbrauwen en vroeg zachtjes: 'Voor of na je ontspannende bad?'

Tyler schudde zijn hoofd. 'Ze hebben het helemaal niet over Dover gehad.'

Sean zei: 'Nou, misschien vertellen ze je die details later wel. Je moeder...'

Tyler keek hem geprikkeld aan.

Sean zei: 'Sorry, je stiefmoeder zei dat het leger nog meer mensen langs zou sturen. Misschien hebben zij die informatie wel. Heb je hier al met haar over gepraat?'

'Nee. Ik ben vanochtend al vroeg naar school gegaan. Dan ligt zij altijd nog in bed,' voegde hij er afkeurend aan toe.

Sean nam hem aandachtig op. 'Het verbaast me dát je vandaag naar school bent geweest, Tyler. Zal wel moeilijk zijn geweest na gisteravond.'

Hij haalde zijn schouders op en mompelde iets, maar zo zacht dat Sean en Michelle het niet konden verstaan.

Sean zei: 'Nou, misschien moet je je stiefmoeder even bellen en het vragen. Doe het nu maar, wij wachten wel.'

In plaats van haar te bellen, typte Tyler een sms en verstuurde die.

Sean keek naar Michelle. Ze glimlachte een beetje en zei zonder geluid te maken: *wat zei ik je?*

'Ze antwoordt toch niet, in elk geval niet snel,' zei Tyler.

'Heeft ze haar telefoon niet bij zich?' vroeg Michelle.

'O, jawel, maar de sms was van mij en dus niet belangrijk.'

Michelle en Sean keken elkaar weer aan.

'Oké, ik zal het je maar recht op de man af vragen: hebben we hier te maken met het "gemene stiefmoeder"-syndroom?' vroeg Sean.

Tylers gezicht werd bijna even rood als zijn haar. 'Ik zeg helemaal niet dat ze gemeen is. Ze heeft gewoon geen idee. Ze is veel jonger dan mijn vader. Ik begrijp niet eens waarom hij met haar is getrouwd.'

'Wat is er met je moeder gebeurd?' vroeg Michelle vriendelijk.

Tyler peuterde aan het etiket van zijn waterflesje, trok het eraf en verscheurde de stukjes op het tafelblad. 'Ze werd ziek en ging dood. Vier jaar geleden.'

'Wat erg voor je,' zei Michelle.

'Hoe lang is het geleden dat je vader is hertrouwd?' vroeg Sean.

'Wat maakt dat nou uit?' snauwde Tyler. 'Ik wil gewoon weten wat er met hem is gebeurd! Dat andere gedoe is gewoon shit. Dat heeft nergens iets mee te maken.'

Hij had behoorlijk luid gepraat en de knappe brunette keek bezorgd hun kant op.

Tyler zag haar kijken, keek beschaamd en tuurde naar het hoopje papier voor zich.

Michelle legde een hand op zijn schouder. 'Ik weet dat dit heel moeilijk is, Tyler. Ik heb ook heel onverwacht een ouder verloren. Maar hoe meer Sean en ik weten, hoe meer ideeën we kunnen bedenken. Daarom stellen we je allerlei vragen die nu niet belangrijk lijken. In een zaak weet je nooit wat uiteindelijk wel of niet belangrijk is. Dat begrijp je toch wel?'

Tyler likte zijn gebarsten lippen en nam nog een slok water. 'Ze zijn ongeveer een jaar geleden getrouwd. Ze hebben geen echte bruiloft gevierd; ze zijn alleen naar het gemeentehuis gegaan of zo. Mijn vader wilde het me pas na afloop vertellen. Ik kende haar niet eens goed. Ze hadden nog niet heel lang een relatie en ze is zo'n vijftien jaar jonger dan hij. Het was vreemd.'

'Ik begrijp wel waarom dat alles lastig maakt,' zei Sean.

'Ja,' zei Tyler. 'Heel erg lastig.'

Michelle vroeg: 'Was je vader beroepssoldaat?'

Tyler schudde zijn hoofd. 'Hij heeft een tijd bij het leger gezeten maar ging toen bij de reserve. Toen werd hij opgeroepen. Hij was al twee keer eerder ingezet toen hij nog gewoon in het leger zat, maar toen kwam hij weer thuis. Ik dacht dat hij voorgoed thuis zou blijven, maar hij werd weer opgeroepen als reservist.'

Sean pakte een notitieblokje en begon een paar dingen op te schrijven. Michelle keek hem dankbaar aan.

'Hoe oud was je vader?' vroeg hij.

'Vijfenveertig.'

'Lastig om op die leeftijd weer ten strijde te trekken.'

'Waarschijnlijk wel, voor sommige mensen. Maar mijn vader is heel goed in vorm. Hij deed aan hardlopen, gewichtheffen en ook aan karate. En hij zwom ook vaak met mij mee. Op een bepaald moment kon hij me niet meer bijhouden, maar hij was veel beter dan veel andere mannen van zijn leeftijd. Hij heeft zelfs een paar triatlons gedaan.'

Sean zei: 'Ik betwijfel of ik één baantje in het zwembad zou kunnen trekken. Zo te horen was je vader een man van staal.'

'Ja, dat ís hij.' Tyler beet op zijn onderlip en kreeg vochtige ogen.

Sean vroeg snel: 'Wat deed hij voordat hij werd opgeroepen?'

'Uh, hij werkte bij DTI, een bedrijf in Reston. Hij was verkoper. Niet echt opwindend.'

'Welke rang had je vader?'

'Sergeant.'

'Weet je dat zeker?'

Tyler haalde een envelop uit zijn rugzak. 'Ik heb een paar dingen opgeschreven: zijn unit, wanneer hij werd ingezet, dat soort dingen.' Hij gaf hem aan Michelle.

Ze zei glimlachend: 'Heel slim van je. Ik wilde dat al onze cliënten zich zo goed voorbereidden.'

'Dus willen jullie dit voor me uitzoeken? Ik weet niet hoeveel jullie in rekening brengen, maar ik kan jullie betalen. Ik heb geld van een bankrekening die mijn vader voor me heeft geopend. En ik heb me deze zomer kapotgewerkt als strandwacht. Ik heb bijna duizend dollar gespaard.'

'Dat is geweldig, Tyler,' zei Michelle. 'Die details kunnen we later wel bespreken.'

'Dus je wilt alleen maar meer weten over de manier waarop hij is gestorven?' vroeg Sean.

'Uh, ja.'

'Weet je, Tyler, dat zal het leger je allemaal vertellen. Je hebt ons niet nodig. En ik wil je geld niet aannemen om informatie in te winnen die jij gratis kunt krijgen.'

Tyler wreef in zijn ogen en gaf geen antwoord.

Sean nam een slokje van zijn koffie en wachtte, hij besloot de stilte niet te verbreken. Hij keek Michelle aan en knikte in de richting van Tyler.

Michelle raakte Tylers arm even aan. 'Is er nog iets anders? Iets wat je ons niet hebt verteld en wat je dwarszit?'

Tyler begon iets te zeggen, maar haalde toen zijn schouders op en keek op zijn horloge. 'Ik moet ervandoor. We gaan met de bus naar het zwembad waar we altijd trainen. Ik mag niet te laat komen.'

'Welke slagen doe je?' vroeg Michelle.

'De vijftig meter vrije slag en de tweehonderd meter wisselslag. Ik ben niet erg goed, hoor. Ik bedoel, in ons team zitten jongens die veel beter zijn dan ik.' Toen vroeg hij: 'Zwem jij ook?'

Michelle zei: 'Ik geef er de voorkeur aan om boven water en droog te blijven.'

'Dus... jullie gaan voor me werken?' vroeg Tyler aarzelend.

Sean wilde iets zeggen, maar Michelle zei: 'We zullen wat inlichtingen inwinnen, verslag doen en dan praten we verder, oké?'

'Ja, oké,' zei Tyler een beetje teleurgesteld.

Hij stond op en liep slungelig naar buiten, met zijn rugzak aan zijn schouder hangend.

Sean keek naar Michelle. 'Hier klopt iets niet.'

'Blij dat je dat eindelijk inziet,' zei ze.

'Ik bedoel, die knaap was gisteravond één hoopje ellende. Rende buiten rond in een onweersbui met een pistool, gek van verdriet. En dan gaat hij naar school en zit hij hier met ons over de dood van zijn vader te praten alsof het een zakendeal is. Waar was alle emotie? Waar waren de tranen?'

'Meisjes huilen veel gemakkelijker dan jongens, Sean.'

'Dat geldt niet voor meisjes zoals jij.'

'Ik heb vier oudere broers. Ik ben nooit echt een meisje geweest.' Ze zweeg even en keek Tyler na. 'Maar ik snap wat je bedoelt.'

'Wat voor inlichtingen heb je in gedachten?' vroeg hij.

'Heb je nog contactpersonen in het Pentagon?'

'Een paar.'

Michelle hield de envelop omhoog. 'Nou, laten we maar eens naar deze aantekeningen kijken en dan zien wat we kunnen doen.'

'En als we alleen maar kunnen bevestigen wat het leger hem al heeft verteld?'

'Dan zal dat voldoende moeten zijn. Maar ik denk niet dat het zo zal gaan.'

'Waarom niet?'

'Die knaap houdt iets achter, Sean. Iets wat hem angst aanjaagt.'

'Er sneuvelen regelmatig soldaten, Michelle. En dan worden hun naaste verwanten op de hoogte gesteld. Dat is de standaardprocedure.'

'Nou, dit blijkt misschien de uitzondering op de regel. Maar er is nog iets,' zei ze.

'Wat?'

'Jij sprak steeds over zijn vader in de verleden tijd. Tyler antwoordde en sprak over zijn vader in de tegenwoordige tijd. Alsof hij nog steeds leeft.'

'Wishful thinking misschien?'

'Daar leek hij me niet het type voor.'

Sean zuchtte. 'Oké, we zullen doen wat we kunnen. Maar vergeet onze afspraak over Nieuw-Zeeland niet.'

'Wees maar niet bang. Ik heb vanochtend via internet al een Speedo voor je besteld.'

# 9

De volgende dag zat Sean, nadat hij de telefoon had neergelegd, naar zijn bureau te staren. Hij was alleen in het spartaans ingerichte kantoor van King & Maxwell, Privédetectives. Michelles bureau stond tegen zijn bureau aan. Zijn bureaublad was opgeruimd, alles lag op zijn plek en keurig in een rij. Hij keek fronsend naar Michelles bureau. Het was net alsof iemand er een doos vol troep op had uitgestort en alles daarna ook nog eens door elkaar had geveegd, zodat de troep nog meer verspreid was komen te liggen.

'Ik snap niet hoe ze ook maar íéts terug kan vinden,' mompelde hij somber.

'Heb je alweer een dwanggedachte over mijn bureau?'

Hij keek op. Michelle stond in de deuropening met twee koppen koffie en een opgevouwen krant.

'Ben ik zo doorzichtig?' vroeg hij onschuldig.

'Nog even en we maken elkaars zinnen af,' antwoordde ze. 'En wij zijn niet eens getrouwd.'

'Op een bepaalde manier zijn we meer getrouwd dan getrouwde stellen,' zei hij.

Ze gaf hem een van de bekers, legde de krant op haar bureau en ging tegenover hem zitten. 'En, heb je jouw contactpersonen in het Pentagon al bereikt?' vroeg ze.

Sean knikte. 'Heb er net een gesproken.'

'En?'

Sean leunde achterover in zijn stoel en keek naar zijn computerscherm. 'En wat volgens mij zo ongecompliceerd was, blijkt dat dus niet te zijn.'

Michelle nam een slokje van haar koffie en voelde dat er een rilling over haar rug liep. De weersverwachting voor vandaag was regen of misschien zelfs sneeuw als de temperatuur nog verder zakte, en het zag ernaar uit dat die weersvoorspelling elk moment kon uitkomen. 'Wat betekent dat?'

'Ik mailde hem de naam van Sam Wingo samen met de bijzonderheden die Tyler ons heeft gegeven over zijn eenheid, rang enzovoort. Ik dacht dat ik mijn contactpersoon maar wat tijd moest geven om dit uit te zoeken en dat hij, als ik hem zou bellen, alle antwoorden zou hebben.'

'Maar dat was niet zo?'

'Nee. Hij had helemaal geen antwoorden.'

'Zei hij ook waarom niet?'

'Hij deed het af met een opmerking over naaste verwanten, privacybeleid en dat soort dingen. Alleen vertelde ik hem dat de naaste verwanten al op de hoogte waren gebracht.'

'Wat zei hij daarop?'

'Alleen dat hij er niet verder op in kon gaan.'

'Kon of wilde hij dat niet?'

'Maakt dat iets uit?'

'Heeft hij dan tenminste bevestigd dat Sam Wingo dood is?'

'Nee, dat heeft hij niet gedaan.'

'Oké, dat is dus pas écht vreemd.'

'Het kan natuurlijk zijn dat ze geen zin hebben om informatie vrij te geven over een KIA, Michelle. Dat is een nogal gevoelige zaak en een delicate situatie. Ze willen er niet van worden beschuldigd dat ze aan zomaar iedereen informatie verstrekken.'

Michelle pakte de krant en sloeg een pagina in het eerste katern open. 'Ik weet niet zeker of dat een geldige reden is. Kijk maar eens.' Ze gaf de krant aan Sean.

Hij keek ernaar en zag foto's van gesneuvelde soldaten bij oorlogen in het Midden-Oosten.

Ze zei: 'Vierde rij, vijfde foto.'

Sean keek daar en las: 'Samuel Wingo, vijfenveertig jaar, Sergeant Eerste Klas, lid van een bataljon van de 82ste Divisie van Fort Bragg. Gesneuveld tijdens een vuurgevecht in de provincie Kandahar.'

'Dat is zo ongeveer alles wat Tyler ons heeft verteld,' zei Michelle.

'Je bedoelt alles wat ze hém hebben verteld,' zei Sean.

'Jij hebt hier ook je twijfels over?'

'Je moet hier niet te veel uit opmaken. Het kan nog steeds niets zijn.'

'Ze hebben zijn foto, zijn naam en zijn rang afgedrukt in de krant, samen met het feit dat hij dood is. Hoe vertrouwelijk kan dat zijn? En ondertussen wilden ze tegenover jou niet eens bevestigen dat hij dood is, terwijl alle lezers van *The Washington Post* weten dat hij dood is? Dat is toch niet logisch?'

'Op een bepaalde manier misschien niet,' zei hij. 'Maar je mag niet vergeten dat ze daar duizenden doden hebben gehad. Mijn contactpersoon wist misschien niet eens dat dit vandaag in de krant kwam. Het Pentagon is een vrij grote organisatie.'

'Oké, maar ik weet zeker dat Tyler iets voor ons achterhield.'

'Wat wil je nu doen?'

'We hebben tegen Tyler gezegd dat we het zouden controleren en dan verslag zouden uitbrengen. We hebben het gecontroleerd en nu gaan we verslag uitbrengen.'

'We hebben niets om hem te vertellen, Michelle. Tenzij je een hopeloze mislukking meetelt.'

'We moeten hem zover krijgen dat hij zijn mond opendoet. Misschien is het beter als ik alleen ga.'

'Naar zijn huis? Waar die gemene stiefmoeder is? Ze laat je misschien niet eens binnen.'

Michelle pakte haar mobieltje. 'Ik stuur hem een sms en spreek met hem af op dezelfde plek als vóór zijn zwemtraining.'

'Je bent dan wel alleen en helemaal op jezelf aangewezen, Michelle.'

'Het is een jongen die zijn vader is kwijtgeraakt. Hij heeft hulp nodig, Sean.'

'Ik zeg niet dat je het niet moet doen, maar dat je voorzichtig moet zijn.'

'Ik beschouw Tyler Wingo niet als een gevaarlijk persoon.'

'Ik heb het niet over hem.'

Ze keek naar buiten. 'Ze voorspellen sneeuw voor vandaag.'

'Nou lekker, de automobilisten in Washington hebben het al moeilijk genoeg als de zon schijnt.'

'Als ik bij Tyler ben, probeer jij dan nog een andere ingang bij het Pentagon?'

'Ik zal zien wat ik kan doen. Maar die jongens sluiten de gelederen meestal heel snel.' Hij keek afkeurend naar haar rommelige bureau. 'Toe nou, Michelle! Kun je niet iets aan die troep doen? Zelfs een symbolische actie zou ik al op prijs stellen.'

Met een brede glimlach trok ze een vel papier uit de stapel troep en ze liet hem in de prullenmand naast haar bureau vallen. 'Zo beter?'

'Het is een begin.'

Later die middag zette Michelle haar auto op de parkeerplaats naast het Panera Café, ze zette de motor uit en keek naar Tylers middelbare school aan de overkant. Het was een relatief nieuwe school, maar had waarschijnlijk nu al veel te veel leerlingen. Het leek wel alsof het district Washington de bevolkingsgroei niet kon bijhouden.

Ze haalde de pagina uit *The Washington Post* met de foto van Sam Wingo erop uit haar zak. Het was een knappe man, dacht ze. Op een ruige manier knap met een doordringende blik en een sterk gezicht, getekend door de jaren. Hij leek wel een beetje op Sean, vond ze. Vergeleken met hem waren de andere doden op de pagina dramatisch jong; zij hadden amper kans gehad op een leven en nu hadden ze geen enkele kans meer over.

Ze stopte de pagina weer in haar zak en keek op haar horloge. Precies om zestien minuten over drie zag ze dat Tyler Wingo uit een deur van het schoolgebouw kwam en naar haar toe liep.

De regen was overgegaan in lichte sneeuw en dus had Tyler zijn capuchon opgezet.

Ze stapte uit de wagen toen Tyler er langsliep. 'Hi,' zei ze.

Hij draaide zich om en zag haar. 'Waar is je partner?'

'Een paar andere aanwijzingen natrekken.'

Samen liepen ze het Panera binnen, waar het drukker was dan de vorige keer. Het moest een goudmijntje zijn, dacht Michelle: een eettentje met een redelijk uitgebreid menu tegenover een middelbare school met altijd hongerige tieners.

Deze keer namen ze allebei een flesje water.

Michelle nam er nog een muffin bij. 'Heb vandaag nog niet echt gegeten,' zei ze.

Ze gingen achterin aan een tafeltje zitten. Michelle draaide de dop van haar flesje, nam een slok en viel toen aan op haar muffin.

'En, wat hebben jullie ontdekt?' vroeg Tyler.

'Heb je de krant van vandaag al gezien?'

'Nee.'

'Sorry, ik neem aan dat tieners tegenwoordig geen gedrukte kranten meer lezen. Maar goed, er staat een foto in van je vader.' Ze haalde de pagina tevoorschijn en schoof die naar hem toe. 'Gewoon om zeker te weten dat hij het is.'

Tyler keek naar de pagina en snel weer weg. 'Dat is hem.'

'Vuurgevecht met zijn unit in Kandahar,' zei Michelle.

'Ja.'

'Hoi Tyler.'

Ze keken op.

Dit was dezelfde knappe brunette. Ze keek van Michelle naar Tyler en terug, en toen naar de krantenpagina. 'Het spijt me echt van je vader,' zei ze. Ze was amper één meter zestig, leuk om te zien en had zachte, bruine ogen.

'Dank je,' zei Tyler, zonder haar aan te kijken.

'Michelle Maxwell,' zei Michelle en ze stak haar hand uit.

Het meisje gaf haar een hand. 'Ik ben Kathleen Burnett, maar word Kathy genoemd.'

'Zit je bij Tyler in de klas?'

'Ja, inderdaad,' bemoeide Tyler zich ermee. 'We waren net iets aan het bespreken, Kathy,' zei Tyler, zichtbaar verlegen. 'Over mijn vader.'

'O, neem me niet kwalijk, Tyler. Ik spreek je nog wel.' Ze draaide zich om en liep snel weg.

Michelle keek haar na. 'Wat een leuke meid.'

'Hm.'

'Zijn jullie bevriend?'

'We zitten bij een paar vakken bij elkaar in de klas.'

'Ze was hier gisteren al eerder dan wij, al voordat jij meteen na schooltijd naar ons toe kwam. Hoe kan dat?'

'Kathy is echt heel slim. Heeft een paar klassen overgeslagen en zo. En ze heeft het laatste uur geen les.'

'Prettig als je slim bent. Maar zo te zien geeft ze om je.'

Tyler keek nu naar de pagina met foto's.

Michelle vouwde de pagina op en stopte hem weer in haar zak. 'Geeft ze om je, Tyler?'

Hij haalde zijn schouders op. 'Dat weet ik niet. Hoezo?'

'Het is goed als je mensen hebt die om je geven, dat is alles. Vooral in een periode zoals deze.'

'Wat hebben jullie ontdekt?'

'Niet meer dan je in de krant hebt kunnen lezen. Het Pentagon wil kennelijk niet over je vader praten. Ik vraag me af waarom niet?'

'Daar zullen ze hun redenen wel voor hebben.' Hij zweeg even. 'Hoeveel ben ik jullie nu schuldig?'

Michelle keek hem met een ondoorgrondelijke blik aan. 'Waarom heb ik nu het gevoel dat je de zaak wilt afronden?'

Tyler keek op. 'Wat?'

'Je hebt ons nog maar net ingehuurd en nu klinkt het alsof je ons wilt ontslaan.'

'Ik ontsla jullie niet.'

'Oké, dat is goed om te weten. Ik ben hiernaartoe gekomen om je iets te vragen, dus laat ik dat maar doen.' Ze boog zich naar hem toe. 'Wat verzwijg je voor ons?'

'Dat heb je me al een keer gevraagd.'

'En je hebt me geen antwoord gegeven. En weet je, ik ben iemand die als ik geen antwoord krijg, steeds maar blijft doorzeuren tot ik wel een antwoord krijg.'

'Ik heb jullie alles verteld.'

'Je stem zegt dat dit zo is, maar je gezicht zegt iets anders. Ik was een Secret Service-agent. Wij kunnen als geen ander gezichten lezen, Tyler.'

Meteen ontweek hij haar blik.

Ze leunde achterover en sloeg haar armen over elkaar. 'Oké. Wil je het zo doen?'

Tyler keek naar zijn handen.

'Je had me de trip hierheen kunnen besparen, weet je. Ik heb wel wat beters te doen,' zei Michelle.

Hij liet zijn adem langzaam ontsnappen. 'Het spijt me. Het is gewoon... Ik bedoel, ik denk dat ik gewoon stom was. Mijn vader is dood. Jullie kunnen niets doen om hem terug te brengen, toch?'

'Nee, Tyler, daar kunnen we niets aan veranderen,' zei Michelle zacht.

'En ik heb vannacht liggen denken. En... en ik denk...' Hij hield op met praten en zag er zo ellendig uit dat Michelle diep medelijden met hem kreeg.

'Tyler, als je wilt dat we ermee kappen, oké, dan doen we dat. Het is jouw beslissing. Maak je daar maar niet druk over. Zonder dat heb je al genoeg op je bordje.'

'Ik... Ik denk dat ik dat inderdaad wil. Ik bedoel dat jullie, weet je, ermee kappen, zoals jij het noemde.'

'Zeker weten?'

Hij knikte. 'Goed, hoeveel ben ik jullie schuldig? Ik heb wat contant geld meegenomen.'

'Intakegesprekken zijn gratis, dus hou je portemonnee maar in je zak.'

'Weet je dat zeker?'

'Weet jij het zeker?' vroeg ze snel.

Hij weigerde haar aan te kijken. 'Ik moet ervandoor.'

'Juist, zwemtraining.'

Hij stond op.

Michelle zei: 'O, we moeten dat pistool van je vader nog een keer terugbrengen. Dat wilde ik hier niet doen, omdat het niet zo'n goed idee is om met een pistool op school rond te lopen. We kunnen hem vanavond wel even naar je huis brengen. Ben je er dan?'

Tyler keek haar zenuwachtig aan. 'Uh, dat weet ik niet zeker. Misschien moet ik vanavond nog weg.'

'Geen probleem. Dan geven we hem wel aan je stiefmoeder. Vind je dat goed?'

51

Tyler draaide zich om en sloeg op de vlucht. Voordat hij zelfs maar bij de deur was, keek hij nog twee keer achterom naar Michelle. En die afstand was echt niet groot.

Michelle bleef nog even zitten en vroeg zich één ding af: *door wie was Tyler Wingo benaderd?*

# 10

Toen Michelle het Panera uit kwam, sneeuwde het veel harder.

Als agent van de Secret Service had ze jarenlang de fysieke wereld verdeeld in kleine vakjes als onderdeel van haar veiligheidsmatrix: ze was op elke mogelijke plek op zoek naar gevaren. Hoewel ze daar nu al een tijdje niet meer werkte, was ze dat instinctief wel blijven doen. En op dit moment trilden haar voelsprieten.

De parkeerplaats was halfvol, maar doordat het een ontzettend grote parkeerplaats was, stonden er nog altijd heel veel auto's. Toch was er één voertuig dat haar aandacht trok. Ze keek ernaar.

Overheidsnummerbord, een donker silhouet achter de ramen, motor uit en de chauffeur zat er al een tijdje, want de auto was bedekt met een laagje sneeuw. En niemand was in- of uitgestapt, want er stonden geen voetafdrukken omheen. Dit was een winkelcentrum waar de mensen even stopten, iets kochten en weer vertrokken.

Deze chauffeur had zijn auto geparkeerd, de motor afgezet en zat daar in de ijzige kou op iets te wachten. Of op iemand. *Misschien op mij.*

Ze liep naar haar auto, stapte in en startte de motor. Zonder dat het opviel, keek ze naar de regeringsauto. De inzittende had zich niet bewogen. Ze vroeg zich net af of ze zich misschien had vergist, toen de situatie opeens veranderde.

Het silhouet veranderde in een man met brede schouders, een kort legerkapsel, een lange, donkere overjas en zwarte standaardschoenen. Zijn legerrang was te zien op de mouwen van zijn overjas in de vorm van opgespelde balkjes.

Balkjes, geen sterren. Maar Michelle had ook niet verwacht dat ze een generaal op haar af zouden sturen.

Toen de man dichterbij kwam, liet ze haar raampje zakken. 'U zult het wel koud hebben gekregen door zo lang in de auto te zitten. Wilt u even instappen om warm te worden?'

Als antwoord liet hij haar zijn legitimatiebewijs zien.

'Kapitein Aubrey Jones, militaire politie,' las Michelle op zijn identiteitskaart. 'Wat kan ik voor u doen?'

Jones vroeg: 'U had een afspraak met Tyler Wingo?'

'Als u dat zegt.'

'Waarom?'

'Dat is vertrouwelijk.'

'Ik begrijp dat u privédetective bent?'

'Nogmaals, als u dat zegt. Maar als dat zo is en als ik een afspraak met hem had, dan begrijpt u natuurlijk wel dat ik u geen bijzonderheden kan geven.'

'Wingo is minderjarig. Hij kan uw cliënt niet zijn.'

'Integendeel hoor, dat kan wel,' antwoordde Michelle.

'Waarom zou hij een privédetective nodig hebben?'

'Daar kunnen allerlei redenen voor zijn. Waarom bent u daarin geïnteresseerd?'

'Hij is onlangs zijn vader verloren.'

'Daar ben ik me heel goed van bewust.'

'Hij is kwetsbaar en bang, en het leger wil niet dat daar misbruik van wordt gemaakt. Hebt u hem geld gevraagd?'

'Denkt u soms dat ik een rouwende tiener geld uit de zak probeer te kloppen?'

'Is dat zo?'

'Ja hoor, zo verdien ik de kost. Ik kijk in de krant welke soldaten zijn gesneuveld en dan maak ik een afspraak met hun door verdriet overmande kinderen zodat ik rijk kan worden door ieder kind een rekening van één dollar te sturen.' Ze zweeg even. 'Klinkt dat waarschijnlijk?'

'We weten dat u bij de Secret Service hebt gezeten, maar dat men u heeft gevraagd te vertrekken.'

'Eerlijk gezegd is me volledig eerherstel aangeboden, maar gaf ik er de voorkeur aan vrijwillig te vertrekken. En dat is oude koek.'

'U en uw partner zijn betrokken geweest bij enkele in het oog springende zaken. Seriemoordenaars, CIA, nationale veiligheid.'

'Hou maar op, straks ga ik nog blozen!'

Jones boog zich naar haar toe, zodat zijn hoofd en schouders de raamopening bijna vulden. 'Wij verzoeken u beleefd om bij de Wingo's uit de buurt te blijven. Ze maken nu een bijzonder moeilijke periode door. Zij hebben er helemaal geen behoefte aan om op deze manier te worden afgeleid.'

'Hoe weet u dat wij hierbij betrokken waren?' vroeg Michelle.

'Het leger heeft veel bronnen.'

'Doen jullie dit voor alle gezinnen van gesneuvelde militairen?'

'Nee, alleen voor diegenen die contact hebben met mensen zoals jullie.

Mensen die in een bijzonder tragische periode van hun leven misbruik van hen proberen te maken. Gelukkig zijn niet veel mensen zo diep gezonken.'

'Dat is uw mening, en voor alle duidelijkheid: u vergist zich,' zei Michelle gedecideerd.

'Zijn vader is KIA. Dat is hem verteld. Ik weet niet wat hij u heeft gevraagd te doen, maar wat het ook was, u had die opdracht niet mogen aannemen. Zoals ik het zie, hebben jullie gewoon misbruik gemaakt van een jongen die overmand is door verdriet. Misschien doen jullie dit om een paar centen te verdienen, om iemand een plezier te doen of omdat jullie medelijden met hem hebben. Ik weet het niet en het kan me niets schelen ook. Maar ik wil dat jullie dit gezin met rust laten, zodat ze gepast kunnen rouwen en deze periode achter zich kunnen laten.' Hij zweeg even en vroeg toen: 'Ben ik voldoende duidelijk geweest, mevrouw Maxwell?'

'Heel erg duidelijk, kapitein Jones.'

Hij draaide zich op zijn hakken om en liep terug naar zijn personenauto. Tien seconden later was hij verdwenen.

Michelle trommelde met haar vingers op het stuur van haar Land Cruiser en liet alles op zich inwerken. De militaire politie houdt de wacht. De militaire politie geeft een boodschap af: *blijf bij de Wingo's vandaan*. Ze hadden natuurlijk al met Tyler gepraat. Misschien luisterden ze zijn telefoon af, hadden ze de afspraak voor deze bespreking gezien en gingen ze meteen naar hem toe. Dat zou een verklaring kunnen zijn voor zijn plotselinge besluit haar en Sean te vragen om te kappen.

Ze belde Sean en vertelde hem wat er zojuist was gebeurd.

'Wat denk jij hiervan?' vroeg hij.

'Jones klonk oprecht, maar misschien hebben ze hem alleen maar verteld wat hij moest weten om de boodschap luid en duidelijk over te brengen.'

'Tja, als je dat optelt bij de muur rondom het Pentagon, begin ik dit toch wel verdacht te vinden. De vraag is nu: wat gaan we doen?'

'We moeten nog altijd die Duitse Mauser terugbrengen.'

'Michelle, ze houden het huis van de Wingo's natuurlijk in de gaten. Als ze zien dat wij daar op bezoek gaan, blijft het de volgende keer niet bij een kapitein die een beleefde maar duidelijke boodschap overbrengt.'

'Ze gaan ons heus niet waterboarden, Sean.'

'Er zijn ergere dingen dan denken dat iemand je probeert te verdrinken.'

'Wat dan?'

'Marteling? Dood?'

'Kom nou toch, we hebben het over ónze regering! En ik kan dit niet laten rusten. En jij ook niet, volgens mij. Tyler verzwijgt iets. Ik denk echt dat hij onze hulp nodig heeft, maar nu heeft hij te horen gekregen dat hij de zaak moet laten rusten. En ondanks wat kapitein Jones tegen me zei, betwijfel ik of het leger, zelfs met alle bronnen die zij tot hun beschikking hebben, het zich kan permitteren om zijn personeelsleden op een besneeuwde parkeerplaats te laten wachten om iemand in te wrijven dat hij geen misbruik mag maken van de gezinsleden van een gesneuvelde soldaat. Ze kunnen verdomme hun eigen mensen niet eens goede posttraumatischestresszorg geven!'

'Ik weet het. Er klopt hier iets helemaal niet!'

'Maar ik denk dat je er gelijk in hebt dat het leger nu een hek om de Wingo's heeft geplaatst. Als we hen opzoeken, hebben we een probleem. Dus hoe kunnen we dit dan wel aanpakken?'

'Tja, als we op dit moment geen contact met Tyler kunnen opnemen, moeten we maar een beetje in het verleden van zijn vader gaan spitten. Tyler zei dat hij voor een bedrijf in Reston werkte, DTI. Daar kunnen we wel beginnen.'

'Maar als we daarnaartoe gaan, ontdekt het leger dat misschien wel.'

'We hoeven er helemaal niet naartoe. Er bestaat zoiets als internet, weet je. Daar kun je met behulp van een computer heel veel informatie op vinden. Heb je daar weleens van gehoord?'

'Oké, ga jij maar een paar toetsen indrukken, dan hou ik me bezig met het echte detectivewerk.' Michelle keek weer naar het Panera Café.

Sean vroeg: 'Zoals? Ik wil niet dat je als een kip zonder kop iets gaat doen. Dit moeten we voorzichtig aanpakken. We hebben geen Charge van de Lichte Brigade tijdens de Krimoorlog nodig. En werden zij niet tot op de laatste man verslagen?'

'Het woord "man" is hier vooral van belang. Als hun aanvoerder een vrouw was geweest, zou dat bloedbad nooit hebben plaatsgevonden.'

'Wat ben je dan van plan?'

'Ik ga met een tiener praten over een andere tiener. Van vrouw tot vrouw.' Michelle verbrak de verbinding, stapte uit en liep door de sneeuw terug naar het Panera. Ze wilde weleens zien hoeveel Kathy Burnett eigenlijk om Tyler Wingo gaf.

# 11

'Hoi Kathy.'

Kathy Burnett keek op van haar computer en zag dat Michelle naar haar keek.

Ze had een kop koffie in de hand en een dienblad met een kom soep en een broodje.

'O, hallo.'

'Mag ik bij je komen zitten?'

Kathy keek om zich heen. 'Ik dacht dat jij en Tyler waren vertrokken.'

'Hij is wel weggegaan. Naar zwemtraining. En ik wilde ook weggaan, maar toen besloot ik af te wachten hoe het met de sneeuw zou uitpakken. En nu had ik opeens zin in een kop koffie en soep.' Michelle ging tegenover Kathy zitten en zette in alle rust haar koffie en soep neer.

Kathy schoof haar laptop en rugzak opzij.

'Bedankt,' zei Michelle. Ze at wat soep en glimlachte. 'Er zijn maar weinig dingen lekkerder op een koude dag met sneeuw dan een kop soep.'

'Ik denk het,' zei Kathy met een ongemakkelijke glimlach.

Michelle keek naar haar computer. 'Ik hoop dat ik je niet stoor met je huiswerk.'

'Nee hoor, geen probleem. Dit hoeft volgende week pas af te zijn. Ik probeer gewoon een beetje vooruit te werken.' Ze klapte haar laptop dicht en keek Michelle vragend aan. 'Dus je had een gesprek met Tyler over zijn vader?'

Michelle doopte een stuk brood in haar soep en nam een hap. Ze knikte, slikte het brood door en zei: 'Het is echt heel triest. Er is niets ergers voor een kind dan een ouder verliezen, vooral op die manier.'

'Zit jij in het leger?'

'Nee. Dat is niet waarmee ik Tyler hielp. Gewoon met een paar andere dingen. Hij vertelde dat jullie een paar vakken samen doen. Hij zei ook dat je heel slim was en een paar klassen hebt overgeslagen.'

'Zei hij dat?' vroeg Kathy, terwijl er een brede glimlach op haar gezicht verscheen.

Michelle nam een slokje koffie en knikte langzaam. 'Ja, dat zei hij.'

'Hij is ook een van de beste leerlingen van de klas, heel slim. Maar hij schept er niet over op, zoals anderen doen. Hij is best rustig.'

'Ik neem aan dat jullie goed bevriend zijn?'

'We kennen elkaar al sinds de basisschool.'

'Vrienden zijn nu heel belangrijk voor Tyler. Dat begrijp je vast wel.'

'Ja, dat geloof ik wel.'

'Kende je zijn vader?'

'Hij en Tyler hebben een paar keer bij ons gegeten. En hij heeft Tyler en mij weleens van school gehaald. Hij was altijd heel aardig. Ik wist dat hij uitgezonden was. Mijn moeder was daar twee jaar geleden. Ze is nu weer terug en ik hoop dat ze daar nooit weer naartoe hoeft.'

'Zit je moeder ook in het leger?'

'Bij de luchtmacht. Ze is piloot.'

'Dat is best cool, Kathy.'

'Ik ben erg trots op haar. Ze kan alles vliegen. Ik heb met haar in een Cessna gezeten. Ze deed een paar dingen die mijn maag ondersteboven deden keren, maar zij had nergens last van.'

'Dat geloof ik graag.' Michelle lepelde nog wat soep naar binnen. 'Ik neem aan dat iedereen op school het weet van Tylers vader?'

'Ze hebben het vandaag bekendgemaakt. Iedereen was zo verdrietig. Maar volgens mij schaamde Tyler zich dood.'

'Maar als je Tyler al sinds de basisschool kent, heb je zijn moeder zeker ook gekend?'

Kathy knikte. 'Inderdaad. Dat was ook heel erg.'

'Ja, vooral als je nagaat hoe oud Tyler was toen ze stierf. Zij was natuurlijk nog heel jong.'

'Inderdaad.'

'Had ze kanker, is ze daaraan overleden?'

Kathy keek geschrokken. 'Heeft Tyler dat gezegd?'

'Nee, dat zei hij niet. Maar aan jouw blik te zien, is ze niet daaraan overleden.'

'Luister, als Tyler het je niet heeft verteld, kan ik het je beter ook niet vertellen. Daar heeft hij vast een reden voor gehad.'

'Tja, weet je, volgens mij kan Tyler op dit moment helemaal niet helder denken. Ze is dus niet aan een ziekte overleden?'

'Nou, misschien zou je het wel een ziekte kunnen noemen.'

'Ik begrijp je even niet,' zei Michelle.

'Een mentale ziekte. Depressiviteit.' Kathy zweeg even. 'Ze heeft zelfmoord gepleegd.'

Michelle at nog wat soep. Ze had veel trek, maar ze had ook even tijd nodig om dit te verwerken en te besluiten hoe ze nu verder moest gaan. 'O mijn god,' zei ze ten slotte. 'Eerst pleegt zijn moeder zelfmoord en nu is zijn vader gesneuveld.'

'Ja, erg hè?' zei Kathy. Haar stem trilde nu. 'Ik vind het zo erg voor hem!'

'Maar gelukkig heeft hij nog een stiefmoeder,' zei Michelle snel.

Kathy fronste haar wenkbrauwen. 'Ik weet niet zeker of dat wel zo goed is voor Tyler.'

Michelle knikte peinzend. 'Hij heeft het niet hardop gezegd, maar ik zag wel dat hij niet goed met haar kon opschieten.'

'Waarom zou hij ook?' vroeg Kathy met schrille stem. 'Ik bedoel, meneer Wingo trouwt zomaar met een vrouw die veel jonger is dan hij en ze kenden elkaar nog niet eens zo lang. Tyler kende haar helemaal niet. En heeft hij je verteld dat ze snel getrouwd zijn door naar het gemeentehuis te gaan? Er was niet eens een echte bruiloft. Op een dag kwamen ze gewoon thuis en vertelden ze hem dat ze getrouwd waren. Tyler was vreselijk van slag.'

'En heeft zijn vader nooit uitgelegd waarom hij dat heeft gedaan?'

'Dat heeft Tyler me niet verteld.' Kathy zweeg en keek naar Michelle. 'Je hebt me nog steeds niet verteld waarmee je Tyler helpt.'

Michelle haalde een visitekaartje tevoorschijn en schoof hem over het tafeltje heen naar Kathy.

Ze keek ernaar en vroeg met grote ogen: 'Waarvoor heeft Tyler een detective nodig?'

'Antwoorden. Daarvoor huren de meeste mensen detectives in.'

'Antwoorden waarop?'

'Ik betwijfel of hij dat al weet, Kathy. Tyler vertelde me dat zijn vader reservist was, maar dat hij ook in het gewone leger had gezeten.'

'Ik weet nog dat meneer Wingo een keer bij ons in de klas kwam; ik zat toen in de tweede. Hij vertelde ons over hoe we ons land konden dienen. Hij droeg een uniform. Hij zei dat tegen mijn moeder en zij kwam er ook in de klas over vertellen.'

'Dus je ouders kenden hem goed?'

'Mijn moeder kende hem vrij goed, doordat ze allebei in het leger zaten. En zoals ik al zei, na de dood van Tylers moeder hebben ze een paar keer bij ons gegeten. En Tyler heeft weleens bij ons gelogeerd. Hij kan goed koken, hij heeft mijn moeder zelfs een aantal gerechten leren te maken.'

'Wonen jullie vlak bij elkaar?'

'Niet in dezelfde wijk... Maar met de auto is het maar vijf minuten.' Ze fleurde op. 'Tyler heeft al een voorlopig rijbewijs, maar krijgt binnenkort zijn definitieve. Hij zei dat we af en toe samen naar school konden gaan.'

'Is hij een jaar ouder dan jij?'

'Dat klopt. Ik word over een maand zestien, hij wordt zeventien in mei.'

'Heeft hij je weleens verteld dat hij zich ergens zorgen over maakt?'

'Na de dood van zijn vader heb ik nog niet echt met hem gepraat, als je dat soms bedoelt.'

'En daarvoor, leek hij toen helemaal in orde?'

'Volgens mij wel. Ik bedoel, hij kon niet goed met zijn stiefmoeder opschieten.'

'En met zijn vader? Was hij nog steeds kwaad omdat hij was hertrouwd?'

'Ergens wel. Maar volgens mij had Tyler zich er al bij neergelegd. Hij hield van zijn vader. Hij zou nooit lang kwaad op hem blijven.'

'Maar nu hij dood is?'

'Ja, nu zijn alleen hij en zijn stiefmoeder nog over. Niet best.'

'Wonen er nog andere familieleden in de buurt?'

'Daar heeft hij het nooit over gehad.'

'Zou je me willen bellen als je iets te binnen schiet waarmee ik Tyler zou kunnen helpen?'

'Zoals?'

'Moeilijk te zeggen. Maar misschien weet je het als het zover is.'

'Hij zit toch niet in de problemen, hè?'

'Denk je dat daar een reden voor is?'

'Nee. Het is echt een goeie jongen.'

'Ja, dat geloof ik ook. En daarom wil ik hem ook helpen, als ik kan.'

Kathy stopte het visitekaartje in haar jaszak. 'Misschien bel ik je wel.'

Michelle zei: 'Prima, uitstekend.'

# 12

Michelle trof Sean later die avond in een bar in Georgetown. Ze zaten aan een tafeltje bij het raam, bestelden een glas bier en probeerden alles wat ze over de zaak-Wingo te weten waren gekomen in elkaar te passen.

'Nog repercussies van het Pentagon?' vroeg Michelle.

'Niet zoals bij jou,' zei hij. 'Maar dat betekent niet dat het morgen niet gebeurt. Ik hoef natuurlijk niet te zeggen dat ik niet verwacht dat een van mijn andere contactpersonen me op korte termijn zal terugbellen.'

Michelle nam een slok bier en leunde achterover in haar stoel. Het sneeuwde niet meer en de temperatuur was een beetje gestegen, waardoor de sneeuw die al gevallen was, nu aan het smelten was. 'Dus als we niet op bezoek kunnen bij Tyler of zijn stiefmoeder, en het Pentagon een muur heeft opgetrokken, blijft alleen de werkgever van zijn vader over, DTI. Je zei dat je wilde kijken wat je via internet te weten kon komen.'

'Dat heb ik gedaan. Ze werken voor de overheid.'

'Dat doet zo ongeveer de helft van alle bedrijven hier. Wat doen ze?'

'Ze verzorgen vertalingen voor het leger.'

'Dat is heel lucratief, heb ik gehoord.'

'Dat kan zeker het geval zijn. Maar zij zijn gespecialiseerd in het Midden-Oosten, dus als het leger zich daar terugtrekt, hebben zij misschien een probleem.'

'En was Wingo daar verkoper, zoals Tyler zei?'

'Ik heb niet de kans gehad daar een levend wezen naar te vragen.' Hij nam een slok van zijn bier. 'Volgens mij loopt het spoor dood, Michelle.'

Ze legde haar vingers om het bierglas en schoof het heen en weer over de tafel. 'Ik geef niet graag toe dat ik ben verslagen.'

'Ik wel, denk je?'

'Jij kunt wonderen verrichten, Sean. Je kent iedereen. En nu wil jij me vertellen dat je geen enkele andere manier kunt verzinnen om dit probleem aan te pakken?'

'Eerlijk gezegd probeer ik te beslissen of dit de moeite waard is of niet.'

'Ik dacht dat we dat al hadden besloten?'

'Jij misschien wel.'

'Ik heb een goede ingang bij zijn vriendin, Kathy Burnett. Ik heb de basis al gelegd.'

'En krijg je er geen slecht gevoel bij als je een onschuldig meisje bij al dit gedoe betrekt?'

'Als ik wist wat "al dit gedoe" was, zou ik er misschien wel een slecht gevoel bij hebben. Dit is een kip-of-eikwestie.'

'Ik vind het nog steeds een slecht idee.'

'Ik heb haar niet gevraagd Tyler te bespioneren, Sean. Ik heb haar alleen gevraagd contact met me op te nemen zodra ze dacht dat ze informatie had die Tyler zou kunnen helpen.'

'Ik betwijfel of zij in de positie verkeert om dat te bepalen.'

'Dan zal ik tegen haar zeggen dat ze niets moet doen, als jou dat een beter gevoel geeft.'

Ze zaten elkaar een beetje geïrriteerd aan te kijken.

Sean zei: 'Luister, ik wil me niet terugtrekken, maar ik weet gewoon niet zeker wat we kunnen bereiken.'

'Tja, als je nagaat dat we tot nu toe nog helemaal niets hebben bereikt, is er niet veel nodig om de lat hoger te leggen.'

'Ik begrijp dat we het hier niet over eens gaan worden.'

'Ik ben zo redelijk als wat.'

'Echt waar? Dat vind ik niet.'

Ze keek hem fel aan. 'Wat bedoel je daarmee?'

Hij boog zich naar voren. 'Je kent die jongen amper en nu doe je net alsof hij je kleine broertje is en zijn problemen jouw problemen zijn. Hoe kan dat redelijk zijn?'

Michelle zette haar glas neer en keek naar buiten.

Sean vroeg: 'Ga je me nog vertellen wat er echt aan de hand is, Michelle?'

'Vind je het verkeerd van me dat ik deze jongen wil helpen?'

'Ik zeg niet dat het goed of slecht is. Ik zeg alleen maar dat het... een beetje vreemd is.'

Ze keek hem aan. 'Ik weet hoe het is om bang te zijn als kind, Sean. Toen hij door die onweersbui rende, zag ik aan zijn gezicht dat hij doodsbang was.' Ze ontweek zijn blik. 'En dat pistool,' voegde ze er zacht aan toe. 'Dat had ik kunnen zijn, op de vlucht met een pistool.'

'Maar dat was jij niet, op de vlucht met een pistool, Michelle,' zei hij gedecideerd.

Het leek alsof ze hem niet had gehoord. 'Het enige verschil is dat hij er niet mee kon schieten. Ik wel.'

'Dat is al heel lang geleden. En hoe oud was je toen, zes?'

'Zes of zestien, dat maakt toch niets uit? Het is gebeurd.'

'Je weet dat het niet zo eenvoudig is,' zei Sean.

'Het heeft de psychiater uren gekost en mij heel veel tijd in een psychiatrisch ziekenhuis en een terugkeer naar mijn oude thuis om me dat zelfs maar te herinneren. En zelfs toen kon ik het niet helemaal begrijpen. En omdat ik het niet helemaal kan begrijpen, maakt het me doodsbang.'

'Dus jij betrekt jouw ervaringen als kind op Tylers situatie nu?'

'Misschien wel. Is dat verkeerd?'

'Dat weet ik niet. Maar waarom doe je dit jezelf nu aan? Dit is te veel.'

'Ik wilde dat ik je dat kon vertellen. Maar dat kan ik niet. Het leven is lang niet zo eenvoudig of perfect als we zouden willen.'

'Oké.'

Michelle schudde haar hoofd, alsof ze daardoor haar nare gedachten kon verdrijven. 'Luister, je bent er altijd voor me geweest. Altijd. Ik heb niet het recht jou te betrekken in iets waar je niets mee te maken wilt hebben. Dat is niet fair.'

'Eerlijk gezegd heb je daar alle recht toe. Ja, ik ben er voor je geweest. Maar jij bent er ook altijd voor mij geweest. En je hebt meer dan eens mijn leven gered.' Sean dronk zijn bier op en trommelde met zijn vingers op het tafelblad. 'Ik heb nog één contactpersoon die ons misschien kan helpen.'

'Maar je zei dat de gelederen zich hadden gesloten.'

'Mijn contactpersoon houdt zich niet altijd aan strenge, militaire protocollen.'

'Wie is het dan?'

Sean aarzelde. 'Mijn ex-vrouw.'

Michelle keek hem verbijsterd aan. 'Je ex?'

'Je weet toch dat ik getrouwd was?'

'Jawel, maar je praat nooit over haar.'

'Nou, ik praat niet graag over haar, omdat er een bijzonder vervelende reden voor is dat ze mijn ex is. En ik hou niet zo van zelfkastijding.'

'Ik wist helemaal niet dat ze in het leger zat.'

'Dana zit ook niet in het leger, maar haar huidige man wel. Ze is acht jaar geleden hertrouwd. Hij is sinds kort generaal met twee sterren en gestationeerd bij het Pentagon. Generaal-majoor Curtis Brown.'

'Die naam heb ik weleens gehoord.'

'Hij fungeert soms als woordvoerder voor het Pentagon. Hij ziet eruit als een generaal: lang, knap en kaarsrecht. Oorlogsveteraan. Toch verbaast het me bijzonder dat hij Dana heeft overleefd, want het is geen gemakkelijke tante!'

'Ben je naar hun bruiloft geweest?'

'Wat denk jij? De enige reden die ik kon bedenken, was dat ik nu eindelijk kon ophouden met alimentatie betalen!'

'Heb je generaal-majoor Brown ooit ontmoet?'

Sean schudde zijn hoofd. 'Als ik hem ooit zou ontmoeten, zou ik hem sterkte wensen. Dana is niet bepaald makkelijk...'

'Zo te horen is het niet iemand die je kunt bellen met de vraag of ze je een plezier wil doen.'

'Ik kan alles doen, als ik maar de juiste motivatie heb.'

'Wat bedoel je daarmee?'

'Daarmee bedoel ik dat als jij dat wilt, ik Dana zal bellen om haar te vragen of ze iets voor ons kan doen. Misschien hangt ze meteen weer op. Misschien zegt ze dat ik de pot op kan en hangt ze daarna op. Maar dat is de enige mogelijkheid die ik nog zie. Dus jij mag het zeggen: is Tyler Wingo dit waard?'

'Dat is niet eerlijk, Sean. Zo zet je me voor het blok.'

'Nee, ik vertel je alleen maar hoe de zaak ervoor staat.'

Michelle zuchtte en keek naar haar lege bierglas. 'Misschien wil je haar één keer bellen?'

'Doe ik.'

'Je weet dus hoe je haar moet bereiken?'

'Altijd al, ja. En zo niet, dan kan ik altijd een goede privédetective inhuren.'

Ze keek hem grijnzend aan. 'Weet je, jij hebt mijn broers en mijn vader ontmoet, maar ik heb jouw familieleden nog nooit gezien.'

'Mij zussen wonen in Ohio. Ze komen hier nooit naartoe en zelf heb ik nooit een goede reden gehad om daarnaartoe te gaan. Mijn ouders wonen in Florida en genieten daar van hun pensioen.'

'Spreek je hen vaak?'

'Zelden. Toen ik uit de Secret Service werd geschopt, nou, laat ik maar zeggen dat ze toen niet echt het gevoel hadden dat ze me moesten steunen.'

'Rare familie heb je.'

'Hoor wie het zegt,' zei hij op scherpe toon.

Ze perste haar lippen op elkaar en zei: 'Het spijt me dat ik zo raar in elkaar steek.'

'Dat is eerlijk gezegd een van je meest innemende eigenschappen.'

'Ik hoop dat we nooit zullen weten hoe het is om elkaar niet te hebben.'

'Ik zal je altijd steunen,' zei hij.

'Dat weet ik,' zei ze zacht.

Sean keek weg, met zijn mondhoeken naar beneden.

Ze wist kennelijk wat hij dacht, want ze zei: 'Ik ben niet doodgegaan, Sean. Ik ben er nog.'

'Maar je realiseert je niet dat je er bijna niet meer was,' antwoordde hij en hij keek haar weer aan.

'Dat realiseer ik me wél. Dat kon ik aan je gezicht zien toen ik eindelijk weer bij bewustzijn kwam. En je moet niet vergeten dat ik ook bij jou aan het ziekenhuisbed heb gestaan en datzelfde heb gedacht.'

Weer ontweek hij haar blik. 'Ik denk dat dat bij ons vak hoort.'

'Daar heb ik nooit aan getwijfeld. Tyler Wingo?'

'Ik zal het aan mijn ex vragen.'

'Ik denk dat ik ook iets moet doen.'

'Michelle, we hebben te horen gekregen dat we de zaak moeten laten rusten. Dat geldt in elk geval voor jou.'

'We moeten dat pistool nog terugbrengen, Sean.'

'Jij wilt dus naar hun huis gaan?'

'Zo opvallend hoeven we dat nou ook weer niet te doen, hè?'

Hij dacht hierover na. 'Nee. Heb je een plan?'

'Volgens mij wel,' zei ze. 'Maar het is beter als ik alleen ga.'

# 13

Tyler Wingo schoot zo snel mogelijk door het water. Hij was aan het trainen in het zwembad waar zijn school altijd gebruik van maakte. Er waren meerdere baden, maar dit bad was het grootst en werd ook gebruikt door de volwassen leden. Tyler tikte de stenen muur aan en kwam naar boven om te ademen. Hij trok zijn brilletje af, wreef de condens eruit en zette hem weer op.

In de baan naast hem wilde een zwemster met een badmuts en een brilletje op, zich net afzetten. Tyler grijnsde en timede het zo dat ze dat tegelijk deden. Hij had zin om als een dolfijn door het water te glijden. En het was ook niet verkeerd dat de vrouw lang en slank en aantrekkelijk was, tenminste voor zover hij haar had kunnen zien. Ondanks al zijn problemen was hij nog steeds een jongen van zestien met op springen staande hormonen, en hij voelde opeens de behoefte om te laten zien wat hij kon.

Terwijl hij door het water gleed, vroeg hij zich af hoe groot zijn voorsprong op het laatst zou zijn. Hij dacht na over wat hij zou doen als ze bovenkwam en ze zou zien dat hij daar al was. Zou hij een gevatte opmerking kunnen verzinnen? Eigenlijk was hij ontzettend verlegen en de kans was groot dat hij helemaal niets zou kunnen zeggen. Maar ze zou hem in elk geval zien!

Daarna keek hij even naar rechts en zag hij alleen maar haar lange voeten. Verbijsterd verdubbelde hij zijn inspanningen en hij zwom harder dan hij ooit had gezwommen. Hij gaf alles wat hij had en toch werd haar voorsprong steeds groter.

Toen hij de muur aanraakte en ging staan, leunde zij op het touw tussen hun banen. Ze had haar badmuts afgedaan en haar bril omhooggeduwd. En ze keek hem aan. 'Wauw. Wat toevallig dat ik jou hier tegenkom,' zei Michelle.

'Je bent niet eens buiten adem,' zei Tyler hijgend. 'Ik dacht dat je zei dat je niet zwom?' voegde hij eraan toe, op gekwetste toon.

'Ik zei dat ik er de voorkeur aan gaf om boven water en droog te blijven. Ik zei niet dat ik niet kon zwemmen.'

'Je bent echt heel snel voor je leeftijd.'

'Dat zal ik maar als een soort compliment beschouwen.'

Tyler keek om zich heen. 'Waar is je partner?'

'Hij is lang niet zo gek op water als ik.'

'Ik weet zeker dat het geen toeval is dat je hier bent. Wat wil je van me? Ik dacht dat we, je weet wel, de zaak hadden afgerond.'

'Ik heb die Mauser van je vader nog steeds.'

'O shit, dat is ook zo!'

'Hij ligt in mijn auto. Ik geef hem je wel als ik hier klaar ben.'

'Hé, Tyler!'

Ze keken op en zagen dat Tylers coach, een oudere man in een overall en sweater met een fluitje om zijn hals, naar hen keek.

'Ja, coach?'

'Aangezien dit een zwemtraining is, denk je dat je jezelf kunt losscheuren van die aardige dame om nu echt te gaan trainen?'

Tyler werd rood. 'Oké, coach. Tuurlijk.'

'Ik wacht wel op je in de hal,' zei Michelle. 'Hoe ga je meestal naar huis?'

'Met een vriend.'

'Ik breng je wel.'

'Volgens mij is dat geen goed idee.'

'Volgens mij is dat een geweldig idee, Tyler. Ik vind dat je je eigen beslissingen moet nemen. En niet alleen maar moet doen wat andere mensen zeggen dat je moet doen. Ik wacht in de hal op je. Jij mag zelf kiezen of je met mij meegaat of niet. Ik geef je die Mauser hoe dan ook. Hij zit in een grote tas, dus niemand kan hem zien.'

Michelle zette haar brilletje weer op, draaide zich om en zette zich af om nog een paar baantjes te trekken.

Tyler keek haar na, vol bewondering voor haar atletische kwaliteiten. Daarna liet hij zich in het water vallen en zwom naar de andere kant, hoewel zijn slagen bij lange na niet zo strak waren als de hare.

Toen hij een uur later de kleedkamer uit kwam, zat Michelle in de hal op hem te wachten, met een canvas tas in haar hand en een rugzak over haar schouder. Ze droeg een gebreide muts over haar donkere haar, een spijkerbroek, een North Face-jack en een lange sjaal om haar hals.

Tylers haar was achterovergekamd, zijn spijkerbroek hing laag, zijn sneakers hadden geen veters en hij had zijn schoolpet op. Hij liep naar haar toe.

Ze hield de canvas tas omhoog. 'Hier is ie. Rij je met mij mee of ga je op de normale manier naar huis?'

Tyler keek om zich heen naar zijn teamleden die langs hen heen liepen. Hij knikte er een paar toe en begroette een jongen die met een wellustige blik naar Michelle keek, naar Tyler grijnsde en vervolgens zonder geluid te maken 'lekker!' zei.

Met een normale stem zei de jongen: 'Tot morgen, Ty.'

Zodra hij weg was, vroeg Michelle: 'Word je Ty genoemd?'

'Door een paar jongens, ja,' zei Tyler afwezig.

'Oké, wat ga je doen?'

'Kunnen we onderweg ergens warme chocolademelk drinken? Het water was ijskoud.'

Ze gaf hem de canvas tas met de Mauser.

Vlakbij was een Starbucks en daar kocht Michelle een warme chocolademelk voor Tyler en een latte voor zichzelf.

Ze stapten weer in haar Land Cruiser. Tyler keek naar alle troep op de stoelen en de vloer.

Michelle haalde de rommel van de voorbank en gooide het naar achteren.

Hij gluurde naar de achterbank, waar nog meer stapels met troep lagen.

'Is dat een geweer achterin?' vroeg hij met grote ogen.

'Ja, maar hij is niet geladen. Ik ben al zeker twee jaar van plan mijn auto een keer op te ruimen.'

'Zoveel tijd kost dat niet,' mompelde Tyler met een blik op de stapels rommel.

'Mijn partner zeurt me al genoeg aan mijn kop over mijn slordigheid, oké?'

'Goed, wat wil je?' vroeg hij.

'Volgens mij weet je dat wel.'

'Nee hoor.'

'Na ons gesprek in het Panera Café werd ik opgewacht door iemand van de militaire politie. Hij gaf me een uitbrander omdat ik probeerde je geld afhandig te maken.'

'Dat wist ik niet.'

'Maar er heeft iemand met je gepraat, nietwaar?'

Tyler nam een slokje van zijn chocolademelk en gaf niet meteen antwoord. Hij keek omhoog naar de lucht.

'Zo te zien komt er nog meer sneeuw,' zei Michelle, die hem zag kijken. Hij leek zo in tweestrijd dat ze opeens weer medelijden met hem kreeg.

*Word ik opeens overmand door moederlijke gevoelens of zo? Dat is pas echt griezelig!*

Ze reden nog een paar kilometer zwijgend door.

'Nog even en we zijn bij je huis,' waarschuwde Michelle.

Tyler bleef naar buiten kijken. 'Ze zeiden dat ik niet met je mocht praten.'

'Wie zijn "zij"?'

'Het leger.'

'Dus mannen in uniform?'

Tyler keek naar haar. 'Ze droegen geen uniform, maar een pak.'

'Hoe weet je dan dat ze van het leger waren?'

'Omdat ze bij ons waren om over mijn vader te praten. Hij zat in het leger. Wie zouden het anders kunnen zijn?'

'Hebben ze een identiteitsbewijs laten zien?'

'Ja, maar dat deden ze zo snel dat ik niet kon zien wat het was. Daar hield ik me niet echt mee bezig.'

'Was je stiefmoeder er ook bij?'

Tyler knikte.

'Wat hebben ze nog meer tegen je gezegd?'

'Dat jullie waarschijnlijk probeerden misbruik van me te maken. Dat jullie niets zouden kunnen ontdekken dat zij me nog niet hadden verteld.'

'Over de dood van je vader, bedoel je?'

'Ja.'

'En wat zei jij toen?'

'Ik... Ik heb niet veel gezegd,' gaf Tyler toe.

'Wat zeiden ze nog meer?'

'Dat jullie ons in de problemen konden brengen. Dat we hierdoor misschien allerlei dingen niet van het leger zouden krijgen, je weet wel, een toelage en zo.'

Michelle zuchtte, maar zag er toen boos uit. 'Ze hebben je dus echt een schuldgevoel aangepraat. Wie maakt er nu misbruik van iemand?'

'Ik wil geen problemen veroorzaken, Michelle.'

'Geloof me, wij ook niet. Gaan jullie naar Dover om het stoffelijk overschot van je vader op te halen?'

Tyler schudde zijn hoofd.

'Waarom niet?'

'Vanwege iets anders wat ze zeiden.'

'En dat was?'

'Daar wil ik niet over praten.'

'Kom op, Tyler. Jij hebt besloten je door mij naar huis te laten brengen. Er móét iets zijn dat je me wilt vertellen.'

Ze reden weer een kilometer zonder dat een van hen iets zei.

'Er was niet genoeg over van mijn vader om in een kist te doen,' zei hij ten slotte.

Michelle gaf een ruk aan het stuur en de auto schoot bijna van de weg, maar toen had ze hem weer onder controle. 'Wat? Ik dacht dat hij was doodgeschoten!'

'Dat was ook zo. Alleen landde er een mortier precies op de plek waar hij was neergeschoten. Die... die heeft hem aan flarden gereten.' Tyler trok zijn kraag op tot over zijn hals, sloeg zijn arm voor zijn gezicht en begon te huilen.

Michelle reed een zijstraat in en stopte, zette de Land Cruiser op de handrem en gaf hem een paar tissues uit het dashboardkastje. Hij nam ze aan zonder naar haar te kijken. Ze had het liefst haar armen om hem heen geslagen, maar bedacht dat dat misschien niet gewenst was en ook gênant kon zijn. Dus bleef ze gewoon voor zich uit kijken en staarde naar de damp die opsteeg van de motorkap.

'Bedankt.'

Ze keek naar Tyler en nam de verfrommelde, nu doorweekte tissues van hem aan en smeet ze op de achterbank. 'Waarom heb je dat niet eerder verteld?' vroeg Michelle. 'Waarom vertel je dat nu pas?'

'Dat weet ik niet,' zei Tyler zacht.

'Wat zei Jean hiervan?'

'Niet veel. Ze luisterde er gewoon naar en daarna begon ze zo hard te huilen dat die mannen in pak opstonden en weggingen.'

'Heel meelevend van hen om met zulk nieuws te komen en er dan als een haas vandoor te gaan.'

'Ik ging naar boven, naar mijn kamer, en deed de deur op slot.'

Michelle stak haar hand uit en raakte heel zacht zijn schouder aan.

Hij keek naar haar. Ze las angst af van zijn gezicht.

'Waarom was je zo vastbesloten om Sean en mij in te huren, Tyler? Je vader was dood. Daar kon niets of niemand iets aan veranderen. Het zou heel moeilijk zijn geweest om meer te weten te komen, omdat hij in Afghanistan was toen hij stierf. Want het is niet zo dat Sean en ik daar even naartoe kunnen vliegen om een onderzoek in te stellen.'

Hij haalde zijn schouders op, maar zei niets.

'Er móét nog iets anders zijn, Tyler. Je bent een slimme jongen. Volgens mij ben jij niet iemand die opeens een besluit neemt zonder daar eerst goed over na te denken.'

Toen hij nog steeds niets zei, zei Michelle: 'Ga je Kathy volgend jaar met de auto naar school brengen?'

Hij keek haar verbaasd aan. 'Kathy? Hoe weet je dat?'

'Ik heb met haar gepraat, in het Panera. Ze vindt je echt heel aardig. En ze maakt zich zorgen om je.'

'Ik was wel van plan om haar naar school te brengen. Af en toe,' voegde hij eraan toe.

'Dat zou ze heel leuk vinden, volgens mij.'

Michelle zweeg en wachtte. Misschien zou hij de volgende seconden zijn mond houden. Maar ja, misschien ook niet. Snel kruiste ze haar vingers.

'Weet je, het gaat om de datum die die mannen opgaven.'

'Wat voor datum en welke mannen?'

'Die mannen van het leger die die eerste avond bij ons waren om mij over mijn vader te vertellen.'

'Oké. Wat is er met die datum?'

'Hij stierf op de dag voordat ze bij ons kwamen.'

'Juist. Soms duurt het lang voordat alles bevestigd is. Ze willen geen vergissing maken.'

'Ja, dat weet ik.'

Hij zweeg, maar Michelle zei niets. Ze voelde dat hij op het punt stond om iets heel belangrijks te zeggen.

'Maar weet je, mijn vader stuurde me een mailtje.'

'Wanneer stuurde hij jou een mailtje?'

'Toen hij al dood was.'

# 14

Sean zag haar het restaurant binnenkomen. Ze was slanker dan de laatste keer dat hij haar had gezien. Haar haar en make-up zaten onberispelijk. Ze was op een hippe manier gekleed, waardoor haar echte leeftijd gecamoufleerd werd. De kousen met visgraatpatroon en stiletto's deden haar benen zelfs nog langer en sexyer lijken. Haar rok was iets te kort naar Seans smaak en de halslijn onthulde te veel. Verschillende mannen aan andere tafeltjes keken naar haar en kregen daarvoor meteen een standje van hun vrouw. Sean moest toegeven dat zijn ex er zelfs nóg beter uitzag dan toen hij met haar getrouwd was, dat ze nog altijd een bijzonder aantrekkelijke vrouw was.

Aan de buitenkant dan.

Hij stond op toen ze naar hem toe liep. Zodra hij zag dat ze hem wilde omhelzen, stak hij vlug zijn hand uit. Met een geamuseerde blik schudde ze die. Ze gingen zitten. Zij hing haar jas over de rugleuning van haar stoel.

'Het verbaasde me heel erg om iets van je te horen, Sean.'

'Mij ook, Dana.'

Ze boog zich naar voren en keek hem aandachtig aan. 'Laat me raden, je wilt een deel van je alimentatie terug?'

Hij slaagde erin te grinniken. 'Daar is het een beetje laat voor. Dat is inmiddels verjaard.'

'Heb ik even geluk!'

'En trouwens, op welke gronden?'

'Moet je niet aan mij vragen.' Ze bekeek hem even. 'Je ziet er nog steeds goed uit.'

'Jij ook.'

'Vind je mijn nieuwe haarkleur mooi? Blond lijkt altijd in de mode te blijven, en dus ben ik daarnaar overgestapt, permanent.'

'Staat je goed.'

'Dat is wel een beetje zwak uitgedrukt, maar bedankt.'

'Hoe gaat het met de generaal?'

'Hij reist meer en maakt langere dagen dan ik zou willen.'

'De aard van het beestje. Wil je iets drinken?'

'Je wordt vergeetachtig als je dat nog moet vragen.'

Sean wenkte de serveerster die er meteen aankwam en hun bestelling opnam. Hij bestelde een Bombay Sapphire met tonic voor zichzelf, en Dana bestelde een Johnny Walker Black, solo met ijs.

'Daarvan krijg je haar op je borst,' zei Sean toen de serveerster weg was.

'Wil je zelf even kijken?'

Hij leunde achterover. 'Nog altijd aan het flirten.'

'Daar is niets mis mee. Dat vind ik leuk.'

'Maar je gaat elke avond terug naar huis, naar de generaal.'

'Dat zou ik wel doen, maar de meeste avonden is hij er niet. Het leger is net een vorm van grootschalige bigamie. Curtis is met mij getrouwd én met het ministerie van Defensie.'

'Maar waarom zijn jullie dan samen?'

'Omdat hij uit een vooraanstaande familie komt en een *trust fund* heeft waar we ruim van kunnen leven. We wonen in een prachtig huis compleet met huishoudster. Ik rij in een SL550 Roadster. Ik kan overal naartoe waar ik maar wil. We worden uitgenodigd voor grootse feesten en ik leer bijzonder interessante en invloedrijke mensen kennen. En hij houdt van me.'

'Het valt me op dat je dat "houden van" als laatste noemt.'

'Ik stel graag prioriteiten.'

'Dat zie ik.'

'Maar wat heb jij allemaal gedaan? Nog steeds privédetective samen met hoe-heet-ze-ook-alweer?'

'Zij heet Michelle Maxwell.'

'Juist. Ik heb iets gelezen over een paar zaken waar jullie je de laatste tijd mee bezig hebben gehouden. Ze was bijna dood, hè?'

'Ze leeft en is helemaal genezen.'

'Wat een opluchting,' zei ze nonchalant.

Seans maag trok samen en hij had zin om zijn glas water in haar gezicht te smijten. Toen hun drankjes waren gebracht, nam hij een slokje van het zijne. Ze nam een grote slok uit haar glas.

'Ik dacht dat je Gold Label zou bestellen, dat is zelfs nog duurder,' zei hij.

Ze zette haar glas neer en gleed met haar tong langs haar lippen. 'Op een bepaalde manier ben ik een eenvoudig meisje. Ik heb een paar passies en die zijn niet allemaal erg duur. Sterker nog, de beste zijn gratis.'

'Niets is echt gratis.'

'Ja, dat heb jij inmiddels wel ontdekt, hè?'

'Inderdaad. Je hebt me bedrogen en als beloning kreeg je de helft van mijn geld en jarenlang alimentatie.'

'Maar weet je, we hadden nooit moeten scheiden, Sean. Je was gewoon te overgevoelig.'

Hij werd rood. 'Voor het feit dat jij met andere mannen naar bed ging als ik de stad uit was voor mijn werk? Dat zou ik niet overgevoelig noemen. Eerder terecht pissig.'

'Als jij weg was, verveelde ik me. Wat had je dan verwacht? Je weet dat ik op seksueel gebied altijd onverzadigbaar ben geweest. Je had het kunnen weten.'

Een oudere man aan het tafeltje naast hen, die steeds met wellustige blik naar Dana had gekeken, verslikte zich bijna in een stukje vlees.

'Heb je ooit overwogen om een huisdier te nemen?' vroeg Sean.

'Nee. En voor de goede orde, ik heb nu ook geen huisdier.'

'Dus wat de generaal niet weet, kan hem ook niet kwetsen?'

Ze haalde haar schouders op, nam een slok van haar drankje en zei: 'Kunnen we het nu hebben over de reden waarom je me hebt gebeld?'

'Je moet iets voor me doen.'

Ze keek verbaasd. 'Dan was je voorspel niet echt geweldig. Wil je opnieuw beginnen?'

Hij boog zich naar haar toe. 'Ik heb een cliënt, een heel erg jonge cliënt die onlangs zijn vader is verloren, in Afghanistan.'

'Ik neem aan dat die vader soldaat was?'

'Ja.'

'Dus eigenlijk wil je dat Curtis iets voor je doet, niet ik.'

'Via een omweg, ja.'

'Wat bedoel je met een omweg?'

Sean nam nog een slokje van zijn gin-tonic. 'Het ligt gevoelig.'

'Ik dacht dat dit soort dingen nogal duidelijk was: soldaten sneuvelen, het leger brengt de naaste verwanten op de hoogte en die gaan naar Dover om naar de met de Amerikaanse vlag bedekte kisten te kijken en daarna begraven ze de doden op Arlington, als de familie dat wil.'

'Dat zeg je heel klinisch.'

'Ik ben nu al jaren met Curtis getrouwd en al die tijd hebben we oorlog gevoerd. Ik heb die film al heel vaak voor me zien afspelen. Ik vind het vreselijk dat we daar elke verdomde dag jonge mannen en vrouwen verliezen. Je zou niet geloven hoe dat Curtis steeds weer aangrijpt. Jaren geleden, voordat hij zijn eerste ster kreeg, was hij daar als bevelhebber. Hij heeft gevochten en raakte gewond tijdens een gevecht. Hij was bijna in een kist thuisgekomen. We waren nog geen jaar getrouwd toen ik een maand lang naast zijn ziekenhuisbed in het Walter Reed zat en me afvroeg of hij het wel zou redden.'

'Wat erg voor je, dat wist ik niet.'

'Ik ben misschien niet de perfecte echtgenote, maar ik geef wel veel om hem. We hebben een goed leven samen.' Ze wendde haar blik af. 'En feit is dat ik niet... nou ja...' – ze zweeg even en sloeg haar ogen neer –, '... feit is dat ik Curtis helemaal trouw ben gebleven. Ik zit gewoon thuis op hem te wachten, zoals iedere goede vrouw, tot hij eindelijk weer een keer terugkomt. En ook al is hij officieel gestationeerd in het Pentagon, hij gaat regelmatig naar het Midden-Oosten en dan zit ik hier met ingehouden adem te wachten en te bidden dat hij weer levend en wel thuis mag komen. Ik snap absoluut niet waarom ik altijd weer val voor mannen die met wapens rondlopen en worden beschoten.'

Sean keek haar onderzoekend aan. 'Maar waarom kleed je je dan alsof je als lingeriemodel de catwalk op moet? En waarom begin je er dan over dat je "onverzadigbaar" bent?'

Ze perste haar lippen op elkaar en keek hem ten slotte weer aan. 'Omdat ik je al heel lang niet meer had gezien en ik dacht dat je me graag zou willen zien zoals je me herinnerde.'

'Hoe kon je dat nou denken, Dana?'

'Omdat ik wist dat jij toch niet zou geloven dat ik veranderd was, dus wat voor zin had het dan om je daarvan te overtuigen? De oude Dana was gewoon gemakkelijker neer te zetten en minder kwetsbaar. En het is een lange dag geweest en ik denk dat ik er gewoon de energie niet voor kon opbrengen.'

'Dat klinkt volstrekt idioot, maar toch ook wel weer logisch.'

'Nou mooi.' Ze trok haar jas aan om haar decolleté te verbergen. 'Ik heb het ijskoud. Ik had een trui aan moeten trekken en die pumps doen vreselijk veel pijn aan mijn voeten.' Ze schopte ze uit en wreef haar voeten tegen elkaar. 'En deze kousen zien er veel beter uit dan dat ze voelen. Mijn voeten zijn als tonijnen in een net.'

Hij glimlachte. 'Waarom heb ik nu het gevoel dat ik met een totaal ander iemand zit te praten?'

'Denk je soms dat ik niet weet hoeveel pijn ik je heb gedaan?'

'Ik denk dat ik me dat nooit heb afgevraagd. Je daden zeiden genoeg.'

'Ik was egoïstisch en stom. We hadden samen kinderen kunnen hebben.'

'We hadden samen heel veel dingen kunnen hebben, Dana.'

'Daar ben ik nu te oud voor.'

'Zo oud ben je ook weer niet. Heel veel vrouwen van jouw leeftijd krijgen nog een kind.'

'Curtis wil ze niet. En ik betwijfel of ik genoeg energie heb om achter een peuter aan te rennen, Sean.'

'We maken allemaal keuzes.'

Ze dronk haar glas leeg. 'Zullen we iets te eten bestellen? Dan kunnen we het daarna hebben over jóúw kind dat mijn omweghulp nodig heeft.'

Later, nadat hun borden waren weggehaald en hun koffie al was gebracht, zei Dana: 'Oké, vertel maar.'

'Hij heet Tyler Wingo.' Sean was van plan om haar veel, maar niet alles te vertellen van wat hij wist. Hij wilde net nog iets zeggen toen zijn telefoon zoemde.

Het was een mailtje van Michelle waarin ze beschreef wat Tyler haar onderweg naar zijn huis had verteld over zijn vader.

Dana keek naar zijn gezicht toen hij dit las en vroeg: 'Ontwikkelingen?'

'Mogelijk. Nu vertellen ze hem dat zijn vader eerst was doodgeschoten en daarna door een mortiergranaat is geraakt. En dat er dus niets van hem over is om naar huis te brengen.'

'Ze brengen het stoffelijk overschot altijd naar huis, Sean, geloof me maar. Als hij door een mortiergranaat is geraakt, dan wordt de kist gesloten en verzegeld. Maar het leger is echt heel goed in het identificeren van de doden. Van Curtis weet ik dat het Pentagon daar bijna ziekelijk fanatiek in is.'

'Dat geloof ik graag. Het is gewoon vreemd dat ze hem dat niet meteen hebben verteld.'

'Misschien is daar wel een heel eenvoudige verklaring voor, bijvoorbeeld dat ze de zoon en de echtgenote niet zoiets afschuwelijks wilden vertellen terwijl ze toch al zulk vreselijk nieuws moesten brengen. Daar zijn protocollen voor, maar elke situatie is anders. Je zei dat Tyler door de regen rende met een pistool uit zijn vaders wapencollectie. Misschien vonden de vertegenwoordigers van het leger het niet verstandig om hem te vertellen wat er precies met zijn vader was gebeurd toen hij toch al zo van slag was. Misschien wilden ze hem en zijn moeder niet nog meer trauma's bezorgen.'

'Stiefmoeder,' verbeterde hij haar. 'Maar dat klinkt wel logisch. Maar vanwaar die muur van stilzwijgen rondom het Pentagon?'

'Vertrouwelijkheid. Dat vatten ze heel serieus op, vooral als het om gesneuvelde soldaten gaat.'

'Maar het was alsof Tyler iets achterhield. Iets wat alleen hij wist, maar wat hij niet wilde vertellen.'

'Iets over zijn vader?'

Sean wist, dankzij Michelles mailtje, precies wat Tyler niet had verteld. Zijn vader had hem een bericht gestuurd nádat hij zogenaamd was gesneuveld. Sean vroeg zich af of hij dit aan Dana zou vertellen, maar besloot het niet te doen. Ze was immers getrouwd met een generaal, die ze veel meer loyaliteit verschuldigd was dan Sean. 'Ik weet het niet. Michelle dacht dat ook en zij voelt dat meestal heel goed aan.'

Dana nam een slokje koffie en keek hem onderzoekend aan. 'Dus jullie zijn niet alleen zakenpartners, maar ook een stel?'

'Waarom wil je dat weten?'

'Ik neem maar aan dat dit "ja" betekent. Ik heb een foto van haar gezien en iets over haar gelezen. Ze is erg knap. En heel fanatiek. Ik bedoel, een olympisch sporter die ook nog eens goed kan schieten? Wat een combinatie!'

'Waarom heb je je huiswerk over haar gedaan? Je kon je eerst nauwelijks haar naam herinneren.'

'Dat is het spelletje dat we als vrouwen spelen. Ik ben ervan overtuigd dat ze bloedgeil is tussen de lakens.'

'Kijk, dát is de Dana die ik ken!'

'Ik heb nooit beweerd dat ik helemaal veranderd ben. Maar wat wil je eigenlijk precies van me in verband met Tyler Wingo?'

'Alles wat je kunt ontdekken.'

'Ik ben geen spion. Ik werk met gewonde soldaten en hun families en ik ben betrokken bij veel van de organisaties waar echtgenotes van generaals vaak te vinden zijn. Maar ik heb geen vrijbrief om in de binnenste gelederen van het Pentagon te komen en niet de computervaardigheden om hun databases te hacken.'

'Onderschat je vaardigheden niet, Dana.'

'Wat bedoel je?'

Sean liet zijn ogen over haar lichaam glijden. 'Ik dacht meer aan een gesprekje tussen de lakens.'

Ze glimlachte. 'Oké, dát kan ik wel. Curtis is een groot voorstander van protocollen, maar iedere man kan worden gemanipuleerd als je hem maar weet te... stimuleren.'

Hij lachte. 'Net zoals fietsen.' Zijn gezichtsuitdrukking werd weer serieus. 'Maar laat het duidelijk zijn: probeer gewoon te praten met de generaal, en zie wat ervan komt. Ik wil niet dat je in hachelijke situaties terechtkomt of onnodige risico's neemt. Dat zou niet goed zijn.'

'Als je het zo zegt, klinkt het erg gevaarlijk,' zei ze spottend.

'Het kan ook heel gevaarlijk worden.'

Ze keek hem aan vanachter de tafel. 'Je kijkt me aan met die stalen Secret-Service-blik.'

'Het verbaast me dat je die na al die jaren nog herkent.'

'Er waren heel veel dingen aan je die onvergetelijk waren, Sean. Dit is er gewoon een van.'

'Als je besluit om ons te helpen, moet je me bellen zodra er iets vreemds gebeurt.' Hij schoof zijn kaartje naar haar toe.

'Oké, nu maak je me pas echt bang,' zei ze opgewekt, hoewel haar bezorgde blik haar toon weersprak.

'Goed zo,' zei Sean.

# 15

Michelle had Tyler ongeveer drie straten van zijn huis afgezet. Ze zag hem weglopen en volgde hem toen om te controleren of hij echt veilig thuiskwam. Ze zag geen auto van het Pentagon die als een zwerfkat in een steeg op de loer lag, klaar om een argeloze prooi te bespringen, maar dat betekende niet dat die er niet was.

Terwijl ze wegreed, dacht ze maar aan één ding: Tyler had geweigerd haar te vertellen wat zijn vader hem in die mail had geschreven. Ze had het eerst vriendelijk gevraagd en toen ze gefrustreerd raakte nog een keer, veel minder beleefd. Maar hoe meer ze had aangedrongen, hoe steviger Tyler zijn hakken in het zand had gezet. Ze had hem beloofd dat ze alles geheim zou houden, maar hij was er niet op ingegaan.

Hij liep weg, met gebogen hoofd en sloffend, waardoor hij eruitzag als iemand die alles wat belangrijk voor hem was, was kwijtgeraakt.

Ze baalde van hem en had medelijden met hem, en was een beetje in de war door deze tegenstrijdige emoties. Ze had Sean dit alles gemaild en gevraagd hoe zijn gesprek met Dana verliep. Eerst was ze verbaasd geweest toen Sean over zijn ex-vrouw was begonnen. Michelle had al kort nadat ze Sean had leren kennen gehoord dat hij al eens getrouwd was geweest. Toch had hij daarna Dana's naam niet één keer genoemd. Het was net alsof ze van de aardbodem was verdwenen en daarom was ze een beetje geschrokken toen dit niet het geval bleek te zijn en Sean een afspraak met haar maakte.

Ze was niet echt jaloers, maar ongerust. Hoewel dat diep vanbinnen misschien wel hetzelfde was. Ze vroeg zich ook af of Dana serieus zou overwegen om de status van haar man in het leger te gebruiken om de man te helpen van wie ze gescheiden was.

Terwijl Michelle terugreed naar haar appartement, ging haar telefoon. Het was Sean. Ze sprak met hem af in hun kantoor. 'Hoe ging het met Dana?' vroeg ze.

'Niet zoals ik had verwacht,' antwoordde hij.

Michelle wist niet goed wat ze van deze opmerking moest denken.

Het kantoor van King & Maxwell bevond zich op de derde verdieping van een onopvallend laag gebouw in Fairfax. Het uitzicht was beperkt, het gebouw niet echt schoon, maar de huur laag, tenminste, zo laag als hier gebruikelijk was.

Hij zat al op haar te wachten toen ze de deur opende en naar binnen liep. Ze hadden maar één groot vertrek. Ze hadden geen geld voor een secretaresse, maar die hadden ze ook niet echt nodig, vond Michelle. Ze konden het prima af met zijn tweetjes en de kans dat een derde persoon hun delicate evenwicht zou verstoren, was vrij groot.

Ze ging tegenover hem aan haar bureau zitten. Hij zat in zijn stoel, met zijn voeten op zijn bureau.

'Hoezo was het niet wat je had verwacht?' vroeg ze, terwijl ze hem strak aankeek.

Hij hield op met naar het plafond kijken en richtte zijn blik op haar. 'Ik had het gevoel alsof ik een priester was die naar een biecht luisterde.'

'Je ex heeft haar ziel gelouterd?'

'Volgens mij houdt ze echt van haar man.'

'Wat verfrissend. Gaat ze ons helpen?'

'Ja. Maar ik heb haar gewaarschuwd en gezegd dat ze voorzichtig moet zijn.'

'Weet ze het, van dat mailtje?'

'Dat leek me niet echt handig. Ik heb haar wel verteld over die mortier-granaat. Zij had een redelijke verklaring voor het feit dat ze dat niet met-een die eerste avond aan de familie hebben verteld.'

'Wat verwacht je eigenlijk dat ze kan doen?'

'Ik heb geen idee. Ik weet niet eens wat wij kunnen doen.' Hij haalde zijn voeten van zijn bureau en ging rechtop zitten. 'Hij wilde je dus niet vertellen wat er in dat mailtje stond?'

'Nee. En ik heb echt mijn best gedaan, geloof me. Achteraf gezien heb ik misschien wel te sterk aangedrongen.'

'Geloof je hem?'

Michelle keek hem verbaasd aan. 'Waarom zou hij over zoiets liegen?'

'Ik zeg alleen dat het een mogelijkheid is. Omdat we hier geen direct bewijs voor hebben, kan ik het nog niet echt als een feit beschouwen.'

'Ja, ik geloof hem.'

Sean knikte afwezig. 'We moeten dat mailtje dus zelf zien. Dat zou ons heel veel verder kunnen helpen.'

'Je zou toch denken dat het leger dat soort dingen wel monitort. Mail-tjes van soldaten in het veld die worden verstuurd, zullen ze vast wel controleren.'

'Nee, dat doen ze niet. Tenminste, niet standaard. Je kunt je mailadres van de overheid of zelfs een Gmail-account gebruiken om berichten te versturen en te ontvangen.'

'Maar zelfs als dat zo is, misschien werd Wingo wel anders behandeld?'

'Dat weet ik niet. Misschien heeft Sam Wingo een manier gevonden om het hele probleem te omzeilen en zijn zoon een boodschap te sturen waar alleen hij weet van heeft.'

Ze zei: 'Misschien was er een technisch probleem of zo. Misschien is dat mailtje vertraagd en verstuurd voordat Sam dood was, maar kreeg Tyler hem pas daarna.'

'Stond het tijdstip van verzending er dan niet in?' vroeg Sean.

'Ik neem aan van wel. Ik heb het niet gezien.'

'Precies. Maar iemand anders die toegang had tot Wingo's computer had het kunnen versturen vanaf zijn vaders mailaccount nadat Wingo officieel dood is verklaard.'

'Dat heb ik Tyler gevraagd. Maar hij was ervan overtuigd dat alleen zijn vader hem had kunnen versturen.'

'Waar baseert hij dat op?'

'Dat wilde hij niet zeggen. En waarom zou iemand in de eerste plaats zo'n e-mail versturen zodat het lijkt alsof het van Sam Wingo afkomstig is? Best wreed om dat een kind aan te doen.'

'We moeten echt weten waarom Tyler gelooft dat zijn vader het heeft geschreven.'

'Sean, hij weigerde het echt me dat te vertellen.'

'Het is erg lastig, een cliënt die niet meewerkt.'

'Dat is toch altijd zo?' kaatste ze terug. 'Onze laatste cliënt weigerde zelfs maar met ons te praten.'

'Edgar Roy. Dat is zo, inderdaad.' Sean draaide rond in zijn stoel en toen weer terug om haar aan te kijken. 'Ik vraag me af of Edgar dat mailtje zou kunnen ophalen?'

'Hoe dan?'

'Hebben we Tylers mailadres?'

'Dat kan ik wel krijgen, van zijn vriendin Kathy. Ik denk trouwens niet dat die jongelui nog veel mailen. Of Facebook gebruiken. Ze bellen ook niet meer met elkaar. Ze sms'en of gebruiken Tumbler of wat ze allemaal nog meer doen.'

'Zo klink je erg oud,' zei Sean.

'Vergeleken met hen ben ik antiek. Ik ben Maggie Smith in *Downton Abbey*, die zich afvraagt waar de paard-en-wagen is als de Model T eraan komt.'

'Dus jij vraagt Kathy dat mailadres en dan geven we dat aan Edgar. Als hij voor die gigantische wand met beeldschermen, de Wall, kan zitten waar informatie vanuit de hele wereld binnenstroomt en daar iets uit kan opmaken, dan kan hij waarschijnlijk ook wel het mailaccount van een tiener hacken.'

'Wat heb je precies met Dana afgesproken?'

'Zij zou kijken wat ze kon achterhalen. Ik heb haar verteld dat ze voorzichtig moest zijn, dat het gevaarlijk kon zijn.'

Michelle trok een paperclip recht. Zonder op te kijken, vroeg ze: 'En hoe voelde je je toen je jouw ex na al die tijd terugzag?'

'Gelukkig.'

Ze keek fronsend op. 'Gelukkig?'

'Ja, gelukkig omdat ik ben ontsnapt met mijn geestelijke gezondheid en mannelijkheid intact.'

'Denk je dat je die sprong ooit weer zult wagen?'

'Dat weet ik niet. Jij hebt het nog nooit gedaan.'

'Ik ben veel jonger dan jij,' zei ze met een glimlach.

'Ja, dat is waar.'

'Maar we zijn allebei ouder geworden door wat we allemaal hebben meegemaakt,' voegde ze eraan toe, nu niet meer glimlachend.

Hij boog zich naar voren, leunend op zijn ellebogen. 'Ja, dat is waar. Spijt?'

'Had er geen seconde van willen missen. Nou ja, misschien een paar waarop ik heel veel pijn had.'

'Ik vraag me af of Jean Wingo het weet, van dat mailtje,' zei Sean.

'Denk het niet. Ze lijken niet veel met elkaar te delen, op het huis na dan.' Michelle voegde eraan toe: 'Als Sam Wingo nog leeft, waarom zegt het leger dan dat hij is doodgeschoten?'

Sean zei: 'En daarna door een mortiergranaat aan flarden is gereten. Wat het het leger mogelijk maakt om het vervelende detail van identificatie door zijn familieleden te omzeilen.'

'Ik dacht hetzelfde,' zei Michelle.

'Dus nogmaals, waarom? Want het leger moet bij deze poppenkast betrokken zijn. Zij weten echt wel of die man dood is of niet, net als de andere leden van zijn eenheid dat zullen weten.'

'Jammer dat we hun dat niet even kunnen gaan vragen,' zei Michelle.

'Ik denk dat het gepast zou zijn als we proberen te achterhalen wanneer zijn eenheid terugkomt naar de VS.'

'Denk je dat Dana dat feit wel uit haar echtgenoot kan peuren, samen met een paar namen?'

Sean knikte. 'Soldaten hebben een sterk karakter, maar Dana slaagt er altijd in om een man aan het praten te krijgen.'

'Is dat zo?' vroeg Michelle, maar ze zag er geërgerd uit.

Sean zag het waarschuwingsteken niet. Hij keek naar het plafond en glimlachte. 'Ze kwam het restaurant binnen in een minirokje, kousen met visgraatpatroon en stiletto's, een decolleté zo diep als een ravijn en een hip, blond kapsel. Ik moet toegeven, ze zag er geweldig uit. Ik dacht dat iedere man in dat restaurant van zijn stoel zou vallen. Een ouwe vent stikte bijna toen ze vertelde dat ze seksueel onverzadigbaar was.'

'Iedere man?' vroeg Michelle, met een scherpe klank in haar stem.

Sean keek haar aan, opeens verrast. 'Nee, natuurlijk niet iedere man.'

'Seksueel onverzadigbaar. Hoe kwam dát onderwerp in vredesnaam ter sprake?'

Sean mompelde: 'We hadden het gewoon... Ik bedoel, we spraken alleen maar over... over wat er verkeerd was gelopen tussen ons en ik...'

Michelle stond op. 'Ik ben kapot. Ik ga naar bed. Tot morgen.'

Ze beende naar de deur.

'Michelle, doe nou niet zo dom,' riep hij haar achterna.

'Geweldig, Sean, dat is precies wat een vrouw graag wil horen,' zei ze en ze smeet de deur achter zich dicht.

# 16

Toen Michelle de volgende ochtend haar appartement verliet, was de zon nog maar net opgekomen.

Toch was hij er al.

Sean stond naast zijn Lexus, met twee bekers koffie in zijn handen. Hij rilde van de kou.

'Waarom ben jij hier?' vroeg ze.

'Om te zeggen dat het me spijt dat ik gisteravond zo'n klootzak was.' Hij hield de beker koffie omhoog. 'Het is niet veel, maar de koffie is heet. Ik heb je komst precies goed getimed.'

Ze keek hem een paar ongemakkelijke seconden aan, liep vervolgens naar hem toe en griste de koffie uit zijn hand.

'Het spijt me écht,' zei hij zacht.

'Je hoeft nergens spijt van te hebben. We zijn zakenpartners. Waar je over fantaseert in je vrije tijd is helemaal je eigen zaak.'

'Ik fantaseer niet over haar. Vergeet niet dat ik haar alleen maar heb opgezocht omdat jij het me vroeg.'

Michelles boosheid verminderde door deze opmerking. Ze nam een slok koffie en staarde naar de bestrating.

'Kijk Michelle, Dana is gelukkig getrouwd. Ik weet dat het moeilijk te geloven is, maar ze houdt echt van haar generaal. Ze bleef maar over hem praten.'

'En jij?'

'Ik ben heel blij dat ze van haar generaal houdt.'

Ze keken elkaar even aan.

'Ik snap het,' zei Michelle.

'Geloof me, mijn jaren met Dana waren een paar van de slechtste jaren van mijn leven. Ik heb niet genoeg tijd om dat nog een keer te doen, zelfs als ik dat zou willen, wat niet zo is.'

Michelle nam een slokje van haar koffie. 'Oké, wat doen we nu? We zitten te wachten op Dana en Kathy en op dit moment kunnen we Tyler niet opnieuw benaderen.'

Michelles telefoon ging. Ze keek naar het scherm en hield hem toen zo dat Sean de tekst kon lezen. 'We hebben net Tylers mailadres van Kathy gekregen.'

'Dan gaan we nu naar Edgar Roy.'

'Naar zijn boerderij?' vroeg ze.

'Nee, ik heb het gecheckt. De rest van de week werkt hij in D.C.'

'Bunting Enterprises?'

'Een bijkantoor daarvan,' antwoordde Sean.

'Kunnen we hem daar opzoeken? Is dat niet geheim en beveiligd?'

'Dat geloof ik wel, ja. Maar we kunnen hem bellen en vragen of hij buiten Emerald City met ons wil afspreken. Dan zeg ik wel dat hij zijn laptop moet meenemen.' Sean liep naar zijn Lexus en wilde achter het stuur gaan zitten.

Michelle zei: 'Ik rij wel.'

'Maar...' Sean wilde ertegenin gaan, maar Michelle stapte al in haar auto.

Sean opende het passagiersportier, waarna er een stapel troep op de stoep viel. Hij sprong opzij toen de inhoud van een halfleeg pak sinaasappelsap op zijn schoenen spatte.

'Gooi maar gewoon op de achterbank,' zei Michelle.

'Zal ik alles maar gewoon in die afvalbak daar smijten?' zei hij kwaad.

'Maar het is geen afval.'

'Als het eruitziet als afval en stinkt als afval...'

'Op de achterbank, Sean! Bedankt.'

Sean keek even naar de troep en smeet het toen met geweld naar achteren. Zodra hij daarmee klaar was, gooide hij het portier dicht.

'Voel je je nu beter?' vroeg ze.

'Nee, niet echt,' zei hij met opeengeklemde kaken en met zijn blik strak naar voren gericht. 'Er zit sinaasappelsap in mijn sokken.'

'Dan worden je voeten in elk geval niet verkouden.'

Onderweg belde Sean Edgar op. Deze hield zich niet aan de gebruikelijke werktijden en was al een tijdje aan het werk.

Toen ze bij het kantoorgebouw kwamen, iets voorbij K Street, zagen ze hem tegelijkertijd. Edgar Roy was niet gemakkelijk over het hoofd te zien. Hij was twee meter vijf en dat is uitzonderlijk lang als je niet op een basketbalveld staat. Hij was ook bijzonder mager, waardoor hij zelfs nog langer leek. En hij had een laptop onder de arm.

Ze stopten langs de stoeprand en Sean deed zijn raampje naar beneden. 'Hé, Edgar.'

Edgar keek naar hem. Zijn ogen, die gedeeltelijk schuilgingen achter zijn dikke brillenglazen, waren verbonden aan zo ongeveer het beste stel hersenen van het land, of misschien wel van de wereld. Edgar Roy was de meest waardevolle analist van de Amerikaanse geheime diensten. Zijn brein stelde hem in staat om binnen de wereld van de geheime diensten de allerkleinste spelden in de hooiberg te vinden.

Maar het enige wat Sean nu wenste, was dat hij de mail van een tiener zou hacken.

Sean en Michelle sprongen uit de wagen en liepen naar Edgar toe. Hoewel ze allebei niet klein waren, moesten ze toch omhoogkijken om Edgar recht in de ogen te kunnen kijken.

Edgar knikte hen toe en liet zijn blik toen op Michelle rusten. 'De vorige keer dat we elkaar zagen, heb ik dit niet gezegd, maar ik ben blij dat het zo goed met u gaat, mevrouw Maxwell.'

Michelle had geprobeerd hem zover te krijgen dat hij haar bij haar voornaam aansprak, maar was daar niet in geslaagd. 'Bedankt, Edgar. Maar ik zou jou ook moeten bedanken omdat je mijn leven hebt gered. En we stellen het bijzonder op prijs dat je de tijd hebt genomen om nu met ons te praten. Het duurt niet lang.'

Sean zei: 'Ik heb hier een e-mailaccount waarvan ik hoop dat je dat kunt hacken. We hebben een paar van de laatste mailtjes nodig.'

Edgar keek naar het mailadres. Sean wist dat hij dat meteen in zijn geheugen had geprent. Edgar ging op een bankje zitten, klapte zijn laptop open en sloeg wat toetsen aan.

'Je hoeft het niet meteen te doen, Edgar,' zei Sean. 'Als je even tijd hebt tussen wat je nu aan het doen bent door, niet terwijl je hier zit in de kou. En dan...'

'Hier,' zei Edgar. Hij had zijn laptop zo gedraaid dat ze het beeldscherm konden zien. Hierop waren Tyler Wingo's mails te zien

'Hoe heb je dat zo snel gedaan?' vroeg Sean.

'Ik denk niet dat je dat zou begrijpen,' zei Edgar beleefd.

'Je zit er al in,' zei Michelle. Ze ging naast Edgar zitten, terwijl Sean zich op de andere kant van het bankje perste. Ze lieten hun blik over het scherm dwalen. Er waren niet veel mailtjes.

'Ik zie hem niet,' zei Sean. 'Misschien heeft hij hem gewist. En dat betekent dat we de klos zijn.'

'Dat betwijfel ik,' zei Edgar. 'Er zijn manieren om een drive definitief te legen. Als je dat niet doet, betekent het dat je ze niet definitief wist.' Hij sloeg een paar toetsen aan, waarop er een nieuwe lijst met mails verscheen. 'Hij heeft hem ook uit de Prullenbak verwijderd, maar hij is ook naar een andere cache gekopieerd die niet zo voor de hand lag. Simpel, als je weet waar je moet zoeken.'

'Ik ben blij dat jij weet waar je moet zoeken,' zei Sean.

'Daar!' zei Michelle en ze wees naar het derde mailtje van boven. 'Die is van Sam Wingo.'

Nadat Sean en Michelle de mail hadden gelezen, keken ze elkaar aan.

Sean zei: 'In die mail staat niets waarvan Tyler niet zou willen dat wij of iemand anders het zouden weten. Hij is vrij kort en zijn vader heeft het alleen over school en Tylers zwemmen.'

'Misschien heeft hij hem daarom alleen maar gedeletet en niet echt gewist,' opperde Edgar.

'Heeft hij die mail beantwoord?' vroeg Sean.

Edgar sloeg een paar toetsen aan, maar schudde ten slotte zijn hoofd. 'Nee.'

Michelle zei: 'Sean, kijk eens naar het tijdstip. Hij is verstuurd nadat ze hem vertelden dat zijn vader dood was. Precies zoals Tyler zei.'

Sean las de mail weer door. Er schoot hem iets te binnen en hij vroeg aan Edgar: 'Misschien is het een code, Edgar. Denk je dat je ons kunt helpen?'

'Juist.' Edgar las de tekst, zijn ogen schoten heen en weer. Zijn lippen bewogen wel, maar hij zei niets. Hij opende een ander scherm en typte de letters HSMVMA en zei: 'Ik heb hem door een stuk of honderd voor de hand liggende coderingsmogelijkheden gehaald. Zo te zien zit de code in de eerste letter van elk zevende woord. Lage beveiliging, maar het is al zo oud en het wordt zo zelden gebruikt dat het wel een bepaalde waarde kan hebben. Niet tegen een echte cyberaanval natuurlijk. En een echte decodeermachine zou er geen enkele moeite mee hebben. Maar dit ligt iets ingewikkelder, omdat het een acroniem is en geen echte woorden vormt, en dat betekent dat deze codering een dubbele laag heeft.'

'Maar wat betekent dat acroniem?' vroeg Michelle.

'Gebruikelijke internetafkortingen,' zei Edgar verbaasd. 'Gebaseerd op de eerste letter met een extrapolatie. Ik dacht dat jullie dat wel zouden weten.'

'Die les heb ik gemist,' zei Michelle.

'Ik ook,' zei Sean snel. 'Evenals alle wis- en natuurkundelessen.'

'Dit betekent: "Het spijt me, vergeef me alsjeblieft",' zei Edgar.

Sean en Michelle keken elkaar aan.

'Hebben jullie hier iets aan?' vroeg Edgar.

'Het is zeker niet nutteloos,' zei Sean.

# 17

Sean en Michelle waren net terug in hun kantoor toen de telefoon ging.

Het was Peter Bunting, hoofd van een groot beveiligingsbedrijf dat voor de overheid werkte. Hij was ook de baas van Edgar Roy.

De man was een beetje opgewonden.

Sean hield de telefoon een stukje van zijn oor vandaan toen Bunting begon te schreeuwen.

'Over wie hebben we het precies, meneer Bunting?' vroeg Sean toen de man even zweeg om adem te halen.

Bunting zei iets en Sean knikte. 'Oké, we zullen dit uitzoeken. En het spijt me.'

Bunting schreeuwde nog iets en hing op.

Sean wendde zich tot Michelle.

'Waar ging dat allemaal over?'

'Het ministerie van Defensie is net langs geweest en heeft Edgar Roy uit zijn kantoor gesleurd.'

'Wat? Waarom?'

'Oorzaak en gevolg, kennelijk.'

'En dat betekent dat wij de oorzaak zijn?'

Sean knikte. 'Gezien de timing kan Bunting geen enkele andere reden bedenken waarom hij is weggehaald en ik heb de neiging het met hem eens te zijn. Edgar had hem over onze ontmoeting verteld.' Hij voegde eraan toe: 'Bunting is nu een beetje kwaad.'

'Dat kon ik wel horen. Wat zei hij vlak voordat hij ophing?'

'Iets over het verminken van mijn testikels, hoewel hij dat een beetje minder beleefd formuleerde.'

Michelle liet zich in haar bureaustoel vallen en keek naar de deur. 'Moeten wij ons nu ook voorbereiden op een invasie?'

'Edgar Roy is in dienst bij een beveiligingsbedrijf en werkt dus in feite voor de overheid. Hij heeft ons een dienst bewezen in overheidstijd. Misschien kunnen ze hem daarvoor een beetje door de mangel halen, maar ze kunnen hem niet opsluiten. Daar is hij veel te waardevol voor.'

'Maar dat is geen antwoord op mijn vraag. Wíj zijn niet zo waardevol.

Dus zou het geen enkel probleem voor hen zijn ons op te sluiten en de sleutel weg te gooien.'

'Maar we zijn ook niet in dienst van de overheid. Er is die kleine kwestie van *habeas corpus*. Dat betekent nog altijd iets in dit land.'

'Ja, maar we hebben een overheidsgenie overgehaald een privéaccount voor ons te hacken. Is dat niet illegaal?'

'We hebben ook toestemming van de accounthouder om een onderzoek in te stellen. Tyler heeft ons ingehuurd.'

'En hij heeft ons weer ontslagen,' zei Michelle.

'Dat is niet meer dan een formeel puntje.'

'Dat zeg jij.'

'Ik bén advocaat.'

'En advocaten kramen allerlei onzin uit. Daar brengen ze zelfs meer voor in rekening.'

'Wanneer ze onze deuren openbreken, denk ik dat onze verdediging sterk genoeg is om te voorkomen dat we echt in de problemen komen.'

Michelle veinsde een glimlach. 'Vijf jaar in de gevangenis in plaats van tien, dát is een opluchting!'

'Ik denk eigenlijk dat die mail inderdaad is verstuurd door Sam Wingo. En dat betekent dat het leger gewoon keihard liegt.'

Michelle zei: 'Maar waar had hij spijt van en waarom vroeg hij zijn zoon hem te vergeven?'

'Omdat hij tegen hem heeft gelogen? Omdat hij nu in deze problemen zit en er de oorzaak van is dat Tyler daar nu onder lijdt?' suggereerde Sean.

'Oké, maar dat maakt dat wij niet meer in handen hebben dan vermoedens en niet veel aanwijzingen om na te trekken.'

'We hebben Tyler. We hebben Kathy. We hebben Dana. En we hebben DTI,' zei Sean.

'Laten we maar beginnen met de gemakkelijkste persoon.'

'Dana?' vroeg Sean.

'Ik dacht aan Kathy.'

'Wil je de taken verdelen?'

'Ik neem Dana. Jij neemt Kathy.'

'Je maakt een grapje zeker?' zei hij.

'Denk je dat?' vroeg ze met haar blik strak op hem gericht.

'Kathy kent me niet. En het is misschien een beetje lastig voor mij om een afspraak te maken met een pubermeisje.'

'Oké, dan doen we het allebei samen. Ik heb je ex altijd al willen leren kennen.'

'Altijd al?'

'Altijd al sinds gisteren.'

'Misschien weet ze nog niets. Ze heeft niet veel tijd gehad.'

'Je zei dat ze heel overtuigend kan zijn, vooral wat haar kledingkeus betreft.'

'Waarom stuur je Kathy niet even een sms? Als ze iets heeft ontdekt, kunnen we na schooltijd met haar afspreken. Dan stuur ik Dana een sms.'

'En DTI?'

'Ik zou die lui heel graag willen spreken, maar het ministerie van Defensie zal wel een oogje op hen houden.'

'Is er een wet tegen het stellen van vragen? Mensen hoeven ze toch niet te beantwoorden.'

'Soms maken mensen hun eigen wetten. Tegen de tijd dat het allemaal is uitgezocht, zijn wij rijp voor een uitkering.'

Michelle zei: 'Het zou al schelen als we de namen van een paar collega's van Sam Wingo zouden kennen.'

'Nou, het enige wat ik heb kunnen ontdekken, is dat het kantoor waar Wingo werkte helemaal niet zo groot is. Een man of twintig. Ik durf te wedden dat die elkaar allemaal kennen. In elk geval tot op zekere hoogte.'

'Zullen we na werktijd buiten gaan staan en kijken wie er veelbelovend uitziet?'

'Kunnen we doen. Maar dat doen we dan ná onze afspraak met Kathy, als ze iets weet. Stuur haar nu maar een sms.'

Dat deed Michelle.

Vijf minuten verstreken.

'Misschien heeft zij ons ook geblokkeerd,' zei Michelle met een blik op haar telefoon.

'Geef het wat tijd.'

Weer verstreek er een minuut en toen kreeg Michelle een sms.

'Ze heeft met Tyler gepraat. Ze wil ons na schooltijd spreken, in hetzelfde restaurant.'

'Je zou een klantenkaart bij het Panera Café moeten aanvragen,' zei Sean.

'Ik vind het met de minuut vreemder worden. Ik wil niet in een cel van de CIA terechtkomen waarvan niemand het bestaan kent.'

Sean vouwde zijn handen achter zijn hoofd en leunde achterover in zijn stoel. 'Eerlijk gezegd maak ik me meer zorgen over Tyler en zijn stiefmoeder dan over ons.'

Michelle keek hem aan. 'Waarom?'

'Tyler kreeg dat mailtje. Edgar heeft die gehackt en gedecodeerd. Wie zegt dat een derde partij dat niet ook heeft gedaan?'

'Dus ze weten dat de vader zijn zoon een berichtje heeft gestuurd?'

'Nadat hij zogenaamd dood was.'

'En Tyler weet dat, want dat heeft hij me verteld. Denk je dat hij het ook aan iemand anders heeft verteld?'

'Ik betwijfel ten zeerste dat hij zijn stiefmoeder Jean in vertrouwen heeft genomen.'

'Kathy zei dat ze met hem heeft gepraat. Misschien heeft hij het aan haar verteld.'

'Ik hoop dat ze met elkaar hebben gepraat zonder daarbij gebruik te maken van hun telefoon of computer.'

Michelle knikte begrijpend. 'Het Pentagon zal die allemaal monitoren. Maar weet je, jongeren lijken tegenwoordig niet meer met elkaar te práten. Ze sturen elkaar alleen nog maar sms'jes.'

'Nou, voor hun eigen bestwil hoop ik dat ze dat nu niet hebben gedaan.'

'Sean, waarom zou het leger zeggen dat een soldaat dood is als hij niet echt dood is?'

'Ik kan wel een paar redenen bedenken, maar die klinken allemaal niet logisch.'

'En de vader wilde dat zijn zoon hem vergaf. Omdat hij net doet alsof hij dood is? Omdat hij hem al die ellende bezorgt?'

'Misschien wel. En nu denkt Tyler dat zijn vader nog leeft,' zei Sean.

'Ergens hoop ik dat dit ook zo is. Want als dat niet zo is en Tyler de waarheid ontdekt?'

Sean knikte begrijpend. 'Dan zal hij zijn vader nog een keer verliezen. Voor de tweede keer.'

# 18

'Hoe gaat het met Tyler?' vroeg Michelle.

Zij en Sean zaten in het Panera tegenover Kathy.

'Niet zo goed. Hij is heel chagrijnig en wil niet praten.'

'Maar je zei toch dat jullie met elkaar hadden gesproken?' vroeg Sean.

Kathy speelde met het papiertje van haar rietje. 'Een beetje.'

'Persoonlijk?' vroeg Michelle. 'Ik bedoel, niet via de telefoon?'

'Nee, hij is eerder vandaag naar mijn huis gereden. We hebben in mijn tuin gepraat.'

'Wat heeft hij je verteld?' vroeg Michelle.

'Zit Tyler in de problemen of zo?' vroeg Kathy opeens.

'Nee,' zei Sean. 'Denkt hij van wel?'

'Ik weet dat hij zich zorgen maakt.'

'Vertel ons maar gewoon wat hij zei, dan begrijpen wij het misschien wel,' adviseerde Michelle.

'Jullie willen hem echt helpen, hè?'

'Hij is naar óns toe gekomen, Kathy,' antwoordde Michelle eerlijk. 'Hij huurde ons in om dit voor hem uit te zoeken. En omdat hij onze cliënt is, hebben we alleen zijn belang op het oog.'

Sean knikte bevestigend en daarna keken ze allebei naar Kathy.

'Hij vertelde me dat er iets vreemds aan de hand is met de dood van zijn vader.'

'Wat dan?'

'Het leger zegt dat hij dood is, maar Tyler denkt dat er meer aan de hand is.'

'Waarom denkt hij dat?' vroeg Michelle, het antwoord al wetend.

'Dat wilde hij niet zeggen. Maar hij vertelde me wel dat het leger hem belazert. Dat ze het verhaal over hoe zijn vader is gestorven, steeds veranderen. Ze zouden naar Dover gaan als de kist van zijn vader aankwam, maar toen zeiden ze dat die was vertraagd.'

'Hebben ze hem verteld tot wanneer?' vroeg Sean.

'Als dat zo is, heeft hij me dat niet verteld. Hij maakte zich daar echt druk over.'

'Heeft hij het ook over mailtjes gehad die hij had ontvangen?' vroeg Sean zacht.

Kathy keek hem even aan. 'Mailtjes? Van wie?'

'Dat weet ik niet. Ik vraag het alleen maar. Ik probeer de situatie in te schatten.'

Ze keek hen argwanend aan. 'Als Tyler jullie heeft ingehuurd, waarom vragen jullie dit dan niet aan hem?'

Sean en Michelle keken elkaar aan.

Sean zei: 'Het ligt een beetje gecompliceerd, Kathy.'

Michelle voegde eraan toe: 'We wilden wat informatie van een vriendin van hem, om te kijken hoe het met hem gaat, waar hij over praat. We weten dat hij behoorlijk van slag is en misschien niet erg helder nadenkt. Maar wat jij ons hebt verteld, komt goed overeen met wat Tyler ons al heeft verteld.'

Kathy knikte, kennelijk tevreden met deze uitleg. 'Hij zei dat hij het leger niet vertrouwt.'

'Dat kan ik wel begrijpen,' zei Sean. 'Hoe gaat het tussen hem en zijn stiefmoeder?'

'Tyler heeft het niet over haar gehad. Eigenlijk praat hij nooit over haar. Ik weet dat ze in hetzelfde huis wonen, maar daar houdt het wel zo ongeveer mee op. Volgens mij praten ze niet veel met elkaar.'

'En wanneer is zijn vader reservist geworden?'

'Een jaar geleden ongeveer.'

Toen Kathy weer wantrouwig werd door deze vragen, zei Sean snel: 'En jouw moeder? Hoe lang blijft zij nog in het leger?'

'Ze moet nog drie jaar voor haar volledige pensioen. Dat krijgt ze dan meteen, dus dan kan ze ervan genieten voordat ze, je weet wel, echt heel oud is, een jaar of vijftig of zo.'

Sean keek even naar Michelle. 'Je moet er niet aan denken dat je moet wachten tot je zó oud bent!' zei Sean droog.

'Dan sta je al met één voet in het graf,' voegde Michelle er glimlachend aan toe.

'Ik vraag me af of Sam Wingo zijn volledige twintig jaar heeft uitgediend,' zei Sean.

Kathy zei: 'Volgens mij niet. Tyler zei dat zijn vader op zijn vijfentwintigste in het leger ging. In de krant stond dat hij vijfenveertig was toen hij sneuvelde. Dat betekent dat hij niet oud genoeg is om al twintig jaar in het leger te hebben gezeten als hij het leger een jaar geleden heeft verlaten.'

Michelle zei: 'Oké, maar dan heeft hij het leger kennelijk één jaar voor

93

zijn pensioen verlaten. Waarom zou je dat doen als je er al negentien jaar op hebt zitten?'

'Misschien kreeg hij een betere baan met een veel hoger salaris,' zei Kathy.

'Dat kan,' zei Sean, niet erg overtuigd.

'Is je opgevallen dat ze bij de Wingo's opeens meer geld hadden?' vroeg Michelle. 'Ik bedoel, ze zijn niet verhuisd, toch? Maar zoiets als een nieuwe auto, computers, het huis opknappen?'

'Nee, dat niet. En Tyler heeft het daar nooit over gehad. Hun huis is leuk en zo, maar het is heel gewoon.'

'Dus als het niet om het geld was, waarom zou hij dan zijn vertrokken?' vroeg Sean zich af. Hij keek naar Kathy. 'Heeft Tyler weleens verteld wat voor werk zijn vader deed? DTI?'

'Hij zei alleen dat hij verkoper was. Je weet wel, besprekingen met klanten en dingen verkopen.'

'DTI is gespecialiseerd in vertalingen, vooral voor Afghanistan,' zei Michelle. 'Je zou niet verwachten dat je voor dat product een grote verkoopafdeling nodig zou hebben.'

Kathy haalde haar schouders op. 'Mijn moeder zegt dat het eeuwen duurt om iets aan de overheid te verkopen, door alle regels en de bureaucratische rompslomp. Maar dat je, áls je iets verkoopt, veel geld kunt verdienen. Je moet alleen wel de juiste mensen kennen, zei ze.'

'Dan lijkt het logisch om een ex-soldaat te gebruiken om dingen aan het leger te verkopen,' zei Michelle met haar blik op Sean gericht.

Hij knikte langzaam. 'Kathy, weet je verder nog dingen waar wij iets aan kunnen hebben?'

Ze begon haar hoofd te schudden, maar hield daar toen mee op. 'Nou, Tyler zei nog iets. Misschien is het niet belangrijk, hoor, vooral nu zijn vader dood is.'

'Wat dan?' vroeg Michelle.

'Hij en zijn vader gebruikten een codetaal die alleen zij tweeën konden begrijpen. Die gebruikten ze in mails toen zijn vader werd uitgezonden.'

Michelle vroeg: 'Waarom gebruikten ze een code?'

'Het leger hoort de mails van zijn personeel niet te lezen, maar veel mensen denken dat ze dat wel doen. En volgens mij betekende het heel veel voor Tyler dat hij en zijn vader deze speciale code hadden. Ik deed ook zoiets toen mijn moeder daar was.'

Sean vroeg: 'Heeft hij je verteld welke code ze gebruikten?'

'Nee.' Kathy zuchtte diep. 'Ik begrijp niet waarom dit hem allemaal overkomt, maar ik weet zeker dat het zijn schuld niet is.'

'Nee, dat is het ook niet,' beaamde Michelle.

Kathy keek op haar horloge. 'Ik moet nu weg. Mijn moeder verwacht me.'

'Heb je een lift nodig?' vroeg Michelle.

'Nee, de bushalte is vlakbij.'

'Wij kunnen je wel brengen,' zei Sean. Kathy keek hem wantrouwig aan, waarop hij zei: 'Heel verstandig van je om geen lift aan te nemen van mensen die je niet goed kent.'

Kathy glimlachte even verlegen tegen hem, pakte haar tas en liep weg. 'Ik hoop dat jullie Tyler kunnen helpen,' zei ze.

'Dat gaan we zeker doen,' antwoordde Michelle.

Nadat ze was vertrokken, zei Sean tegen Michelle: 'Oké, we hebben veel gehoord, maar niet veel wat echt nuttig was.'

'Wat me dwarszit is dat Wingo één jaar voor zijn volle pensioen het leger heeft verlaten. Ik bedoel, wie doet zoiets?'

'Tja, iemand die dat doet, moet daar wel een heel goede reden voor hebben. En bij Wingo kan het niet vanwege disciplinaire problemen zijn geweest,' zei Sean.

'Inderdaad. Hij zat bij de reservisten en zij stuurden hem daar weer naartoe, en dus was het niet zo dat hij er een puinhoop van had gemaakt of wegens wangedrag is ontslagen.'

Ze verstijfde toen ze naar de deuropening keek. 'Oké, nu wordt het dus echt een beetje griezelig.'

Sean keek naar de deur.

Daar stonden twee mannen in een legeruniform. Ze zagen Sean en Michelle, en liepen hun kant op. Beide mannen waren gewapend.

# 19

'Willen jullie misschien een kop koffie?' vroeg Sean toen de geüniformeerde mannen voor hun tafeltje bleven staan. 'Het is koud buiten. Bijna even koud als het hierbinnen is geworden.'

'Sean King en Michelle Maxwell?' vroeg een van hen.

'Het leger weet ook alles,' zei Sean opgewekt.

'Willen jullie even mee naar buiten komen?' vroeg dezelfde man. Aan
zijn strepen en insignes was te zien dat hij een sergeant van de militaire
politie was.

'Ik vind dat we hier prima zitten,' zei Michelle.

'Willen jullie mee naar buiten komen?' vroeg de man weer.

'Waarom?' vroeg Sean.

'We moeten met jullie praten.'

'En dat kunnen we heel goed hier doen.' Sean wees naar de twee lege
stoelen aan hun tafeltje.

'Wij zouden er de voorkeur aan geven dit buiten te doen.'

'Dan verschillen we daarover van mening. Maar omdat jullie van de
militaire politie zijn en wij niet, zie ik niet hoe jullie ons tegen onze zin
mee naar buiten moeten krijgen als we geen enkele wet overtreden waardoor jullie gemachtigd zijn tot een burgerarrest.'

'U bent de advocaat?' vroeg de andere man. 'Dacht ik al,' voegde hij
eraan toe toen Sean knikte.

De sergeant legde een hand op de kolf van zijn wapen.

'Dat zou een vergissing zijn die weleens een einde aan uw carrière zou
kunnen maken, sergeant,' zei Sean. 'En u en ik zouden dat niet willen.'

'Dan moeten we de hardere manier maar gebruiken.'

'O, en hoe ziet die eruit?' vroeg Michelle bezorgd.

De sergeant haalde zijn telefoon tevoorschijn en verstuurde een sms.

Vijf seconden later werd de deur van het Panera Café opengeduwd en
kwamen er drie mannen in pak binnen.

'Sean King en Michelle Maxwell?' vroeg de leider.

'Wie wil dat weten?' antwoordde Sean.

Drie badges van Homeland Security werden onder hun neus gedrukt.

'Kom mee,' snauwde de aanvoerder.

Terwijl Sean en Michelle van hun stoelen werden gesleurd, zei de sergeant met een glimlach: 'Dat is de hardere manier.'

Na een rit van drie kwartier in een geblindeerde SUV arriveerden ze bij een gebouw in Loudoun County, Virginia, midden in een groot bos. Ze werden via de voordeur naar binnen geduwd en nadat hun wapens in beslag waren genomen langs de beveiliging geleid.

Terwijl ze door een gang liepen, vroeg Sean voor de zoveelste keer, al even zinloos: 'Wat heeft dit verdomme te betekenen?'

Ze werden naar een kleine, kale vergaderzaal gebracht en kregen te horen dat ze moesten gaan zitten, waarna de deur dicht en op slot werd gedaan.

Sean keek om zich heen.

Michelle vroeg: 'DHS? Waarom is de binnenlandse veiligheidsdienst hierbij betrokken? Is het ministerie van Defensie niet genoeg?'

Sean legde een vinger op zijn lippen en wees naar een klein afluisterapparaatje boven de houten plint die langs het plafond liep.

Een paar minuten later ging de deur open en kwam er een man het vertrek binnen. Hij was ongeveer even lang als Sean, een jaar of vijftig, nog steeds in goede conditie en met stevige benen waar zijn broek strak omheen spande. Over zijn witte overhemd droeg hij een schouderholster zonder pistool erin.

Hij had een dossier bij zich. Hij ging tegenover hen zitten en zat zo lang in dat dossier te lezen dat Sean net iets wilde zeggen toen hij opkeek. 'Interessante info,' zei de man. 'Ik ben trouwens Jeff McKinney. DHS *special agent* Jeff McKinney om precies te zijn.'

'En ik ben een speciaal kwade burger,' antwoordde Sean.

'Ik ook,' zei Michelle.

McKinney leunde achterover. 'Koffie, water, thee?'

'Antwoorden en excuses zijn al voldoende,' antwoordde Sean. 'Bij voorkeur eerst de excuses.'

'Excuses waarvoor? Omdat we ons werk doen?'

Sean schudde zijn hoofd. 'Dat is niet waar, agent McKinney. Volgens mij is het niet het werk van Homeland om twee gezagsgetrouwe burgers in een openbare gelegenheid van hun stoel te trekken zonder te vertellen waarom en zonder hun hun rechten voor te lezen. Dus feitelijk zijn we ontvoerd. Tenzij jullie ernstige misdrijven aan jullie takenpakket hebben toegevoegd, kunnen jullie een zware aanklacht tegemoetzien. En ik wil uw naam graag goed spellen. Is het M-c of M-a-c?'

McKinney glimlachte en tikte op het dossier. 'Laten we het over Tyler Wingo hebben.'

Sean leunde naar voren. 'Laten we het eens over ons vrijlaten hebben.'

'Maar ik heb u mijn vragen nog niet gesteld,' zei McKinney vriendelijk.

'Die kunt u aan mijn advocaat stellen. Ik ga hem nu meteen bellen.'

'U hebt geen advocaat nodig. U bent niet eens gearresteerd.'

'Wij worden tegen onze zin vastgehouden. Dat is dus hetzelfde. Maar als we niet zijn gearresteerd, dan hebt u niet het recht ons hier te houden.' Hij stond op.

'De nationale veiligheid weegt zwaarder dan de grondwet, meneer King. Ga dus alstublieft weer zitten. Ik wil niet gedwongen worden u in de boeien te slaan, maar als het moet zal ik dat doen.'

'U brengt uzelf alleen maar meer in de problemen.'

'Volgens mij willen we hetzelfde. Wat goed is voor Tyler Wingo.'

Sean ging weer zitten, terwijl Michelle bezorgd naar de mannen keek. 'Nou, als u voor het leger werkt, dan waag ik dat te betwijfelen.'

'Wat hebt u tegen het leger? Dat zijn goede mensen.'

Sean leunde achterover in zijn stoel en leek te bedenken wat te doen. 'Oké, stel uw vragen.'

'Wat is uw relatie met Tyler Wingo?'

'Dat is vertrouwelijke informatie; die mogen we niet geven. Tenzij hij daarvan heeft afgezien.'

'Hij is niet oud genoeg om uw cliënt te kunnen zijn.'

'Hoewel het waar is dat we geen contract met Tyler konden afsluiten doordat hij nog niet meerderjarig is, behandelen we al onze cliënten, ongeacht hun leeftijd, met dezelfde professionele vertrouwelijkheid.'

'Dan wordt dit een heel kort gesprek.'

'Dat hoopte ik al,' zei Sean.

McKinney opende het dossier, haalde er een vel papier uit en schoof het naar Sean.

Sean keek ernaar, terwijl Michelle over zijn schouder meelas.

'Zoals u kunt zien, heeft Tyler Wingo afstand gedaan van alle vertrouwelijkheidsclaims die hij zou kunnen hebben. U kunt mijn vraag dus gewoon beantwoorden. Wat is uw relatie met hem?'

Sean schoof het papier van zich af. 'Hoe erg hebt u hem moeten bedreigen voordat hij zijn handtekening heeft gezet?'

'Wij bedreigen geen kinderen, meneer King. Hij heeft dit ondertekend omdat hij dat wilde. Goed, wat is uw relatie?'

'Hij heeft ons ingehuurd om een onderzoek in te stellen naar de dood van zijn vader.'

'Zijn vader is KIA in Afghanistan. Hij en zijn stiefmoeder zijn hierover naar behoren geïnformeerd. Daar kunt u niets aan toevoegen. Het is niet zo dat jullie naar Afghanistan kunnen vliegen om daar een beetje rond te wroeten. Dat is een oorlogsgebied en een militaire zone, en u zou daar geen enkele jurisdictie hebben, omdat jullie detectivevergunning in het buitenland niet geldig is. Dat heb ik gecontroleerd.'

Sean zei niets.

'En, probeerden jullie misbruik van die jongen te maken? Heeft hij jullie betaald? Hebben jullie een voorschot gevraagd?'

'We hebben geen cent van Tyler gekregen.'

'Nog niet, bedoelt u? Maar jullie zouden hem een rekening hebben gestuurd, toch?'

'Hebt u ons echt nagetrokken?' vroeg Michelle. 'Ik neem aan van wel. Dan weet u ook dat we op een legale manier te werk gaan. We rennen niet als een stelletje ambulancejagers rond om te proberen geld uit de zak van rouwende tieners te kloppen. Wij zagen Tyler midden in de nacht tijdens een onweersbui over straat rennen. Hij was van slag. We hebben hem naar huis gebracht. Hij nam contact met me op en zei dat hij wilde dat wij een onderzoek zouden instellen naar de dood van zijn vader. Wij hebben tegen hem gezegd dat we niet veel konden doen.'

'En waarom is het daar dan niet bij gebleven?' viel McKinney haar in de rede.

'Omdat hij aandrong. We wilden deze zaak niet echt aannemen,' zei Sean. 'Maar toen hij bleef aandringen, had ik liever dat wij het deden dan mensen die misschien zouden proberen misbruik van hem te maken.'

'Wat dacht u nog meer te kunnen ontdekken over de dood van zijn vader? Hij is verdomme in de oorlog in Kandahar gesneuveld!'

Michelle zei: 'Op het oog leek er niets aan de hand. Zijn vader was dood. Vuurgevecht. Kist naar Dover.' Ze zweeg even en keek naar Sean. 'Maar toen begon de zaak een beetje vreemd te worden.'

'Vreemd? Hoezo?' vroeg McKinney.

'Om te beginnen vertelt het leger hem nu dat zijn vader ook door een mortiergranaat is geraakt en dat er feitelijk niets van zijn lichaam over is. Dus niks Dover.'

'Nou en?' vroeg McKinney. 'Een oorlog is niet netjes en keurig. De man is nog steeds dood. Hij is echt niet de eerste dode en zal helaas ook niet de laatste zijn.'

'Juist,' zei Sean. 'Dus waarom hebben het leger en nu ook de DHS hier belangstelling voor? U zei dat het een kwestie van nationale veiligheid was. Hoezo?'

'Denkt u echt dat ik die vraag kan beantwoorden?'

'Nou, als het een kwestie van nationale veiligheid is, dan hebt u ons zo goed als verteld dat deze situatie anders is, omdat de meeste soldaten die in de strijd sneuvelen normaal gesproken niet in het middelpunt van een DHS-zaak staan. U kunt niet beide dingen tegelijk beweren, agent McKinney.'

'Integendeel, ik kan beweren wat ik wil. Wat ik jullie vertel, is dat jullie je moeten terugtrekken en Tyler Wingo met rust moeten laten.'

'De jongen krijgt de waarheid dus niet te horen?'

'Zijn vader is dood. Dat is het enige wat hij moet weten. Nu moet hij de kans krijgen gepast te rouwen.'

'Maar ís zijn vader wel echt dood?' vroeg Michelle. Dat kwam haar op een waarschuwende blik van Sean te staan die ze negeerde.

'Wat bedoelt u daar verdomme mee?' snauwde McKinney.

Michelle leunde naar voren en keek hem strak aan. 'Tja, de beweringen van uw dienst gaan zo vaak vergezeld van allerlei leugens en onzin dat ik me dat gewoon afvroeg. Gaan jullie binnenkort weer beginnen met de dagelijkse, kleurenupdates? Waar stond oranje ook alweer voor, dreigend gevaar of levensgevaar?'

'Weten jullie wel dat ik jullie het leven ontzettend zuur kan maken?' vroeg McKinney met zijn wijsvinger op haar gericht.

'Heel zuur,' antwoordde Sean en hij greep Michelle bij de arm. 'We gaan nu maar, tenzij u nog meer vragen of bezwaren hebt.'

McKinney keek naar Michelle. 'Ik wil jullie niet terugzien. Als dat wel het geval is, zal dat niet aangenaam voor jullie zijn. Dat is een belofte en ik hou me altijd aan mijn woord.'

'Is dat alles?' vroeg Sean.

McKinney leunde naar voren. 'Dit is jullie laatste waarschuwing. Jullie staan op de rand van de afgrond. Zet niet nog een stap naar voren.'

Een minuut later werden Sean en Michelle het gebouw uit geëscorteerd en afgezet bij het Panera Café, waarop de zwarte SUV brullend wegreed. Ze stonden op de parkeerplaats en keken elkaar aan.

Michelle sloeg haar armen over elkaar en leunde tegen haar Land Cruiser. 'Nu ben ik officieel verschrikkelijk en ontzettend kwaad,' riep ze.

Sean wreef bezorgd over zijn slapen. 'Waarom dacht je dat het slim was om hem te laten weten dat wij eraan twijfelen of Sam Wingo wel dood is?'

'Omdat ik toen alleen nog maar onofficieel kwaad was en hij zich gedroeg als een eigenwijze flapdrol. Ik had mezelf even niet meer in de hand.'

'Je móét je emoties beter in de hand houden, Michelle, anders krijgen we pas echt een probleem. We hebben te maken met de DHS en het ministerie van Defensie. Samen zijn zij een gorilla van duizend kilo die iedereen bewusteloos kan slaan als hij dat wil.'

Ze duwde zichzelf af van de auto. 'We kunnen deze zaak nu toch zeker niet meer laten rusten? Er is iets aan de hand, Sean. Dat weet jij en dat weet ik.'

'Dat ontken ik ook niet, maar de vraag is hoe we hiermee kunnen doorgaan zonder in de gevangenis te belanden.'

'We hebben niets verkeerds gedaan.'

'Denk je soms dat zij een echte reden nodig hebben om ons ergens op te sluiten? Dat heeft hij ons met zoveel woorden verteld. Nationale veiligheid, Michelle. Zoals McKinney al zei, weegt dat zwaarder dan de grondwet. Ze sturen ons misschien wel naar Gitmo, verdomme. Daar zou niemand ons ooit kunnen terugvinden.'

'Nou, ik ben niet van plan het op te geven.'

'Ik zei ook niet dat we het moesten opgeven. Ik bedoelde gewoon dat we het slim moeten aanpakken of de zaak moeten laten rusten.'

'Dus wat is het plan?'

'O, maak je maar geen zorgen. Zodra ik een plan heb, ben jij de eerste die het weet.'

# 20

Tyler Wingo zat op zijn bed in zijn kamer naar het stukje papier te kijken. Hij had de boodschap die hij van zijn vader had gekregen, opgeschreven voordat hij hem had gewist. Niet dat hij die ooit zou kunnen vergeten. Maar hij had hem opgeschreven, omdat hij daardoor echter leek dan wanneer hij alleen in zijn hoofd bestond.

De boodschap van zijn vader was zowel duidelijk als onbegrijpelijk.

Het spijt me. Vergeef me alsjeblieft.

*Wat spijt je, papa? Wat moet ik je vergeven? Dat je bent gestorven? Maar je kunt niet dood zijn. Je bént niet dood.*

Tyler vouwde het papiertje twee keer dubbel en stopte het in de zak van zijn jeans. Hij ging op zijn rug op het bed liggen en keek om zich heen. Hij zag allerlei herinneringen aan zijn vader, van de sport- en muziekposters aan de muren, via de honkbalhandschoen en voetbal die stof lagen te verzamelen op een plank, tot de ingelijste foto van hen samen tijdens een zwemwedstrijd waar zijn vader de tijd van de zwemmers moest opnemen.

Tyler gleed met zijn hand onder zijn T-shirt en haalde de twee officiële identiteitsplaatjes tevoorschijn die zijn vader voor hem had laten maken. Hij wreef over het gladde metaal en vroeg zich af waar zijn vader nu kon zijn. Had hij zijn identiteitsplaatjes bij zich? Was hij veilig? Was de mail die hij had verstuurd nadat hij zogenaamd dood was echt van hem afkomstig? Of was het allemaal één grote vergissing? Hij wist dat zijn vader het had geschreven, omdat hun speciale code erin stond.

Hij ging op zijn buik liggen en keek naar de regendruppels op het raam. Het was een sombere dag geweest en nu was het een mistige, bewolkte avond; dat paste dus perfect bij hoe hij zich op dit moment voelde. Hij had altijd gedacht dat hij het zou weten als zijn vader daar gewond zou raken. Hij had altijd gedacht dat hij dat gewoon zou voelen. Maar ja, dat had hij ook van zijn moeder gedacht. En hij en zijn vader hadden haar gevonden op de vloer in haar badkamer met een kogel in haar hoofd en het pistool naast zich. Haar zelfmoordbriefje had keurig opgevouwen op het aanrecht naast de gootsteen gelegen. De tekst was kort geweest:

*Ik kan dit niet langer. Het spijt me. Ik zal jullie missen.*

Hij schudde zijn hoofd om het beeld van haar laatste boodschap te verdrijven. Maar die was er altijd, vlak onder het oppervlak, klaar om op te duiken wanneer hij er het minst op bedacht was. Ze kon binnen een fractie van een seconde de glimlach van zijn gezicht vegen of een lach in zijn keel doen blijven steken.

Hij stond op en liep naar zijn bureau, een ouderwets stalen legerbureau dat zijn vader had gekregen toen het leger tijdens de uitbreiding van enkele kamers in Fort Belvoir in Alexandria aan het opruimen was.

Hij ging zitten, trok de bovenste la open en haalde de foto eruit.

Hij keek naar het gezicht van zijn vader, zijn moeder en hem. Ze kwamen terug van de Army 5K-wedstrijd die hij samen met zijn vader had gelopen. Ze waren gelukkig, een en al glimlach; de zon scheen en ze genoten van een ijsje na de vijf kilometer. Omhelzingen, glimlachjes en ijsjes... amper vijf jaar geleden. Nog geen jaar later was alles veranderd. Nee, alles was in elkaar gestort, zijn leven werd totaal anders. Het was net alsof deze kamer, zelfs deze foto, niet van hem was. Alsof deze kamer het verhaal van iemand anders vertelde, want Tyler herkende zichzelf niet eens meer.

Eerst was zijn moeder gestorven. Daarna was zijn vader getrouwd met een vrouw die Tyler niet eens echt kende. En nu was zijn vader dood. Op een bepaalde manier waren alle mensen op die foto – zijn vader, zijn moeder en hijzelf – echt dood.

'Tyler?'

Hij bewoog zich niet. Hij bleef naar de foto kijken.

Jean liep zijn kamer binnen en ging op de rand van zijn bed zitten. 'Tyler?' vroeg ze weer, amper luider dan een fluistering.

Nog steeds bewoog hij niet.

'Kun je dan ten minste naar me kijken?'

Eindelijk keek hij haar aan, met een ondoorgrondelijke blik.

Ze zei: 'Je hebt je eten niet opgegeten.'

'Had geen trek.'

'Je zwemt kilometers tijdens je training. Hoe is het mogelijk dat je niet vergaat van de honger?'

'Dat is dus niet zo.' Hij keek weer naar de foto.

'Ze hebben me verteld over die mensen.'

Hij keek haar scherp aan. 'Welke mensen?'

'Die man en die vrouw die jou die avond thuisbrachten. Ik kan me hun namen niet meer herinneren.'

'Sean King en Michelle Maxwell.'

103

'Juist. Hoe dan ook, zij zullen je niet meer lastigvallen.'

'Zij vielen me helemaal niet lastig. Ik had hen ingehuurd.'

'Om wat te doen?'

'Dat begrijp je toch niet.'

'Misschien wel.'

'Nee, dat denk ik niet.'

'Je vader is dood, Tyler. Daar kunnen we niets aan veranderen.'

'Dat klopt, dat kunnen we niet.'

'Dus waarom heb je die mensen dan ingehuurd?'

'Dat zei ik toch, dat begrijp je toch niet.'

Ze stond op. 'Denk je dat ik hem niet ook mis?'

'Geen idee. Mis je hem?'

'Hoe kún je dat vragen! Ik hield van hem.'

'Als jij het zegt.'

'Waarom doe je zo tegen mij?'

Hij draaide zich snel om in zijn stoel. 'Omdat ik jou niet echt ken, Jean. Het is net alsof ik met een vreemde in een huis woon.'

'Ik ben al bijna een jaar je stiefmoeder.'

'Oké, maar dat betekent niet dat ik je ken. We hebben nooit meer dan een paar woorden tegen elkaar gezegd. Ik was niet eens uitgenodigd om erbij te zijn toen jullie gingen trouwen. Ik wíst niet eens dat jullie gingen trouwen. Vind je dat niet vreemd? Ik ben zijn enige kind.'

'Je vader wilde het zo.'

Tyler stond op, zijn gezicht werd rood. 'Nee,' snauwde hij. 'Mijn vader zou dat niet zo hebben gewild. Hij zou hebben gewild dat ik er deel van uitmaakte.'

'Hij was bang dat je het erg zou vinden dat hij hertrouwde.'

'En zijn oplossing was om jou op een dag gewoon mee naar huis te nemen en mij te vertellen dat jij mijn stiefmoeder bent? Dat is toch niet logisch?'

'Hoe dan ook, lieve schat, we zullen moeten proberen elkaar aardig te vinden. We hebben tenslotte alleen elkaar nog maar.'

Tyler keek alsof hij moest overgeven. 'We hebben elkaar niet, Jean. We hebben elkaar nooit gehad. Ik ben nu een wees. Ik heb niemand.'

Even hing er een ongemakkelijke stilte. Toen zei Jean: 'Het leger stuurt hier morgen een paar vrijwilligers naartoe.'

'Vrijwilligers? Waarvoor?'

'Om ons te helpen. Ze kunnen klusjes doen. Jou naar school brengen. Mij helpen met koken. Ik heb nu heel veel op mijn bordje. Ik moet heel veel dingen regelen.'

'Nou, mij kun je van je bordje schuiven. Ik heb helemaal geen hulp nodig. En ik kan zelf wel naar school komen.'

'Tyler, je kunt niet iedereen zomaar buitensluiten.'

'Ik ga uitzoeken wat er echt met mijn vader is gebeurd. En ik heb mensen die me daarbij zullen helpen. Ik zal achter de waarheid komen, Jean.' Met een kreet voegde hij eraan toe: 'Dat zal ik.' Hij stond op en rende de trap af.

Ze wilde achter hem aan lopen, maar bleef staan. Ze liep naar zijn bureau, keek naar de foto van de drie Wingo's en haalde vervolgens een telefoon uit de zak van haar spijkerbroek. Ze typte een sms en drukte op Verzenden. Het waren slechts vier woorden, maar die waren eigenlijk heel veelzeggend:

*We hebben een probleem.*


Tyler griste een stel autosleutels van het haakje naast de koelkast, liep naar de zijdeur en stapte in zijn vaders pick-uptruck. Alles rook naar zijn vader, er hing een wapenrek voor de achterruit en op het rechterbenedenhoekje van de voorruit zat een sticker van de Amerikaanse vlag. Een minuscuul paar plastic soldatenkistjes hing aan een kettinkje aan de achteruitkijkspiegel.

Op de beide matten stond: *ik heb legerkracht.*

Tyler startte de wagen, zette hem in de achteruit en reed de oprit af. Hij keek naar het klokje op het dashboard. Bijna acht uur. Hij stopte bij de stoeprand en typte een sms. Hij wachtte. Een paar seconden later kreeg hij antwoord. Hij trapte het gaspedaal in en racete weg.

Vijf minuten later stopte hij voor het huis van Kathy Burnett. Ze stond al op hem te wachten, stapte in en trok het portier stevig dicht.

Hij keek naar haar. 'Wat heb je tegen je ouders gezegd?'

'Dat ik naar Linda ging, verderop in de straat. Zij dekt me.'

Hij knikte en reed weg.

'Waar wilde je over praten?' vroeg Kathy.

Tyler gaf niet meteen antwoord. 'Zomaar een paar dingen,' zei hij ten slotte.

'Wat voor dingen? Over je vader, bedoel je?'

Hij knikte.

'Tyler, wat is er echt aan de hand?'

Hij keek haar aan en nam gas terug. 'Wat bedoel je?'

'Ik heb het over die twee detectives die je hebt ingehuurd. Waarom had je hen nodig?'

'Dingen die te maken hebben met mijn vader, dat vertelde ik je toch?'

105

'Maar je vader is gesneuveld. Dat heeft het leger je verteld. Ik ben een soldatenkind, net als jij. We weten allemaal dat zoiets kan gebeuren. Daar is niets geheimzinnigs aan.'

'Nou, in dit geval is er misschien wel iets geheimzinnigs aan de hand,' antwoordde hij.

'Zoals?'

'Ik heb die detectives ingehuurd, omdat ik niet geloof dat het leger me de waarheid over mijn vader heeft verteld.'

'Ik weet dat je van slag was door wat ze je hebben verteld. Maar waarom denk je in vredesnaam dat ze daarover zouden liegen?'

'Omdat ze me eerst vertelden dat hij was doodgeschoten. Daarna vertelden ze dat hij was opgeblazen en dat er niets van hem over was en dat het niet nodig was om naar Dover te gaan omdat de kist gesloten zou zijn. Ik begrijp nog steeds niet hoe het leger zich daar zo in heeft kunnen vergissen.'

'Nou, misschien is dat wel gebeurd. Mensen maken fouten, zelfs in het leger. Je wilt niet weten wat voor verhalen ik je zou kunnen vertellen.'

'Ja, nou bij dat soort dingen zouden ze geen fouten moeten maken,' zei Tyler schor.

Kathy legde een hand op zijn schouder. 'Nee, daar heb je gelijk in, dat zou niet mogen.'

'Maar toen kwamen er nog andere mannen van het leger bij ons op bezoek. En ook mannen in pak die zeiden dat ze van een andere dienst waren, maar ik weet niet van welke.'

'Waarom kwamen ze bij jullie op bezoek?'

'Om me te vertellen dat ik King en Maxwell moest ontslaan.'

'Waarom?'

'Volgens mij wilden ze niet dat zij in de zaak van mijn vader zouden gaan wroeten.' Hij keek naar Kathy. 'Er is iets heel erg vreemds aan de hand.'

'Wat dan?'

Hij reed de wagen naar de stoeprand en zette hem in de parkeerstand. Hij keek haar aan. 'Ik kreeg een mailtje van mijn vader.'

'Wanneer?'

'Nadat hij was gesneuveld.'

Kathy keek hem aan en werd lijkbleek. 'Hoe kan dat nou?'

'Er stond een datum op. Ze vertelden me wanneer mijn vader zogenaamd was omgekomen. Zijn mailtje is dagen later verstuurd.'

'Misschien heeft iemand anders hem verstuurd.'

'Dat kan niet. Hij was geschreven in de code die alleen mijn vader en ik kennen.'

Kathy keek naar buiten, ze rilde. 'Dit is echt eng, Tyler.' Ze keek hem weer aan. 'Denk je... Geloof je echt dat je vader nog in leven kan zijn?'

Tyler gaf niet meteen antwoord. Hij was bang dat als hij zei wat hij dacht, het niet zou uitkomen. 'Ja, dat geloof ik.'

'Maar je vader was sergeant bij de reservisten. Ik bedoel hier niets mee hoor, maar waarom zou dit zo belangrijk zijn voor het leger? Hij was toch geen generaal of zo?'

'Ik denk dat mijn vader veel belangrijker was dan de mensen wisten.'

'Wat bedoel je?'

'Hij verliet het leger vlak voordat zijn twintig jaar om was. Wie doet er nou zoiets? Daardoor kreeg hij zijn pensioen niet.'

'Dat zei die vrouwelijke detective ook al.'

'Heb jij Michelle gesproken?' vroeg hij verbaasd.

'En Sean. Eerder vandaag. Ze wisten dat wij bevriend zijn.'

'Dus dat betekent dat ze nog steeds aan de zaak werken,' zei hij peinzend.

'Dat zal het leger niet leuk vinden, Tyler.'

'Het kan me geen zak schelen wat het leger leuk vindt of niet. We hebben het over mijn vader! Als hij niet dood is, wil ik weten waar hij is. Ik wil dat hij thuiskomt. Ik laat deze zaak niet rusten.'

'Als het om mijn moeder ging, zou ik dat denk ik ook niet doen.'

'Je mag hier met niemand over praten, hoor!'

'Dat doe ik ook niet, dat beloof ik.'

Hij keek haar aandachtig aan, draaide de auto en bracht haar naar huis.

Toen Tyler weer thuis was, was zijn stiefmoeder er niet en haar auto ook niet. Hij liep naar boven naar zijn slaapkamer en keek naar zijn mobieltje. Hij begon een telefoonnummer in te toetsen, maar hield daarmee op. Stel dat ze zijn telefoon afluisterden?

Hij rende naar beneden, stapte weer in de auto en reed weg.

Er stond een telefooncel, een van de laatste in dit gebied, bij een supermarkt ongeveer drie kilometer bij zijn huis vandaan. Hij stopte er een paar munten in en toetste het nummer in.

Michelle nam op toen hij twee keer was overgegaan.

Tyler zei: 'Ik wil jullie weer inhuren.'

'Weet je dat zeker?' vroeg Michelle.

'Heel zeker,' antwoordde Tyler.

'Mooi, want we hebben de zaak nooit echt laten rusten.'

# 21

Sam Wingo zat in een bus en was eindelijk ingedommeld, maar hij werd bijna uit zijn stoel getild toen de bus door een heel diepe kuil reed. Hij keek naar buiten naar de dageraad. Het landschap was kaal en zou nog veel kaler worden, als een maanlandschap.

Hij keek naar de persoon die naast hem zat. Het was een oude vrouw in de traditionele moslimkledij. Ze had een krat vol groenten op haar schoot en ze snurkte zacht. Zij was kennelijk meer aan de slechte wegen gewend dan hij.

Jaren geleden was hij samen met een troep soldaten voor een geheime missie van Turkije naar Iran gereisd. Ze waren de grens overgestoken aan de voet van Mount Ararat waar Noah, volgens de Heilige Schrift, zijn reis met de Ark had beëindigd. Als je over land van Istanbul naar Teheran reisde, duurde dat normaal gesproken nog geen drie dagen. Maar Wingo's team had geen gebruik kunnen maken van de normale transportmiddelen en ook konden ze de grens niet bij een officiële grensovergang oversteken omdat ze anders ter plekke zouden zijn gearresteerd. Daarom waren ze niet drie dagen, maar een week onderweg geweest. Zes uur nadat het team op de eindbestemming in Iran was gearriveerd, waren drie terroristen die uit handen van de Amerikaanse overheid waren ontsnapt, dood. Wingo en zijn team hadden het land veel sneller verlaten dan ze binnen waren gekomen. Ondanks dat het ontsnappingsplan zorgvuldig was beraamd, hadden ze het maar net gehaald, terwijl de Iraanse veiligheidsdienst hen op de hielen zat.

Deze keer was zijn reis niet zorgvuldig gepland. Hij was op de vlucht en reisde op de bonnefooi. Zijn kans op succes was heel klein, dat wist hij. En toch kon het hem niets schelen. Hij zóú het halen, omdat hij zijn zoon terug wilde zien!

Van Kaboel naar Pesjawar in Pakistan was normaal ongeveer tien uur rijden, inclusief de grensovergang. Bussen waren langzamer en relatief goedkoop. Taxi's waren sneller, maar duurder. Wingo vond geld niet echt van belang en dat het een paar euro scheelde was ook geen punt. Het probleem was het oversteken van de grens. En hoewel hij oorspronkelijk een aantal documenten had gekregen waarmee hij dat probleem-loos had kunnen doen, kon hij die nu niet gebruiken. Hij kon niemand vertrouwen, zelfs, zo leek het, zijn eigen regering niet.

Ook al was de weg tussen Kaboel en Jalalabad niet erg goed, toch wa-ren grote delen ervan onlangs opnieuw verhard. Maar deze route werd beschouwd als een van de gevaarlijkste ter wereld door het grote aantal verkeersongelukken, meestal met dodelijke afloop. En de chauffeur van Wingo's bus leek vastbesloten daar nog een ongeluk aan toe te voegen. Hij reed met amper verhulde agressiviteit, regelmatig luidkeels vloekend en tierend. Hij gaf steeds als een razende gas, en remde dan weer keihard waardoor de passagiers als flipperballetjes door de bus schoten. Soms leek het alsof de bus zou omvallen.

Wingo keek voor ten minste de twintigste keer naar zijn medepassa-giers die zich niets leken aan te trekken van de maniakale chauffeur. Ze leken gewone Afghanen of Pakistanen die tussen de beide landen heen en weer reisden. Wingo was de enige westerling in de bus, waardoor hij sowieso al opviel. Hij had geprobeerd dat iets te verminderen door zijn gezicht donker te maken, en een capuchon en bril op te zetten. Ook had hij vanaf het moment dat hij was ingezet zijn baard laten staan.

De grootste stad tussen Kaboel en de Pakistaanse grens was Jalalabad: de op een na grootste stad in het oosten van Afghanistan en ook de hoofdstad van de provincie Nangarhar. De stad werd vaak een van de mooiste Afghaanse steden genoemd, vanwege de prachtige locatie op het punt waar de rivieren de Kaboel en de Kunar samenvloeien, maar het was er door het instabiele, politieke klimaat op dit moment niet vei-lig voor westerlingen. Dit ondanks de aanwezigheid van de grootste Amerikaanse basis in Afghanistan, Forward Operating Base Fenty, vlak bij het vliegveld van Jalalabad.

Wingo wist dat de moedjahedien de stad begin jaren negentig hadden veroverd nadat ze de Russen hadden verjaagd. Vanaf dat moment had vrijwel iedere Afghaanse man één automatisch wapen, meestal een Rus-sische AK-47. De taliban hadden nadat ze de Russen hadden verjaagd, de controle over de stad, tot ze door de Amerikanen werden verslagen en uit wraak voor 11 september werden overheerst. Wingo wist ook dat de taliban Afghanistan weer onder controle wilden krijgen. En doordat Jalalabad vlak bij de Pakistaanse grens lag, was dit een van de eerste doelwitten voor de opstandelingen om het land weer in hun bezit te krij-gen; vandaar de instabiliteit van dit moment.

De weg eindigde bij de grens. Reizigers staken de grens te voet over en moesten de rest van hun reis afleggen met een andere bus of taxi – behalve als het lunchtijd was, dan was de grens gesloten. Toch was dit een nieuwe complicatie voor Wingo, omdat dit deel van Pakistan niet door de regering werd gecontroleerd.

Dit was Khyber-Pakhtunkhwa, voorheen de Noordwestelijke Grensprovincie, en dit gebied werd overheerst door plaatselijke stammen. Buitenlandse reizigers moesten toestemming vragen om hier doorheen te reizen; de route volgde de legendarische Khyberpas tussen de beide landen. De reis werd afgelegd per taxi, en in die taxi kreeg je gezelschap van een soldaat. De toestemming was gratis, maar de taxirit en de begeleidende soldaat waren dat niet. Alles bij elkaar was het naar westerse begrippen bespottelijk goedkoop. Maar ja, wat was een leven waard?

Wingo kon de grens niet oversteken. Hij had geen toestemming en geen documenten die hij kon gebruiken, en was dus niet in staat toestemming te vragen, ook al was die gratis. Dus verliet hij de bus in Jalalabad. Hij was de enige die dat deed. De bus zou doorrijden en de grens bereiken voordat die de volgende dag tegen lunchtijd zou sluiten. Hij zou, als het zover kwam, de grens 's nachts oversteken.

Maar hij had een contactpersoon in de stad en hij was van plan daar zo veel mogelijk gebruik van te maken. Vanwege de grote aantallen Amerikanen hier zou hij echter voorzichtig moeten zijn. Overal zouden spiedende ogen zijn, zowel van de Amerikanen als van de autochtone inwoners. En op dit moment had hij onder beide partijen geen enkele bondgenoot. Hij sprak Pasjtoe, de voertaal in het land, maar niet vloeiend. Hij kon zich ook verstaanbaar maken in Dari, de op een na populairste taal hier. Maar van geen van beide talen kende hij het plaatselijke dialect; dat kende bijna geen enkele Amerikaan. Hij was dan ook van plan zo veel mogelijk zijn mond te houden.

Hij had een afspraak met zijn contactpersoon in een kamer in een hotel zo ver mogelijk bij het vliegveld vandaan. Hij kwam al vroeg bij het hotel aan, zodat hij kon checken of er niets mis was. Hij móést zijn contactpersoon tot op zekere hoogte wel vertrouwen, maar er was niemand die hij helemaal vertrouwde.

Het was vroeg in de ochtend, maar het was al bijna twintig graden. Op het heetst van de dag zou het in deze tijd van het jaar dertig graden zijn. Toch had Wingo veel erger meegemaakt en zelfs een temperatuur dicht bij de veertig was niet echt een probleem.

Hij wachtte in de gang buiten de kamer en bleef in de schaduw staan. Door een raam in de gang kon hij de vliegtuigen van het vliegveld zien opstijgen. Vroeger waren dat uitsluitend militaire vliegtuigen geweest, maar de Amerikanen hadden het vliegveld teruggegeven aan de Afghanen, zodat korte tijd later ook commerciële vliegtuigen er gebruik van gingen maken. Wingo wilde dat hij in zo'n vliegtuig kon stappen. De vlucht naar New Delhi zou slechts anderhalf uur duren. Over land zou het hem veel meer tijd kosten om die bijna duizend kilometer af te leggen. Maar als je per vliegtuig reisde, vooral in deze regio, moest je langs talloze controlepunten en had je bovendien speciale documenten nodig. En die had hij niet. Dus was hij aan de grond gebonden, voorlopig dan.

Hij bleef in de schaduw wachten tot hij hoorde dat er iemand aankwam. Toen de man de deur bereikte, stond Wingo binnen een fractie van een seconde naast hem, met zijn hand rond de kolf van zijn pistool. De beide mannen liepen de kamer binnen en Wingo deed de deur achter hen op slot.

De man was een Pasjtoen die Wingo drie jaar eerder had leren kennen. Dat was tijdens een missie die met succes was afgerond, waardoor de Pasjtoen was opgeklommen binnen zijn officiële organisatie. De mannen waren goede vrienden geworden, voor zover dat gezien de omstandigheden mogelijk was. Zijn naam was Adeel en op dit moment was hij Wingo's laatste en enige hoop om het land uit te komen.

Adeel ging op het gammele bed zitten en keek naar hem op. 'Ik begrijp dat het er slecht uitziet,' zei hij ernstig.

'Wat heb je gehoord?' vroeg Wingo.

'Jouw naam via de officiële kanalen. De commentaren waren niet vleiend.'

'Wat zeggen ze?'

'Een verknalde missie en een verdwenen lading.'

'Waar denken ze dat ik ben?'

'Niemand lijkt dat te weten. Ik betwijfel of ze denken dat je in Jalalabad bent.'

'Ik wil hier niet lang blijven. Ik moet de grens over, maar niet officieel. Ik ga ervan uit dat de grensposten mijn foto hebben. En hoewel ik er nu iets anders uitzie, is dat niet genoeg.'

'Kun je me vertellen wat er is gebeurd?' vroeg Adeel.

'Er is inderdaad een missie volkomen mislukt, Adeel. Maar ik ben erin geluisd. Door wie weet ik nog niet. Maar ik kan mijn eigen mensen niet vertrouwen, zo erg is het wel.'

Adeel knikte. 'Vertrouw je mij?'

'Dat is de enige reden dat jij hier nu zit.'

Adeel haalde een pak papier uit zijn jas. 'Hiermee kun je naar New Delhi. Dat is het enige wat ik je kan beloven.'

111

'Als jij me naar India krijgt, kan ik zelf de rest van de reis terug naar de VS wel regelen.'

Adeel keek verbaasd. 'Je gaat daar weer naar terug, ook al vertrouw je je eigen mensen niet?'

Wingo pakte de documenten aan, bestudeerde ze, was ermee tevreden en stopte ze in het binnenvak van zijn rugzak. 'Ik heb daar een zoon die denkt dat ik dood ben.'

Adeel knikte. 'Ik heb vier zonen. Zij denken vaak dat hun vader dood is. Ik begrijp het. En nu weet ik dat je onschuldig bent. Schuldige mannen gaan niet terug naar huis.'

'Dus je geloofde niet meteen dat ik onschuldig was?'

Adeel haalde zijn schouders op. 'Dit deel van de wereld staat niet bekend om zijn vertrouwen in iets of iemand.'

'Ik moet dit uitzoeken, Adeel.'

Adeel stond op en zei: 'Dan moge Allah bij je zijn, mijn vriend.'

Die avond stak Wingo de grens over naar Pakistan bij Torkham, via een route die Adeel hem had aangeraden, terwijl twee geüniformeerde grenspostbewakers, met de omkoopsom op zak, de andere kant op keken.

Wingo was uit de regen, maar kwam nu in de drup: hij had Afghanistan geruild voor Pakistan. Zijn volgende bestemming was de stad Pesjawar, ongeveer negentig kilometer verderop via de weg vol haarspeldbochten door de Khyberpas. Hij reisde met een particuliere taxi, terwijl een lid van de Khyber Rifle als bewaker naast hem zat. De rit zou bijna twee uur duren. Zonder de lokale bewaker zou Wingo nergens komen. Deze bescherming kostte hem twee euro, terwijl de taxirit hem ongeveer vier keer dat bedrag kostte. Hij vond het die prijs zeker waard. Met de hulp van Adeel had hij de controle door de immigratiedienst aan de grens kunnen omzeilen. De reis van Afghanistan naar Pakistan was iets lastiger en chaotischer dan andersom.

Hij keek door het raam van de taxi naar buiten terwijl ze door de pas reden. Dit was dezelfde route die mensen als Alexander de Grote en Genghis Khan hadden genomen, voordat ze op gewelddadige wijze grote delen van de toen bekende wereld hadden veroverd. De pas was tijdens de Russische bezetting grotendeels gesloten geweest en was dat voor buitenlanders soms nog steeds. Wingo zag de felle verlichting van de landhuizen van de drugsmokkelaars in de grimmige, kale heuvels, compleet met luchtafweerkanonnen. Er zou altijd geld te verdienen zijn met drugs, wist hij, maar dat was zijn zorg niet op dit moment.

De bewaker keek geen enkele keer naar hem, misschien wel in opdracht van Adeel. Wingo vond dat prima. Hij was niet iemand die graag kletste en zei nooit tien woorden als hij het met één af kon of, nog liever, met een blik.

Na Pesjawar kwam de hoofdstad Islamabad. Van daaruit zou hij met de documenten die Adeel hem had gegeven de grens naar het noorden van India oversteken. Daarna kon hij in een rechte lijn naar het zuiden, naar New Delhi. En daar vandaan zou hij met een langeafstandsvlucht naar huis gaan met een overstap in Doha, als hij er tenminste in slaagde om in India een vals paspoort te kopen. De vlucht de halve wereld rond zou ongeveer twintig uur duren. Het had hem veel meer tijd gekost om slechts driehonderd kilometer te overbruggen.

Toch moest hij nog veel verder om zijn vlucht per jumbojet naar de VS te kunnen maken.

Toen hij achteromkeek en zag dat ze werden ingehaald door een andere auto, realiseerde Wingo zich dat hij Pesjawar misschien niet eens zou halen.

# 22

Wingo's eerste gedachte was dat hij erin was geluisd en dat de bewaker naast hem bij deze samenzwering betrokken was. Nadat er een kogel door het raampje vloog die het achterhoofd van de bewaker doorboorde, dacht Wingo dat niet meer.

Hij schreeuwde in het Pasjtoe tegen de chauffeur dat hij het gaspedaal zo diep mogelijk moest intrappen als hij wilde blijven leven. De taxi spoot naar voren terwijl de kogels van de auto afketsten.

Terwijl de dode bewaker tegen hem aan gleed, pakte Wingo de AR-15 van hem af. Hij richtte het wapen door de verbrijzelde achterruit, wachtte tot de andere auto dichterbij kwam en haalde de trekker over. Er zaten drie mannen in de andere auto, maar hij richtte slechts op een van hen.

Het bloed van de chauffeur van de andere auto spatte tegen de voorruit. De auto zwenkte van de weg af, vloog in brand en explodeerde een paar seconden later.

Wingo draaide zich weer om en keek naar zijn chauffeur. 'Shit!'

Hij voelde dat de auto begon te slingeren. Wingo klom naar voren en ging naast de chauffeur zitten. Het was een oudere man die echter geen dag ouder zou worden, want hij was in zijn achterhoofd geraakt door een kogel; waarschijnlijk een afgeketste kogel.

Wingo greep het stuur, strekte zijn been naar voren en trapte op de rem. Hij stuurde de auto de berm in. Gelukkig was er op dat moment geen ander verkeer. Hij tilde de beide lichamen uit de auto, duwde ze over de vangrail en keek ze na toen ze van de aarden helling afgleden en op een stapel keien bleven liggen. Hij had geen tijd om hen fatsoenlijk te begraven. Hij mompelde alleen een gebed.

Toen keek hij naar de brandende auto. Zijn eerste impuls was ernaartoe rennen om te zien wie ze waren en waarom ze hem achternazaten. Maar de vlammenzee werd groter toen de benzine in de tank in brand vloog. Hij realiseerde zich al snel dat er niets nuttigs meer zou overblijven. Slechts verkoolde lijken, botten en verwrongen metaal.

Hij reed weg zonder bewaker en zonder chauffeur, terwijl zijn kleren onder het bloed van de bewaker zaten. Hij had een kapotte achterruit, het interieur zat onder het bloed en hij wist niet zeker of hij niet was verraden. Als ze wisten waar hij was, zouden ze een andere auto achter hem aan sturen. Of ze zouden hem verderop gewoon opwachten. En 'verderop' was op zich al angstaanjagend genoeg, ook zonder mannen met wapens.

Wingo had Rudyard Kipling gelezen. Deze auteur had de Khyberpas omschreven als een 'zwaard dat door de bergen snijdt'. Dit was een treffende beschrijving, vond hij, behalve dat de weg in tegenstelling tot de kling van een zwaard verre van recht was. Het zou hier het landschap op een andere planeet kunnen zijn waar geen mens kon leven. Het was kaler dan kaal, meer dan akelig. Hier groeiden geen bomen. Hier woonden geen dieren. Hier leefden geen mensen. Het enige nut van dit gebied was om iemand zo snel mogelijk van het ene land naar het andere te laten reizen, waarbij 'snel' relatief was.

De pas was in de late herfst en in de winter grotendeels afgesloten. In die tijd was de helling te steil en was het weer te gevaarlijk. En 'die tijd' was angstig dichtbij. Wingo kon voelen dat de wind door de bergen en onder zijn auto door waaide en die bijna optilde. De pas was niet meer dan een aantal haarspeldbochten die met elkaar verbonden waren door korte stukjes rechte weg en tunnels door het Hindoekoesj-gebergte. Je kon al misselijk worden als je er zelfs maar heel langzaam doorheen reed.

Wingo reed nu niet langzaam, maar als een formule 1-coureur. De wind blies door de verbrijzelde voorruit naar binnen, zodat zijn tanden klapperden, hoewel hij de verwarming hoog had gezet.

Tijdens de rit nam hij in gedachten de verschillende scenario's door en hij verwierp ze stuk voor stuk. Hij keek op zijn horloge en rekende uit wanneer hij in Pesjawar kon zijn. Daarna vroeg hij zich af of hij daar eigenlijk wel naartoe zou rijden. Pesjawar was een grote stad met meer dan tweeënhalf miljoen inwoners, verspreid over ruim achthonderd vierkante kilometer. Dat was goed in de zin dat het gemakkelijker was om je te midden van zoveel mensen te verbergen. Maar het was slecht in de zin dat er veel meer ogen waren die je in de gaten hielden, en dat de autoriteiten slechts een paar minuten bij je vandaan waren; ongeacht waar jij je bevond.

Hij besloot meteen naar de grens met India te rijden. De documenten die hij van Adeel had gekregen, zouden voldoende moeten zijn om die grens te kunnen oversteken. Maar als Adeel hem had verraden en de mannen in de uitgebrande auto door hem waren getipt, dan waren deze documenten nutteloos.

Wingo moest een beslissing nemen. Zou hij Adeel wel of niet vertrouwen?

Normaal gesproken zou Wingo er geen moeite mee hebben deze vraag te beantwoorden. Je kon niemand vertrouwen. Maar hij had de man in de ogen gekeken. Hij had hem zelf horen praten. Hij besloot dat hij Adeel vertrouwde. De mannen in de auto die achter hem aan waren gekomen, waren misschien gewoon criminelen die een Amerikaan wilden beroven of ontvoeren en losgeld voor hem wilden eisen. Dat was in deze gebieden niet ongebruikelijk.

Voorbij de pas stopte hij. Wingo nam schone kleren uit zijn rugzak en trok ze aan. Hij begroef zijn oude kleren. Laat in de avond reed hij een klein stadje binnen en liet de vernielde, bebloede taxi achter in een zijstraat. Hij nam een kamer in een hotel waar de manager contant geld accepteerde en geen vragen stelde. De volgende ochtend huurde hij een motor en hij gebruikte hiervoor het document dat Adeel had geregeld. Hij vertrok. Hij wilde naar de grens met India. De hoofdwegen van Pakistan waren prima en de kilometers vlogen voorbij. Hij stopte om te eten en te tanken. In de buurt van de grens begon hij langzamer te rijden.

Hier zou Adeels trouw echt getest worden. Of zijn verraad.

Wingo was deze grens al eerder overgestoken. De grenspost bevond zich midden in het dorp Wagah. Het dorp was in tweeën gedeeld in 1947, toen het land Pakistan werd gevormd uit een gebied dat vroeger deel had uitgemaakt van India. Wagah had misschien wel de meest overdreven grensceremonie ter wereld. Deze ceremonie vond elke dag vlak voor zonsopgang plaats: de Indiase en de Pakistaanse grenswachten voerden een uitgebreide dans op met overdreven gemarcheer en met hoge passen waarbij hun voeten boven hun hoofd uitkwamen. De mensen stroomden toe; er werd muziek gemaakt en de grenspostbewakers van beide landen stonden tegenover elkaar met een agressieve houding en een grimmige blik op hun gezicht, als kemphanen vlak voor het gevecht.

Wingo had geen enkele belangstelling voor dit optreden. Hij wilde alleen maar de grens oversteken vlak voordat het optreden begon, want dan was er al veel publiek en hadden de grenswachten vooral belangstelling voor hun toneelstukje en weinig oog voor de grens. Zijn timing was perfect, want hij was de laatste persoon die de grens overstak voordat die werd gesloten. Eenmaal op Indiaas grondgebied keek hij alleen nog een keer achterom toen de muziek begon en de bewakers wegliepen om aan hun dansgevecht te beginnen. Niemand zou zich die ene Amerikaan op zijn motor herinneren die Pakistan verliet.

# 23

'Ik begrijp wat je bedoelt,' zei Michelle tegen Sean toen de vrouw naar hen toe liep.

Ze zaten in het restaurantgedeelte van het plaatselijke winkelcentrum. Het was al laat in de middag zodat er niet veel restaurants meer open waren. Ze zaten aan een tafeltje zo ver mogelijk bij de andere klanten vandaan.

Dana Brown kwam naar hen toe. Ze was minder opvallend gekleed dan de vorige keer dat Sean haar had gezien, maar haar strakke, zwarte broek en witte shirt stonden goed bij haar lange, goed gevormde lichaam.

'Ze heeft het hele pakket, in elk geval wat betreft de buitenkant,' merkte Michelle op terwijl ze staarde naar de vrouw die hen naderde.

'Ja,' zei Sean. 'Maar zeg dit en dat soort dingen alsjeblieft niet hardop. We zijn hier om informatie te krijgen en daarvoor moeten we heel aardig doen.'

'Ik doe altijd aardig.'

Hij keek naar haar, schudde zijn hoofd en keek weer naar zijn ex toen ze bij hun tafeltje aankwam. Ze stonden op en Sean zei: 'Michelle Maxwell, Dana Brown.'

De vrouwen keken elkaar met een beleefd glimlachje aan en gaven elkaar snel een hand. Daarna gingen ze allemaal zitten.

Sean zei: 'Ik neem aan dat je iets voor ons hebt, aangezien je zelf een ontmoeting voorstelde?'

Dana keek nog even naar Michelle maar zei toen tegen Sean: 'Het was moeilijker dan ik had verwacht.'

'Had je dan gedacht dat het makkelijk zou zijn?' zei Michelle.

'Omdat ik met mijn echtgenoot te maken had, ja, eigenlijk wel. Ik ben ervan overtuigd dat je weet hoe gemakkelijk een man gemanipuleerd kan worden als een vrouw maar aan zijn basale behoeften voldoet.' Ze wierp een kuise blik op Sean. 'Een gesprekje tussen de lakens, zoals je gezegd had.'

Michelle keek Sean aan en zei: 'Dat zal vast.' Ze voegde eraan toe: 'Maar zo te horen was het nu niet voldoende om aan zijn basale behoeften te voldoen?'

Dana glimlachte en ging achteroverzitten. 'Daarom moet je altijd een plan b hebben. Ik zal niet in detail treden over hoe ik het heb gedaan. Ik neem aan dat je alleen de resultaten wilt.' Ze richtte zich op Sean. 'Het Pentagon neemt dit Wingo-gedoe heel erg serieus.'

'Maar hoe heb je het ter sprake weten te brengen?' vroeg Sean. 'Ik heb gezegd dat ik niet wilde dat je onnodige risico's nam.'

'Ik vertelde hem dat ik bezorgd was over hem. Hij at slecht, was humeurig. Ik wist dat er iets aan de hand was. Dus heb ik ronduit gevraagd wat er mis was en gezegd dat ik geen genoegen zou nemen met het antwoord dat er problemen zijn met nationale veiligheid. Ik ben zijn echtgenote en dat heb ik als troefkaart uitgespeeld. Dat als hij me niet vertrouwde, we grote problemen hadden.'

'En wat heeft hij je verteld?' vroeg Sean.

Dana sloeg haar ogen neer, ze zag er niet meer zo zelfverzekerd uit. 'Ik weet dat het misschien een beetje vreemd overkomt dat ik dit nu zeg, maar ik voel me een beetje schuldig dat ik dit doe, Sean. Hij heeft me in het striktste vertrouwen bepaalde dingen verteld en ik geloof dat ik nu een beetje ben gaan twijfelen.'

'Hij zal nooit horen dat je het aan ons hebt verteld, Dana. Dat beloof ik. Zelfs als ze ons dagvaarden en we meineed moeten plegen en naar de gevangenis worden gestuurd, zal jouw naam nooit genoemd worden.'

Hij keek naar Michelle, die knikte. 'Dat beloof ik je ook, Dana. Zoals je weet zijn we voormalige agenten van de Secret Service, met de nadruk op "secret" van "geheim". We proberen alleen maar een jongen te helpen die de waarheid over zijn vader wil weten.'

Dana haalde diep adem en boog zich naar hen toe. 'Sam Wingo zat niet echt bij de reserve, maar gewoon in het leger. Hij vertrok een jaar voordat zijn pensioen zou ingaan.'

'Waarom?' vroeg Sean.

'Om de indruk te wekken dat hij een gewone burger was. Om bij een bedrijf te gaan werken.'

'En om te trouwen met een vrouw die hij amper kende?' vroeg Sean.

'Dat heeft Curtis niet gezegd, maar ik neem aan dat dit wel het geval was.'

'Heel veel geheimzinnigheid. Maar met welk doel?' vroeg Michelle.

'Er is iets gebeurd in Afghanistan. Wingo was op een supergeheime missie om iets bij iemand af te leveren. Alleen is het daar nooit aangekomen.'

118

'Wat was het dan?'

'Dat wilde Curtis me niet vertellen. Misschien weet hij het niet. Hij is een generaal-majoor, maar daar zijn er heel veel van en het is net alsof ze hier een muur omheen hebben opgetrokken, in elk geval rondom de meest belangrijke details. Curtis heeft het alleen ontdekt via verschillende, discrete bronnen en het is niet makkelijk geweest om dat voor elkaar te krijgen, volgens hem.'

'En Sam Wingo?'

'Kan niet worden gelokaliseerd.'

'Vermoeden ze dat hij een soort dubbelspel heeft gepleegd?' vroeg Michelle.

'Curtis scheen te denken dat het een goede man was. Maar omdat hij niet is teruggekomen, ziet het er niet meer zo goed voor hem uit.' Ze keek naar Sean. 'Wat weet jij hiervan?'

Sean en Michelle keken elkaar aan.

Sean zei: 'Omdat jij eerlijk tegen ons bent geweest, zal ik ook eerlijk tegen jou zijn. Tyler denkt dat zijn vader nog leeft.'

'Tja, volgens Curtis ziet het ernaar uit dat het Pentagon dat ook denkt. Dat KIA-gedoe is misschien alleen maar verzonnen om de zaak te verbloemen.'

'Terwijl ze op zoek zijn naar Wingo?' vroeg Michelle.

Dana knikte. 'En nu het ministerie van Defensie achter hem aan zit, betwijfel ik of de man zich nog langer kan verbergen.' Ze keek Sean scherp aan. 'Maar waarom denkt Tyler dat zijn vader nog leeft? Hij is toch zeker niet ingewijd in de geheimen van het ministerie van Defensie?'

Sean aarzelde. 'Als ik het aan jou vertel, zeg je het dan tegen je man?'

'Ik kan Curtis niets vertellen zonder hem over onze gesprekken te vertellen. En als ik dat doe, breng ik mijn huwelijk in gevaar. Dus nee, jullie geheim is veilig bij me.'

'Sam Wingo heeft Tyler een mailtje gestuurd. Kennelijk nadat hij zogenaamd was gesneuveld.'

'Wat stond erin?'

'Vergeef me alsjeblieft. Het spijt me.'

'Was dat een bekentenis van iets wat hij verkeerd had gedaan?'

Michelle zei: 'Of een verontschuldiging omdat het leger zijn zoon had verteld dat hij KIA was.'

'Tja, als ik een kind had en er gebeurde zoiets, zou ik me, geloof ik, ook willen verontschuldigen,' zei Dana. Ze tikte met haar nagels op het formica tafelblad. 'Wat gaan jullie nu doen?' vroeg ze.

119

Sean zei: 'Wat jij ons hebt verteld, helpt ons bij het beantwoorden van een paar vragen die we hadden. Maar het brengt ons niet dichter bij Wingo en de echte waarheid.'

'Ik denk dat je gelijk had toen je zei dat ik voorzichtig moest zijn,' zei Dana. 'Dit klinkt allemaal bijzonder geheim en als iets waar de gewone burger niets van mag weten.'

'Dat is zo,' zei Michelle. Ze keek naar links en verstijfde heel even. Haar Secret Service-training had haar weer eens een dienst bewezen. Ze pakte haar koffiekopje op en zei heel zacht: 'Drie mannen, op zes, negen en twaalf uur, met wapens en oortjes. En hoewel ze er legitiem uitzien, denk ik toch dat dit niet het geval is.'

Sean keek niet op. Hij keek alleen maar naar Dana en zei: 'Dana, ik wil dat je heel aandachtig naar me luistert en dan precies doet wat ik zeg.'

Ze schrok van zijn toon, maar ze had zichzelf algauw weer in de hand. 'Ik luister.'

'Er is een politiepost in dit winkelcentrum, die gang door en dan linksaf. Daar zijn twee politieagenten gestationeerd. Ik wil dat je opstaat en daarnaartoe gaat. Loop niet te snel. Kijk niet om je heen. Loop gewoon. Als je daar bent, zeg je tegen hen dat je in het restaurantgedeelte drie mannen hebt gezien met wapens en dat je bang bent. Zij zullen versterking oproepen en op onderzoek uitgaan. Daarna loop je via de kortste route naar je auto en rij je meteen naar het Pentagon. Is Curtis daar?'

Ze knikte langzaam.

'Oké, bel hem onderweg op en zeg dat jij je ergens zorgen over maakt. Dat je met hem moet praten.'

Dana likte langs haar lippen. 'En jullie dan?'

'Wij redden ons wel.'

'Dat zei je ook altijd tegen me toen je nog bij de Secret Service zat.'

'Sean,' siste Michelle. 'Ze komen hiernaartoe.'

'Ga maar, Dana. Nu!'

Dana glimlachte, stond op en zei: 'Tot de volgende keer. Pas goed op jezelf.' Ze draaide zich om en liep weg in de richting van de politiepost vlak om de hoek.

Sean stond op en Michelle ook. Maar zij liepen de andere kant op, in de richting van de drie mannen die naar hen toe kwamen. Sean en Michelle gingen uit elkaar, de een liep naar rechts en de ander naar links. Dat betekende dat hun tegenstanders twee doelwitten in de gaten moesten houden in plaats van een.

Sean wist dat wanneer zij namens de autoriteiten kwamen, ze nu hun legitimatie zouden tonen. Dat deden ze niet. Hij keek aandachtig naar hun gezicht. Zijn conclusie: het leger. Maar als dat zo was, waarom legitimeerden zij zich dan niet?

*Misschien zijn het ex-soldaten.*

Ze waren nog geen anderhalve meter bij elkaar vandaan. Vanuit zijn ooghoeken zag Sean dat Michelles hand naar haar middel ging. Zijn eigen hand ging dichter naar het pistool in zijn schouderholster. Hij wilde dit liever buiten doen, want hoewel het hier niet erg druk was, was er nog altijd kans op heel veel doden en gewonden.

De man die vlak bij Sean was, bleef staan en zei: 'We willen dat u met ons meekomt. Ook de vrouw die zojuist bij u was. Bel haar op en zeg dat ze terug moet komen.'

'En op wiens verzoek is dat?'

'Dat wordt allemaal uitgelegd zodra u met ons mee naar buiten bent gegaan.'

'Dacht het niet. Mijn moeder zei altijd dat ik nooit met vreemde mannen mee mocht gaan.'

'Jullie hebben geen keus.'

Michelle riep: 'Je hebt altijd een keus!'

Sean wilde net iets zeggen toen iemand riep: 'Staan blijven!'

De drie mannen die voor Sean stonden, konden zien wie dit riep. Toen ze naar hun wapens grepen, wist Sean dat de agenten uit het winkelcentrum achter hem stonden.

Michelle was al naar voren gesprongen en trapte het wapen uit de hand van de man die vlak voor haar stond. Daarna vloerde ze hem met een klap tegen zijn keel. Hij viel op de grond, happend naar lucht.

De man in het midden trok zijn wapen en opende het vuur op de agenten die dichterbij kwamen. Een van de agenten viel dood neer. De andere agent dook over de toonbank van een fastfoodrestaurant. Sean sprong naar voren en greep het wapen vast van de man die tegen hem had gesproken. Ze worstelden om het wapen.

De politieman die het overleefd had, riep: 'Wapens laten vallen, nu!'

Het enige gevolg was dat er nog meer kogels op hem werden afgevuurd. Hij dook weer weg, terwijl de burgers in de buurt gillend wegrenden.

'Roep versterking op!' riep Sean tegen hem.

Michelle bukte zich, zwaaide met haar lange been en trapte de voeten onder de middelste schutter vandaan. Hij viel keihard neer, maar hield zijn wapen vast. Hij richtte het op haar, maar ze was allang niet meer op dezelfde plek. Ze lag op haar rug, met haar voeten naar hem toe en ramde een van haar hakken tegen de zijkant van zijn gezicht. Hij gilde en greep haar enkel beet. Ze rolde om en sloeg met haar rechterelleboog op zijn hoofd. De achterkant van zijn hoofd smakte keihard tegen de vloer, waardoor hij bewusteloos raakte. Ze stond net op tijd op om te zien dat Sean haar kant op viel, nadat hij was gevloerd door de man met wie hij had gevochten.

De man haalde een tweede pistool uit een reserveholster en richtte, maar hij haalde de trekker niet over.

Dat kwam doordat Sean zich had omgedraaid en hem in de borst had geschoten met het pistool dat hij van de man had afgepakt. Hij viel op de grond.

Sean en Michelle draaiden zich op tijd om om te zien dat de man met wie Michelle eerst had gevochten zijn blik had gericht op de tweede politieman die over de balie van het fastfoodrestaurant probeerde te klauteren.

Michelle trok haar wapen en schoot hem in de zijkant van zijn hoofd, een fractie van een seconde voordat de man zelf kon schieten. Hij viel weer op de grond, dood. Maar een van zijn kogels had de agent in zijn arm geraakt en hij viel bloedend op de grond.

Michelle gleed naar de dode schutter en doorzocht zijn zakken. 'Niets!' riep ze. 'Geen portefeuille. Geen identiteitsbewijs.'

Sean rende naar de gewonde agent, trok de mouw van zijn overhemd los en bekeek de wond. 'De kogel is er in- en er weer uitgegaan. Het komt wel weer goed,' zei Sean. Hij maakte een tourniquet van de losgescheurde mouw. 'Heb je versterking opgeroepen?'

De agent knikte, met een van pijn vertrokken gezicht. 'Wat is er verdomme aan de hand?'

'Ik wilde dat ik je dat kon vertellen.'

Michelle knielde naast hem. 'Is hij oké?'

'Het komt wel goed. Dat geldt niet voor zijn partner.'

Een moment later hoorden ze een onheilspellend geluid achter zich. De slede van een pistool werd naar achteren getrokken. Ze draaiden zich om.

De middelste man was weer bij bewustzijn en had zijn wapen op hen gericht.

'Nee!' riep iemand.

Sean keek ongelovig naar Dana, die naar de man toe rende en hem met haar handtas begon te slaan. 'Dana, niet doen!' riep Sean.

De man draaide zich om en schoot Dana in de borst. Ze bleef even roerloos staan en viel toen op de grond.

Sean richtte zijn wapen op de man en schoot een kogel in zijn hoofd. Daarna liet hij zijn wapen zakken en keek neer op Dana, die op de grond lag, terwijl het bloed uit haar wond stroomde. Hij rende naar haar toe. 'Dana!'

# 24

Zodra Sean bij Dana was, gebruikte hij elke techniek die hij in zijn Secret Service-tijd had geleerd om het bloeden te stelpen. Maar ze had al heel veel bloed verloren, misschien al te veel. Daarna hield ze op met ademhalen en paste Sean reanimatie toe. Uiteindelijk waren haar longen weer uitgezet en was haar hart weer gaan kloppen. Vervolgens arriveerde de ambulance en namen de ambulancebroeders het van hem over en stabiliseerden ze haar. Sean was met de ambulance meegereden, terwijl Michelle in haar auto achter hen aan reed.

Sean en Michelle zaten nu in de wachtkamer van het ziekenhuis. Ze waren verhoord, zowel door de plaatselijke politie van Virginia als door de federale autoriteiten. Ze hadden iets verteld, maar niet alles wat ze wisten. Het was maar goed dat de getuigen van de gebeurtenis in het winkelcentrum allemaal hadden verklaard dat de drie dode mannen de aanval waren begonnen en dat Sean en Michelle alleen uit zelfverdediging hadden gehandeld en zelfs het leven van een van de politieagenten hadden gered.

Maar dat leverde hen niet veel punten op, vooral niet bij de Feds.

Een sombere Michelle keek op toen ze de deur van de wachtkamer hoorde opengaan. Ze hoopte dat het een dokter was met goed nieuws. Maar ze keek nog somberder toen ze zag wie het was.

Het was agent McKinney van Homeland Security. 'Ik zei toch dat jullie je erbuiten moesten houden?' brulde hij.

'We zaten gewoon in het winkelcentrum een kop koffie te drinken,' zei Sean mat. 'Als er een wet is die dat verbiedt, dan weet ik daar niets van.'

McKinney liet zich in een stoel tegenover hen vallen. 'Jullie weten heel goed waar ik het over heb. De vrouw die zojuist is beschoten? Dat is zeker heel toevallig de echtgenote van een generaal-majoor en jouw ex?'

'Ik had een afspraak met Dana, ja,' zei Sean stijf. 'Ze hielp ons met iets.'

McKinney snauwde: 'Met dat Wingo-iets? Dat iets waarvan ik jullie had gezegd dat jullie je er verdomme buiten moesten houden?'

'Ik kan me niet herinneren dat jij was aangewezen om ons te vertellen welke zaken we wel en niet mogen aannemen,' zei Sean scherp.

'O, maar dat ben ik dus wel! Dus jullie hebben haar overgehaald om jullie te helpen? Hoe? Door informatie van manlief los te peuteren? Zijn jullie echt zo diep gezonken? Want het ziet ernaar uit dat jullie haar daarmee het leven hebben afgenomen.'

Sean zei niets, want McKinney had gelijk. Hij had Dana gebruikt en ze was nu beschoten en zou misschien sterven. Allemaal door hem. Wat een vrij onschuldige manier had geleken om nuttige informatie te verkrijgen, leek nu het stomste idee dat hij ooit had gehad. En het meest egoïstische.

Ze hoorden een geluid bij de deur en keken op. Daar stond generaal-majoor Curtis Brown, in vol ornaat, met rode ogen en een wanhopige blik op zijn magere gezicht. Hij had het gesprek kennelijk gehoord. 'Sean King?'

Sean stond op; hij zag bleek. 'Ja? Hoe gaat het met Dana?'

Brown haalde uit en stompte Sean met zijn vuist in het gezicht, waardoor hij achterover over een stoel viel en op de grond belandde.

Michelle ging meteen tussen Brown en Sean in staan. 'Laat hem met rust!' snauwde ze.

'Ik vermoord je!' schreeuwde Brown en hij probeerde langs Michelle bij Sean te komen. Ze greep zijn pols en draaide hem opzij. Hij hapte naar adem en kromp in elkaar van de pijn. Toen hij naar haar wilde uithalen, bukte ze zich en trapte ze Browns benen onder hem vandaan. Hij viel zwaar op de grond.

Michelle zette een voet op zijn rug en riep: 'Liggen blijven!'

Toen Brown weer probeerde op te staan, trapte Michelle hem tegen zijn rug zodat hij weer ging liggen.

'Stop, Michelle, hou op.' Sean was overeind gekrabbeld. Zijn gezicht had een paar sneden en schrammen en begon al op te zetten.

Brown stond ook op.

Sean ging voor hem staan. 'Als je me weer wilt slaan, ga je gang. Dat heb ik verdiend. Toe maar.' Hij pakte de hand van de andere man en boog zijn vingers tot een vuist. 'Toe dan!' riep hij.

Maar Brown deinsde achteruit, kennelijk van slag door Seans uitbarsting. Hij liet zich moeizaam in een stoel zakken, sloeg zijn handen voor zijn gezicht en begon zacht te huilen.

McKinney stond op, hield zijn legitimatie onder Browns neus hoewel de man niet eens naar hem keek en zei hij: 'Generaal, ik ben van de DHS. Mijn oprechte excuses voor wat er met uw vrouw is gebeurd. Wees er alstublieft van overtuigd dat ik alles zal doen om ervoor te zorgen dat iédereen die verantwoordelijk is voor deze afschuwelijke toestand zich daarvoor zal moeten verantwoorden.' Hij keek naar Sean tijdens deze laatste zin.

Sean stond nog steeds op zijn plek, zijn gezicht bebloed en opgezet. Hij keek alleen maar naar Brown.

De deur van de wachtkamer ging open. Daar stond de chirurg, nog in zijn operatiekleding. 'Generaal-majoor Brown?'

Brown keek op, zijn gezicht nat van de tranen. 'Ja?' zei hij met trillende stem.

De chirurg liep naar hem toe en praatte zacht tegen hem, maar toch nog zo hard dat Sean en Michelle hem konden verstaan. 'Uw vrouw is uit de operatiekamer. Ze heeft het goed gedaan. Maar de kogel heeft vrij veel schade aangericht en ze is nog niet buiten gevaar. Toch denk ik dat ze volledig herstelt.' Hij voegde eraan toe: 'Het is een wonder dat ze niet is doodgebloed. Degene die het bloeden heeft gestelpt vlak nadat ze is beschoten, heeft haar leven gered.'

Michelle keek naar Sean, maar hij keek nu naar de grond.

'Wilt u haar zien?' vroeg de chirurg aan Brown. 'Ze is natuurlijk nog niet bij bewustzijn, maar...'

Brown zei snel: 'Ja, graag.' Hij liep achter de chirurg de wachtkamer uit zonder nog naar iemand te kijken.

Sean ging zitten, terwijl Michelle een paar tissues uit een doos op het tafeltje pakte en hiermee Seans gezicht begon schoon te maken. Hij hield haar niet tegen maar hielp haar ook niet. Het was net alsof hij niet eens merkte wat ze aan het doen was.

McKinney ging tegenover hen zitten. 'Verdomme, hij heeft je echt goed toegetakeld! Kan het hem eerlijk gezegd niet kwalijk nemen.' Hatelijk voegde hij toe: 'Het was maar goed dat je partner je verdedigde, anders had je ook in het ziekenhuis gelegen.'

Michelle zei bits: 'Sean heeft niet bepaald teruggevochten, hè? En even voor alle duidelijkheid: degene die heeft voorkomen dat ze is doodgebloed, was deze man,' zei ze en ze wees naar Sean.

'Maar zonder hem zou ze nooit zijn beschoten.'

'Weet je, hij was degene die tegen haar zei dat ze de politie moest halen en dan naar haar auto moest lopen en naar het Pentagon moest rijden. Als ze naar hem had geluisterd, was dit niet gebeurd.'

'Nee, als hij haar er niet bij had betrokken, was dit niet gebeurd.'

'Hij heeft gelijk, Michelle,' zei Sean. Hij duwde haar hand van zijn gezicht weg en stond op. Hij keek omlaag naar McKinney. 'Je hebt gelijk.'

'Blij dat we het érgens over eens zijn. Oké, vertel nu maar op.'

'Wat?' vroeg Michelle, omdat Sean niet leek te luisteren.

126

'Vertel maar eens waar jullie precies bij zijn betrokken.'

'Dat hebben we je al verteld, agent McKinney,' zei Michelle geïrriteerd. 'Dit is allemaal begonnen toen Sam Wingo verdween en daarna uit de dood is opgestaan.'

'Uit de dood is opgestaan?' vroeg McKinney.

Sean keek weer naar hem omlaag. 'Waarom kreeg jij opdracht ons te verhoren? Wie heeft je gebeld?'

'Die vraag ga ik dus niet beantwoorden.'

'Nou, als ik jou was zou ik die vraag in elk geval voor mezelf proberen te beantwoorden. Hadden die dode mannen een legitimatie bij zich?'

'Dat maakt deel uit van een lopend onderzoek en is dus niet jouw zaak.'

'Het leken legermensen, maar ze hadden geen legitimatie,' zei Sean.

'Legermensen, zoals Wingo?' vroeg McKinney nieuwsgierig.

'Die in werkelijkheid helemaal niet bij de reserve zat.'

'Hoe weet je dat?'

'Dat is me in vertrouwen verteld en dus zeg ik dat niet. Dus, heeft iemand hoog in de hiërarchie van het Pentagon jou op ons gezet?'

'Daar hebben jullie niets mee te maken.'

'O, maar ik heb er heel veel mee te maken. Die mannen wilden ons vermoorden, agent McKinney. En ze hebben bijna iemand vermoord om wie ik heel veel geef. Dat soort dingen vat ik altijd heel persoonlijk op.'

McKinney greep Sean bij de arm. 'Als je hiermee doorgaat, laat ik je arresteren.'

Sean schudde McKinneys hand van zich af. 'En als jij mijn burgerrechten blijft schenden, sleep ik jou en de DHS voor de rechter en haal ik de media erbij.' Sean wreef een beetje bloed van zijn gezicht en liep naar de deur.

Michelle keek naar McKinney. 'Je moeder was vast blij met je.'

McKinney negeerde dit en zei: 'Hé, King. Wat ga je nu doen? Zorgen dat die jongen wordt doodgeschoten?'

Sean liep door.

Michelle liep achter hem aan en sloeg de deur achter zich dicht.

# 25

Sean zat in de auto en Michelle zat naast hem. Ze stonden op de parkeerplaats van het ziekenhuis. Sean had de auto nog niet gestart.

Michelle zei: 'Je moet gewoon diep inademen. En we moeten wat ijs halen voor je gezicht voordat het echt dik wordt.'

'Dit was mijn schuld, dat weet je toch wel?' Hij bleef strak voor zich uit zitten kijken.

'Nee, dat weet ik niet. Volgens mij was dit de schuld van die klootzak die haar heeft beschoten.'

'Zonder mij was ze hier nooit bij betrokken geraakt, Michelle.'

'Volgens mij heb ík jou gedwongen haar te bellen. Dus als je iemand de schuld wilt geven, ben ik dat. Maar dit soort praatjes leidt nergens toe. Als je Dana echt wilt wreken, stel ik voor dat we dit tot op de bodem gaan uitzoeken.'

Sean startte de Land Cruiser. 'Je logica is overweldigend, hoewel logica deze keer niet van belang is. Maar we gaan in de aanval. Alleen niet frontaal.'

'Waarom niet?'

Sean reed de parkeerplaats af. 'Die drie mannen in het winkelcentrum. Dat waren geen Feds. Ze zagen eruit als ex-militairen. Ze hadden de spierballen, het kapsel, de wapens en die autoritaire uitstraling.'

'Ex-militairen? Waarom zouden hier ex-militairen bij betrokken zijn?'

'Nou, Sam Wingo zat niet bij de reserve, maar bij het gewone leger. Het ministerie van Defensie heeft een dekmantel opgezet en hem opdracht gegeven iets af te leveren. Die missie liep verkeerd en Wingo is verdwenen. Hij heeft contact opgenomen met zijn zoon om te zeggen dat het hem speet. Dus, wat moest hij afleveren en wie heeft dat nu in zijn bezit?'

'Denk je dat Wingo het heeft gehouden?'

'Dat weet ik niet. Je trekt iemand voor zo'n missie grondig na en ze dachten dus dat hij betrouwbaar was.'

'Dus misschien was die missie al vanaf het begin een valkuil en was Wingo meteen al aangewezen als de zondebok. Dat verklaart misschien dat mailtje aan Tyler.'

128

Sean knikte instemmend. 'De man die Tyler beschreef, klinkt niet als een verrader. Maar wanneer de missie inderdáád bewust is mislukt, wat zou het leger dan tegen de Wingo's zeggen? Dat Sam KIA was? MIA?'

'Als dat onderdeel was van het plan,' zei Michelle. 'Ik durf te wedden dat een vader als Sam Wingo iemand bij Tyler in de buurt zou willen hebben. Ze hebben geen andere familie en dus...'

'Dus heeft hij Jean Wingo als de stiefmoeder geïntroduceerd.'

'En dat zou de vreemde omstandigheden waaronder hun huwelijk is gesloten, verklaren. Dat Tyler niet eens was uitgenodigd. Dat het alleen op het gemeentehuis is gedaan en zo.'

'Misschien zíjn ze niet eens echt getrouwd, verdomme,' zei Sean.

'Inderdaad. Ik betwijfel of ze echt wel Jean heet.'

Hij zei: 'Zoveel misleiding. Dus de lading, wat die ook was, moet wel heel belangrijk zijn geweest.'

'Maar nu zijn er waarschijnlijk ook ex-militairen bij betrokken. Wat zouden zij willen?'

'Denk je dat zij die lading in hun bezit hebben?'

Michelle haalde haar schouders op. 'Misschien. Maar als dat zo is, hebben ze Sam Wingo dan ook?'

'Hij is erin geslaagd Tyler dat mailtje te sturen. Stel dat hij is ontsnapt en nu op de vlucht is?'

'Dan heeft hij het leger en die andere kerels achter zich aan.'

'Fijn voor hem.' Sean keek naar buiten. 'Wij zijn vandaag ook bijna doodgeschoten.'

'Inderdaad. Dat had maar een haartje gescheeld.'

'Dus die mannen zijn goed.'

Michelle zei: 'Meer dan goed, zou ik willen zeggen.'

'Maar we kunnen hen wel aan. Zoals vandaag bleek.'

Ze keek hem aan. 'Nou, in de toekomst hangt het ervan af met hoeveel ze zijn. Ik heb mijn superkrachten op mijn eigen planeet achtergelaten.'

'Nou, na vandaag hebben ze drie mannen minder om achter ons aan te sturen.' Sean wreef over zijn gezwollen kaak.

'Wanneer Brown alle feiten te horen krijgt, Sean, zal hij er spijt van hebben dat hij je heeft geslagen.'

'Dat betwijfel ik. De volgende keer schiet hij me misschien gewoon dood.'

'Hoe gaan we dit aanpakken, als we niet frontaal in de aanval kunnen gaan?'

'Tyler is kwetsbaar, Michelle. Als ze óns al wilden pakken, dan hebben ze hem in no time te pakken.'

'Dus we blijven bij hem uit de buurt?'

'Nee, volgens mij moeten we hem beschermen.'

'We kunnen hem niet 24/7 in de gaten houden,' zei Michelle.

'Nee, maar we kunnen wel ons best doen.'

'En de zaak oplossen?'

'Ik heb een idee,' zei hij.

'Vertel.'

'Als Sam Wingo met zijn zoon heeft gecommuniceerd...'

Michelle begreep het meteen. 'Dan kan Tyler door op Antwoorden te drukken met zijn vader communiceren.'

'Dat klopt. Alleen zijn wij nu degenen die de vragen stellen.'

'Sean, wat denk jij dat er aan de hand is?'

Hij haalde diep adem. 'Zoals Dana ons al vertelde, denk ik dat het leger een supergeheime missie had en dat het allemaal verkeerd is gelopen. En wat Wingo ook moest afleveren, dat is nu in verkeerde handen gevallen.'

'Maar wat kan het dan zijn? Een kernbom? Een biologisch wapen?'

'Ik weet het niet, Michelle. Ik weet het echt niet. Maar als het een kernbom is of een of andere versterkte versie van de builenpest dan komen we daar misschien wel veel sneller achter dan we zouden willen.'

'Waarom maken wij mensen alles altijd zo ingewikkeld?'

'Omdat we bang zijn dat het niet beschaafd is als we de zaken eenvoudig en oninteressant houden.'

'Je zou filosoof moeten worden. Maar hoe betrekken we Tyler hierbij zonder van hem een doelwit te maken?'

'Dat is onmogelijk. Dus moeten we ervoor zorgen dat hij veilig is en dat hij ons helpt.'

'Maar hij woont bij zijn stiefmoeder.'

'Ik zei toch ook niet dat het eenvoudig was?'

Sean keek chagrijnig naar buiten. Zo slecht had hij zich niet meer gevoeld sinds, nou ja, sinds hij had gezien dat Michelle in een ziekenhuisbed voor haar leven vocht. Ook daar gaf hij zichzelf de schuld van. Als hij eerder had begrepen hoe de zaak in elkaar stak, zou ze nooit gewond zijn geraakt. 'Waarom stuur je Tyler geen sms met de vraag of hij ons straks wil ontmoeten? We moeten het wel stiekem doen.'

Michelle typte de sms en verstuurde hem.

Vijf minuten later kreeg ze antwoord.

Michelle las zijn sms twee keer om zeker te weten of ze zag wat ze zag. 'Sean?'

'Ja.'

'Ik denk dat het veel gemakkelijker is om een afspraak met Tyler te maken dan we dachten.'

'Hoezo?'

'Omdat zijn zogenaamde stiefmoeder nu ook is verdwenen.'

# 26

Ze spraken niet af in het Panera Café of in het zwembad, maar op een plek buiten de bebouwde kom, ongeveer vijftien kilometer ten westen van Tylers huis. Sean was er al toen hij er aankwam in de pick-uptruck van zijn vader.

Tyler stapte uit en keek hem aan. 'Waar is Michelle?' vroeg hij.

Sean wees over zijn schouder. 'Vlak achter je.'

Michelle stopte en stapte uit haar Land Cruiser.

Sean keek naar haar. 'Problemen?'

'Niemand is hem gevolgd,' zei ze.

Tyler keek haar scherp aan. 'Ik heb niet eens gezien dat je me volgde.'

'Dat is ook eigenlijk de bedoeling,' zei ze, terwijl ze naar hem toe liep en naast hen bleef staan.

Het was kil, klam en bewolkt. Ze begonnen tegelijkertijd te rillen.

Michelle zei: 'Laten we in een van de auto's gaan zitten.'

'Niet in die van jou,' zei Sean snel. 'Ik ben ertegen om een bespreking te houden in een afvalbak. Laten we maar in mijn wagen gaan zitten.'

Michelle keek hem even vuil aan, maar liep toen met hen mee naar de Lexus. Ze stapten allemaal in. Michelle ging achterin zitten en hield de wacht, terwijl Tyler en Sean voorin gingen zitten.

'Vertel ons over Jean,' zei Sean. 'Waarom denk je dat ze is verdwenen?'

'Ze is altijd thuis als ik terugkom van mijn zwemtraining. Ze maakt het eten klaar. Ze zeurt me aan mijn kop over mijn huiswerk. Altijd.'

'Maar vanavond was ze niet thuis?' vroeg Michelle. 'Geen eten, geen gezeur?'

'Dat is niet het enige. Haar auto is weg. En haar kleren zijn ook weg.'

'Een briefje?' vroeg Sean. 'Sms, berichtje op je voicemail?'

Tyler schudde zijn hoofd. 'Maar ik heb het nagevraagd bij een van de buren. Mevrouw Dobbers, een oude vrouw van de overkant, zei dat ze Jean rond twaalf uur vandaag heeft zien vertrekken. Ze vertelde dat ze heeft gezien dat Jean een koffer in de achterbak zette.'

'Is er een reden waarom ze ergens naartoe zou gaan?' vroeg Michelle. 'Een ziek familielid in de buurt? Is er tussen jullie iets gebeurd?'

'Ik weet niets van zieke familieleden. Daar heeft ze het nooit over ge-had. Zij en ik hadden gisteravond wel ruzie. Maar niet erger dan anders. Ze was niet boos en ze huilde niet of zo.'

'Wat heeft ze precies gezegd?' vroeg Sean.

'Dat zij het ook heel erg vond dat mijn vader dood was. Dat wij alleen elkaar nog hadden. Toen werd ik kwaad. Ik zei tegen haar dat ik me meer een wees voelde.' Hij leek beschaamd. 'Dat had ik niet mogen zeggen. Dat was dom.'

'Maar ze begon niet te huilen of zo?' vroeg Michelle.

'Nee. Ik ben gewoon weggegaan. O, ik zei tegen haar dat ik de waarheid wilde achterhalen. En dat ik jullie weer wilde inhuren om de zaak uit te zoeken.'

'Bingo!' zei Michelle.

Sean knikte en keek naar Tyler. 'Volgens mij is ze daarom vertrokken.'

'Ik begrijp het niet. Waar zou zij zich druk over maken? Ik wil alleen mijn vader maar vinden.'

'Dit is niet meer dan giswerk,' begon Sean.

'En we zouden het verkeerd kunnen hebben,' voegde Michelle eraan toe.

'Wat?' snauwde Tyler.

'Je vader is heel snel met haar getrouwd. Zo te zien hadden ze niet veel met elkaar gemeen. Jij was niet eens uitgenodigd voor de ceremonie in het gemeentehuis. Dat is niets voor je vader, toch?'

'Nee. Dat zei ik ook.' Hij zweeg opeens en zijn ogen werden groot toen het tot hem doordrong. 'Willen jullie zeggen dat het allemaal verzonnen is?'

'Dat zou kunnen,' verbeterde Sean. 'Maar op dit moment is het alleen maar een theorie. We hebben geen bewijzen. Nog niet in elk geval.'

'Waarom zou mijn vader dat doen?'

'We zijn vandaag een paar dingen over je vader te weten gekomen, Tyler.'

'Vertel!' zei hij snel.

'Hij zat niet echt bij de reserve. Hij zat nog steeds bij het gewone leger.'

'Wat?' riep Tyler met een verbaasde uitdrukking op zijn gezicht. 'Dat heeft mijn vader me nooit verteld.'

'Waarschijnlijk is hem dat verboden,' zei Sean. 'Wij denken dat hij met een speciale missie voor het leger in Afghanistan was.'

'Maar ik begrijp het niet. Waarom zou hij daarvoor net doen alsof hij met iemand was getrouwd?'

Sean zei: 'Daar kunnen verschillende redenen voor zijn. Hij kon sneu-

133

velen, Tyler. Hij moest hier iemand hebben om voor je te zorgen. Jij kon nog niet echt op jezelf wonen, niet op jouw leeftijd. Misschien was dat zijn enige optie. En misschien zijn ze niet eens echt getrouwd. Jij was er niet bij tijdens de plechtigheid, toch? Je zei dat ze je plompverloren vertelden dat ze getrouwd waren.'

Tyler ontweek hun blik, zijn lippen trilden. 'Het was dus allemaal een leugen. Hij heeft gewoon tegen me gelogen.'

Sean, die wel zag hoe gekwetst Tyler was, zei: 'Dat bewijst alleen maar hoeveel je vader om je gaf. Hij wilde niet dat je alleen was.'

'Dat is onzin!' schreeuwde Tyler. 'Als hij echt om me gaf, had hij dit soort leugens niet opgehangen. Dan had hij me de waarheid verteld. Hij zei dat hij getrouwd was. Hij heeft me verdomme gedwongen een heel jaar met haar in één huis te wonen. En dat waren allemaal leugens?'

Michelle zei: 'Dat weten we niet zeker, Tyler. Zoals Sean al zei, dat is slechts één theorie.'

'Ik durf te wedden dat het waar is,' riep Tyler. 'Ik zag heus wel dat mijn vader niet echt van haar hield. Ze hielden nooit elkaars hand vast. Ik heb nog nooit gezien dat ze elkaar kusten. Ik heb zelfs nooit gezien dat ze elkaar even knuffelden. Het was allemaal bedrog.'

Sean keek naar Michelle en haalde diep adem. 'Deze missie moet wel heel erg belangrijk zijn geweest, Tyler, en heel veel voorbereidingstijd hebben gekost. Hij is tenslotte al een jaar geleden uit het leger gegaan en daarna met Jean "getrouwd". Je weet toch dat wanneer soldaten worden ingezet, ze aan niemand mogen vertellen waar ze zijn, zelfs niet aan hun eigen familieleden?'

'Dat weet ik heus wel, maar dit is anders.'

'Het is een beetje anders, maar niet heel veel anders. Kennelijk was de missie van je vader heel gevaarlijk en heel geheim. Ze hebben hem ervoor uitgekozen, en daaruit blijkt wel hoe goed ze hem vonden. Hij heeft heel veel opgeofferd. Maar het belangrijkste was dat hij jou heeft verlaten.'

'Terwijl hij jou niets mocht vertellen, Tyler,' voegde Michelle eraan toe. 'Ik weet zeker dat hij dat verschrikkelijk vond.'

Tyler keek haar aan. 'Dat zeg je alleen maar om mij een beter gevoel te geven. Maar ik voel me niet beter, oké? Mijn vader heeft tegen me gelogen. Zo eenvoudig is het.' Hij zweeg een tijdje en zei toen: 'Wat voor missie? En is die nu afgerond?'

Michelle zei: 'We weten niet zeker wat die missie inhield. Kennelijk moest hij iets afleveren in Afghanistan.'

'Komt hij dan weer thuis? Leeft hij echt nog?'

Sean antwoordde: 'Helaas kan ik die vragen niet beantwoorden, Tyler, want ik weet het niet. Ik kan je vertellen dat er kennelijk iets mis is gegaan met die missie. En dat het leger denkt dat je vader nog leeft. Ze weten alleen niet waar hij is.'

'Is hij gevangengenomen?'

'Volgens mij niet. Als hij gevangenzat, betwijfel ik of hij je een mailtje had kunnen sturen.'

'Ze kunnen hem gevangen hebben genomen nadat hij me had gemaild,' zei Tyler.

'Ja, dat kan,' beaamde Michelle.

Sean zei: 'Er is nog iets wat je moet weten.'

Tyler keek hem ongerust aan. 'Wat dan?'

'Een vriendin van me, die mij die informatie over je vader heeft gegeven, is vandaag neergeschoten in een winkelcentrum. Michelle en ik waren erbij. Er waren drie schutters. Wij zijn erin geslaagd hen alle drie te stoppen.'

'We zijn erin geslaagd hen alle drie dood te schieten,' verbeterde Michelle hem. 'Voordat ze óns konden doodschieten.'

'Jullie hebben mensen doodgeschoten?' vroeg Tyler met een verbijsterde blik. 'In het winkelcentrum?'

'Ik ben bang van wel. Er is ook een politieagent omgekomen.'

'En jullie denken dat dit iets te maken heeft met mijn vader?' zei Tyler langzaam.

Michelle zei: 'We werken op dit moment niet aan andere zaken en de schutters zagen eruit als, nou ja, als voormalige soldaten, hoewel ze geen legitimatie bij zich hadden.'

Tyler keek naar Sean. 'Die kneuzingen in je gezicht? Is dat toen gebeurd?'

'Daar hoef jij je geen zorgen over te maken,' zei Sean snel.

'Kunnen ze achterhalen wie die mannen zijn?'

'Als ze in een of andere database zitten, wel. Maar als dat niet zo is, durf ik dat niet te zeggen.'

'Dus zij kwamen naar dat winkelcentrum om jou en Michelle te grazen te nemen?'

'Ze wilden dat wij met hen meegingen. Dat verzoek hebben we gewoon beleefd afgewezen,' zei Michelle.

Tyler keek weer naar haar; hij zag lijkbleek. 'Het spijt me. Ik heb nooit gewild dat zoiets zou gebeuren.'

Michelle pakte hem bij de schouder. 'Het is in orde, Tyler. Het is jouw schuld niet. Dit hoort bij het vak.'

Tyler keek aandachtig naar Sean. 'Ik hoop dat je vriendin weer herstelt.'

'Dank je,' zei Sean. 'Ik ook.'

Ze zwegen allemaal een tijdje.

Ten slotte zei Tyler: 'Ik weet niet wat ik nu moet doen.'

Sean zei: 'Weet je, het belangrijkste is, nu Jean weg is, wat er met jou gebeurt. Je bent zestien. Ik geloof niet dat jij op jezelf kunt wonen, in je eentje.'

'Maar niemand weet dat Jean weg is; niet echt in elk geval,' zei Tyler.

Michelle zei: 'Goed punt.' Ze keek naar Sean. 'Hij kan wel bij een van ons logeren.'

'Ik moet wel naar school,' zei Tyler.

'Dat kunnen we wel regelen,' zei Sean. Hij keek naar Michelle. 'Ik vind dat we dit samen moeten doen. In mijn huis en samen. Als Tyler op school zit, kunnen wij ons werk doen.'

Michelle knikte. 'Moet lukken.'

Tyler zei zenuwachtig: 'Bij jullie intrekken? Hé, misschien kan ik wel bij Kathy logeren?' voegde hij er hoopvol aan toe.

'En hen misschien in gevaar brengen,' zei Sean.

Tylers gezicht betrok. 'Daar had ik niet aan gedacht.'

'Er is nog één ding, Tyler,' zei Sean.

'Wat?'

'Heb je al geprobeerd weer contact met je vader op te nemen? Nadat je zijn mailtje had gekregen?'

Tyler schudde zijn hoofd. 'Daar heb ik wel aan gedacht. Dat wilde ik ook, maar...' Zijn stem stierf weg.

Michelle zei: 'Maar je was bang dat hij niet zou antwoorden, hè?'

Tyler knikte. 'Maar als ik nu probeer hem een mailtje te sturen, komen andere mensen dat misschien te weten. Ze monitoren mijn mails waarschijnlijk. Je zei zelf dat het een belangrijke missie was en zo.'

'Waarschijnlijk wel,' zei Sean. 'Maar je kunt hem schrijven vanaf een ander e-mailaccount. En je kunt jullie code gebruiken, zodat hij weet dat jij het bent.'

'Hoe weten jullie dat, van onze code?' vroeg Tyler met een argwanende blik.

'Hebben we je dat niet verteld?' zei Michelle. 'Wij zijn heel goed in het ontcijferen van codes.'

Sean voegde eraan toe: 'Nou ja, in elk geval kennen we iemand die heel goed is in het ontcijferen van codes.'

'Maar dan kunnen zij de code ook ontcijferen,' hield Tyler vol.

'Alles is mogelijk. Maar volgens ons is het het risico waard om contact op te nemen met je vader en te zien wat hij zegt.'

'We kunnen niet zeker weten dat het mijn vader is; niet met alleen een mailtje.'

'Nee, maar ik denk niet dat een face-to-facecontact er op dit moment in zit. Goed, we moeten je spullen ophalen en jou ergens naartoe brengen waar je veilig bent.'

Tyler keek naar hem op. 'Waar ik véílig ben?'

Sean keek hem strak aan. 'Ja. Want na wat er vandaag in dat winkelcentrum is gebeurd, moeten we alle mogelijke voorzorgsmaatregelen nemen. Op dit moment zijn wij geen van allen echt veilig, Tyler.'

# 27

De man had een probleem; een groot, maar niet onoplosbaar probleem.

Dat bestond voor een groot deel, maar niet alleen, uit ruim tweeduizend kilo lading. Die lading was tenminste daarnaartoe gegaan waar hij dat had gepland. Maar Sam Wingo liep nog steeds ergens rond. En dan was er nog zijn zoon, Tyler Wingo. En bovendien was hij in een winkelcentrum drie mannen kwijtgeraakt.

Hij had wel de beschikking over geld en mankracht, maar niet onbeperkt. Bovendien was het ook niet zo dat hij de vervangers die hij nodig had snel en ongemerkt kon inhuren. Dat alles kostte tijd. En daar had hij dus niet veel van: tijd. Hij moest nog heel veel doen en de minuten tikten snel weg. Het tijdstip waarop hij kon doen wat hij wilde doen, zou op een bepaald moment voorbij zijn en niet terugkomen. Alle elementen van zijn plan moesten op precies hetzelfde tijdstip bij elkaar komen.

Nu had hij de twee gezichten in zijn geheugen geprent: Sean King en Michelle Maxwell. Voormalige Secret Service-agenten, nu privédetectives. Zij hadden zijn plannen behoorlijk verknald en hem waardevolle mankracht op de grond gekost.

Overal problemen. Hij hield niet van problemen. Hij hield van oplossingen.

Voor elk van deze problemen zou hij een oplossing bedenken, ook voor het probleem King en Maxwell, en hij zou deze missie weer op de rails krijgen. Dat was hij dan ook echt van plan. Hij had dit al heel lang gepland en alle stukjes die hij nodig had, samengevoegd. Maar binnenkort, als alles ging zoals het moest, kon hij het eindelijk loslaten.

Hij nam een taxi naar het vliegveld en zat algauw in een opstijgend vliegtuig. Op zijn bestemming aangekomen, nam hij even de tijd om zijn badge en zijn identificatie op zijn jasje te bevestigen. Hieruit bleek dat hij bij een beveiligingsbedrijf werkte en zonder problemen door allerlei controleposten kon lopen. Hij had zijn land gediend in uniform en diende het nu vanuit de private sector. Maar eigenlijk diende hij alleen zichzelf.

Hij haalde zijn auto op uit de garage van het vliegveld en reed naar het 'grote huis', zoals hij het altijd had genoemd. Hij ging door de *security*. Dankzij zijn legitimatie kon hij hier overal komen, in elk geval overal waar hij wílde komen. Hij liep door een lange gang, sloeg links af en kwam ondertussen allerlei mensen in uniform tegen.

Hij droeg nu geen uniform meer en hoefde dus nooit stil te blijven staan om te salueren. Maar hier liepen zoveel soldaten en officieren rond dat er *No Salute Zones* waren ingesteld; anders zou iedereen alleen nog maar bezig zijn met salueren.

Hij knikte tegen een paar mensen die hij kende, maar hij zei niets. Iedereen was gehaast onderweg ergens anders heen. Zo'n soort plek was dit. Niet veel tijd voor kletspraatjes.

Hij klopte aan voordat hij het kantoor binnenging. Het bevond zich in de laatste gang die hij was ingelopen.

'Binnen,' zei de stem.

Hij opende de deur en keek om zich heen.

Dit was het kantoor dat toegang gaf tot dat van de secretaris-generaal voor acquisitie, logistiek en technologie. De secretaris-generaal was tegenwoordig weer een burger: een gepensioneerde generaal met twee sterren die leidinggaf aan een programma dat bepaalde hoe miljarden aan defensiegeld in het Midden-Oosten werden uitgegeven. Tijdens de oorlogen in Irak en Afghanistan was in deze sector sprake geweest van schandalen, fraude en verspilling. Hierop waren onderzoeken en commissies gevolgd en mensen waren hun baan kwijtgeraakt, of hun carrière was vroegtijdig beëindigd en sommigen waren in de gevangenis beland. De huidige secretaris-generaal, Dan Marshall, begin zestig, had een smetteloze reputatie als een angstvallig eerlijke administrateur. Meteen na zijn aanstelling had hij de bezem erdoor gehaald en sindsdien liep alles volgens de meeste maatstaven uiterst soepel.

De vrouw die aan het bureau zat, keek op naar de man, glimlachte en groette hem. Hij vroeg naar Marshall. Ze pakte haar telefoon en belde naar zijn kantoor.

Even later kwam Marshall naar buiten. Hij glimlachte en liep naar de man toe. Niet met een uitgestoken hand, maar met beide armen gespreid voor een omhelzing. 'Alan, mijn favoriete schoonzoon, welkom terug. Hoe was je reis?' vroeg hij.

Alan Grant glimlachte, omhelsde zijn schoonvader ook en zei: 'Interessant, Dan. Interessant, maar productief.'

'Kom mee, dan moet je me er alles over vertellen,' zei Marshall.

Grant liep achter hem aan naar binnen en deed de deur dicht. Hij zou zijn schoonvader wel iets, maar natuurlijk niet alles vertellen. Hij keek naar de plank waarop een heleboel foto's stonden. Zijn blik bleef rusten op een daarvan, zoals altijd.

Marshall volgde zijn blik en zei met een verdrietige glimlach: 'Ik mis je vader ook nog altijd, ondanks het feit dat het al zoveel jaar geleden is. Ik was al bevriend met je vader ver voordat jij en mijn kleine meid zelfs waren geboren. Hij was de slimste cadet van onze West Point-klas.'

Grant liep naar de foto en pakte hem op. Zijn vader droeg zijn gala-uniform, met zijn nieuwe eikenbladmedaille op zijn brede borst. Hij leek gelukkig. Dat had niet lang geduurd. Niet toen hij burger werd en in D.C. was gaan werken.

Grant zette de foto terug en draaide zich om naar Marshall. 'Ja, ik mis hem ook nog steeds. Nu misschien wel meer dan ooit.'

'Op een bepaald moment zul je het moeten laten rusten, Alan. Leslie vertelde me dat je de laatste tijd erg gespannen bent. Alles oké?'

'Je dochter is een fantastische echtgenote, Dan. Maar ze maakt zich te veel zorgen om me. Ik ben een grote jongen. Ik kan wel op mezelf passen.'

'Nou, je bent levend uit Irak teruggekomen. Niemand vraagt zich af hoe taai je bent.'

'Heel veel taaie soldaten zijn daar gesneuveld. Ik was gewoon een van de jongens die geluk heeft gehad.'

'Nou, daar ben ik heel blij om. Ik zou niet weten wat ik zonder je moest. En Leslie zou gek worden van verdriet.'

'Ze is een sterke vrouw; ze zou zich wel redden.'

'Laten we maar ophouden met deze morbide praatjes, Alan. Maar je moet je eindelijk eens verzoenen met wat er met je ouders is gebeurd. Dat is al meer dan twintig jaar geleden.'

'Vijfentwintig,' zei Grant snel. Op kalmere toon voegde hij eraan toe: 'En ik verzoen me er wel mee, Dan. Sterker nog, volgens mij is dat heel binnenkort al het geval.'

'Dat is goed om te horen.'

*Ja, dat is zo,* dacht Grant.

# 28

Het vrachtvliegtuig danste en stuiterde boven de Atlantische Oceaan op een hoogte van twintigduizend voet.

Sam Wingo zat stevig vastgemaakt aan een canvas stoel. Het was onmogelijk gebleken om een normale zitplaats te krijgen in een commercieel vliegtuig vanuit India. Nadat hij in New Delhi was aangekomen, was hij een hele dag bezig geweest met het zo veel mogelijk veranderen van zijn uiterlijk. Daarna had hij in een achterafwinkeltje vol computers en hogeresolutieprinters identiteitsbewijzen gemaakt. Toch was het problematisch geweest om langs de security van het vliegveld te komen. Op straat had hij het gerucht opgevangen dat er een officiële zoektocht plaatsvond naar een Amerikaanse soldaat, en dat men ervan uitging dat deze zich misschien schuilhield in Pakistan of India.

Nou, hij hield zich hier niet schuil. Hij probeerde dit land zo snel mogelijk te verlaten.

Nadat hij een hele dag alle mogelijke manieren had verzonnen om het land uit te komen, had zich opeens een mogelijkheid voorgedaan. Hiervoor had hij wel mensen moeten omkopen, maar in Indiase roepies was het niet eens zoveel geld geweest. En zodoende zat hij nu in zijn canvas stoel en probeerde hij te voorkomen dat hij van de ene kant van de romp naar de andere werd gesmeten en dat het eten in zijn maag er weer uit kwam.

Niets leek logisch op het moment. Hij wist niet wie zijn vracht had ontvreemd of waarom. Hij wist ook niet wat de Amerikaanse regering voor kennis hierover had. Wat hij wel wist was dat ze hem de schuld gaven en dat hij onmiddellijk zou worden gearresteerd zodra ze hem vonden.

Hij had geen idee dat hij zojuist een mailtje op zijn smartphone had binnengekregen, omdat hij die had uitgezet toen het vrachtvliegtuig was opgestegen. Hij zou die mail niet beantwoorden, in elk geval niet zo lang deze vlucht duurde.

Tijdens de komende uren zou Wingo wat tijd hebben om na te denken over wat hij zou doen zodra hij weer in de VS was. Zijn opties waren beperkt. Hij twijfelde er niet aan dat zijn zoon in de gaten werd gehouden. Misschien hadden ze zijn mailtje aan Tyler wel onderschept. Verdomme, misschien hadden ze zijn jongen wel ergens gevangengezet. Die gedachte vrat zo aan Wingo dat hij dacht dat hij gek werd. Deze missie was vanaf de start een mislukking geweest. Hij was al vanaf het begin de klos en snapte niet waarom hij dat niet had zien aankomen.

Zijn schuld zou worden bevestigd door zijn besluit zich niet persoonlijk te melden, zoals zijn meerdere hem had opgedragen. In hun hoofd was hij al in staat van beschuldiging gesteld. Ze dachten waarschijnlijk dat hij die vracht zelf had gehouden. Nou, hij wilde dát hij dat had gedaan. Hij had dat nu wel kunnen gebruiken.

Hij had de vracht helemaal niet, maar Tim Simons uit Nebraska, wie die rotzak ook was. Wingo was er vrij zeker van dat zijn echte naam niet Tim was en hij betwijfelde of de man echt uit Nebraska afkomstig was.

Wingo wist dat hij op een bepaald moment contact met zijn zoon moest zien te krijgen en hem moest vertellen wat er was gebeurd. Daarna moest hij de vracht zien terug te vinden. Wanneer hij die vond, kon hij zijn reputatie misschien nog redden en voorkomen dat hij de rest van zijn leven zou doorbrengen in een gevangeniscel in de United States Disciplinary Barracks, de militaire gevangenis in Kansas.

Toen het vliegtuig een keiharde klap van de turbulente lucht buiten kreeg en ongeveer dertig meter naar beneden viel, kon Wingo opeens weer helder denken.

Alles wat hij zich zojuist had voorgesteld, was onmogelijk. Natuurlijk zou hij niet bij zijn zoon in de buurt kunnen komen. En natuurlijk zou hij die vracht niet kunnen terugvinden. Die was waarschijnlijk al goed verborgen en hij had niet de middelen om uit te zoeken waar. Voor hetzelfde geld werd hij al opgewacht door de politie meteen nadat dit vliegtuig in Atlanta was geland.

En misschien zou hij de rest van zijn leven in de gevangenis doorbrengen.

Hij greep zijn hoofd vast, sloot zijn ogen en begon te bidden. Om een wonder.

'Niets,' zei Tyler.

Vanaf het moment dat hij zijn vader dat mailtje had gestuurd, had hij alleen maar naar zijn computer zitten kijken. Hij had een Gmail-account gebruikt dat Michelle had aangemaakt. Zijn vader zou de afzender niet herkennen, maar Tyler had hun code gebruikt om zijn bericht te schrijven. Hij had echter niet veel gezegd, voor het geval anderen meekeken en het bericht hadden ontcijferd.

Hij keek op naar Michelle. Ze waren in Seans huis in het noorden van Virginia. Sean en Michelle hadden besloten dat het te riskant was als Tyler naar huis ging om zijn spullen op te halen en waren daarom met-een hiernaartoe gereden. Sean was naar Tylers huis gegaan om een tas in te pakken.

Michelle had het afgelopen halfuur constant op haar horloge gekeken.

Tyler zei: 'Je kunt hem toch bellen of mailen?'

'Nee, dan denkt hij dat ik hem controleer.'

'Dat is toch ook zo?'

'Inderdaad. En daar kan hij behoorlijk chagrijnig van worden.'

Het was nu donker buiten en Tylers maag begon te rommelen.

Michelle hoorde dat waarschijnlijk, want ze zei: 'Ik kan wel wat te eten maken. Hoewel ik niet echt goed kan koken.'

'Ik help je wel,' zei Tyler.

'O ja, Kathy heeft me verteld dat je kunt koken. Dat je haar moeder zelfs een paar gerechten hebt leren maken.'

'Vroeger hielp ik mijn moeder weleens, ze kon heel goed koken.'

'Dat geloof ik graag,' zei Michelle somber. Toen klaarde ze op: 'Dan zullen de meisjes je deur wel platlopen zodra je op de universiteit zit.'

'Denk je?'

'Geloof me, er is niets aantrekkelijker dan een man met een spatel en een voornemen.'

Ze keek naar buiten, en opeens schoot haar iets te binnen. 'Je bent je zwemtraining misgelopen.'

'Geen probleem. We hebben binnenkort geen wedstrijden, dus ik kan het wel even rustig aan doen.'

'Maar zal je coach je stiefmoeder dan niet bellen of zo?'

'Ik heb hem al een mailtje gestuurd. Gezegd dat ik ziek was. Hij weet het van mijn vader. Hij zal er geen probleem van maken.'

Ze besloten een ontbijt klaar te maken, in plaats van een uitgebreide avondmaaltijd. Terwijl Michelle probeerde het spek niet te laten aan-branden, maakte Tyler een ingewikkelde omelet klaar met een heleboel ingrediënten, havermoutpap en eigengebakken broodjes die hij in nog geen uur klaarmaakte.

'Sean kookt zeker graag?' vroeg hij.

'Ja, dat kan hij heel goed, in tegenstelling tot mij, ik kan nauwelijks een ei fatsoenlijk breken. Maar hoe weet je dat?'

'Zijn keukenkastjes en koelkast staan vol geweldige dingen. Het blijkt ook uit de indeling van de keuken en de keukenspullen en zijn messen.' Hij liet een mes zien. 'Dit mes is niet iets voor amateurs. Dat geldt ook voor die keukenmachine die daar staat.'

'Je zou een goede detective zijn. Kathy vertelde me dat je slim bent. Een van de besten van je klas.'

'Zei ze dat?' vroeg Tyler terwijl hij een glimlach probeerde te onderdrukken.

'Ja, dat zei ze.'

Ze gingen aan de keukentafel zitten en begonnen te eten. Michelle dronk koffie en Tyler sinaasappelsap. Na het eten spoelden ze hun borden en kopjes af en zetten alles in de vaatwasser. Tyler maakte de rest van de keuken schoon, terwijl Michelle keek of ze nog berichtjes had.

'Sean komt zo.'

'Waar is hij geweest?' vroeg Tyler.

'Naar het ziekenhuis om te kijken hoe het met Dana gaat, volgens mij. En hij wilde nog een paar dingen controleren, terwijl ik hier bij jou bleef.'

'Ik hoef morgen niet per se naar school.'

'Nee. Het is beter als je gewoon doorgaat zoals altijd.'

'Wat doen we met Jean? Als de mensen merken dat ze weg is?'

'Dat bedenken we wel als het zover is, Tyler.'

'Dat is misschien al gauw.'

'Ja, misschien wel,' zei ze.

Twintig minuten later schenen de koplampen van een auto door het woonkamerraam.

Michelle keek naar buiten en zag dat Sean uit zijn auto stapte.

Een paar seconden later kwam hij binnen, verward en gedeprimeerd. Hij had een grote rugzak bij zich die hij aan Tyler gaf. 'Volgens mij heb ik alles wat je nodig hebt.'

'Heeft iemand je gezien?' vroeg Michelle.

'Volgens mij niet. Had de auto een straat verderop neergezet en ben vanaf de achterkant naar het huis gelopen. Terug langs dezelfde weg. Ik heb gekeken of ze het huis aan de voorkant in het oog hielden, maar heb niemand gezien.'

'Ben je weer naar het ziekenhuis geweest?'

Hij schudde zijn hoofd. 'Ik ben geen familie, niet meer. Als je afgaat op wat de chirurg in de wachtkamer zei dan zullen de eerste achtenveertig uur waarschijnlijk kritiek zijn.'

'Nou, daar kun je dus niets aan doen op het moment,' zei Michelle.

'Ik heb al meer dan genoeg voor Dana gedaan, en haar bijna vermoord.'

Die opmerking bleef zwaar in de lucht hangen, tot Michelle vroeg: 'Heb je al iets gegeten?'

'Nee, ik heb geen trek.'

'Tyler heeft lekker gekookt. Er is nog wel wat over.'

'Ik heb geen trek, Michelle,' zei hij gedecideerd.

Ze keek naar hem omhoog, terwijl Tyler zich zenuwachtig op de achtergrond hield en door de kamer ijsbeerde.

'Oké. Tyler heeft geen antwoord gekregen op zijn mailtje. Wat doen we nu? Heb je nog nagedacht toen je weg was?'

'Dat heb ik, maar ik kon niet veel bedenken.' Hij keek naar Tyler. 'Ik hoop echt dat je vader reageert. Anders hebben we niet veel om mee te werken.'

'Is er al meer bekend over die drie mannen in dat winkelcentrum?' vroeg Michelle.

'Ik ben ervan overtuigd dat er heel veel bekend is, maar dat krijgen wij gewoon niet te horen.'

'McKinney zal ons dat zeker niet aan de neus hangen,' zei Michelle droog.

'Het enige wat hij wil, is ons arresteren.'

'Of ons doodschieten,' zei Michelle.

'Ik ken een paar mensen bij de plaatselijke politie,' zei Sean. 'Misschien weten zij er iets van.'

'Zelfs een naam zou al nuttig zijn,' zei ze.

'Dat is in elk geval meer dan we nu hebben,' voegde Sean eraan toe.

Tyler zei: 'Maar als mijn vader contact met me opneemt, weten we al veel meer.'

Sean keek even naar Michelle.

Tyler zag dat en zei: 'Mijn vader heeft niets verkeerds gedaan. En hij komt absoluut terug om zijn naam te zuiveren.'

'Ik ben ervan overtuigd dat hij dat van plan is,' zei Michelle zacht.

Tyler fronste zijn wenkbrauwen. 'Maar jullie denken niet dat hij erin slaagt terug te komen. Jullie denken dat hij dood is, ja toch?'

Sean zei: 'Dat weten we niet, Tyler. We hopen dat hij niet dood is.'

Tyler ontweek zijn blik.

'Ik heb wel een klein beetje informatie gekregen,' zei Sean.

Michelle en Tyler schoten overeind. 'Wat dan?' zeiden ze tegelijk.

'De naam van iemand bij DTI met wie je vader werkte.'

'Hoe heb je dat voor elkaar gekregen?' vroeg Michelle.

'Ja,' zei Tyler. 'Hij praatte nooit met mij over zijn werk.'

'Een vriend van een vriend.'

Michelle keek naar Tyler en zei met een glimlach: 'Sean heeft heel veel vrienden van vrienden. Hij is erg geliefd op feestjes.'

Sean zei: 'De collega van je vader was een vrouw, ene Mary Hesse. Heb je hem ooit over haar horen praten?'

Tyler schudde zijn hoofd. 'Zoals ik al zei, praatte hij eigenlijk nooit over zijn werk.'

Sean knikte traag. 'Goed. Nou, ik heb voor vanavond met haar afgesproken. Misschien kan zij ons iets vertellen.'

'Ik ga wel mee,' zei Michelle.

'Nee, jij moet hier blijven, bij Tyler.'

'Waarom gaan we niet met z'n drieën?' opperde Tyler.

'Nee,' zei Sean vastbesloten. 'Ik heb geen idee of deze Hesse zelfs maar vijf minuten voor me heeft. Aan de telefoon klonk ze heel aarzelend. Als we allemaal komen opdagen, kruipt ze misschien helemaal in haar schulp.'

Michelle zei: 'Oké, dat klinkt logisch. Ik speel wel voor bodyguard, jij voor detective.'

Tyler zei niets, maar keek niet blij.

Even later liep Michelle met Sean mee naar zijn auto. 'Ik vind het echt heel erg van Dana, Sean, maar het was jouw schuld niet.'

'Natuurlijk wel! Maar daar wil ik het niet weer over hebben.' Hij speelde met zijn sleutels.

Michelle legde kalmerend een hand op zijn trillende vingers. 'Je zult het voorlopig gewoon moeten laten rusten, Sean. Als je zo doorgaat, heeft niemand daar iets aan, jijzelf ook niet.'

'Dat weet ik wel,' zei hij gelaten. 'Maar ik kan het niet zomaar even wegduwen.'

'Secret Service. Tunnelvisie. Vergeet al het andere. Zoals je al zei: dit is een gevaarlijke zaak. Haal het beste uit jezelf, oké?'

Hij knikte kort. 'Ja, doe ik. Bedankt Michelle, voor een zachte schop onder mijn kont.'

'Graag gedaan. Ik kan als het nodig is je ook harder schoppen.'

'Alsof ik dat niet weet.' Hij stapte in de auto. 'Ik bel je zodra ik op de terugweg ben.'

'Oké.'

Hij keek naar zijn huis. 'Het beste uit mezelf halen,' zei hij. 'Moet jij ook doen: jij hebt de kostbare lading.'

# 29

Nadat Sean was weggereden, verkende Michelle de omgeving voordat ze het huis weer binnenliep. Ze deed alle deuren op slot en zorgde ervoor dat er een kogel in de kamer van haar pistool zat. Ze keek naar de keukentafel waar Tyler aan zat met stapels schoolboeken voor zich. 'Veel huiswerk?' vroeg ze.

'Altijd,' zei hij mat, maar hij maakte geen aanstalten een boek open te slaan of een pen op te pakken.

'Moet je niet aan de slag?'

'Eigenlijk wel.' Hij zweeg even, klemde zijn kaken op elkaar. 'Waar denk jij dat mijn vader nu is?'

'Misschien in een vliegtuig vanuit het Midden-Oosten terug naar hier.'

Tyler bladerde lusteloos door zijn wiskundeboek.

Michelle vroeg zich af of hij de formules wel zag. Ze keek aandachtiger naar hem. 'Voordat je vader de laatste keer werd ingezet, heeft hij toen nog ergens over gepraat?'

Hij keek haar glazig aan. 'Zoals wat? We hebben het over van alles gehad.'

'Over iets wat anders was dan anders? Misschien over iets wat niet belangrijk leek.'

Tyler dacht hierover na en schudde toen langzaam zijn hoofd. 'Hij zei dat ik mijn best moest doen op school en met mijn zwemmen. Op Jean moest passen. En uit de problemen moest blijven. Dat soort dingen.'

Michelle knikte. 'Nou, denk nog maar eens diep na. Misschien schiet je nog iets anders te binnen.'

Michelle hoorde het geluid voordat Tyler het hoorde. Ze duwde hem onder de tafel, was met één grote sprong bij het lichtknopje en doopte de kamer in duisternis.

Ze had haar Sig in haar rechterhand. Ze knipperde snel met haar ogen om ze aan het donker te laten wennen.

Tyler fluisterde: 'Michelle, wat is er?'

'Er is iemand buiten,' fluisterde ze terug. 'Jij blijft hier. Pak je telefoon. Toets 911 in en als ik binnen vijf minuten niet terug ben, moet je bellen.'

'Maar...'

'Blijf liggen en hou je mond, Tyler! Het komt wel goed.'

Michelle kroop de kamer uit en keek ondertussen aandachtig om zich heen. Ze hield er niet van als ze 's avonds geluiden hoorde waarvan ze wist dat die op stiekeme voetstappen duidde. Sean had aan beide kanten buren, maar tussen de drie huizen in stonden ook groepjes bomen. Een ideale verbergplek voor een stel misdadigers om hun werk te doen.

Michelles eerste gedachte was dat de drie doden in het winkelcentrum vrienden hadden die het werk moesten afmaken.

Ze keek heel even door het voorraam naar buiten.

Er stond een personenauto die daar eerder nog niet had gestaan. Ze kon niet zien of er iemand in zat. Haar Land Cruiser stond op de oprit, maar ze kon niet het risico nemen te proberen daar samen met Tyler naartoe te gaan. Ze bleef naar buiten kijken, terwijl ze aandachtig luisterde of ze geluiden hoorde die erop wezen dat iemand probeerde binnen te komen.

Ze verstijfde toen ze de man om de hoek van het huis zag komen. 'Shit!' siste ze.

Ze opende de voordeur en riep hem. 'Is er misschien iets, agent Mc-Kinney?'

Hij draaide zich om en zag haar.

Ze had het op schertsende toon gevraagd, maar toen ze zijn gezicht zag, veranderde dat. 'Wat is er aan de hand?' vroeg ze.

Hij liep naar haar toe. 'Kunnen we praten?'

'Wat doe je hier? Hoe wist je eigenlijk dat je hier moest zijn?'

'Wij zijn de DHS,' gromde hij. 'We hebben onze bronnen, weet je.'

'Sean is er niet. Maar je kunt wel met mij praten.'

Hij knikte en liep langs haar heen naar binnen.

Ze keek over zijn schouder en checkte de omgeving nog een keer voordat ze de deur achter zich op slot deed. Michelle riep tegen Tyler in de keuken dat alles oké was. Ze deed het licht aan.

Tyler kwam met knikkende knieën de woonkamer binnen. Hij keek verbaasd toen hij McKinney zag. 'Wie is dat?' vroeg hij.

'Agent McKinney van Homeland Security.'

'Homeland Security?' vroeg Tyler. 'Waarom zijn jullie hierbij betrokken?'

McKinney zei: 'We houden het land veilig. Zoals de naam al zegt.' Hij keek met een harde blik naar Tyler en vroeg toen aan Michelle: 'Waarom is hij hier? Kunnen jullie dan verdomme echt niet gewoon doen wat je gezegd wordt?'

Michelle zei: 'Het is een lang verhaal, maar Tyler is veiliger bij ons. Dus waarom sluip je om Seans huis heen?'

McKinney ging zitten en haalde een pakje Marlboro's tevoorschijn. 'Heb je er bezwaar tegen als ik rook?'

'Ja, dat heb ik. En ik weet dat Sean dat ook heeft.'

Hij stopte het pakje weer weg en leunde achterover. 'Hebben jullie enig idee waar je bij betrokken bent?'

'Dat proberen we uit te zoeken,' zei Michelle. 'Maar als je ons daarbij wilt helpen, graag.'

'Een internationaal incident,' zei McKinney, die net deed alsof hij haar niet had gehoord.

Michelle ging tegenover hem zitten, terwijl Tyler met een verbijsterde blik op zijn gezicht bleef staan.

'Wat voor internationaal incident?' vroeg Michelle rustig.

McKinney keek haar aandachtig aan. 'Ik weet niet zeker of ik die vraag wel kan beantwoorden.'

'Waarom ben je hier dan in vredesnaam?' zei ze venijnig. 'Om ons te vertellen dat je niet met ons kunt samenwerken? Geloof me, die bood-schap hebben we al eerder luid en duidelijk doorgekregen.'

McKinney kraakte zijn knokkels. 'Die dode mannen waren ex-militai-ren.'

'Allemaal?'

Hij knikte. 'Maar ze zijn al heel lang geleden uit dienst gegaan en zijn betrokken geraakt bij dingen waar mannen die het uniform van dit land hebben gedragen nooit bij betrokken hadden mogen raken.'

'Zoals?' vroeg Michelle.

'Zoals drugs- en wapensmokkel. En bij bepaalde militieactiviteiten, waarschijnlijk vermengd met een beetje binnenlands terrorisme. De lijst wordt daarna alleen nog maar langer.'

'Denk je dat dit daarom gaat?'

'Dat denk ik niet. Maar ik weet het niet zeker.'

Michelle keek naar Tyler, die zei: 'Mijn vader zou zich nooit met dat soort dingen inlaten.'

McKinney wendde zich tot hem: 'Hij lijkt er middenin te zitten, wat het ook maar is.'

'Wat hield die missie in, McKinney? Wat was Sam Wingo aan het doen? We weten dat hij iets moest afleveren, maar dat de lading nooit is aangekomen.'

'Wie heeft jou dat verdomme verteld?'

'Maakt dat uit?' vroeg Michelle.

'Misschien wel,' snauwde McKinney.

'We proberen allebei achter de waarheid te komen.'

Hij keek weer naar Tyler. 'Je vader heeft contact met je opgenomen, hè? Je een gecodeerd bericht gestuurd?'

Tyler keek meteen naar Michelle.

Ze aarzelde even, maar knikte toen.

Tyler zei: 'Ja, dat heeft hij gedaan. En dat was nadat hij zogenaamd dood was.'

'En wat hield die boodschap in?'

Michelle gaf antwoord. 'Dat hij spijt had en dat hij wilde dat Tyler hem vergaf.'

'Weet je zeker dat dat alles was?'

'Ja,' zei Tyler opstandig. 'Ik wilde dat er meer was, maar meer was er niet.'

'Volgens mij is het een soort bekentenis,' zei McKinney.

'Daar ben ik het niet mee eens,' zei Michelle voordat Tyler iets kon zeggen.

'Waarom niet?'

'Mijn instinct.'

McKinney snoof minachtend.

Dat negeerde ze en ze vroeg: 'Wat moest hij afleveren? En was hij alleen?'

'Kennelijk was hij alleen. En dat slaat nergens op, gezien de lading. Maar het leger doet dingen misschien wel anders.'

'Dus wat wás die verdomde lading dan?' vroeg Michelle.

McKinney kraakte weer met zijn knokkels. 'Elke geheime dienst en elke legereenheid is hierbij betrokken. Het is groot, echt heel erg groot.'

'Dat geloof ik graag. Zo groot dat jij een telefoontje krijgt van het Pentagon en ons een serieuze waarschuwing geeft. Maar dat verklaart niet waarom je nu hier bent. Zoals je al zei, je bent van de DHS. Je hebt overal bronnen. Je hoeft niet naar ons toe te komen om informatie te krijgen.'

'Wat jij zegt is helemaal waar,' zei hij.

'En toch ben je hier.'

McKinney haalde diep adem. 'Ik heb jullie nog eens nagetrokken. Jou en King. Daarom ben ik hier. Mensen voor wie ik respect heb, zeggen dat jullie beiden oké zijn. Dat jullie te vertrouwen zijn. Dat jullie scherp zijn.'

'Oké,' zei Michelle behoedzaam. 'Maar waarom denk ik nu dat je vooral bent gekomen omdat het moeilijk is om van je eigen kant eerlijke antwoorden te krijgen? En misschien is er zelfs sprake van wantrouwen.'

McKinney trok zijn wenkbrauwen op, maar zei niets.

Michelle vroeg opnieuw: 'Dus wat was de lading?' Ze voegde eraan toe: 'Kom op, ik knap van nieuwsgierigheid, agent McKinney.'

McKinney keek naar Tyler en toen weer naar Michelle. Het leek alsof hij eindelijk een besluit had genomen. 'Ruim tweeduizend kilo.'

Michelle fronste. 'Dat was het gewicht? Ruim tweeduizend kilo?'

McKinney knikte.

'Wat was het dan?'

'Wat weegt ruim tweeduizend kilo, voor zover je weet?'

'Wat voor spelletje spelen we nu, *Jeopardy*?' zei Michelle bits.

'Een atoombom of een vuile bom?' vroeg Tyler gespannen.

McKinney schudde zijn hoofd. 'Nee.'

Ze zei: 'Te licht voor een tank of een vliegtuig. Biologische wapens? Enkele kant-en-klare centrifuges? Een paar honderd Al Qaida-terroristen?' voegde ze er sarcastisch aan toe.

McKinney schudde zijn hoofd.

'Oké, we geven het op. Wat dan wel?' vroeg Michelle.

McKinney schraapte zijn keel. 'Eén miljard euro.'

# 30

Sean zat tegenover Mary Hesse in een restaurant in Chantilly, Virginia. Ze was midden veertig en aantrekkelijk, met donker haar en een slank lichaam. Ze leek het moeilijk te vinden Sean aan te kijken. Ze droeg een bril, maar zette hem steeds af en maakte de glazen schoon met een servet.

Op van de zenuwen, zag Sean.

'Dus u werkte samen met Sam Wingo?' vroeg hij voor de tweede keer. Dit werd een lastig karwei, dacht hij. Maar in dit soort situaties was geduld een schone zaak.

Ze knikte. 'Sam was echt een leuke man. Het was gewoon...' Ze zweeg, met een ontstelde blik.

'Het was gewoon wat?' Hij stak zijn hand uit en tikte even op haar pols. 'Mevrouw Hesse, ik weet dat dit moeilijk is. Maar zoals ik u al aan de telefoon vertelde, werk ik voor Sams zoon, Tyler.'

'Sam had het vaak over hem. Hij was erg trots op hem,' zei ze.

'Dat geloof ik meteen. Tyler is een ontzettend leuke jongen. Maar hij maakt zich vreselijk veel zorgen om zijn vader.'

'Ze zeiden dat hij is gesneuveld, in Afghanistan.'

'Dat is volgens ons niet waar. En ik denk dat u zojuist wilde zeggen dat u dacht dat er iets niet klopte aan Sam, ja toch?'

Ze keek hem verbaasd aan. 'Hoe wist u...'

'Ik heb bij de Secret Service gewerkt. Wij worden heel goed in het lezen van lichaamstaal.'

'Weet u, hij verscheen zomaar op een dag bij DTI. Niemand had hem ooit eerder gezien. Niemand die ik kende, had zelfs maar een sollicitatiegesprek met hem gevoerd. En ook al is het geen groot bedrijf, we hebben toch wel bepaalde protocollen.'

'En daar heeft men zich met betrekking tot Wingo niet aan gehouden?'

'Het léék alsof men zich daar niet aan heeft gehouden,' verbeterde ze hem.

'Wat nog meer?'

'Hij sprak Dari en Pasjtoe, maar niet, nou ja, niet zo goed als de andere mensen bij het bedrijf.'

'En ik heb begrepen dat hij verkoper was. Hij zorgde ervoor dat het bedrijf opdrachten kreeg.'

'Daar hoeft niemand voor te zorgen, meneer King. We hebben al meer werk dan we aankunnen, zelfs nu er in het Midden-Oosten minder oorlogen worden gevoerd. Er zijn nog steeds heel veel militairen aanwezig. En er gaan nu ook commerciële bedrijven naartoe. Die hebben allemaal vertalers nodig.'

'Dus de zaken gaan goed en jullie hebben geen verkopers nodig. Wat deed Wingo dan voor jullie?'

Hesse zag er verbijsterd uit na deze eenvoudige vraag. 'Dat weet ik niet zeker.'

'Dat weet u niet zeker? U hebt me verteld dat u met hem samenwerkte.'

Ze werd bleek en heel even dacht Sean dat ze moest overgeven. 'Neem een slokje water en haal diep adem,' zei hij.

Ze dronk wat water en veegde haar mond af met haar servet.

'Gaat het weer?'

Ze knikte. 'Weet u, hij werkte niet echt voor ons.'

'Wat deed hij dan?'

'Ik leerde hem Pasjtoe en Dari. Tenminste, ik leerde hem meer dan hij al kende.'

'U leerde hem de talen die voornamelijk in Afghanistan worden gebruikt?'

'En in andere landen in het Midden-Oosten, waaronder Pakistan. En in Iran wordt Dari Farsi genoemd. Dat is een bijzonder nuttige taal als je daar bent, net als Arabisch natuurlijk.'

'Dus als hij geen verkoper was en hij niet de kwalificaties had om als vertaler te werken, leerde u hem dan dat te worden?'

'Nee. Daar hebben we immersiescholen voor. Ik werkte een-op-een met hem, elke werkdag, drie uur per dag. Dat heb ik bijna een jaar lang gedaan.'

'Hebt u dat ooit met iemand anders gedaan?'

Ze schudde haar hoofd.

'Hij was een reservist die naar Afghanistan ging. Misschien wilde hij die talen leren spreken?'

'Maar daar betaalde hij ons niet voor. Wij betaalden hem een salaris om die talen te leren.'

Sean leunde achterover, duidelijk verbijsterd. 'Hoe weet u dat?'

'De boekhoudster van ons bedrijf, Sue, is een vriendin van me. Zij heeft me dat verteld. Maar weet u, we kregen een volledige schadeloosstelling voor zijn salaris.'

'Van wie?'

'Van een afdeling van het ministerie van Defensie. Ik weet niet welke, er zijn er zoveel. Maar we kregen alles terugbetaald. Het kostte ons geen cent. De eigenaar van ons bedrijf staat niet bepaald bekend om zijn gulheid. Hij zou nooit geld uitgeven aan een werknemer die niets deed.'

'Hebt u ooit met Wingo gepraat over deze... deze ongebruikelijke regeling?'

'Ik had opdracht gekregen dat niet te doen. Ik beschouwde hem als een vriend, omdat we zoveel tijd met elkaar doorbrachten. Hij vertelde me over zijn zoon. Ik vertelde hem over mijn gezin. Ik was stomverbaasd toen hij op een dag niet op kantoor kwam. Ik wist dat hij op een bepaald moment naar Afghanistan zou gaan, maar ik wist niet dat hij al was uitgezonden. En ik wist niet dat hij bij de reserve zat.'

'Hij werkte voor het leger. Volgens mij hielp u hem zich voor te bereiden op een missie waarvoor hij die talen moest kunnen spreken.'

'Wat voor missie?' vroeg ze fluisterend.

'Goeie vraag. Ik wilde dat ik het wist.'

'U zei dat Sam volgens u niet dood is? Maar dat stond in de krant.'

'Nee, volgens mij is hij niet dood.' Sean boog zich naar haar toe. 'Maar dat wil niet zeggen dat hij niet in gevaar verkeert of in de problemen zit of allebei. Heeft hij iets tegen u gezegd wat mij zou kunnen helpen? Wat dan ook?'

'Hij zei dat hij hoopte dat hij binnenkort met pensioen kon gaan. Hij wilde meer tijd met Tyler doorbrengen.'

'Nog iets anders?'

'Nou, er gebeurde iets vreemds vlak voordat hij DTI verliet.'

'Wat?' vroeg Sean op scherpe toon.

'Hij zei dat hij binnenkort terug zou gaan naar Afghanistan. Ik zei dat hij voorzichtig moest zijn. Dat ik niet wilde dat hij doodging door een bermbom of een scherpschutter. Dat ik zou bidden dat hij snel terugkwam.'

'En wat zei hij toen?'

'Hij zei dat bermbommen en sluipmoordenaars niet zijn grootste probleem vormden.'

Sean wreef over zijn kin. 'Wat bedoelde hij? Dat hem daar zelfs iets ergers kon overkomen?'

'Dat denk ik wel ja.' Ze keek geschrokken toen ze zich realiseerde wat dat betekende. 'Wat voor dingen kunnen nou erger zijn dan opgeblazen of doodgeschoten worden?' vroeg ze.

'Ik kan wel een paar dingen bedenken,' antwoordde Sean. Hij stelde

Hesse nog een paar vragen en daarna liet hij haar alleen achter, terwijl zij nog in haar koffiekopje zat te staren.

Hij was halverwege zijn auto toen zijn telefoon ging. Het was Michelle. Ze vertelde hem over haar ontmoeting met McKinney.

'Eén miljard euro?' vroeg hij sceptisch. 'Dat is ongeveer 1,3 miljard Amerikaanse dollar!'

'Dat geloof ik wel. En kennelijk weegt dat ruim tweeduizend kilo, zonder krat.'

'En waarom zou McKinney naar ons toe komen en ons dat vrijwillig vertellen?' Sean ging achter het stuur zitten en maakte zijn gordel vast. Daarna startte hij de auto, met zijn telefoon tussen zijn schouder en oor geklemd.

'Volgens mij heeft hij het gevoel dat hij klem zit. Hij vertrouwt niemand, ook niet van zijn eigen kant,' zei ze.

'Maar toch zegt het heel wat als iemand van de DHS naar ons toe komt en dat soort informatie verstrekt. Dat kan hem zijn baan kosten.'

'Dat ben ik met je eens. Ik was al net zo verbaasd als jij.'

'Hoe heb je het gesprek afgesloten?'

'Dat heb ik niet echt gedaan. Hij is gewoon vertrokken en nu bel ik jou.'

'Ik ben er over ongeveer veertig minuten. Hou je haaks.' Sean zette de auto in de versnelling.

Hij keek niet in de achteruitkijkspiegel.

Als hij dat wel had gedaan, had hij misschien het rode vlekje gezien dat over zijn voorhoofd dwaalde.

# 31

Toen Sean wegreed, liet Alan Grant zijn pistool met laservizier op de Picatinny rail van het wapen zakken.

Het zou minder eenvoudig zijn dan het overhalen van een trekker, hoewel het uiteindelijk wel een keer zo simpel zou kunnen worden. Hij stopte zijn wapen weer in zijn schouderholster en zat nog even met stationair draaiende motor over een paar dingen na te denken.

Mary Hesse, werkneemster van DTI. Werkte samen met Sam Wingo en leerde hem de talen van het Midden-Oosten. Van haar zouden ze niet veel wijzer worden. Maar er waren nog meer wegen en die zouden King en Maxwell wel ergens naartoe kunnen leiden.

Hij zette zijn Mercedes in de versnelling en verliet Chantilly. Hij reed in westelijke richting naar de uitlopers van de Blue Ridge Mountains. De snelwegen werden hoofdwegen en ten slotte provinciale wegen. Op een bepaald moment sloeg hij een grindweg in, hij reed een heuvel op, sloeg links af en stopte slippend voor een kleine, vervallen blokhut. Hij stapte uit de auto en keek op zijn horloge, het was bijna middernacht. Het tijdstip op zich had voor hem geen betekenis. Het was al heel lang geleden dat hij van negen tot vijf had gewerkt.

Hij maakte de kofferbak open en keek naar de vrouw die erin lag.

Haar handen en voeten waren gebonden met boeien, haar mond was dichtgeplakt met tape en ze was geblinddoekt.

Dat alles was waarschijnlijk onnodig, want hij had haar verdoofd. Maar hij was een voorzichtig mens. Voorzichtige mensen, had hij ontdekt, bleven in leven zodat ze de volgende dag het gevecht weer konden aangaan.

Hij tilde haar op en droeg haar naar de veranda. Hij zette haar neer, deed de voordeur van het slot; drie sloten en een alarminstallatie die op een butagasgenerator liep, die ook voor verlichting zorgde. Daarna tilde hij haar weer op en droeg haar naar binnen.

Maar niet als een bruidegom.

Hij liep naar een achterkamer met een geblindeerd raam. Middenin stond een metalen tafel. Hij legde haar op de tafel en stapte achteruit.

Hij trok zijn jas uit en legde zijn pistool weg. Daar zou hij alleen maar last van hebben. Hij deed het plafondlicht aan.

Terwijl hij naar haar keek, kwam ze bij. Hij keek op zijn horloge. Precies op tijd.

Jean Wingo knipperde één, twee keer met haar ogen en hield ze daarna open. Eerst keek ze verbaasd. Daarna keek ze opzij en zag ze hem staan. Ze verstijfde en meteen zag hij dat ze het begreep.

Grant trok voorzichtig de tape van haar mond.

Ze vroeg gespannen: 'Wat doe je?' Ze keek om zich heen. 'Waarom heb je me hiernaartoe gebracht?'

'Om te praten.'

'Je hebt me verdoofd, me vastgebonden en nu lig ik op een metalen tafel. Je had me verdomme gewoon kunnen bellen!'

Grant begreep dat de vrouw weer moed kreeg.

Ze probeerde rechtop te gaan zitten.

Hij trok een paar leren handschoenen aan en duwde haar terug op haar rug. Doordat haar benen en armen vastgebonden waren, was dat niet moeilijk.

'Laat me alsjeblieft zitten.'

'Niet voordat we hebben gepraat. Ik moet weten wat er is gebeurd.'

'Waar zijn we?'

'Op een veilige plek.' Hij trok een stoel bij en ging naast haar zitten.

'Mag ik alsjeblieft rechtop zitten?'

Hij legde zijn hand onder haar rug en hielp haar overeind.

Ze keek hem ongerust aan. 'Wat wil je weten dat ik je nog niet heb verteld?'

'Om te beginnen waarom je bent vertrokken.'

'Tyler had die detectives ingehuurd. Ik werd zenuwachtig.'

'Je bent zonder toestemming vertrokken. Je bent akkoord gegaan met deze opdracht. Je kunt niet halverwege de regels veranderen.'

'Dat begrijp ik wel, Alan, het spijt me. Maar de omstandigheden zijn veranderd. En ik moest wel meeveranderen. Die detectives...'

'Dat heb ik onder controle. Jouw vertrek heeft de zaak gecompliceerd. Tyler is nu bij King en Maxwell. Ik ben drie mannen kwijtgeraakt dankzij hen. Dit had allemaal voorkomen kunnen worden als jij je mond open had gedaan en Tyler in toom had gehouden. Als hij geen argwaan had gekregen, had hij niemand ingehuurd. Dan had hij geloofd wat het leger hem vertelde en dan was de zaak daarmee afgedaan.'

'Wingo heeft hem een mail gestuurd.'

'Dat weten we. Maar die had door iedereen verstuurd kunnen worden.

Niet noodzakelijkerwijs door zijn vader. Nogmaals, als jij je aan het script had gehouden, waarin hier rekening mee was gehouden, dan zou alles in orde zijn.'

'Luister, het spijt me, oké? Niet elk plan verloopt soepel.'

'Mijn plan wel, tot nu.'

'En nu heb je me hiernaartoe gebracht om me te martelen? Of me te vermoorden? En zou de zaak daarmee worden opgelost?'

Grant zag opnieuw dat ze zich zorgen maakte, maar dat ze dat met veel bravoure probeerde te verhullen.

'Nee, nee en nee. En het zou de zaak niet oplossen. Ik wil alleen maar weten of je nuttige informatie hebt. Daarna zal ik je weer inzetten. Maar je moet begrijpen dat je de zaak hebt verknald. Dat zal consequenties hebben, Jean.'

'Ik heb anders behoorlijk veel voor de zaak gedaan. Ik ben aangesteld als Wingo's "bruid". Die taak heb ik het afgelopen jaar feitelijk foutloos uitgevoerd. Die jongen is me nooit aardig gaan vinden. En Wingo was Wingo. Het is niet bepaald gemakkelijk geweest.'

'Dat begrijp ik. Vertel me nu alles wat je te weten bent gekomen, en dan kunnen we weer terug naar de stad.'

'Ik heb het huis verlaten toen de zaak riskant begon te worden. Ik heb jou gebeld en je verteld wat ik ging doen.'

'En ik zei dat je daar moest blijven.'

'Dat was voor jou makkelijk praten.'

'En verder?'

'Dat is het wel zo ongeveer.'

'Nog meer communicatie van Wingo naar het e-mailaccount van zijn zoon?'

'Nee, niets. Wingo heeft niet weer geprobeerd contact met hem op te nemen.' Ze keek hem nieuwsgierig aan. 'Wat is daar precies gebeurd? Dat heb je nooit verteld.'

'Wingo is zijn lading kwijtgeraakt, en mijn mensen zijn hém kwijtgeraakt. Hij loopt nog ergens rond. Waarschijnlijk probeert hij uit te zoeken wat er is gebeurd en probeert hij het land weer in te komen. Hij heeft contact opgenomen met zijn directe baas. Deze baas geloofde zijn uitleg niet. Hij is ten dode opgeschreven. Het ministerie van Defensie zet alles op alles om hem te vinden. Wij zijn natuurlijk ook naar hem op zoek.'

'Dus zal hij niet lang meer leven.'

'Maar wij willen niet dat het ministerie van Defensie hem vindt, omdat zij misschien zullen geloven dat hij de lading niet heeft gestolen. Dan gaan ze verder zoeken. Ik wil dat ze zich op hem richten.'

'Dus jij moet hem eerst vinden.'

'Zoals je al zei, is dat gemakkelijker gezegd dan gedaan.'

'Dan kunnen we maar beter aan het werk gaan.'

'Mee eens.'

Hij haalde zijn mes tevoorschijn en sneed haar handen en voeten los. Hij gooide zijn Glock naar haar toe.

Ze controleerde het magazijn, deed een kogel in de kamer en richtte het wapen op hem. 'Sorry, Alan.' Ze schoot. Tenminste, dat wilde ze doen. Maar er volgde geen knal en er vloog geen kogel door de loop.

'Het helpt als er een slagpin in zit,' zei Grant, die niet verbaasd leek door haar poging hem te doden.

Hij viel aan, het mes gleed door haar hals, door alle slagaders heen. Hij deinsde achteruit om te voorkomen dat het bloed over hem heen spoot. Ze keek naar hem en hij keek naar haar. Hij wachtte.

Jean viel op de grond en was een paar seconden later al leeggebloed.

Hij keek even naar haar. 'Consequenties, Jean.' Hij wikkelde haar in plastic en verpakte haar alsof ze een cadeautje was.

Een paar honderd meter bij de blokhut vandaan was in het bos al een kuil gegraven. Toen hij de laatste schep aarde in het gat schepte, deed hij een stil gebed en realiseerde zich dat Sam Wingo nu voor de tweede keer weduwnaar was.

Grant betwijfelde of de man dat erg zou vinden. Die had wel andere dingen om zich druk over te maken.

Hij liep terug naar de blokhut, maakte alles schoon en stapte weer in zijn auto.

Hij vond het niet prettig dat hij Jean kwijt was, maar bepaalde dingen waren heilig. Je volgde orders op. Je veranderde de regels niet tijdens een opdracht. Er was een reden voor een bepaalde hiërarchische structuur. Een bijzonder goede, historisch verantwoorde reden.

En Grant was, voor alles, een gedisciplineerde soldaat. Het maakte niet uit dat hij niet langer het uniform droeg. Het ging niet om wat je aanhad. Het enige waar het om ging, was wat er in je zat. Discipline. Eer. Respect. Betrouwbaarheid. Professionalisme.

Jean had dat allemaal verraden.

Hij had niet de mogelijkheid haar voor de krijgsraad te slepen.

In feite had er nog maar één optie opengestaan. Hij had van die optie gebruikgemaakt, maar pas nadat ze voor zijn loyaliteitstest was gezakt. Hij was een eerlijk man. Als ze niet had geprobeerd hem dood te schieten, zou ze nog leven. Maar dat had ze wel gedaan en dus leefde ze niet meer.

Hij reed door.

Hij had zijn lijstje. Dat had hij twee keer gecheckt. Het werd tijd het balletje aan het rollen te brengen.

Hij had één miljard euro. Die had hij zelf niet allemaal nodig. Hij had niet meer dan een tiende daarvan nodig.

Maar hij vond dat het goed besteed geld was.

# 32

De volgende ochtend zette Michelle Tyler af bij zijn school. Ze zei: 'Als er iets vreemds gebeurt of als je bezoek krijgt van mensen die je niet kent, sluit je jezelf op in het kantoor van de directeur en bel je mij.'

Tyler beloofde dat hij dat zou doen.

Michelle keek hem na tot hij het schoolgebouw binnen was gegaan. Ze had nooit een kind gehad en zichzelf nooit in een moederrol gezien. Maar op dit moment voelde ze zich een overbezorgde moeder. Sterker nog, ze vond dat deze verantwoordelijkheid nog zwaarder woog dan toen ze in haar Secret Service-tijd vips had moeten beschermen. Moest je nagaan!

Ze reed weg en belde Sean via Bluetooth. 'Het babyvogeltje is afgezet,' zei ze. 'Wat gaan we nu doen?'

'Denk jij dat McKinney ons nog een keer wil spreken?'

'Dat weet ik niet. Hij heeft zijn visitekaartje achtergelaten. Ik kan hem wel bellen.'

'Doe dat maar.'

'Waarom McKinney?'

'We hebben een officiële ingang nodig, Michelle. En die kan hij ons geven. Anders zijn we afgesloten van alle informatie en krijgen we geen enkele aanwijzing meer.'

'Hij gaat ons heus niet vragen mee te helpen met zijn onderzoek.'

'Daar kon jij je nog weleens in vergissen.'

'Wat weet jij dat ik niet weet?'

'Bel hem nou maar. Twaalf uur op kantoor.'

'Wat ga jij ondertussen doen?'

'Kijken hoe het met Dana gaat.'

'Maar je zei dat je geen familie was.'

'Er zijn altijd manieren.'

'Wat wil je dat ik doe, behalve McKinney bellen?'

'Detectiveje spelen en probeer Jean Wingo te vinden.'

'Oké. Ik zou willen zeggen "pas goed op jezelf", maar ik weet dat je dat al doet.'

Hij verbrak de verbinding.

Michelle reed naar Tylers buurt. Die zag er net zo uit als honderden andere buurten in het land. Arbeiderswoningen waar arbeiders woonden. Alleen was deze buurt anders. Bepaalde mensen die hier woonden, waren zeker niet wat ze leken te zijn.

Michelle klopte aan bij Alice Dobbers, de buurvrouw die Jean de dag daarvoor had zien weggaan.

Dobbers deed de voordeur open. Ze was ver in de tachtig, klein en ongeveer dertig kilo te zwaar. Haar armen en benen waren opgezwollen en het leek alsof ze pijn had. Ze had een bril op en in haar rechteroor zat een gehoorapparaat.

Michelle vertelde wie ze was en wat ze wilde. Ze voegde eraan toe: 'We proberen Tyler te helpen.'

Dobbers knikte. 'Dat weet ik. Tyler vertelde me over jou en je partner. Ik kan jou vertellen wat ik hem heb verteld. Zag haar tegen twaalven vertrekken, mijn soap zou net beginnen. Daar zijn er niet veel meer van, soaps bedoel ik, dus weet ik zeker hoe laat het was. Ik keek toevallig naar buiten, tijdens de reclame. Een koffiereclame. Ik drink geen koffie meer. Word ik hyper van en ik moet er 's nachts van plassen. Ik vind het niet prettig als ik hyper ben en ik wil 's nachts niet plassen. Het kost me veel te veel moeite om uit bed te komen. Heb luiers geprobeerd. Vond ik niet prettig. Voelde net alsof ik weer een baby was. Niet op een goede manier, luiers, snap je?' Ze zette haar bril halverwege haar neus en wierp een veelbetekenende blik op Michelle.

'Dat geloof ik graag,' zei Michelle snel. 'Dus ze had een koffer bij zich?'

'Nee, eerst zette ze de groene container buiten. Was ze zeker vergeten.'

'Wát was ze vergeten?'

'Gisteren haalden ze het gewone afval op, niet het gft-afval. Waarom ze dat niet op dezelfde dag doen, ik begrijp er niets van. Maar ik leef niet lang genoeg meer om me over dat soort onzin druk te maken.'

'En toen?'

'Toen kwam ze weer naar buiten met een koffer en zette die in de kofferbak van haar auto. Geen weekendtas. Een grote koffer. Zaten waarschijnlijk al haar bezittingen in. Heb haar niet zien terugkomen. Zal haar niet missen.'

'Waarom zegt u dat?'

Dobbers keek haar weer met zo'n veelbetekenende blik aan. 'Ik ben zevenenvijftig jaar getrouwd geweest. Niet met dezelfde man, hoor. Met drie mannen, maar in totaal waren het voornamelijk goede jaren tot ze niet meer goed waren. Dus ik weet wel iets af van de liefde. En van trouw.

162

Dat weet ik als ik het zie. En ik weet het als ik het niet zie.'

Michelle keek naar de overkant. 'En daar zag u dat niet?'

'Ik kende Sam Wingo's eerste vrouw. Ja, dát was een vrouw die verliefd was en een man die van haar hield. De tweede keer niet. Weet niet waarom hij met Jean is getrouwd. Maar niet uit liefde.'

'Hebt u met een van hen gepraat?'

'Heb vaak met Sam gepraat. De cv-ketel houdt er altijd mee op als ik hem echt nodig heb. Dan kwam hij hier en kreeg hij het ding weer aan de praat. Toen ik zelf nog autoreed, verversten hij en Tyler de olie, controleerden de banden en maakten mijn auto vaak heel goed schoon. Jean niet, hoor.'

'Hebt u met haar gepraat?'

'Wel geprobeerd. Moeilijk voor me om daarnaartoe te gaan. Diepveneuze trombose, reuma, diabetes type twee, jicht. Noem maar iets op en ik heb het waarschijnlijk. De medische stand zet me na mijn dood vast op sterk water, zodat ze alle dingen die me mankeren kunnen bestuderen.' Ze zweeg en keek Michelle vragend aan. 'Uh... Waar had ik het over, liefje? Waar was ik?'

'U probeerde met Jean Wingo te praten?' zei Michelle behulpzaam.

'Ja verdomme, sorry voor mijn taalgebruik. Voor mij is die straat oversteken hetzelfde als een marathon lopen, maar dat heb ik wel gedaan, meer dan eens zelfs. Heb zelfs een taart voor haar gebakken om haar te verwelkomen in de buurt en ik bak nooit meer tegenwoordig, omdat ik soms zo vergeetachtig ben dat ik de boel hier zomaar in de fik zou kunnen steken. Weet je wat ze deed? Ze nam de taart aan, bedankte me en deed de deur voor mijn neus dicht. Een andere keer zag ik haar in de tuin de bloemen water geven. Ik liep naar haar toe om even met haar te kletsen. Ze keek naar me alsof ik stront was en liep naar binnen voordat ik de straat zelfs maar was overgestoken.'

'Niet bepaald een aardige buurvrouw,' zei Michelle meelevend.

'Helemaal geen buurvrouw, tenminste, niet volgens mijn maatstaven.'

'Enig idee waar ze naartoe kan zijn gegaan?'

'Nee. Maar ik ben blij dat ze weg is. Ik maak me alleen zorgen om Tyler. Die jongen is gek op zijn paps. En nu is zijn paps dood en de vrouw die zijn vader waarschijnlijk aan de haak had geslagen, vertrokken. Veel veranderingen. Weet niet wat hem hierna te wachten staat.'

'Ik ook niet,' zei Michelle. 'Nou, bedankt.'

'Graag gedaan.' Dobbers keek naar haar omhoog. 'Zag die vent van je. Tyler zei dat jullie partners zijn. Ex-superspionnen of zo.'

'Voormalige Secret Service,' verbeterde Michelle haar.

'Verdomd knappe vent. Als ik jonger was, zou ik misschien wel proberen of hij echtgenoot nummer vier zou kunnen worden. Ik geef je nog één goede raad.' Ze bekeek de lange Michelle van top tot teen. 'Jij hebt alles waar het hoort te zitten. Dus als ik jou was, zou ik zijn lekkere kontje grijpen en inpakken, liefje, voordat een of andere sloerie met hem aan de haal gaat. En dat gebeurt. Daar zijn er meer dan genoeg van. Nou dag, moet plassen!' Ze draaide zich om en liep haar huis in.

Michelle bleef nog even staan, met haar notitieblok opengeslagen zonder dat ze ook maar één woord had opgeschreven.

Ze liep naar de overkant en keek naar de plek waar Jeans auto had gestaan. Michelle wist hoe de auto eruitzag en kende het kenteken, omdat ze hem eerder had gezien. Ze had alleen niet de mogelijkheid om de politie opdracht te geven ernaar uit te kijken. Alleen zij konden dat doen. Maar ze was het eens met Dobbers. Ze dacht niet dat Jean Wingo terugkwam. Aangezien ze van Dana hadden gehoord dat het huwelijk van de Wingo's waarschijnlijk een dekmantel was geweest voor zijn missie, wat zou haar dan nog hier houden?

Ze haalde haar telefoon tevoorschijn en belde McKinney. Ze kreeg de voicemail. Ze sprak een bericht in en vroeg of hij hen die dag in hun kantoor wilde opzoeken.

Michelle liep naar de achterkant van het huis van de Wingo's. Tyler had haar een huissleutel gegeven en toestemming om naar binnen te gaan. Tenminste, dat zou ze zeggen als de politie langskwam. Ze begon op de benedenverdieping en ging vervolgens naar boven. Ze was niet op zoek naar vingerafdrukken; ze had immers geen database om ze doorheen te halen. Dat was nog zo'n nadeel als je privédetective was. Ze had heel graag willen weten wat Jeans achtergrond was. Als Jean was aangesteld om een rol te spelen, zat ze misschien in het leger of werkte ze bij een relatie van het leger. Dan konden ze misschien achterhalen wat haar huidige verblijfplaats was. Misschien kon McKinney dat doen als hij bereid was samen te werken.

Ze nam een paar minuten de tijd om in Tylers kamer rond te kijken. Ze stelde zich voor hoe moeilijk het voor hem moest zijn, nu hij zich afvroeg of zijn vader leefde of niet. Ze hoopte dat zij hem daar uitsluitsel over zouden kunnen geven.

Ze liep naar de slaapkamer van de Wingo's. Als ze alleen maar een rol speelden, nam ze aan dat de beide volwassenen niet in hetzelfde bed sliepen. Dat was niet gemakkelijk in zo'n klein huis als dit. Ze doorzocht de slaapkamer en de kasten zorgvuldig, maar vond niets nuttigs. Jean Wingo had al haar kleren meegenomen en kennelijk vrijwel al haar persoonlijke bezittingen, aangezien er niet veel vrouwelijke dingen waren achtergebleven.

Geen computers. Geen vaste telefoon. Geen mobiele telefoons.

Michelle ging in een stoel in de slaapkamer zitten en keek om zich heen. Ze vroeg zich af of ze iets over het hoofd had gezien. Ze keek door een raam naar de achtertuin.

Grijze vuilniscontainer bij de achterdeur. Nu ze hier toch was, kon ze die net zo goed even controleren. Ze hoorde een luide motor en het geluid van een hydraulisch systeem. Ze keek door een ander slaapkamerraam dat uitkeek op de straat. Er kwam een vuilniswagen de straat in. Ze keek naar de groene container aan de stoeprand.

Even later rende Michelle de trap af, de voordeur door en via de veranda de voortuin in. Ze was één seconde voor de vuilniswagen bij de container.

Toen een van de mannen achter van de wagen sprong en naar haar keek, zei ze buiten adem: 'Ben mijn trouwring kwijt en misschien zit hij hierin. Sla mij deze week maar over.' Ze rolde de container via de oprit naar de achtertuin. Ze deed het hek achter zich dicht en opende het deksel. De container zat halfvol.

Michelle had zich net op tijd gerealiseerd dat iemand die bij zijn volle verstand was en wilde verdwijnen, nooit de tijd zou nemen het gft-afval buiten te zetten. Dus misschien zat hier iets in waar Jean vanaf wilde, iets wat ze niet bij zich wilde hebben. Misschien had Jean Wingo dat gedacht toen ze de ophaaldagen van het gewone en gft-afval door elkaar had gehaald.

Ze zocht twintig minuten lang, en eindelijk vond ze een brief, of eigenlijk de envelop. Hij was gericht aan Jean Shepherd, maar niet op dit adres. Michelle vouwde de envelop op en stopte hem in haar zak.

Even later reed ze in volle vaart in haar Land Cruiser door de straat.

# 33

Nog niet eens zo heel lang geleden had Sean King urenlang op een stoel gezeten naast het ziekenhuisbed waarin Michelle op het randje van de dood zweefde. Sinds die tijd had hij er een hekel aan om in een ziekenhuis te zijn. Als hij had kunnen voorkomen dat hij ooit weer een ziekenhuis in moest, had hij dat gedaan. Maar dat kon hij niet. Hij moest hier zijn.

Dana lag nog steeds op de intensive care en dus bleef haar bezoek beperkt tot haar directe familieleden. Je moest de afdeling eerst bellen om toestemming te krijgen. Sean had gelogen en tegen de verpleegster die de telefoon had opgenomen, gezegd dat hij Dana's broer was die buiten de stad woonde.

Hij werd naar haar kamer gebracht, maar hij bleef even bij de deur staan voordat hij naar binnen ging. Dana lag in bed met allerlei infusen en andere buisjes in haar lichaam.

Een apparaat hield haar vitale functies in de gaten en stond zoemend en piepend naast het bed. De luxaflex was dicht, zodat het vrij donker was in de kamer. Dana had een ademmasker voor dat hielp om haar beschadigde long te genezen.

Sean zette een paar aarzelende stappen de kamer in, in de hoop dat hij Brown niet zou tegenkomen. Hij zat echt niet te wachten op een discussie. Zijn gezicht was nog niet hersteld van hun laatste vechtpartij. En hoewel Dana buiten bewustzijn was, geloofde hij niet dat zoiets haar herstel zou bevorderen.

Hij trok een stoel bij en ging naast haar bed zitten. Haar borstkas ging langzaam en onregelmatig op en neer. Hij gleed met zijn hand onder de zijsteun door en pakte haar bij de pols. Ze voelde koud aan en één angstaanjagend moment dacht hij dat ze dood was. Maar ze ademde en de monitor liet haar vitale functies zien die weliswaar zwak, maar nog steeds registreerbaar waren.

Hij boog zich naar voren en liet zijn hoofd rusten op de koele zijsteun van het bed. Hij had meer dan twee weken in deze houding gewacht tot Michelle haar ogen zou opendoen. Hij had nooit verwacht dat hij dit zo snel nog een keer zou doen en al helemaal niet bij zijn ex-vrouw.

'Het spijt me ontzettend, Dana,' zei hij zacht. Hij liet haar pols los en liet zijn hand daar rusten.

Hij sloot zijn ogen en er druppelden een paar tranen uit. Hij schrok toen hij iets voelde. Hij opende zijn ogen en zag dat haar vingers zich om de zijne sloten. Haar ogen waren nog dicht en haar ademhaling was nog zwak. Hij keek weer naar haar vingers en dacht dat hij het zich had verbeeld, maar het was echt zo, haar vingers waren verstrengeld met de zijne.

Hij bewoog zich niet, tot ongeveer twintig minuten later haar vingers weggleden en ze in een diepere slaap leek weg te zakken. Hij bleef nog een halfuur bij haar zitten en ging toen weg, terwijl hij nieuwe tranen uit zijn ogen veegde.

Hij liep de hoek om en botste tegen de enige persoon op die hij liever niet had gezien.

Generaal-majoor Brown was vandaag niet in uniform. Hij droeg een sportbroek en een blauwe blazer, en keek boos toen hij Sean herkende.

'Wat doe jij hier verdomme?' snauwde hij. Hij keek over Seans schouder naar de dubbele deuren die naar de intensive care leidden. 'Ben je bij Dana geweest? Klootzak die je bent!'

Hij haalde zijn arm naar achteren om Sean weer een vuistslag te geven, maar deze keer bleef Sean niet gewoon staan om die in ontvangst te nemen. Hij greep Browns onderarm vast, draaide hem op zijn rug, in zo'n hoek dat Brown het uitschreeuwde van de pijn. Gelukkig was er verder niemand in de gang.

Sean zei vlak bij zijn oor: 'Ja, ik ben bij Dana geweest. Ze bewoog haar hand, als je het wilt weten. Nu zal ik je loslaten, maar als je me nog een keer wilt slaan, stel ik voor dat je even wacht tot we buiten zijn.' Sean stapte bij hem vandaan.

Brown keek hem met een vertrokken gezicht aan en wreef over zijn arm. 'Als je hier terugkomt, laat ik je arresteren.'

Sean keek hem aan. 'Die mannen kwamen het winkelcentrum binnen en liepen Dana tegemoet. Wij waren er eerst. Niemand heeft ons gevolgd, dat kan ik je garanderen. Dus dat betekent dat die mannen Dána volgden, niet ons. Ze zeiden dat ik haar moest bellen om haar terug te laten komen, nadat ik haar naar het politiebureau in het winkelcentrum had gestuurd. Ze wisten dat zij belangrijk was.'

'Jij stuurde haar weg om de politie te gaan halen?' vroeg Brown met een verbaasde blik.

'Alleen kwam ze terug om ons te helpen. Sterker nog, uiteindelijk heeft ze ons leven gered. Ze is een bijzonder moedige vrouw, die heel veel van je houdt.'

'En toch heeft ze me verraden door jou de informatie te geven die ze van mij had.'

'Dat deed ze omdat ik haar dat had gevraagd. Achteraf gezien was het zowel egoïstisch als stom van me om haar erbij te betrekken. Maar dat deed ik omdat ik een jongen probeerde te helpen om zijn vader te vinden.'

Brown keek hem aandachtig aan. 'Wingo?'

Sean knikte. 'Maar hoe wisten die mannen dat Dana erbij betrokken was? Ik ben met haar uiteten geweest zonder een reden op te geven. Zij had geen idee waarom. En toch wordt ze gevolgd door een paar mannen nadat ze met jou heeft gepraat. Mannen die in het leger hebben gezeten.'

Brown dacht hierover na. 'Wil je soms suggereren dat ik misschien een lek in mijn kantoor heb? Dat is onmogelijk,' voegde hij er minachtend aan toe.

'Heb jij soms een andere verklaring?'

'Ik hoef jou helemaal niets te verklaren,' brulde Brown.

'Nee, dat is waar. Maar je vrouw ligt hier, omdat een man die haar achtervolgde op haar heeft geschoten. En de enige reden waarom hij haar volgens mij achtervolgde, was omdat ze dingen over Sam Wingo wist die jij haar hebt verteld. We hebben die drie mannen nu doodgeschoten. Maar dat betekent niet dat er geen anderen meer zijn.'

'Dit is een geheime, militaire kwestie.'

'Leg dat maar eens uit aan een jongen van zestien die te horen heeft gekregen dat zijn vader dood is, ook al is dat in werkelijkheid niet het geval.'

Browns woede verdween langzaam. 'Daar was ik me niet van bewust. Maar ik denk nog steeds niet dat ik je kan helpen.'

Sean zocht naar sporen van twijfel op zijn gezicht. 'Je vrouw ligt in het ziekenhuis omdat een man op haar heeft geschoten. Als ik jou was, zou ik ervoor willen zorgen dat alle mensen die hier verantwoordelijk voor zijn, passend worden gestraft.'

Brown leunde tegen de muur en keek naar de vloer.

Sean stapte dichter naar hem toe. 'Het ministerie van Defensie probeert dit in de doofpot te stoppen. Dat verbaast me niets. Maar ik hoop dat ze hierdoor niet ook de waarheid verbergen. Want als ze dat doen, is het niet langer een kwestie van nationale veiligheid, maar wordt het een misdaad.'

Brown keek fel op. 'Ik stop helemaal niks in de doofpot.'

'Als jij toelaat dat anderen de waarheid verbergen, hoor jij er wat mij betreft ook bij. Schuld door nietsdoen.'

'Dat is jouw mening, en het maakt me geen moer uit wat je vindt.'

'Het is niet echt een mening, meer een basisprincipe. Het is het beste om de waarheid te vertellen.'

'Dat is een naïeve benadering,' zei Brown honend.

'Ik dacht dat eer een belangrijke rol speelt als je een uniform aanhebt.'

'Het is ook belangrijk,' snauwde Brown.

'En als er fouten worden gemaakt, zouden die dan niet goedgemaakt moeten worden? Ook al komt er daardoor een geheim uit? Vooral als we het hebben over het leven van een onschuldige?'

'Ik ben maar één mens, King.'

'En daarom steek je de kop in het zand en kijk je de andere kant op? Is dat wat eer voor jou betekent?'

'Wat wil je verdomme van me?'

'Ik wil dat je me helpt om dit recht te zetten.'

'Ik jou helpen? Heb je enig idee wat je van me vraagt?'

'Heus wel. En als je nee zegt en wegloopt en bij Dana gaat zitten, begrijp ik dat helemaal. Dan werk ik vanuit een andere invalshoek aan deze zaak. Maar ik gá eraan werken. Ik draag een enorme verantwoordelijkheid voor het feit dat Dana op sterven na dood is. Ik moet het goedmaken.'

'Dan loop je het Pentagon misschien wel voor de voeten.'

'Ik ben een privédetective met een vergunning. En ik ken geen enkele wet die zegt dat ik geen onderzoek mag instellen namens een cliënt.'

'Maar de nationale veiligheid...'

'Ja, die kreet hoor ik steeds. Het wordt als een "Verlaat de gevangenis zonder betalen"-kaart gebruikt. Maar hoe vaker je zoiets gebruikt, hoe minder effect het heeft, tenminste zo werkt dat voor mij. En dit is Amerika. Dus als het erop aankomt, gaat vrijheid boven alles.'

'Tot je die vrijheid kwijtraakt.'

'Dat heb ik allemaal al eens meegemaakt, Brown. En ik ben er nog steeds.'

'Je neemt nog altijd een risico. Een groot risico.'

'Dat kan me niets schelen. Hoort bij het vak. En ik ben het aan iemand verschuldigd.'

'Aan wie? Aan die jongen?'

'Nee. Aan Dana.'

Brown wendde zijn blik af, likte langs zijn lippen. Sean kon de mentale machine in het hoofd van de man bijna zien draaien. 'Geen beloftes. Maar ik zal zien wat ik kan doen.'

'Dat waardeer ik.' Sean gaf hem zijn kaartje.

Brown nam het aan en liep weg, maar bleef toen staan en draaide zich om. 'Als ik het uniform aantrek, trék ik ook eergevoel aan. En plichtsbesef. Niet alleen ten opzichte van het leger. Maar ook ten opzichte van mijn land.'

'Dat had ik bij de Service ook.'

Brown speelde met Seans kaartje. 'Ik hou je op de hoogte.' Daarna liep hij door naar Dana's kamer.

Toen Sean het ziekenhuis verliet, ging zijn telefoon.

Het was Michelle. Ze praatte in korte, energieke zinnen.

Sean luisterde en rende toen naar zijn auto.

# 34

Michelle Maxwell was niet goed in wachten. Bij de Secret Service was dat een van de dingen geweest waar ze het meest de pest aan had gehad, de verveling.

Ze trommelde met haar vingers op het stuur en keek naar het hoefijzervormige motel in het zuiden van Alexandria, Virginia vlak naast Route 1, oftewel Jeff Davis Highway, zoals het daar werd genoemd. Dit was vroeger een mooi gebied geweest, maar nu niet meer. En het was ook niet meer zo veilig. De huizen, de winkelcentra en andere bedrijven hier hadden betere tijden gekend. Ze waren oud, uitgewoond en, in sommige gevallen, verlaten en aan het instorten.

Michelle keek naar het motel. Vooral naar kamer 14 van het Green Hills Motel. Ze had moeten glimlachen toen ze die naam las, omdat hier in de buurt geen enkele heuvel was, groen of niet. De parkeerplaats lag vol afval, vooral bierblikjes, gebruikte naalden, lege pakjes condooms en flessen Jack Daniel's en gin. De verf op de deuren en muren bladderde. Het neon reclamebord had al heel lang geen neon meer.

En toch had Jean Wingo of Jean Shepherd, of hoe haar echte naam ook luidde, brieven gekregen op dit adres. Dus mocht je aannemen dat ze hier had gewoond. Michelle bleef op haar stuur trommelen, maar ze kon zich maar nauwelijks bedwingen om in actie te komen: op te springen, een deur in te trappen, iemand gevangen te nemen of een schop te verkopen.

Toen de andere auto de parkeerplaats opreed en Sean uitstapte, stapte zij ook uit. Midden op de lege parkeerplaats bleven ze tegenover elkaar staan. Ze liet hem de envelop zien met het adres van het motel erop en vertelde wat uitgebreider hoe ze die had gevonden.

'Echt, heel goed werk, Michelle,' zei hij welgemeend.

'Echt, heel erg bedankt,' zei ze geamuseerd. Toen zag ze zijn ernstige uitdrukking. 'Is er iets met Dana?'

'Ik heb haar opgezocht. Ze pakte mijn hand vast.'

'Dat is geweldig, Sean. Toch?'

'Ja, dat is waar. Echt geweldig.'

'En toch kijk je niet blij.'

'Ik kwam de generaal weer tegen.'

'Probeerde hij weer met je op de vuist te gaan? Ik hoop dat je hem deze keer terugpakte en...'

Hij legde een hand op haar mond om haar te doen zwijgen. 'Niemand heeft iemand geslagen. Niemand heeft klappen uitgedeeld.'

'Wat is er dan gebeurd?'

'Hij heeft beloofd ons te helpen.'

Michelle zag er verbijsterd uit. 'Nou, maar dat is ook geweldig! Waarom kijk je dan zo sip?'

'Omdat hem dat zijn carrière zou kunnen kosten.'

'Maar dat is zijn eigen keus.'

'Ik heb hem misschien wel zo in het nauw gedreven dat hij wel móést. En er is nog iets.'

'Wat dan?'

'Het Pentagon. Die zouden ons nog weleens keihard kunnen aanpakken.'

'Het zou niet de eerste keer zijn dat we die hoge pieten kwaad maken, Sean.'

'Dat kon deze keer weleens anders aflopen.'

'Wat wil je dan doen? Ermee ophouden?'

Hij begon in de richting van het motel te lopen. 'Zeker weten van niet. Wilde gewoon dat je alles wist voor het geval jij ermee wilt kappen.'

Ze liep met hem mee. 'Dacht je nou echt dat ik zomaar zou weglopen en jou dit alleen zou laten opknappen?'

'Nee. Dat dacht ik niet.'

'Waarom maak je er dan zo'n drama van?'

'Misschien om mezelf gerust te stellen. Om te laten zien dat ik er, wanneer het een grote puinhoop wordt, goed over had nagedacht.'

De motelkamers waren van buiten bereikbaar. Ze liepen een roestige trap op naar de galerij van de eerste verdieping die langs de voor- en zijgevels liep. Ze sloegen links af en daarna weer naar rechts, en volgden de vorm van de gevel van het motel.

'Daar is nummer 14,' zei Michelle.

Bij de houten deur, die dringend geverfd moest worden, bleven ze staan.

Sean klopte aan.

'Ik heb Jeans auto hier niet zien staan,' zei Michelle.

'We moeten het gewoon zeker weten,' antwoordde Sean. Hij wachtte nog even en vroeg toen: 'Heb je je spullen bij je?'

Sean stond achter Michelle zodat niemand kon zien dat ze aan het inbreken was. Dertig seconden later gooide ze met één hand de deur open. In haar andere hand had ze haar pistool.

Ze liep naar binnen, gevolgd door Sean, die de deur achter hen dichtdeed. Michelle keek in de kleine badkamer, terwijl Sean de kleine kast opende en onder het bed keek. Verder was er geen enkele ruimte waar iemand zich kon verstoppen.

Michelle stopte haar wapen terug in de holster toen ze de badkamer uit kwam. 'Niemand.'

'Ze heeft niet veel achtergelaten,' zei hij en hij trok een paar laden open waar nog een paar kledingstukken in lagen. 'Er hangen ook nog een paar kleren in de kast.'

Michelle tilde de matras op en keek of er iets onder lag. Ze veegde het stof van haar handen en stond op. 'Ik betwijfel of ze iets belangrijks heeft achtergelaten.'

'Toch is het feit dat ze deze kamer heeft op zich al belangrijk,' antwoordde hij.

Ze zei: 'Hoe grondig moeten we zijn? We kunnen de vloerbedekking lossnijden, het behang van de muren trekken en de achterkant van die goedkope schilderijen aan de muur controleren. We kunnen het toilet, de leidingen en de afvoer van het bad checken. De lijst is eindeloos.'

'Waarom zou ze een tweede adres willen in zo'n hotel als dit?'

Michelle ging op de rand van het bed zitten. 'Waar anders?'

'Laten we aannemen dat ze een spion was van het ministerie van Defensie. Wingo zou dat waarschijnlijk hebben geweten.'

Michelle begreep waar hij naartoe wilde. 'Dus waarom een noodslaapplaats? Als ze niet uit deze omgeving komt, had het leger wel een betere woonplek voor haar uitgezocht dan deze puinzooi. Ik bedoel, het Pentagon heeft hier in de buurt een heleboel panden. Je kunt je kont niet keren zonder een gebouw te raken waar ze zitten.'

Sean leunde met zijn rug tegen de muur. 'Wat is dan de logische conclusie?'

Michelle dacht hierover na en keek om zich heen. Toen ze begreep waar hij op doelde, zei ze: 'Als je gelijk hebt, is dit probleem pas écht ingewikkeld geworden.'

'Want misschien speelde Jean Wingo een dubbelspel. Ze werkte voor het ministerie van Defensie en deed net alsof ze Wingo's vrouw was...'

Michelle pakte de draad op. 'En werkte ook voor de andere kant. De kant die de miljard euro in handen kreeg die Wingo had moeten afleveren. Dus is ze een spion?'

'Ik heb geen idee wat ze is. Een spion. Een misdadiger. Beide.'

'Maar voor wie zou ze dan spioneren?'

'Zelfs onze bondgenoten bespioneren ons.'

'Dat is zo. Maar we moeten een beter antwoord vinden op die vraag als we een beetje grip op deze zaak willen krijgen.'

'Ik hoop dat generaal-majoor Brown dat voor ons kan doen. En misschien hebben we echt veel geluk en stuurt Sam Wingo zijn zoon een mailtje terug.'

'Denk jij dat Wingo naar de vijand is overgelopen?'

'Ter wille van Tyler hoop ik dat niet,' antwoordde Sean.

Michelle keek naar de deur. 'Hoorde jij ook iets?'

Sean rende naar het raam waar hij door een kier in de overgordijnen naar buiten kon kijken. Wat hij zag, maakte dat hij door de kamer rende en Michelle de badkamer in duwde. Hij greep de matras en sprong door de deuropening de badkamer binnen waar Michelle nog op de grond lag.

'Wat is er verdomme aan de hand?' siste ze.

Sean tilde haar in de badkuip, ging boven op haar liggen en trok de matras over hen heen.

Ze had geen tijd om haar vraag te herhalen, want de slaapkamer was zojuist verdwenen in een werveling van schokgolven, verstikkende vlammen en rondvliegend puin.

# 35

Sam Wingo liep snel.

Hij was terug in Amerika. Hij stak de straat over, ontweek de auto's, bereikte de overkant en liep snel door. Hij trok zijn kraag op en scande vanachter zijn bril zijn omgeving in een boog van honderdtachtig graden. Elke paar seconden keek hij achterom. Als hij nu werd opgepakt, daar was hij zeker van, zou niemand hem ooit terugzien.

En zou hij Tyler nooit weer terugzien.

Hij vluchtte een koffietent in toen het begon te regenen. Hij bestelde een kop koffie en nam die mee naar een tafeltje helemaal achterin. Hij ging met zijn rug naar de muur zitten, zodat hij de deur in de gaten kon houden.

Hij haalde een wegwerptelefoon met minuten en MB's erop die dankzij Adeel in India voor hem had klaargelegen en keek ernaar. Hij had zijn persoonlijke e-mailaccount erop gezet.

Het bericht was binnengekomen zodra hij, meteen nadat het vrachtvliegtuig was geland, zijn telefoon had aangezet. Eigenlijk had hij verwacht een hand op zijn schouder en een wapen in zijn ribben te voelen, en een stem in zijn oor te horen die zei: 'U moet met ons meekomen, meneer Wingo.'

Maar dat was allemaal niet gebeurd en Wingo begon te denken dat men echt dacht dat hij dood was.

*Nou, ze gaan hun gang maar.*

Hij keek weer naar het mailtje. Dat was verzonden vanaf een onbekend Gmail-account. Maar hij wist dat ie afkomstig was van Tyler. Hij was in hun gebruikelijke code opgesteld. Hij kon hem moeiteloos ontcijferen.

Zijn zoon wilde hem zien, zo snel mogelijk.

Wingo wilde dat ook. Maar hij wist dat dit niet gemakkelijk zou zijn. Zijn e-mailaccount was bekend. Anderen hadden dit bericht ongetwijfeld ook gezien. En wat hij terugschreef, zouden ze ook kunnen zien. Er zat geen gps-chip in deze telefoon, zodat hij niet bang hoefde te zijn dat ze hem op die manier zouden kunnen vinden.

Maar hij zou in beweging moeten blijven. Hij had zijn verschijning drastisch veranderd en droeg kleren die zijn uiterlijk zo veel mogelijk verborgen. Toch wist hij heel goed van welke middelen ze gebruik konden maken. En niet alleen zijn eigen regering zat achter hem aan. Er waren ook anderen, en hij wist niet eens zeker wie dat waren.

Hij nam een paar minuten de tijd om zijn koffie op te drinken en een antwoord aan zijn zoon te bedenken. Daarna tikte hij de tekst in en drukte op Verzenden. Hij dronk zijn kopje leeg, stond op en liep via de andere deur naar buiten. Hij nam een taxi en die zette hem af bij een hotel in de buurt van D.C.'s Chinatown waar hij al eerder had ingecheckt.

Hij had geld en onder een valse naam een paar creditcards. Er zouden markers in het systeem zitten, zodat hij niet langer Sam Wingo kon zijn. Hij hoopte dat hij ooit weer kon terugkeren naar zijn normale leven, maar daarvoor had hij nog een lange weg te gaan.

Wingo liep naar zijn kamer, ging op het bed zitten en keek naar buiten. Aan de overkant van de rivier stond het Pentagon, het grootste kantoorgebouw ter wereld en dat was verrassend, omdat het maar een paar verdiepingen had. Nadat de VS in Pearl Harbour waren aangevallen en een gecentraliseerd commando- en controlecentrum nodig hadden, was het in iets meer dan een jaar gebouwd, met kruiwagens, spades en Amerikaans zweet. Dat was een prestatie waarop het land bijzonder trots was.

Wingo was ook trots op zijn eigen dienst. Hij was het Pentagon altijd met een extra lichte tred binnengegaan. Nu vond hij dat dat gebouw niets dan ellende veroorzaakte. Hij had het vermoeden dat hij erin was geluisd, door mensen in dát gebouw. Waarom wist hij niet. Maar de reden daarvoor moest zich daar wel bevinden!

De uiteindelijke bestemming van die ruim tweeduizend kilo – één miljard euro in ongemerkte biljetten van vijfhonderd euro zodat ze vrijelijk konden worden uitgegeven – was een ingewikkelde, gefaseerde missie geweest. De aflevering van het geld was de allereerste fase en Wingo was een van de weinigen die het hele plan kende.

Ergens was dat goed, omdat het aantal mensen dat hem kon hebben verraden dus klein was. En hij was vast van plan uit te zoeken wie dat waren. Hij had geprobeerd zijn werk te doen. Iemand had hem belazerd. Hij was niet van plan die de andere wang toe te keren. Hij was een soldaat. Soldaten waren niet gemaakt voor mededogen of vergeving. Zij waren getraind om terug te slaan als iemand hen sloeg.

Wingo verliet zijn kamer, liep vier straten naar het westen en huurde een auto met zijn valse rijbewijs en een valse creditcard die hij ook in India had gekregen. In zijn nieuwe auto reed hij de garage uit. Het voelde goed om weer mobiel te zijn. Nu kan ik iets doen, dacht hij.

Maar eerst moest hij iets anders doen. Hij reed naar een terrein waar de politie in beslag genomen auto's stalde. Hij scande de omgeving en zag geen honden, en de enige bewakingscamera aan een paal was niet eens verbonden met een bron. Er was kennelijk behoorlijk bezuinigd.

Hij klom op het hek en liet zich aan de andere kant op de grond vallen. Hij keek goed om zich heen of hij agenten zag en liep door tot hij had gevonden wat hij zocht. Achteraan stond een auto die eruitzag alsof hij hier al een hele tijd stond: de rechtervoorbumper en een portier waren ingedeukt. Hij bekeek de kentekenplaten: nog steeds geldig. Even later klom hij met de nummerborden in zijn hand over het hek.

Hij verving de nummerborden van zijn huurauto door de borden die hij had gestolen. Nu zou iemand die zijn kenteken intoetste in een poging Wingo's alias te achterhalen, bot vangen.

Hij reed terug naar zijn hotel, liep naar zijn kamer, toetste een nummer in en luisterde terwijl die overging.

De stem zei: 'South.'

'Met mij,' zei Wingo.

Het bleef een paar seconden stil. Wingo hoorde dat de andere man sneller ademde en zichzelf ongetwijfeld tot razernij opwerkte. 'Weet je eigenlijk wel hoe diep je in de stront zit?' brulde South.

'Dat geldt dan ook voor u. Het was uw missie. Het leger raapt geen mensen op die zijn gevallen, kolonel. Ze schieten ze gewoon dood.'

'En denk je soms dat ik dat niet weet, rotzak die je bent! Je hebt me verschrikkelijk belazerd.'

'Hebben jullie Tim Simons uit Nebraska gevonden?'

'De CIA heeft nooit van hem gehoord. En zij waren niet op de hoogte van onze missie in Afghanistan. Dat spoor liep dood.'

'Het was dus een oplichter.'

'Als hij al ooit buiten je eigen hoofd heeft bestaan. Verdomme Wingo, waar is het geld?'

'Ik heb u al verteld dat ze het van me hebben afgepakt. Dat weet u verdomme heel goed!'

'Ik weet alleen dat het team dat jou daar zou opwachten is afgeslacht. De wagen met het geld is weg. Jij bent AWOL, afwezig zonder toestemming. Verbaast het je dan echt wat we over je denken?'

'Als ik het geld zou hebben gestolen, zou ik u dan blijven bellen?'

'Dat doe je om jezelf in te dekken!'

'Als ik één miljard euro had, waarom zou ik mezelf dan moeten indekken, waarmee dan ook?'

'Als je echt onschuldig bent, moet je komen. Dat heb ik je de vorige keer ook gezegd. Dan kunnen we samen doornemen wat er is gebeurd.'

'U bedoelt, dan begraaft u me in een of andere afgelegen locatie, zodat de waarheid nooit boven tafel komt.'

'Wij zijn Amerikanen. Wij laten geen andere Amerikanen verdwijnen.'

'Als de feiten van deze missie bekend worden, dan weet u net zo goed als ik wat er gaat gebeuren. Dat zal niet alleen gevoeld worden in het Pentagon, maar ook aan de overkant van de rivier aan Pennsylvania Avenue. Ik weet waar die euro's naartoe moesten gaan en waar ze voor zouden worden gebruikt, en u ook. En de laatste plaats waar ze dat willen zien, is op de voorpagina van de *Post* of de *Times*.'

'Zit je mij, en daarmee je eigen regering, nou echt te bedreigen? Wat wil je, nog meer geld? Was dat miljard niet genoeg of chanteer je ons gewoon omdat je dat zo leuk vindt?'

'Ik leg u alleen maar uit waarom het geen zin heeft om me te melden. Zelfs als ik niets verkeerd heb gedaan, wat zo is, dan maakt dat niet uit. Dan zal ik het daglicht nooit weer zien.'

'Maar waarom heb je je dan vrijwillig aangemeld voor deze missie?'

'Om mijn land te dienen. Ik heb niet veel aandacht besteed aan wat er zou gebeuren als alles niet volgens plan zou verlopen. Maar nu heb ik daar wel alle tijd voor gehad.'

'Als jij het geld niet hebt gestolen, wie dan wel?'

'Dat ga ik uitzoeken. Reken daar maar op.'

Hij verbrak de verbinding en stopte de telefoon weer in zijn zak. Hij trapte op het gaspedaal, maar sloeg even later links af, stopte langs de stoeprand en zette de auto in z'n vrij. Zijn telefoon had zojuist getrild. Hij griste hem uit zijn zak en las snel het mailtje dat net was binnengekomen.

Tyler had hem teruggemaild.

# 36

Sean duwde de matras omhoog en begon te hoesten toen de rook over hen heen golfde. 'Ben je in orde?' vroeg hij Michelle.

'Dankzij jou,' zei ze. 'Maar we moeten hier zien weg te komen, voordat we niet meer in orde zijn.' Zij hoestte ook.

Ze klommen uit de badkuip en liepen struikelend in de richting van de deur, of waar die was geweest. Er zaten enorme gaten in de muur tussen de badkamer en de voorkamer. Sean stapte over de drempel, maar deinsde meteen weer achteruit. Michelle keek over zijn schouder en deinsde toen ook achteruit.

De slaapkamer aan de voorkant was feitelijk verdwenen. De wand van de badkamer was nu de voorste muur van de kamer. Een paar centimeter voor hen bevond zich een grote opening naar wat er over was van de kamer op de begane grond. Ze waren afgesneden van de rest van het balkon; ze konden dus niet via die kant wegkomen. En de vlammen likten langs de muren van de badkamer en de rook werd steeds dikker.

Michelle tuurde over de rand. 'We moeten beneden zien te komen,' zei ze.

'Inderdaad. Maar hoe?'

In de verte hoorden ze brandweersirenes. Een politiewagen, met blauw zwaailicht, racete over de weg.

'Als we hier blijven, verbranden we levend.'

Het vuur begon hen in te sluiten.

Michelle zag in de verte een brandweerwagen, maar ze ging ervan uit dat zij allang dood zouden zijn voordat hij bij hen was. Ze pakte alle handdoeken die ze maar kon vinden in de badkamer. 'Help me even,' zei ze.

Ze bonden de handdoeken zo stevig aan elkaar als ze konden en daarna maakte Michelle het ene uiteinde vast aan een balk in de muur die vrij was gekomen.

'Ik ga wel eerst,' zei Sean. 'Als het mijn gewicht kan houden, zal het ook geen probleem voor jou zijn.'

'En als het je niet houdt, val je dood. Laat mij maar eerst.'

Maar Sean was al over de rand geklauterd en greep het touw van handdoeken beet. 'Ik hoop maar dat ze hun handdoeken beter hebben onderhouden dan de rest van deze zooi,' zei hij en hij liet zich over de rand vallen.

Hij klom snel naar beneden en daarna volgde Michelle hem, zelfs nog sneller, en ze liet zich de laatste meter gewoon vallen.

Het motel was waarschijnlijk vrijwel onbezet geweest, want er stonden maar een paar mensen op de parkeerplaats, een van hen was alleen gekleed in zijn broek en stond op blote voeten.

'Ruik je dat?' vroeg Sean.

'Gas,' zei Michelle.

Hij schreeuwde tegen de mensen: 'Achteruit! Een gaslek! Rennen!'

Ze renden allemaal bij het gebouw vandaan. Sean en Michelle vonden een schuilplaats buiten het bereik van de ontploffing. Tien seconden later ontvlamde het gas in het gebouw, waardoor er een gapend gat ontstond van de begane grond tot aan de eerste verdieping. De brokstukken vlogen tot wel tien meter verderop en bekogelden de auto's die in de buurt geparkeerd stonden.

De politieauto reed de parkeerplaats op en twee agenten sprongen eruit. De brandweerwagens kwamen een paar minuten later, waarna de strijd tegen het vuur begon.

Sean en Michelle keken elkaar aan.

Hij zei: 'Volgens mij zou het veel beter zijn als we nu weggingen.'

Michelle knikte en ze liepen naar hun auto's, die gelukkig onbeschadigd waren. Terwijl de politieagenten en de brandweermannen zich met de brand bezighielden, reden zij langzaam de parkeerplaats af.

Op de weg gaven ze gas en kwamen nog drie brandweerwagens en twee politieauto's tegen die onderweg waren naar het motel. Ze stopten ongeveer tien kilometer verderop bij een 7-Eleven. Sean stapte uit zijn auto en in Michelles Land Cruiser. Hij klopte zijn kleren zo goed en kwaad als het ging af terwijl zij hevig zat te hoesten.

'We hebben allebei behoefte aan een douche en wat zuurstof,' zei ze moeizaam. 'Wat zag je toen je naar buiten keek?'

'Op de deur zat een pakketje van plastic met explosieven en een detonator.'

'Wie zou die daar hebben geplaatst?'

'Vrienden van die drie kerels van het winkelcentrum, zou ik denken.'

'Maar dat betekent dat we hiernaartoe zijn gevolgd. En ik heb niemand gezien.'

'Ik ook niet. En dat betekent dat ze echt heel goed zijn, Michelle.' Hij leunde achterover in zijn stoel en wreef over zijn beroete gezicht.

Dapper zei ze: 'Dan moeten wij gewoon zorgen dat we beter zijn.'

'Dat is kennelijk gemakkelijker gezegd dan gedaan. We hadden het daar bijna niet overleefd.'

'Stel dat ze die plek al kenden en ons daar hebben opgewacht?'

Sean zei: 'Je bedoelt dat ze wisten dat Jean Wingo hierbij betrokken was?'

'Misschien werkt ze wel met hen samen, zoals we al eerder zeiden.'

'En zij wilden elk spoor naar die kamer vernietigen, met ons erbij. Twee vliegen met één pakje semtex.'

Ze knikte. 'Klinkt wel logisch. En de reden?'

'Ze hebben één miljard redenen, Michelle.'

'Maar als zij dat geld al hebben, waarom zouden ze zich hier dan nog druk over maken? Dan zouden ze allang weg zijn. Waarom zouden ze ons of Dana dan nog achternakomen? Waarom gaan ze er niet gewoon vandoor met dat geld en kopen ze ergens een eiland of zo?'

'Als ze ons willen elimineren, dan betekent dit dat ze bang zijn dat wij tijdens ons onderzoek iets ontdekken. Vergeet niet dat Jean is verdwenen, nadat Tyler haar vertelde dat we weer aan de zaak werkten.'

'Misschien zijn ze erachter gekomen dat wij weten van het geld?' opperde Michelle.

'Dat geld is verdwenen in Afghanistan, Michelle. Ze denken heus niet dat we daarheen gaan om de zaak uit te zoeken. Dus kunnen ze niet bang zijn dat wij het geld zouden kunnen vinden.'

'Dan gaat het dus om meer dan het geld.'

Hij wreef over zijn slapen en begon weer te kuchen. 'Waarom hebben ze dat geld gestolen?'

'Die reden is wel duidelijk. Om rijk te worden.'

'Er zou nog een andere reden kunnen zijn.'

Michelle dacht hier even over na. 'Om er iets mee te kopen.'

'Dat klopt. En geen eiland of een stel Bentley's.'

'Dat geld is verdwenen in een gebied dat in handen is van de taliban.'

Ze keek hem aan. 'Denk je dat we met terroristen te maken hebben?'

'In de afgelopen tien jaar is er heel veel geld verdwenen. Ze gaan ervandoor met bergen geld en god weet waar het terechtkomt. Misschien financieren we de slechteriken al jaren met ons belastinggeld.'

'Oké, maar hoe zit het met dít geld?'

Hij zei: 'De missie was dit geld van punt a naar punt b te brengen. Wingo wist welke punten dit waren. Hij wist waar het geld waarschijnlijk voor was bedoeld.'

'Waardoor hij zowel waardevol als een doelwit is.'

'Als hij onschuldig is, zal hij zijn naam willen zuiveren. Hij zou niet bij deze zaak betrokken zijn als men hem niet bijzonder had aanbevolen. Tyler zei dat zijn vader kerels die half zo oud waren als hij eruit kon lopen. Die taaltraining. Dat nephuwelijk met Jean een jaar geleden. Dat hij uit het leger is gegaan één jaar voordat zijn volle twintig erop zaten. Hier is heel veel planning en tijd in gaan zitten.'

'Sean, als deze missie is misgelopen, dan zal de regering dit willen verhullen. Het laatste waar zij op zitten te wachten met al die bezuinigingen is dat bekend wordt dat zij een miljard euro zijn kwijtgeraakt. Dan zouden ze worden gekielhaald op Capitol Hill. En als ze dit geld wilden gebruiken voor een doel waar het publiek het niet mee eens is, dan is dat zelfs nog erger.'

'Het leger beschouwt ons waarschijnlijk als een probleem, Michelle. Die drie mannen in dat winkelcentrum waren allemaal ex-soldaten. Misschien zijn die ingeschakeld om een probleem op te lossen, in de vorm van ons dus. Een supergeheime operatie.'

'Dus onze éígen mensen proberen ons in een lijkenzak te krijgen?' vroeg ze ongelovig.

'Volgens hen zitten we niet in hetzelfde team. Wij vormen een bedreiging voor hen. En een bedreiging moet worden geëlimineerd.'

Michelle leunde achterover met een wanhopige blik op haar gezicht. 'Dus het is wij tegen het Pentagon?'

'Misschien gaat het niet om het hele Pentagon. Sterker nog, ik weet bijna zeker dat dat niet zo is. Maar misschien probeert een klein deel deze puinzooi op te ruimen voordat die groter wordt.'

'Je zei dat generaal-majoor Brown wilde proberen ons te helpen.'

Sean knikte langzaam. 'Ik wilde dat ik hem dat niet had gevraagd.'

'Waarom niet?'

'Als hij ons helpt, wordt hij misschien ook wel een schietschijf. En we mogen er niet op rekenen dat deze kerels blijven missen.'

# 37

Alan Grant nam die ochtend met een kus afscheid van zijn vrouw Leslie. Ze had de jongste van hun drie kinderen op de arm, een zoon. Ze zouden nog meer kinderen krijgen. Hij wilde een groot gezin. Als compensatie voor het feit dat hij zijn ouders was verloren.

Ze zei: 'Alan, je ziet er moe uit. Is alles echt in orde?'

Hij glimlachte. 'Dat vroeg je vader me ook al.'

'Hij houdt van je. Wij allemaal.'

Grant stak zijn hand uit en nam het vuistje van zijn kind in zijn hand. Hij keek Leslie aan. 'Alles is in orde, liefje. Een beetje stress, maar voor wie geldt dat niet tegenwoordig? Ik moet gewoon een paar dingen afwerken en dan kunnen we met vakantie. Heb je daar zin in? Wij allemaal. Je vader ook. Naar een warme bestemming.'

'Warm klinkt heerlijk.'

Hij kuste haar weer en glimlachte. 'Dat is dan afgesproken.' Hij liet de hand van zijn zoon los. 'Tot gauw, ventje.'

Vanuit zijn huis in het westen van Fairfax reed hij meteen naar de begraafplaats in Arlington. Hij parkeerde zijn auto en liep naar de graven. Hij bleef ervoor staan en keek naar de namen op de grafzerken.

Franklin James Grant, zijn vader.

Eleanor Grant, zijn moeder.

Ze waren gestorven op dezelfde dag, op hetzelfde uur, in dezelfde minuut en op dezelfde plek.

Een zelfmoordpact. Een auto in een gehuurde opslagruimte met een handdoek in de uitlaat, de ramen stevig dicht en de motor aan. Ze hadden een briefje achtergelaten waarin ze uitlegden waarom ze het hadden gedaan, maar dat briefje was niet echt nodig. Iedereen wist waarom ze hadden besloten zelfmoord te plegen.

Grant was dertien jaar geweest toen zijn ouders hem in de steek lieten. In die tijd begreep hij niet echt waarom ze het hadden gedaan. Pas toen hij volwassen was, begreep hij het.

Het duurde jaren voordat hij een plan had beraamd om wraak te nemen voor het feit dat zijn ouders zichzelf hadden opgeofferd. Hij had hen al veel eerder vergeven dat ze hem alleen hadden gelaten en hij als wees had moeten opgroeien bij familieleden die niet blij waren dat ze nog een mond moesten voeden. Maar zijn woede over de redenen achter hun dood was elk jaar toegenomen.

Hij zette de bloemen op de graven en stapte achteruit. Zijn vader was een geboren soldaat geweest. Een borst vol medailles voor Vietnam en missies in eigen land in dienst van zijn vaderland, in verschillende hoe-danigheden, maar ook voor zijn tijd als lid van de Nationale Veiligheids-raad in de jaren tachtig. En toen was zijn leven een hel geworden. En had hij besloten een einde aan dat leven te maken. En had zijn vrouw beslo-ten samen met hem te sterven.

Grant had het haar kwalijk kunnen nemen dat ze hem in de steek had gelaten. Het was zijn vader die zich schaamde. Het was misplaatste schaamte, vond Grant, maar toch, zijn moeder had er niets mee te ma-ken. Zij had ervoor gekozen samen met hem te sterven in plaats van zonder hem te leven. Daar was niets verkeerds aan, vond Grant. De plaats van een vrouw was bij haar man. Hij twijfelde er niet aan dat zijn moeder heel veel van hem had gehouden. Ze had alleen meer van haar man gehouden.

Grant had ervoor gekozen voor slechts één uitzending in het leger te blijven. Hij had gevochten in een oorlog. Hij was gewond geraakt, niet ernstig, maar wel gewond. Hij had passende heldendaden verricht; het leven van zijn wapenbroeders gered en zij, op hun beurt, hadden zijn leven één keer gered. Alles was zoals het had moeten zijn.

Hij was vertrokken met zijn eigen medailles, eervol ontslag en een wijd open deur naar het Pentagon waar hij veel baat bij had gehad terwijl hij zijn beveiligingsbedrijf in de militaire sector opbouwde. In de loop der jaren had hij zijn IT-vaardigheden geperfectioneerd. En, als onder-deel van zijn plan, had hij een team samengesteld waarvan het collec-tieve hacktalent veel beter was dan zijn eigen.

Op zijn achtendertigste was hij niet erg rijk, maar toch welvarend. Hij leidde een comfortabel leven met zijn vrouw en kinderen. Hij hoopte in de toekomst meer geld te verdienen, maar in principe interesseerde hij zich niet voor geld, of voor macht. Hierdoor was hij een ongebruikelijke speler binnen de Washington Beltway, waar anderen er alles aan deden – intriges beraamden en elkaar met een mes in de rug staken – om geld en macht te verwerven.

Hij verliet de graven met een positief gevoel over zijn bezoek; over de energie die dit bezoek hem had gegeven om door te gaan. Hij stapte weer in zijn auto en reed naar het Reagan National Airport. Hij parkeerde zijn auto, liep de terminal binnen, ging snel door de security, liep naar zijn gate en was precies op tijd voor zijn vlucht.

Even later landde hij in Florida. Er stond een auto op hem te wachten die hem een heel stuk wegbracht van de stad waar hij was geland. De auto stopte voor een huis, dat wel een paleis leek. Grant was niet gecharmeerd van de bouwstijl of de tuinen. Het was allemaal veel te opzichtig naar zijn smaak, met te veel roze, zalmroze en turkooizen details en genoeg beelden om een museum mee te vullen.

Hij stapte uit de auto en liep de brede, marmeren trap naar de voordeur op. Hij klopte één keer aan, waarop de deur bijna meteen werd geopend. Hij werd naar binnen geëscorteerd door een man in een zwarte livrei: een butler in de eenentwintigste eeuw. Grant nam aan dat hij goed werd betaald om dit archaïsche beroep in ere te houden.

Hij bleef niet stilstaan voor de prachtige schilderijen; op een professionele manier opgehangen aan de hoge muren die voorzien waren van ongeveer een halve meter dik sierpleister. Het uitzicht op de oceaan kon zijn belangstelling ook niet wekken. Dit gold evenmin voor de kostbare meubels op ooghoogte of de belachelijk dure oosterse tapijten onder zijn voeten.

Hij werd naar een vertrek gebracht met een houten lambrisering dat eigenlijk de bibliotheek had moeten zijn, alleen stond er niet één boek op de planken. In plaats daarvan stond er een verzameling presse-papiers, munten, uurwerken en modeltreinen. De deur werd achter hem gesloten toen de butler zich terugtrok naar waar butlers hun tijd doorbrengen als ze niet nodig zijn. Misschien poetsten ze het zilver, dacht Grant even.

Hij ging zitten in de stoel die hem werd aangewezen door de man die aanwezig was in dit vertrek dat ook uitkeek op de Atlantische Oceaan.

De man heette Avery Melton. Hij had ruim dertig jaar geleden een klein vermogen geërfd en had deze erfenis verduizendvoudigd door hard te werken, enkele wreedheden te begaan en iets vaker omkoping. Hij was vierenzestig, maar leek ouder. Hij bracht te veel tijd door op de golfbaan waar de zon hem even meedogenloos behandelde als hijzelf de arbeiders die zijn prachtige terrein onderhielden.

Hij was één meter tweeënzeventig, had een bochel en ronde schouders, maar zijn ogen stonden helder en zijn geest was zelfs nog helderder. Hij was een zakenman met vele belangen en weinig scrupules. Hij verkocht producten en diensten, en daarvoor had hij kopers nodig. Grant was een koper, Melton een verkoper. Ingewikkelder dan dat maakte hij het niet.

Hij vroeg: 'Goede vlucht gehad?'

'Het is altijd een goede vlucht als het vliegtuig op zijn wielen landt,' zei Grant.

'Het geld?'

Grant opende zijn aktetas en haalde er een vel papier uit. Deze mannen maakten geen gebruik van zoiets minderwaardigs als pakjes bankbiljetten met een elastiekje eromheen. Hij overhandigde het vel papier aan Melton, die ernaar keek.

Het was een bevestiging van een overschrijving, waaruit bleek dat er twintig miljoen dollar was overgeschreven op een rekening van Melton. Hij knikte. Geen glimlach, alleen een knikje. Dit was business. Hij handelde altijd in dit soort bedragen. Soms kleiner, soms groter. 'Ze hadden me al verteld dat het geld er was, maar het is goed om het ook zwart op wit te zien. Ik ben nog van de oude stempel. Gebruik geen computers.'

Grant knikte en wachtte. Het geld was afgeleverd, maar dat was slechts de ene helft van de transactie. Nu moest hij de andere helft hebben.

Melton deed een la van zijn bureau van het slot en haalde er een zwart boekje uit met een harde kaft. Hij sloeg het open, keek naar de eerste bladzijde en gaf het aan Grant, die ook controleerde wat erin stond.

Melton zei: 'De codes en andere noodzakelijke details staan er allemaal in. Het enige wat je moet doen is het nummer kiezen en de codes invoeren; daarna heb je een complete satelliet helemaal voor jezelf, de MelA3.' Hij stak waarschuwend zijn vinger op. 'Slechts voor een beperkte tijd. Dan is ie weer van mij. Dan zijn de codes verlopen en hebben jullie geen toegang meer.'

'Ik begrijp het.'

'Dat is heel veel vuurkracht,' zei Melton. 'De A3 weegt twee ton; de bouw, de lancering en het onderhoud kostten meer dan een miljard dollar, en hij heeft nog vijftien nuttige jaren in de ruimte voor de boeg. Ik neem je geld met alle plezier aan, maar er zijn in de lucht heel veel van die vogels te huur die veel goedkoper zijn dan deze. En dan hoef je niet het hele platform te huren. Op enkele van onze vogels hebben we wel vijfduizend huurders per platform. Dat is behoorlijk winstgevend, maar de aanloopkosten zijn enorm. Je moet geduld hebben om je geld te verdienen, en dat heb ik.'

'Ik waardeer je advies, maar we willen graag de hele taart. En daarbij zijn er niet veel die kunnen doen wat de A3 kan doen,' antwoordde Grant.

'Zoals?'

'Ik hoopte dat twintig miljoen dollar een bepaalde mate van privacy zou garanderen,' zei Grant.

'Maar het blijft mijn vogel.'

'De voorwaarden van de huur zijn allemaal vastgelegd. We zullen altijd binnen die voorwaarden blijven, omdat u ons anders voor de rechter kunt slepen. En ik kan u verzekeren dat ik niet van plan ben voor de rechtbank te verschijnen.'

Melton knikte. 'Wist u dat de Amerikaanse regering zo weinig geld heeft dat ze ook ruimte op mijn platforms huren? *Hosted payloads* noemen wij dat. Het leger kan het zich niet langer permitteren om zijn eigen platforms te lanceren. Ik kan hun dit platform niet verhuren vanwege onze deal, weet u. Zij hadden de A3 gehuurd, maar het was een kortlopend contract dat vernieuwd moest worden; alleen konden ze uw aanbod niet overtreffen.'

'Interessant,' zei Grant. 'Dat wist ik niet.' Maar hij had het wel geweten. Sterker nog, dat was de voornaamste reden dat hij de A3 had gehuurd. Hij stond op en schudde de hand die Melton hem aanbood.

De oudere man zei: 'Op de huurovereenkomst staat de naam van uw bedrijf, Phoenix Enterprises.'

'Ja, dat klopt.'

'Phoenix, zoals de stad?'

'Phoenix zoals de mythologische vogel die uit zijn eigen as herrijst.'

'Oké, prima. Mijn mensen hebben me verteld dat u een soort beveiligingsbedrijf hebt. Militaire inlichtingensector.'

'Dat klopt.'

'Dan begrijp ik waarom u daar werkruimte nodig hebt.'

'Het verbaasde me dat u dit persoonlijk wilde doen. Ik neem aan dat u een team stafleden hebt die me hadden kunnen ontmoeten om de deal te sluiten.'

'Een goede raad, jongeman: als je een deal van dit formaat sluit, en ik heb grotere en kleinere deals gesloten, kijk ik de man graag in de ogen en geef ik hem een hand. Goed voor mij en goed voor hem. En de kans is aanwezig dat we nogmaals zaken gaan doen.'

'Ja, dat is mogelijk,' antwoordde Grant. Maar hij dacht: *nee, dat zal nooit gebeuren.*

Hij nam de eerstvolgende vlucht naar het noorden. Hij kwam aan in D.C., reed direct naar zijn kantoor en ging aan zijn bureau zitten. Hij sloeg het zwarte boekje open dat Melton hem had gegeven en keek naar de codes en de authenticatiesleutels die hij nodig had om toegang tot de A3 te krijgen. Het was een bijzonder unieke vogel, wist hij, om verschillende redenen. En hoewel het leek alsof het leger en andere federale diensten van het platform waren geschopt, was dit niet zo. Niet echt. Niet helemaal. Ze lieten altijd een heel klein stukje van zichzelf achter.

En een heel klein stukje was alles wat Grant nodig had.

# 38

'Hé, Wingo!'

Tyler liep net de school uit en keek waar de stem vandaan kwam. De groep oudere jongens stond naar hem te kijken. Een paar van hen hadden een rugzak over hun schouder hangen. Een van hen had een footballhelm bij zich en schouderpads.

Een jongen riep: 'Hoorde dat je pa niet dood is. Dat hij AWOL is. En een dief.'

Tyler liep rood aan en brulde: 'Dat zijn allemaal leugens!'

De oudere jongens liepen naar hem toe en torenden hoog boven hem uit. Tyler herkende hen: ze waren allemaal lid van het footballteam.

De langste zei: 'Dat vertelde mijn pa. Die zit bij het leger. Hij zal het wel weten.'

Een van de anderen gaf Tyler een duw. 'Dus jij noemt zijn vader een leugenaar?'

'Als hij zegt dat mijn vader een dief is, ja.'

'AWOL, dat betekent toch dat je een lafaard bent? Je pa is dus een lafbek, Wingo?' zei een lange achttienjarige met een dikke buik die Jack heette. Hij gaf Tyler zo'n harde duw dat hij in de modder viel, waarop ze allemaal begonnen te lachen. De jongens kwamen om hem heen staan. Een van hen trok Tyler overeind en hield zijn armen vast, terwijl Jack zijn vuist naar achteren haalde om Tyler een stomp in zijn maag te geven.

'Dacht het niet.'

Een hand greep Jacks vuist beet en trok die naar achteren.

De jongens draaiden zich allemaal om en zagen dat het Michelle was. Ze liet Jacks hand los en zei: 'Vinden jullie het leuk om andere mensen aan te vallen?'

'Wat heb jij daarmee te maken?' hoonde Jack.

'Tyler is een vriend van me.'

Jack lachte bulderend en bekeek Michelle van top tot teen. 'Bedoel je dat je zijn bodyguard bent? Heb je een grietje nodig om je te beschermen, Wingo?'

De andere jongens begonnen te lachen.

'Ik kan wel voor mezelf zorgen,' snauwde Tyler, die snel opstond en Michelle boos aankeek.

'Dat weet ik wel. Maar zes tegen één is niet eerlijk, voor niemand. Dus laat eens zien.' Ze keek de jongens stuk voor stuk aan tot haar blik ten slotte op Jack bleef rusten. 'Jij speelt football, hè?'

'*Starting left tackle*,' zei Jack opschepperig.

'En dat betekent dat je groot en sterk bent.'

Jacks glimlach werd breder.

'En je bent ook traag en dik, en je hebt geen uithoudingsvermogen omdat je niet meer dan drie meter kunt hardlopen zonder in te storten.'

Jacks glimlach verdween.

Michelle keek naar Tyler. 'Nu is Tyler natuurlijk lang niet zo groot als jij, maar hij is pezig en snel en hij zwemt, wat betekent dat hij een enorm uithoudingsvermogen heeft. Als jij met hem zou vechten en hem dan niet snel uitschakelt, dan zal hij net zo lang om je heen dansen tot je niet meer op je voeten kunt staan en niet meer in staat zult zijn om wat dan ook met kracht te raken. En Tylers vader, die zogenaamde lafbek, is lid van de Special Forces, en die kerels zijn van een totaal andere orde als het om man-tot-mangevechten gaat. Vind jij mannen die aan MMA doen stoer? Die zouden het nog geen ronde uithouden tegen een SEAL of een Ranger. En die lui van de Special Forces slaan je niet alleen verrot, die doden je. En ik durf te wedden dat Tylers vader hem wel een paar trucjes heeft geleerd.'

Ze keek naar Tyler, die met gebalde vuisten en een woedende blik naar Jack stond te kijken.

'En zo te zien kan Tyler niet wachten om je verrot te slaan,' zei Michelle tegen Jack. 'Dus misschien moeten jullie het maar even tegen elkaar opnemen. Maar alleen jullie tweeën. Zodra een van je vriendjes je probeert te helpen, bemoei ik me ermee en ik ben weliswaar een meisje, maar ik vecht niet als een meisje.'

Jack keek naar Tyler en Tyler keek naar Jack.

Ten slotte sloeg Jack zijn ogen neer en zei: 'Laat maar. Ik laat me niet uit het footballteam schoppen, omdat ik op het terrein van de school deze knul op zijn lazer geef.' Hij draaide zich om en liep samen met zijn vrienden weg.

Michelle en Tyler keken hen na en toen draaide Tyler zich om naar haar. 'Bedankt daarvoor,' mompelde hij.

'Je had me niet echt nodig. Als het er maar eentje was geweest, had je hem gemakkelijk aangekund.'

'Denk je dat echt?'

'Je hebt pit, Tyler. Die klojo heeft alleen maar een dikke buik.'

'Wat doe je hier?' vroeg hij.

'Ik heb je hier afgezet. En nu kom ik je ophalen.'

'Maar ik heb andere plannen.'

'O?'

'Gewoon, andere plannen.'

'We hebben dit al besproken, Tyler. Voorlopig blijven we bij elkaar.'

'Dat wil ik helemaal niet.'

Ze keek hem aandachtig aan. 'Wat is er sindsdien veranderd?' Ze keek naar de telefoon in zijn hand en toen begon het haar te dagen. 'Wanneer heeft je vader je teruggemaild?'

'Laat me toch met rust!'

'Onmogelijk.'

'Ik ben weg!'

Hij wilde weglopen, maar ze greep zijn arm. 'Ik moet je heel snel even bijpraten, Tyler. Vanochtend wilden Sean en ik een aanwijzing natrekken. Dat was een aanwijzing die ik in jouw huis had gevonden en die leidde naar een motel dat je nepstiefmoeder gebruikte als *drop point*.'

'Als wat?'

'Maakt niet uit. Terwijl wij daar waren, plakte iemand een pakketje met waarschijnlijk semtex erin aan de voorgevel en bracht die tot ontploffing. Als Sean het niet zo snel had gezien, zou ik hier nu niet zijn en zouden die jongens je verrot hebben geslagen. Maar nu is het grootste deel van dat motel afgebrand. Gelukkig is er niemand gewond geraakt.'

'Een bom?'

'Ja, een bom. Dus, wanneer heeft je vader contact met je opgenomen?'

'Ik zag het bericht vlak voor de lunchpauze.'

'En wat stond erin?'

'Niet veel.' Tyler keek naar de grond toen hij dit zei.

'Je bent echt een verschrikkelijk slechte leugenaar.'

'Ik lieg niet!'

'Oké, als het niet veel was, waarom kun je het mij dan niet vertellen?'

'Waarom zou Jean een andere plek nodig hebben om te wonen?'

'We hebben je toch verteld dat wij denken dat zij en je vader niet eens getrouwd waren?'

'Juist. Jullie zeiden dat hij haar misschien mee naar huis had genomen, zodat ik een volwassene zou hebben die voor me kon zorgen als hij weg was. Denken jullie dat nu niet meer?'

'Nee. En we hebben onze mening een beetje bijgesteld. We denken dat ze een *plant* was.'

'Een plant?'

'Wij denken dat ze misschien werkt voor de mensen die je vader erin hebben geluisd. Dat ze daarom is verdwenen. Ze werd bang en ging ervandoor toen wij weer aan de zaak gingen werken. Zij had een adres in dat motel waar haar post naartoe werd gestuurd. We hebben haar kamer doorzocht, maar dat heeft niets opgeleverd; alleen dat we bijna dood waren.'

'Maar met wie werkte ze dan samen? Niet met het leger?'

'Denk het niet, maar het leger is wel bij dit alles betrokken. Maar wij denken dat er nog iets anders meespeelt. Misschien is dat de reden dat de missie van je vader verkeerd is gelopen.'

Zijn gezicht lichtte op. 'Dus jullie denken dat mijn vader een van de goeien is?'

'Ik denk dat we dat nu allebei wel aannemen, ja.'

'Nou, hij ís een van de goeien.'

'Ook al heeft hij tegen je gelogen? Daar was je behoorlijk kwaad over.'

'Ik neem aan dat hij wel moest. Hij diende zijn land.'

'Kom mee, dan gaan we naar Sean. Hij zal dit ook willen horen.'

Tylers gezicht vertrok. 'Ik wil niet met je mee. Hoe vaak moet ik dat nog zeggen?'

'Wat wil je dan doen? Je vader ontmoeten?'

'Misschien. Dat weet ik niet.'

'En als je vader je dat mailtje niet heeft gestuurd, loop je zo in de val.'

'Het was in onze code.'

'Die wij, zoals we je hebben verteld, binnen een paar seconden hadden ontcijferd. Denk je dat andere mensen dat niet ook kunnen? Dit is *the big league*, Tyler. Zij hebben de beschikking over middelen die je niet eens in een Hollywoodfilm ziet, omdat die jongens van de film niet eens kunnen bedénken waar bepaalde mensen al de beschikking over hebben.'

'Ik kan wel op mezelf passen.'

'Bedoel je, net zoals met die jongens van zonet? De mensen tegen wie jij het moet opnemen, schieten een gat in je voorhoofd zonder daar zelfs maar een seconde over na te denken.'

'Je probeert me gewoon bang te maken.'

'Nee, ik probeer gewoon eerlijk tegen je te zijn.'

Tyler aarzelde.

Michelle maakte daar meteen gebruik van. 'Weet je wat? We gaan naar Sean. Dan kan hij met je praten. Als je dan nog steeds weg wilt gaan, ga je weg. We kunnen je niet tegen je zin vasthouden. Dat zou een misdaad zijn.'

'Ben je nu eerlijk tegen me of is dit een trucje?'

'Vanaf het moment dat we contact met je hebben, zijn we al twee keer bijna vermoord. Ik denk niet dat we nog een aanval overleven. Dus ja, ik ben eerlijk tegen je. En jij bent de cliënt. Als jij het verder alleen wilt doen, dan kunnen we daar niets tegen doen. Behalve later naar je begrafenis gaan. En dat is meer dan Sean en ik na vanochtend zouden hebben gehad.'

'Wat bedoel je daarmee?'

Ze legde een hand op zijn schouder en leidde hem naar haar Land Cruiser. 'Semtex laat meestal niet genoeg van je over om te begraven.'

# 39

Ze reden naar Seans huis en brachten hem op de hoogte. Michelle verbaasde zich over het onderwerp waar hij op inging.

'Waarom zeiden die jongens op school dat je vader AWOL was en een dief?' vroeg hij.

Tyler keek hem kwaad aan. 'Mijn vader is geen...'

Sean viel hem in de rede. 'Ik zei ook niet dat hij dat was. Dat is mijn punt niet. Wat ik vraag is hoe ze op dat idee zijn gekomen.'

Tyler keek verbaasd. 'Een van hen zei dat zijn vader hem dat had verteld. En zijn vader zit in het leger. Dat weet ik. Hij is luitenant-kolonel.'

Michelle zei: 'Of ze hebben het gewoon verzonnen om je op stang te jagen, Tyler.'

'Nee,' zei Tyler. 'Zoveel fantasie hebben ze niet.' Hij zweeg even en zei toen: 'Als hij het van zijn vader heeft gehoord die in het leger zit, dan denk ik dat het daarvandaan komt.'

Sean schudde zijn hoofd. 'Dat denk ik niet. Het leger houdt deze zaak geheim. Ze zetten hun zwaarste geschut in om ons de mond te snoeren en wij hebben niet eens een uniform aan. Ik kan me niet voorstellen dat een gewone soldaat zijn mond voorbijpraat. Sterker nog, ik denk niet eens dat een gewone soldaat hiervan op de hoogte is.' Sean haalde zijn laptop tevoorschijn en typte wat in. Hij keek naar de resultaten, drukte nog een paar toetsen in en knikte toen. 'Ik heb de naam van je vader gegoogeld. En dit kwam tevoorschijn. Er is een lek,' zei hij. Hij draaide de computer om, zodat zij zelf konden kijken.

Sean zei: 'Nog niet de belangrijkste media, maar er zijn drie artikelen die hierover gaan. In feite is het hetzelfde artikel, maar dan in delen. En dat betekent dat andere onlinemedia het snel zullen oppikken.'

Tyler en Michelle lazen de tekst op het scherm.

Tyler zei: 'Nee hè, ze weten zelfs dat Jean verdwenen is. Hoe zijn ze daarachter gekomen?'

Sean antwoordde: 'Misschien doordat de bron van dit verhaal degene was die ervoor heeft gezorgd dat ze verdween.'

Nadat ze alles hadden gelezen, leunde Michelle achterover en vatte de inhoud nog eens samen. 'Geld verdwenen. Clandestien geld. En een vermiste soldaat, Sam Wingo, die ermiddenin zit. Het Witte Huis weigert commentaar, net als het Pentagon, en dat betekent dat iedereen aan zal nemen dat ze het in de doofpot proberen te stoppen. Dus zo kwam die vader van dat joch aan dat verhaal. Hij heeft dit artikel gelezen.'

'Juist. Maar wie was de bron, verdomme?' vroeg Sean.

Michelle keek naar de naam van de auteur van het eerste artikel. 'Als dit het originele artikel was dat de andere publicaties gewoon hebben overgenomen, dan was het George Carlton. Hij heeft een blog over militaire en politieke kwesties.' Michelle keek naar Sean. 'Weleens van hem gehoord?'

'Nee. Ik heb niets met blogs, maar ik vraag me af of meneer Carlton bezoek heeft gehad van het ministerie van Defensie.'

'Hij is van hier. Volgens zijn profiel woont en werkt hij in Reston, dus misschien heeft hij inderdaad wel bezoek gehad. Maar ze zouden zeker niet gewild hebben dat hij dit schreef.'

'Ik zeg ook niet dat dat zo is. Ik bedoel na de publicatie, om uit te vinden wie zijn bron was.' Sean las het artikel nog een keer. 'Het Witte Huis weigert commentaar. Ik vraag me af waarom hun dat eigenlijk is gevraagd?'

'Het Witte Huis?' zei Tyler. 'Wat hebben zij met mijn vader te maken?'

'Dat moeten we zien uit te vinden,' zei Michelle. Ze keek naar Sean. 'Denk jij dat we die blogger een bezoekje moeten brengen?'

'Na dit verhaal houdt hij zich misschien wel schuil.'

'Hoe schuil? Zoals in een graf?' vroeg Michelle.

'Jezus!' riep Tyler.

Ze keken hem allebei aan.

'Menen jullie dit allemaal echt serieus?' vroeg Tyler.

'Wat bedoel je? Hoe gevaarlijk dit is?' vroeg Sean ernstig. 'In dat geval ja, dan menen we dit verdomde serieus.'

'En wat doen we met het mailtje van Tylers vader?' vroeg Michelle.

'Dat is het volgende punt op mijn lijstje met te bespreken zaken,' zei Sean. 'Wil hij een ontmoeting regelen?'

Tyler haalde zijn schouders op. 'Weet ik niet. Dat zei hij niet.'

'Tuurlijk wel, Tyler,' zei Sean.

'Wat bedoel je?'

'Ik heb dat Gmail-account voor je aangemaakt. En ik heb een achterdeurtje ingelast.'

Tyler keek hem aan. 'Dus je hebt zijn mailtje al gelezen?'

'En ontcijferd,' zei Sean.

Michelle keek hem verbaasd aan. 'Sean, ik zie opeens je Steve Jobs-kant en dat bevalt me wel. Heel sexy. Maar wel verrot van je dat je me dat niet eerder hebt verteld.'

'Ik heb hem pas vijf minuten voordat jullie terugkwamen gezien.' Hij keek naar Tyler. 'Dus hij wil je ontmoeten. Hij heeft een tijd en plaats voorgesteld. Hij wacht alleen nog op je antwoord.'

Tyler leek niet op zijn gemak. 'Ik betwijfel of mijn vader het wel goed-vindt dat jullie ook meekomen.'

'Dus je was gewoon van plan in je eentje naar hem toe te gaan?' vroeg Michelle. 'En wie zou je dan rugdekking geven?'

'Ik... Ik bedoel, daar had ik nog niet aan gedacht.'

Ze zei: 'Nou, als je vader het soort man is dat ik denk dat hij is, dan geldt dat wel voor hem. En hij zal niets doen om jou in gevaar te bren-gen. Dus waarom schrijf je hem niet terug om hem te vertellen dat wij op je passen en deel uitmaken van het team en dat hij ons allemaal moet spreken. Persoonlijk.'

'Maar als mijn vader dat niet wil?' vroeg Tyler.

Michelle schudde haar hoofd. 'Volgens mij heeft hij niet veel keus. We kunnen je niet in je eentje naar hem toe laten gaan. Dat is veel te gevaar-lijk.'

Tyler zei snel: 'Ik denk dat je gelijk hebt. Mijn vader zou niet willen dat mij iets overkwam.'

'Blij dat je het met ons eens bent,' zei Sean. 'Dus stuur hem maar een mailtje. Zeg dat je hem morgenavond op de voorgestelde plek kunt ont-moeten. Je kunt hem vertellen dat wij de detectives zijn die jij hebt inge-huurd om hem te helpen. Dan gaan we ernaartoe en zien we wel wat hij te zeggen heeft.'

'Oké,' zei Tyler.

'Sean, kijk hier eens naar.' Michelle wees naar het beeldscherm met het laatste nieuws over de bomaanslag op het motel in het zuiden van Alexandria. 'De politie is op zoek naar twee mensen die deze plek heb-ben verlaten. Een man en een vrouw.'

Ze keken elkaar aan en werden lijkbleek.

Sean zei: 'Misschien hadden we toch moeten blijven en de politie ons verhaal moeten vertellen.'

'Ja, achteraf gezien wel,' zei ze. 'Daar is het nu te laat voor.'

'Uh, jongens,' zei Tyler. Hij keek door het raam aan de voorkant van het huis. 'Er staan een paar mannen in je tuin.'

Sean en Michelle keken elkaar weer aan, liepen snel naar het raam en keken naar buiten.

Michelle hapte naar adem, terwijl Sean zijn adem liet ontsnappen.

'Shit!' zeiden ze tegelijkertijd.

'Is dat een soort SWAT-team of zo?' vroeg Tyler terwijl hij achteruit-deinsde.

Sean schudde zijn hoofd. 'Nee, dat ís een SWAT-team.' Tegen Michelle zei hij: 'Haal je pistool tevoorschijn, haal de clip eruit en leg hem hier op tafel. Schiet op!' Dat deed ze en Sean deed hetzelfde met zijn wapen.

Sean zei: 'Tyler, loop naar de keuken en ga aan de keukentafel zitten. Zorg dat je handen duidelijk te zien zijn. En wat ze je ook vragen te doen, doe je. Begrepen?'

Tyler was zo bleek dat Sean bang was dat hij zou flauwvallen.

Hij legde een hand op zijn schouder en glimlachte geruststellend. 'Dit heb ik al heel vaak meegemaakt, Tyler. Het komt wel goed.'

'Zweer je dat?'

'Zeker weten. En nu naar de keuken!'

Zodra hij weg was, vroeg Michelle: 'Wanneer heb je ooit eerder een SWAT-team gezien?'

'Nog nooit.'

'Geweldig!'

'Ik wacht niet tot de waarschuwing,' zei hij en hij liep naar de voordeur.

'Sean, wacht!'

Maar Sean had de deur al geopend en stapte met zijn handen omhoog naar buiten. Hij stond tegenover twaalf gewapende mannen die hun ka-rabijnen op hem gericht hielden.

'Is er een probleem?' vroeg Sean.

Een van de mannen stapte naar voren. Hij droeg een kogelvrij vest en een helm met vizier. Hij schoof hem omhoog, zodat Sean kon zien wie hij was.

Agent McKinney van de DHS zei: 'O ja, een heel groot probleem. En dat probleem ben jij.'

# 40

Sam Wingo zat op het bed in zijn hotelkamer te wachten tot zijn zoon hem zou terugmailen. Tyler, had hij gezien, had een nieuw e-mailaccount gebruikt. Dat was slim bedacht van zijn zoon. Maar Tyler had niet gereageerd op zijn voorstel om elkaar te zien. En Wingo maakte zich met de minuut meer zorgen. Hij wilde naar zijn huis gaan om te kijken of Tyler wel in orde was. Maar hij wist zeker dat de woning in de gaten werd gehouden. Hij zou al zijn gearresteerd voordat hij zelfs maar een voet op de veranda had gezet.

Het was om gek van te worden dat hij hier helemaal naartoe was gekomen en nu maar gewoon moest afwachten. Wingo kon als het moest heel geduldig zijn, maar dat wilde niet zeggen dat het gemakkelijk was.

Het mobieltje dat hij in India had gekregen begon te trillen en hij pakte hem snel. Dit kon maar één man zijn: de man die deze telefoon voor hem had geregeld.

Adeel, zijn islamitische contact in het Midden-Oosten, de man die ervoor had gezorgd dat hij door Pakistan naar India kon komen. Maar Wingo was in de Khyberpas bijna omgekomen. Hij wist nog steeds niet of Adeel hem had verraden. Misschien zou deze e-mail die vraag beantwoorden.

Hij las het bericht: *Doden gevonden op doellocatie. Geïdentificeerd als moslims. Interessant punt: een groep westerse mannen arriveerde een dag eerder met een chartervlucht vanuit de VS in Afghanistan en regelde vervoer in de buurt van de doellocatie. Heron Air Services, gebaseerd in Dulles, Virginia, was de chartermaatschappij waar ze mee hebben gevlogen. Voorlopig onderzoek wijst uit dat een paar van deze westerse mannen Amerikaanse legitimatie hadden. Precieze diensten onbekend. Ze kregen van verschillende stamhoofden toestemming om door te reizen. Gebruikelijke financiële regeling, wat cash betekent, dus niet te traceren. Geen andere informatie beschikbaar aan mijn kant. Zodra je terug bent in de VS kun je dit misschien natrekken. Succes. En ik hoop dat je je zoon ziet. A.*

Wingo wiste het bericht, zowel in zijn Inbox als in de Prullenbak. Hij ging weer op het bed liggen en staarde naar het plafond. Een groep westerse mannen, enkelen met Amerikaanse legitimatie, waren naar Afghanistan gevlogen op de dag voordat hij één miljard euro moest afleveren aan een groep moslims. De moslims waren afgeslacht en deze mannen hadden de lading van hem gestolen, wederom door met hun Amerikaanse legitimatie te zwaaien. Het geld was verdwenen, net als de mannen. Hij had de schuld gekregen en moest nu rennen voor zijn leven.

Opeens schoot hem iets te binnen. Hij ging rechtop zitten en tikte iets in op zijn smartphone. Hij googelde zijn eigen naam. Op het scherm verschenen dezelfde drie artikelen die Sean had gevonden, maar inmiddels waren het er tien.

Hij las ze allemaal snel door. Het leek een ketting alsof ze allemaal alleen maar de feiten uit de andere artikelen overpenden. Maar allemaal bij elkaar waren ze om wanhopig van te worden.

Verdwenen geld, vermiste soldaat.

*Ik.*

Hoe was dat uitgelekt? Kolonel South had niet gezegd dat het verhaal al bij de media bekend was. Hij vroeg zich af of hij de kolonel zou bellen, maar besloot uiteindelijk dat de man hem niet zou kunnen helpen. Hij was overtuigd van Wingo's schuld. Misschien iedereen wel.

Maar dan betekende dit dat Tyler hier waarschijnlijk ook van op de hoogte was. Wat zou zijn zoon wel niet denken? Dat hij een dief was, of een verrader?

Het nieuwsartikel voegde eraan toe dat het verdwenen geld en de vermiste soldaat misschien iets te maken hadden met een geheime operatie waarvan alle lijnen naar het Witte Huis leidden. Maar noch de president noch iemand in het Pentagon was bereid commentaar te geven, en dat zou natuurlijk een vacuüm creëren dat zou worden gevuld door steeds schrillere en luidere stemmen.

Toen vroeg hij zich iets anders af. Waar was Jean? Was zij teruggeroepen door het ministerie van Defensie nadat de missie in het buitenland was misgelopen? Zo ja, wie was er dan nu bij Tyler?

Voor Wingo was dat het allermoeilijkste aan deze opdracht geweest: net doen alsof hij was hertrouwd en een volkomen onbekende mee naar huis nemen en doen alsof zij Tylers nieuwe stiefmoeder was. Maar het was onvermijdelijk geweest. Tyler had een volwassene nodig. Wingo had geweigerd te vertrekken als niet aan die voorwaarde was voldaan. Helaas was net doen alsof hij getrouwd was, de gemakkelijkste manier om dat voor elkaar te krijgen. En dus had hij dat gedaan. Maar hij had er al spijt van gehad zodra Tyler Jean had gezien en te horen had gekregen dat deze vrouw feitelijk de plaats in zou nemen van zijn echte moeder.

Wingo zette de tv in zijn kamer aan om te zien of er nog meer nieuws was over het verdwenen geld. Alle lokale nieuwszenders waren op jacht naar hetzelfde verhaal, maar dat was niet dít verhaal.

Er was een explosie geweest in een motel in het zuiden van Alexandria. De oorzaak van de explosie was nog niet bekend. Maar hij ging rechtop zitten toen de nieuwslezer iets anders vertelde, namelijk dat de kamer al heel lang was verhuurd aan ene Jean Shepherd, van wie de verblijfplaats op dit moment niet bekend was.

*Jean Shepherd? Dat was Jeans echte naam.*

Hij typte een nieuwe mail aan Tyler en vroeg zijn zoon snel contact met hem op te nemen. Hij wachtte. En hij wachtte nog langer. Zijn telefoon zoemde niet.

Hij vroeg zich af of hij naar het huis zou rijden om te zien wat hij kon ontdekken. Maar dat zou zelfmoord betekenen, dat wist hij. Toch had hij het bijna gedaan om te kijken of het wel goed ging met zijn zoon.

Hij dacht na over Adeels mail. Westerse mannen waren met een chartervlucht Afghanistan binnengekomen. Heron Air Services uit Dulles, Virginia. Dat was hier niet ver vandaan. Kon hij daar misschien een spoor vinden dat leidde naar Tim Simons uit Nebraska? Dat was de enige aanwijzing die hij op dit moment had. Hij stond op, stopte zijn pistool in zijn riemholster en liep naar buiten.

Later, vanuit zijn auto, zag Wingo een jumbojet opstijgen van Dulles Airport, weg van de storm die vanuit het westen aan kwam drijven. Het toestel steeg gracieus op en vloog vervolgens schuin omhoog in zuidelijke richting, waarna de piloot het toestel vlak trok en daarna zijn klim afmaakte.

Wingo nam de afslag naar rechts en reed naar het publieke gedeelte van het bijna vijfhonderd hectare grote vliegveld. Het was geopend in 1972, en was jarenlang bijna niet gebruikt door het publiek, dat de voorkeur gaf aan het dichterbij gelegen Washington National Airport. Nu was Dulles een van de drukste terminals in het land met korteafstandsvluchten naar New York en non-stopvluchten naar Tokyo. Het dak van de terminal, dat de vorm had van een vleugel, was vlak na de bouw supermodern geweest, maar leek nu gedateerd. De oorspronkelijke verkeerstoren met de gigantische, witte parel erbovenop was niet langer in gebruik. Hij was ongeveer vijf jaar geleden vervangen door een nieuwere toren en tegenwoordig werkten er zes luchtverkeersleiders die ervoor zorgden dat het drukke luchtruim veilig bleef en er geen vliegtuigen op elkaar botsten.

Wingo had in de loop van de jaren vaak vanaf Dulles gevlogen. Nog niet zo lang geleden was hij hier in een vrachtvliegtuig geland. Zijn naam stond op de lijst met bemanningsleden, iets wat hem heel veel geld had gekost. Bij particuliere vluchten zouden de agenten van de CBP, de Custom and Border Patrol, de passagiers die het vliegtuig verlieten bij de voordeur van de FBO controleren, de *fixed base operator* van de vlucht. Bij vrachtvluchten kwamen ze rechtstreeks naar het vliegtuig en controleerden de mensen aan boord, maar hun eigenlijke belangstelling ging uit naar de lading. Het was een beschamende thuiskomst geweest, maar hij was tenminste veilig het land binnengekomen. Voordat de CBP-agenten aan boord kwamen, had hij de FBO verlaten en was naar een parkeerterrein aan de overkant van de straat gelopen. Daarvandaan was hij naar het autoverhuurbedrijf gegaan waar hij zijn auto had opgehaald.

Nu parkeerde Wingo zijn auto, hij deed het raampje een stukje naar beneden, pakte een verrekijker en bekeek de omgeving. Hij bleef checken of niemand naar hem keek. Hij wist dat er overal bewakingscamera's waren en hij probeerde uit het beeld te blijven van de camera's die hij kon zien. Hij wist dat er een *ramp tower* was die plaats bood aan de mensen die als taak hadden om de boel op de grond veilig te houden en te kijken of er niets ongewoons gebeurde waarvoor de gewone vliegveldbeveiliging gebeld moest worden. Daarom zat Wingo onderuitgezakt in zijn stoel.

Mensen liepen de Pakhuizen 1 tot en met 4 in en uit. Deze smalle, amper twintig meter diepe pakhuizen vormden de thuisbasis van verschillende familiebedrijfjes die vrachten samenvoegden. Zij verpakten de vracht en laadden die in de vrachtruimen.

Heron Air Services was gevestigd naast een van deze vrachtbedrijven. Op het niet voor het publiek toegankelijke terrein achter het gebouw zag Wingo vliegtuigen staan van verschillende formaten, met hun wielen vastgezet met blokken of op een andere manier klaar voor vertrek. Een vliegtuig taxiede na de landing over de landingsbaan. Op deze manier vlogen de mensen die rijk waren of over de juiste contacten beschikten. Geen rijen voor de douane, geen parkeerproblemen, geen contact met de gewone man.

Wingo wist niet of Heron alleen een charterbedrijf was of ook vrachten vervoerde, maar hij had zijn auto zo geparkeerd dat hij beide sectoren goed in de gaten kon houden. Het vliegveld van Dulles had echter meer dan honderdvijftigduizend vierkante meter pakhuisruimte en bijna driehonderdduizend vierkante meter vrachtgebied. Hier werkten honderden, misschien wel duizenden werknemers, dacht Wingo. Plus de miljoenen passagiers. En hoewel hier misschien niet zoveel charter-

vluchten en passagiers waren als aan de commerciële kant van het vliegveld was hij nog altijd op zoek naar een speld in een hooiberg.

En toen zag hij een wonder gebeuren.

Hij verstijfde toen hij de man zag die de kantoren van Heron Air Services verliet. Hij droeg een pilotenuniform en liep over de parkeerplaats
naar zijn auto.

Wingo maakte met zijn mobiele telefoon een foto van hem.

De man stapte in een recent model Audi.

Wingo zag het kenteken en maakte ook daar een foto van, net als van
de auto. Toen de man wegreed, reed Wingo achter hem aan.

Dit was niet Tim Simons uit Nebraska, maar een van de mannen in dat
stenen gebouw in Afghanistan. En dus was hij de beste en enige aanwijzing die Wingo op dit moment had om te kunnen achterhalen wat er in
vredesnaam aan de hand was.

# 41

'Realiseren jullie je eigenlijk wel hoe diep jullie in de problemen zitten?'

De man die dit vroeg was niet agent McKinney. Dit was FBI special agent Dwayne Littlefield, tenminste, volgens zijn badge. Hij had niet de moeite genomen om zich voor te stellen.

Hij was begin veertig, zwart en ongeveer één meter tweeëntachtig, met brede schouders, enorme armen die de mouwen van zijn overhemd deden opspannen, en een zwaar geaderde nek. Hij leek sterk genoeg om een gat in de metalen deur te slaan en kwaad genoeg om dat te doen ook.

Sean en Michelle zaten roerloos in hun stoel in het kantoor van het Field Office van de FBI in Washington in het centrum van D.C. Tyler was niet bij hen; hij was naar een ander vertrek gebracht. Ze namen aan dat hij werd gedebrieft of misschien zelfs verhoord.

Littlefield zei met zijn neus bijna tegen die van Sean gedrukt: 'Ik heb je een vraag gesteld.'

'Ik nam aan dat het een retorische vraag was,' antwoordde Sean. 'Maar voor het geval je het je echt afvroeg, zou ik willen zeggen dat we ons heel goed bewust zijn van de omgeving en van de omstandigheden waarin we ons bevinden, ja.'

'Waarom vonden jullie het verdomme nodig om ons te laten halen door een legertje agenten?' brieste Michelle. 'Heb je geen mobiele telefoon of zo?'

Littlefield draaide zich naar haar om. 'Wil je mij soms vertellen hoe ik mijn verdomde werk moet doen?'

'Ja, eerlijk gezegd wel.'

'Je hebt wél lef, dame.'

'Dat hoor ik vaker.'

Sean zei: 'Laten we gewoon proberen dit professioneel te houden, oké? Ten eerste, waarom zijn we hier?'

Littlefield keek strak naar Sean. 'Dat durf je me echt te vragen, recht in mijn gezicht, echt?'

'Ja, dat doe ik, echt. We zaten met een cliënt in mijn huis en deden niets illegaals voor zover ik weet, toen ik naar buiten keek en zag dat we werden omsingeld door Pattons Derde Leger.'

'Nou, dan zal ik je geheugen eens even opfrissen,' zei Littlefield. Hij pakte een afstandsbediening en richtte die op een scherm dat aan een van de muren hing.

Er verscheen een beeld op het scherm. Het was een video-opname van Sean en daarna Michelle, die uit de puinhopen van de vernielde motelkamer kropen en er vervolgens vandoor gingen. Littlefield drukte op een knop zodat het beeld stil bleef staan, smeet de afstandsbediening op tafel en zei: 'Er gebeurt helemaal niets meer zonder dat iets of iemand er een opname van maakt.'

Hij liet zich in een stoel vallen, vouwde zijn handen achter zijn hoofd en zei: 'Dus tenzij je beweert dat jullie dat niet zijn op die video, dan heb je verdomme heel wat uit te leggen.'

Sean en Michelle keken naar het scherm en zagen zichzelf terugkijken.

Sean zei: 'Iemand probeerde ons op te blazen. Ik neem niet aan dat je "camera" daar een opname van heeft?'

'Waarom zou iemand jullie willen vermoorden?'

'Heb je al met McKinney gepraat?'

'Ik weet iets af van dat incident in het winkelcentrum. Ik weet dat een tweesterren je in de wachtkamer van een ziekenhuis een stomp heeft verkocht, omdat dankzij jou zijn vrouw bijna is omgekomen. En ik weet dat je een tiener als cliënt hebt die een vader heeft die MIA is, en misschien wel allerlei verkeerde motieven.' Hij boog zich naar voren en legde zijn handen plat op het tafelblad. 'Wat ik niet weet, is het waarom van dit alles. En McKinney schijnt dat ook niet te weten.'

Michelle zei: 'Dan is hij de enige niet. Wij schijnen ook besmet te zijn met het WTF-virus.'

Littlefield keek haar aan. 'Voormalige Secret Service, jullie allebei. Alleen zijn jullie eruit geschopt omdat jullie er een behoorlijke zooi van hadden gemaakt.'

'Verleden tijd,' zei Sean. 'Als je naar het recente verleden kijkt, zul je zien dat we eerlijk zijn en goed in wat we doen. Dat kunnen heel veel mensen je vertellen.'

'Dat hebben ze inderdaad gedaan. Omdat ik goed ben in mijn werk en ik wat heb rondgevraagd voordat jullie op mijn bordje kwamen.'

Michelle vroeg: 'Waarom zit je ons dan dwars?'

'Omdat jullie de plaats waar een bomaanslag werd gepleegd hebben verlaten zonder met de politie te praten. Jullie weten heus wel dat dat niet de bedoeling is. Wat dáchten jullie verdomme wel?' Voordat Sean kon antwoorden, ging hij door: 'En nu is de stiefmoeder van dat joch verdwenen. Dus dat betekent dat hij een minderjarige is die er alleen voor staat. Dat wisten jullie ook en jullie hebben dat tegen niemand gezegd.'

'Sorry hoor, ik heb me niet gerealiseerd dat het jouw werk was om ons werk te doen!' zei Michelle bits.

Littlefield stond op en leunde met zijn armen over elkaar tegen een muur. 'Dus waar het om gaat, is dat ik niet weet wat ik met jullie moet doen.'

'Je zou ons vrij kunnen laten zodat we verder kunnen gaan met ons werk,' stelde Sean voor.

Littlefield glimlachte en schudde zijn hoofd. 'Dacht het niet. Ik zit echt niet op twee dwarsliggers te wachten.'

'Dus jij hebt opdracht gekregen Sam Wingo te vinden?' vroeg Michelle. 'En trouwens, we zijn geen dwarsliggers.'

'Ik ga jullie niet aan de neus hangen waar ik opdracht voor heb gekregen.'

Sean schudde met een bezorgde blik zijn hoofd. 'Laten we hiermee ophouden. Jij hebt opdracht gekregen Sam Wingo te vinden. Dit is een internationaal incident aan het worden. Dit is te moeilijk voor de DHS, zodat de FBI erbij is gehaald. Er is een bomaanslag gepleegd. Totdat duidelijk is dat dit een gewone binnenlandse kwestie is, ligt de bevoegdheid voor dit onderzoek bij de FBI. Door wat Wingo wel of niet in Afghanistan heeft gedaan, houdt iedereen zich met witte knokkels aan zijn stoel vast en vraagt zich af wat het gevolg kan zijn voor zijn of haar carrière.'

'We weten wat hij is kwijtgeraakt,' voegde Michelle eraan toe. 'Meer dan tweeduizend kilo eurobiljetten, oftewel 1,3 miljard Amerikaanse dollars.'

'Wie heeft jullie dat verdomme verteld?' brulde Littlefield.

'Sorry, wij zwijgen als het graf,' zei Michelle. 'Dat stampt de Secret Service er wel bij je in.'

'En stel dat ik jullie voor de rechter sleep, stampt die het er dan weer uit?'

Sean zei: 'We kunnen ons als macho's gedragen of we kunnen gaan samenwerken.'

Littlefield zei vol ongeloof: 'Samenwerken? Ben je verdomme helemaal gek geworden? Zie ik eruit alsof ik met júllie zou willen samenwerken?'

Michelle stond op en keek hem fel aan. 'We zijn voorgelogen, bijna doodgeschoten, bijna opgeblazen en hardhandig aangepakt door een stelletje eikels van het leger, de DHS en nu de FBI. Dus ik kan je recht in je gezicht vertellen dat wij doorgaan met ons onderzoek, of je nu wel of niet met ons wilt samenwerken. Stop dat maar in je reet en kijk of het past...' – ze keek naar zijn badge die aan een koord om zijn hals hing – '... Dwayne!'

Sean mompelde: 'Heilige moeder van god', en hij sloeg zijn handen voor zijn ogen.

Littlefield keek alsof hij zijn wapen wilde pakken en het vuur wilde openen. Maar toen deed hij iets waardoor Sean stomverbaasd opkeek.

De FBI-agent schoot in de lach. 'Jij bent me er eentje. Ik had al gehoord dat je een felle tante was, maar nu zie ik het zelf. Jij bent me er eentje!'

Hij ging zitten en keek hen allebei ernstig aan. 'Deze shit gaat zo ver omhoog de voedselketen in, dat het net zoiets is als op internet surfen en het einde daarvan bereiken. Hoger kan niet.'

'Op tv zeiden ze dat het Witte Huis geen commentaar wilde geven,' zei Sean. 'Is het zo hoog?'

Littlefield knikte, amper zichtbaar.

Michelle was blijven staan.

Littlefield keek naar haar omhoog en zei: 'Kom je nog eens bij ons zitten of hoe zit dat?'

Michelle ging zitten. 'Waarom hebben ze één soldaat met al dat geld op pad gestuurd? Iedereen snapt toch dat je dan gewoon kunt wáchten tot het misgaat?'

'Kennelijk inderdaad iedereen, behalve de sterren en strepen in het Pentagon,' antwoordde Littlefield. Hij sloeg een dossier open dat voor hem op tafel lag. 'Hebben jullie ontdekt wat Wingo is of was?'

'Hij is geen reservist,' zei Sean. 'Niemand verlaat het leger één jaar voor zijn volledige pensioen om als verkoper te gaan werken bij een vertaalbureau, terwijl het ministerie van Defensie in het geheim zijn salaris betaalt.'

'Jullie hebben je huiswerk gedaan,' zei Littlefield onder de indruk. Hij keek weer naar het dossier. 'Kennen jullie de DIA?'

'Defense Intelligence Agency,' antwoordde Michelle. 'Een geheime dienst, net zoiets als de CIA, maar dan in uniform.'

'De DIA heeft een hoger budget dan de CIA en zij doen ook meer in bepaalde delen van de wereld. Maar sinds 11 september hebben die beide diensten geleerd zich netjes te gedragen.' Hij zweeg even. 'Jullie hebben geen *security clearances* meer, geen toegang tot geheime informatie. Ik kan jullie dus niet zomaar alles vertellen.'

'Dan laat je de sappige details maar weg,' zei Sean, '... en probeer je een manier te verzinnen om die op een andere manier te verwoorden.'

Littlefield grinnikte. 'Het is geen geheim, het stond nog niet eens zo lang geleden in de krant. De DIA heeft zijn clandestiene werkzaamheden ontzettend uitgebreid. In bepaalde hotspots in het buitenland werken ze intensief samen met Langley. Het is niet moeilijk te raden welke hotspots dat zijn.'

Sean zei: 'Maar ik dacht dat de DIA niet gemachtigd is om geheime operaties uit te voeren die ver boven het gewone geheime inlichtingenwerk uit gaan, zoals droneaanvallen of wapens leveren aan de vijanden van onze vijanden?'

'Dat is waar. Maar dan komt de CIA in beeld, want zij zijn wél gemachtigd dat te doen en nog veel meer ook. Maar ook in hun budget is gesneden en zij hebben de laatste tijd een paar publieke blunders gemaakt. En zelfs ondanks de bezuinigingen op de defensiebegroting en dergelijke heeft het ministerie van Defensie voldoende geld om meer dingen te doen.'

Michelle zei: 'Zeg je nu dat de CIA hun afdelingen in het buitenland van een dekmantel voorziet?'

Littlefield viel haar bij: 'En de training op de Farm in Virginia.'

En Michelle vulde dat aan: 'En dat de DIA de agenten levert?'

'De DIA heeft zelfs Langley gekopieerd met hun Persia House-initiatief, en een organisatie opgericht om geld en mankracht naar probleemlanden te sluizen. Ze stonden alleen voor het probleem hoe ze soldaten konden achterlaten nadat hun eenheden waren teruggeroepen. Eén manier was om een soldaat zogenaamd ontslag uit het leger te laten nemen, te trainen en vervolgens in het probleemgebied in te zetten met een passend achtergrondverhaal dat de CIA zou ondersteunen.'

'Dus Wingo is aangetrokken voor een missie van de DIA en de CIA. Hij vertrekt met een miljard euro en verdwijnt,' zei Sean.

Michelle vroeg: 'Enig idee waar hij nu is?'

Littlefield schudde zijn hoofd. 'Nog in het Midden-Oosten? India? Terug in de VS? Wie het weet, mag het zeggen.'

'Wie had hij moeten treffen?' vroeg Sean. 'En aan wie had hij het geld moeten afleveren?'

'Heb geprobeerd die informatie te krijgen. Heb nog geen antwoord gekregen. Maar we hebben iets gehoord, buiten de CIA- en DIA-kanalen om.'

'Hoe dan?' vroeg Michelle.

Littlefield leek teleurgesteld dat ze dat vroeg. 'Hé, de CIA en het leger zijn niet de enige organisaties die actief zijn in het buitenland; de FBI heeft daar ook mensen.' Hij haalde een vel papier uit het dossier. 'Waar

Wingo naartoe moest, zijn lijken gevonden. Allemaal doodgeschoten.'

'Wie waren dat?' vroeg Sean.

'Moslims.'

'Waarvandaan?' vroeg Sean.

Littlefield legde het vel papier weer in het dossier. 'Weet ik niet. Ze waren niet van een officiële regering, maar opstandelingen.'

Sean en Michelle lieten dit op zich inwerken.

Sean vroeg: 'Opstandelingen? Dus jij zegt...?'

Littlefield knikte, met een grimmige blik op zijn gezicht. 'Onze euro's gingen misschien, en ik leg de nadruk op misschien, naar een groepering die een islamitische regering omver wil werpen.'

'Welke?' vroeg Sean.

'Geen idee. Op dit moment steunen we publiekelijk de Syrische rebellen, met zowel wapens als andere middelen, dus ik denk niet dat zij het zijn.'

'Dat beperkt de mogelijkheden,' zei Sean. 'Tot een paar heel slechte opties.'

'En als dit nu eens bekend wordt? En ook welk land het is?' zei Michelle.

'Niet zo best,' zei Sean.

Littlefield zei: 'Het is bekend dat we al eerder hulp hebben verleend aan de vijanden van onze vijanden. Maar dat proberen we geheim te houden. In dit geval is het een beerput waarvan niemand wil dat het deksel eraf gaat. Op de een of andere manier is het verhaal over het geld en Sam Wingo uitgelekt naar de pers. Dat is nog een reden dat we ervoor moeten zorgen dat niemand lucht krijgt van die jongen. Anders vallen alle media over hem heen. We hebben een agent bij het huis van de Wingo's geposteerd. Het staat er vol persbusjes. Alle wielen zijn in beweging gezet en zodra de pers op jacht gaat, houden ze daar niet mee op tot ze een nog groter verhaal ruiken. En dat zie ik zo snel nog niet gebeuren.'

'Maar goed dat we Tyler daar op tijd hebben weggehaald,' merkte Sean op.

'Het geld is dus nooit aangekomen op zijn bestemming?' vroeg Michelle.

'Kennelijk niet. Of Sam Wingo heeft het gestolen of iemand heeft het van hem afgepakt.'

'En waarom vertel je ons dit eigenlijk allemaal?' zei Sean. 'Ik kan me niet voorstellen dat dit komt door de welbespraakte manier waarop mijn partner je vertelde dat je iets in je... ach, je weet wel.'

'Het kwam niet door haar welbespraaktheid, hoewel die wel goed was, moet ik toegeven. Nee, het was de jongen.'

'Wat is er met hem?' vroeg Sean.

'De enige mensen met wie hij wil praten, zijn jullie. En we hebben hem nodig. Tenminste, de FBI denkt dat dit zo is, om dit tot op de bodem uit te zoeken. Hij is tenslotte de enige manier waarop we zijn vader kunnen bereiken. En de FBI wil niet dat het lijkt alsof we een tiener hard aanpakken die onlangs zijn vader in een oorlogsgebied is kwijtgeraakt.'

'En dat betekent dat jullie ons nodig hebben,' zei Michelle.

'Voorlopig wel,' antwoordde Littlefield met een stijve glimlach. 'Tot we jullie niét meer nodig hebben.' Hij stond op. 'Kom, we gaan.'

'Waarnaartoe?' vroeg Sean.

'Naar de Man.'

'De directeur van de FBI?' vroeg Michelle.

'Hoger,' zei Littlefield vaag. 'Veel hoger.'

# 42

'Gefeliciteerd, hij is helemaal van jou,' zei de man.

Alan Grant gaf de man een hand en keek op naar het gebouw dat hij zojuist had gekocht. Het was een oud AM-radiostation op het platteland in het westen van Fairfax County inclusief een zestig meter hoge zendmast. Het had ooit op zwakke AM-frequenties de prijzen van granen en vee, het plaatselijke nieuws en het weer uitgezonden, maar was nu al jaren niet meer in gebruik.

De man keek naar Grant. 'Dit ding is een soort historisch monument in dit gebied.'

'Dat geloof ik graag,' zei Grant.

'Ik hoop dat je het niet wilt laten slopen.'

'Dat zou niet in me opkomen,' zei Grant.

'Ga je je eigen radiozender beginnen? Dan heb je nog heel wat te regelen met de FCC, de Federale Communicatie Commissie.'

'Heb het allemaal geregeld, bedankt.'

Daarop liep de man naar zijn auto en reed weg.

Grant bleef alleen achter met zijn ongebruikelijke aankoop. Hij liep eromheen, bleef staan bij de zestig meter hoge toren en keek omhoog. Bepaalde stukken waren verroest en enkele onderdelen moesten gerepareerd worden. Hij was al in het gebouw geweest; het was opgetrokken uit stenen en had een gedeeltelijk verrotte voordeur. Er zat loodverf op en het had dakplaten van asbest, maar dat was ook geen probleem. Hij hoefde niets te veranderen aan de constructie van het gebouw, maar wel moest hij andere veranderingen laten aanbrengen; heel veel zelfs. En dat moest snel gebeuren.

Hij keek op zijn horloge en verstuurde een sms.

Vijf minuten later reden er twee vrachtwagens met oplegger via de bochtige weg naar het gebouw. In de cabine van elk van de beide voertuigen zaten drie mannen. De wagens stopten en de mannen sprongen eruit. Ze openden de achterdeuren van beide opleggers en daar sprongen ook nog eens vijf mannen uit. Ze waren nu met zestien man, zodat het werk niet veel tijd in beslag zou nemen.

De laadklep van de beide opleggers werd neergelaten en de mannen begonnen de bouwmaterialen uit te laden.

Grant deed de deur van het station van het slot en de mannen droegen alle materialen, waaronder twee generatoren op gas, naar binnen.

Grant overlegde even met zijn voorman. Daarna liep hij om het station heen en gaf aanwijzingen over de plaats waar de bouwmaterialen moesten worden neergelegd. Een paar mannen begonnen met het opruimen van het radiostation en brachten al het afval en andere rotzooi naar de opleggers. De mannen werkten gestaag en systematisch door, en zes uur later bevond alles wat in het gebouw aanwezig was geweest, zich in de opleggers en alles wat in de opleggers had gezeten, was nu in het station geplaatst.

Grant stond in de voormalige hal van het radiostation en bekeek een paar bouwtekeningen die waren uitgespreid op een lang stuk multiplex dat op een paar schragen lag. Hij overlegde met de voorman en maakte aantekeningen op de bouwtekeningen en deed een paar suggesties.

Ze hadden een strakke planning en Grant was dan ook blij toen hij het gedreun van allerlei elektrisch gereedschap hoorde. De mannen waren dus al begonnen met de renovatie van het gebouw.

Weer liep hij samen met de voorman naar de plek waar de vestibules zouden komen. 'Vijf lagen *SID*,' zei hij, waarmee hij verwees naar *security in depth*, uitgebreide IT-beveiligingsmaatregelen. 'Van de versterkte buitenkant van de kern tot laag vijf.'

De andere man knikte en wees naar een paar plekken. 'Intrusiedetectiepunten.'

Grant knikte en wees nog een paar plekken aan. Ze zouden dit project van zes kanten benaderen: de vier muren, het plafond en de vloer. Het bouwwerk zou precies van de vloer tot het plafond lopen. Tussen de eerste en tweede laag gipsplaat zou speciale warmte- en geluidsisolatie worden aangebracht, afgewerkt met eersteklasmultiplex. Bovendien zou er tussen de eerste en tweede laag gipsplaat speciaal geluidsisolatiemateriaal worden gezet, met daaroverheen brandvrij multiplex.

Alles wat deze beveiligde ruimte binnenkwam, zoals buizen en leidingen, zou worden afgewerkt met akoestisch schuim. Alle bedrading zat in een metalen buis om binnendringing te voorkomen. Alle leidingen die naar binnen gingen, kwamen op één punt bij elkaar en werden helemaal verzegeld zodat ongeautoriseerde, elektronische surveillance onmogelijk was.

De ramen zouden worden afgedekt en geseald, zodat ze niet konden worden geopend. Ze zouden worden voorzien van een alarminstallatie

211

en dusdanig worden uitgerust dat ze voldeden aan de eisen voor een TEMPEST-certificaat en waren dus afluister- en hackproof; dat gold trouwens voor het hele gebouw. Aan de achterkant kwam één nooduitgang zonder grendels of scharnieren aan de buitenkant, met een paniekontgrendeling binnen en een altijd werkende alarminstallatie met lokale melding.

Alle deuren zouden bijna vijf centimeter dik zijn, gemaakt van 1,2 centimeter dik plaatstaal, met geluidwerende, akoestische borstels en rubber strips. De deuren zouden vanzelf dichtgaan en in het slot vallen, worden voorzien van RF-bescherming en worden aangesloten op een alarminstallatie.

Grant bleef door het gebouw lopen en stelde zich voor hoe het er hier binnenkort zou uitzien. Bewegingsmelders, noodaggregaten en een complexe toegangscontrole. Niemand zonder sleutelkaart, pincode en de vereiste biometrische kenmerken zou worden toegelaten. Ieder ander die het gebouw zou naderen zou geen fijne tijd hebben.

Tweehonderd meter rondom het gebouw zou een hek worden geplaatst met een bewaker bij de entree. Vijfhonderd meter rondom het gebouw werd de bewaking aangevuld met ingegraven sensoren, laserstralen, camera's en wat Grant hier verder maar kon gebruiken om indringers te ontdekken.

De buitenkant van het gebouw zou worden voorzien van geluidsgeneratoren en geluid maskerende apparatuur waardoor elke poging om gevoelige informatie te verkrijgen zou mislukken.

Grant liep naar het midden van het gebouw en stelde zich voor waar de 'kluis' zou komen. Dat werd een met staal beklede, modulaire ruimte met een klasse 6-toegangsdeur. Dit was de kern van de operatie; een operatie die al heel binnenkort zou plaatsvinden.

Hij liep naar buiten en bekeek de omgeving. De beste plek voor dit soort faciliteiten was een legerbasis waar je de beschikking had over een trouw responsteam. Maar dat had Grant niet. Hij moest het doen met wat hij had; hij zou het dus zonder leger moeten stellen.

Hij keek naar de zendmast. Binnenkort zouden er enkele satellietschotels aan hangen. Die zouden allemaal informatie verzenden en ontvangen via een betonnen, elektronische pijpleiding volgens Grants eigen ontwerp. Met die technologie had hij in de zakenwereld miljoenen kunnen verdienen, want tot nu toe was niemand erin geslaagd elektronische data te beveiligen die met een mobiele telefoon van punt a naar punt b werden verstuurd.

Misschien zouden oorlogen in de toekomst nog steeds worden uitgevochten in de modder en in de lucht en op zee, maar de meest kritieke confrontaties zouden waarschijnlijk plaatsvinden in cyberspace. Landen zouden legers met cybersoldaten inzetten om aanvallen te plegen op de infrastructuur, hoogspanningsleidingen, financiële markten, transportcentra en energiecentrales van andere landen. Dit alles door één klik op het toetsenbord van een computer in plaats van een trekker over te halen of een bom te laten vallen.

Wat Grant aan het doen was, leek op dit soort futuristische oorlogvoering. Maar zijn doelwit was heel specifiek. Specifieker kon eigenlijk niet.

Nadat hij nog een paar minuten met zijn mannen had gepraat, reed hij weg. Tevreden zag hij dat al was begonnen met de aanleg van de beveiliging van het terrein. Grant had bij het gebouw veertig hectare grond gekocht, zodat het dichtstbijzijnde huis of bedrijf kilometers verderop stond. Hij was erg gesteld op zijn privacy.

Zodra hij de hoofdweg had bereikt, ging hij sneller rijden. Hij zette de radio aan en een paar seconden later had hij de zender gevonden die steeds op het hele uur een nieuwsuitzending uitzond. Hij wachtte tot het hele uur en glimlachte toen het belangrijkste nieuws werd gemeld.

Het was het oude verhaal van een miljard ontbrekende euro's plus een vermiste soldaat. Maar inmiddels bevatte dit verhaal nieuwe elementen. De nieuwslezer zweeg even om de spanning te verhogen en vertelde toen enthousiast:

'Zojuist is informatie bekend geworden die kan wijzen op een illegale samenzwering binnen de hoogste regionen van de Amerikaanse overheid die ernstige internationale gevolgen kan hebben.'

Grant was blij dat het verhaal compleet was en alle opvallende en prikkelende punten bevatte waarop hij had gehoopt toen hij dit had laten uitlekken.

Hij zette de radio uit en gaf gas. Hij moest vertrouwelijke informatie kopen. Ach, als je genoeg geld had, was er niets meer wat echt geheim kon worden gehouden.

# 43

Ze reden nu in het centrum van D.C. en de auto die Wingo volgde, reed een parkeergarage in. Wingo aarzelde even, maar ging er toen achteraan. Het was een openbare parkeergarage, waar je eerst een kaartje moest trekken voordat de slagboom omhoogging. Wingo zette zijn auto ongeveer zes plaatsen verder neer dan de andere man.

Daarna werd het lastig. Er waren een paar liften en er stonden al mensen op de eerstvolgende lift te wachten. De man liep naar de rij toe en Wingo liep achter hem aan. Hij trok zijn honkbalpetje naar beneden en zette zijn zonnebril op. Hij was niet van plan die af te zetten. Hij had zijn uiterlijk weliswaar veranderd sinds hij Afghanistan had verlaten, maar hij kon niet het risico lopen gezien te worden.

De groep mensen stapte de lift in. Deze ging niet verder dan de lobby, waar iedereen in een andere lift stapte. Wingo stond achterin en zag dat de man die hij volgde op het knopje van de zesde verdieping drukte. Toen de liftdeuren op die verdieping opengingen, stapten er nog meer mensen uit. Wingo was de laatste die naar buiten kwam. Hij keek naar de man die door de gang liep en vervolgens links afsloeg. Wingo liep achter hem aan en bleef staan toen de gang zich splitste.

Hij zag dat de man ergens naar binnen liep en dat de deur achter hem dichtging. Wingo liep erlangs en keek naar het naambordje op de muur naast de deur: VISTA TRADING GROUP, BV.

Wingo liep door, maar bleef iets verderop staan en vroeg zich af wat hij moest doen. Hij had een pistool. Hij zou naar binnen kunnen stormen en de man arresteren; een burgerarrest. Maar dat zou natuurlijk ontzettend stom zijn. Hij had geen bewijzen; hij werd zelf gezocht door de politie en hij had geen vergunning voor zijn pistool. Als de politie dan kwam, zou hij degene zijn die ze zouden arresteren.

Hij ging weer met de lift naar beneden en liep terug naar zijn huurauto. Hij zocht op internet naar de Vista Trading Group, bv. De website vond hij al snel, maar daar werd hij niet veel wijzer van. Ze waren als consultants betrokken bij beveiliging in de militaire sector. Hij keek naar de personeelsleden, maar de foto van de man die hij had gevolgd stond er niet bij. Misschien was hij daar alleen maar naartoe gegaan voor een bespreking en werkte hij daar helemaal niet, dacht Wingo.

Dit leverde dus niets op, maar Wingo wilde het er niet bij laten zitten. Hij zou op straat wachten en als de man wegging, zou hij hem verder volgen.

Op dat moment zag hij een winkel aan de overkant. Hij stapte uit, rende ernaartoe en ging naar binnen. Een halfuur later kwam hij terug en liep de parkeergarage in.

Hij liep naar de auto van de man, keek om zich heen om te controleren of er niemand keek en bevestigde het zendertje onder de bumper van de auto.

Snel verliet Wingo de garage en liep terug naar zijn auto. Hij stapte in en zette het apparaatje aan dat hij zojuist had gekocht. De winkel verkocht politiescanners, draagbare, elektronische metaaldetectoren, handboeien en gummiknuppels. En zendertjes.

Een uur later reed de man de garage uit en passeerde Wingo's auto. Wingo had in zijn zijspiegel gekeken en was onderuitgezakt voordat de man hem voorbijreed.

Hij zette de auto in de versnelling en volgde hem. Hij verloor de auto een paar keer uit het oog in het drukke verkeer en ook een keer toen hij voor een verkeerslicht moest stoppen. Maar dankzij het zendertje vond hij hem steeds weer terug.

Het was nu spitsuur en het was druk op de weg, zodat er niet snel werd gereden. Wingo hield de auto die voor hem reed goed in de gaten. Hij vermoedde dat de man naar Dulles Airport reed, want zo te zien was hij op weg naar Interstate 66 die naar Dulles Toll Road in Virginia leidde. Als dat inderdaad zijn bestemming was, wist Wingo niet goed wat hij moest doen.

Toen hij in zijn achteruitkijkspiegel keek, realiseerde hij zich opeens dat hij nu iets zou moeten doen. Iets drastisch. Het zag ernaar uit dat terwijl hij die man volgde, iemand anders hem volgde.

Een suv. Zwart. Getinte ramen. De Feds hadden honderden van dat soort auto's. Waren zij dat die achter hem reden? Zijn eigen mensen? Nadat ze hem aan de andere kant van de wereld hadden genaaid?

Hij verloor de auto voor hem uit het oog toen hij besloot om links af te slaan. Hij bedacht dat het beter was om te blijven leven dan om de andere auto te blijven volgen.

De suv sloeg ook links af.

Oké, dat was duidelijk, dacht Wingo. Hij kon bijna horen dat de camera foto's maakte van zijn auto, zijn nummerborden en zijn achterhoofd.

Als het echt de Feds waren die achter hem aan zaten, dan konden ze hem aanhouden, met hun badges zwaaien en hem voor altijd doen verdwijnen. Dan zou hij Tyler nooit terugzien. Dan zou hij zijn onschuld nooit kunnen bewijzen.

Hij gaf gas, sloeg rechts af en toen snel links af. De suv deed precies hetzelfde. Hij trapte het gaspedaal in en nam het risico dat hij werd aangehouden voor te snel rijden. Hij keek naar voren en vervolgens naar links.

Links zag er veelbelovend uit en wel om drie redenen: het verkeer, een verkeerslicht dat op het punt stond op rood te springen en, het allerbelangrijkst, een vrachtwagen met oplegger die op het punt stond een grote bocht te maken.

Wingo gaf een ruk aan het stuur en sloeg links af. Hij trapte het gaspedaal in en keek tegelijkertijd in de achteruitkijkspiegel. De suv zat vlak achter hem. Ze waren kennelijk van plan een einde aan deze achtervolging te maken. Maar Wingo had een voorsprong van een paar seconden en die zou hij allemaal nodig hebben. Hij schatte de timing van het verkeerslicht, de auto's die van alle kanten kwamen en de grote combinatie die links afsloeg.

Het licht sprong op oranje. Eén auto reed rechtdoor de kruising over om niet voor het rode licht te hoeven stoppen. Wingo wilde niet rechtdoor. Hij wilde linksaf. En hij was niet van plan op die combinatie te wachten. Sterker nog, hij was van plan er vlak voorlangs te schieten.

Hij trapte het gaspedaal diep in toen het oranje licht begon te knipperen.

Rood, we komen eraan!

Hij gaf plankgas en rukte zijn stuur keihard naar links.

Hij vloog voor de combinatie de kruising over. De vrachtwagenchauffeur trapte keihard op de rem, rukte zijn stuur naar rechts en begon te toeteren. De oplegger schoof opzij.

Het licht sprong op rood. Het tegemoetkomende verkeer trok op, maar kon niet doorrijden. De grote combinatie blokkeerde de hele kruising. Van alle kanten klonk getoeter. Wingo twijfelde er niet aan of de vrachtwagenchauffeur hem een paar scheldwoorden achternaschreeuwde.

Maar Wingo zat met een brede glimlach achter het stuur en sloeg nog een keer rechts af. Nadat hij even later weer links af was geslagen, reed hij snel terug naar zijn hotel. En wanneer ze het kenteken zouden natrekken, en dat zouden ze zeker doen, zou dat leiden naar een autowrak op het terrein in D.C.

*Deze ronde is voor mij.*

# 44

De helikopter vloog boven het platteland van Maryland.

Sean keek door het raampje naar beneden. 'Verdomme!' mompelde hij.

Michelle zat naast hem. 'Wat is er? Hou je niet van vliegen in een heli?' vroeg ze sarcastisch. Ze wist heel goed dat Sean in zijn Secret Service-tijd in meer helikopters had gevlogen dan wie dan ook buiten het leger.

'Ik hou niet van onze eindbestemming.'

'En die is?'

'Camp David.'

Michelle keek hem aan, leunde over hem heen en keek naar buiten. 'Verdomme!' zei ze.

'Ik dacht dat ik dat al had gezegd,' vuurde Sean terug.

Ze liet zich weer in haar stoel vallen. 'We gaan dus naar de POTUS? Dus híj is de Man?'

'Kennelijk.'

'Herinner je je de laatste Amerikaanse president die je hebt ontmoet?'

'Ik hoop dat deze een beetje beter is.'

Nadat de helikopter was geland, werden ze geëscorteerd naar het hoofdgebouw van het zwaarbewaakte Camp David. Deze basis was ver- noemd naar de kleinzoon van Dwight Eisenhower en bevond zich in de Catocin Mountains in Maryland.

Ze werden naar een groot vertrek met knoestige, grenen wanden ge- bracht.

'Heb je ooit in Camp David aan persoonsbeveiliging gedaan?' vroeg Sean aan Michelle.

'Eén keer. Ik heb de koning van Jordanië hier zien golfen op de ene hole die ze hier hebben. Dan kijk je liever naar melk die begint te schif- ten.'

'Dat geloof ik graag,' zei een man.

Sean en Michelle sprongen instinctief overeind toen de man het ver- trek binnenkwam. Oude gewoonten leer je niet snel af.

President John Cole was ongeveer één meter tweeëntachtig, vijfenvijftig en had kennelijk moeite op gewicht te blijven. Toch had hij brede schouders, was hij op een ruige manier knap, had hij een aanstekelijke glimlach en straalde hij een indrukwekkende gezondheid en zelfvertrouwen uit.

'Meneer de president,' zei Sean, terwijl Michelle vol respect knikte.

'Ga alsjeblieft zitten,' zei Cole.

Sean en Michelle keken naar de twee Secret Service-agenten die Cole begeleidden. Ze waren kennelijk op de hoogte van het Secret Service-verleden van Sean en Michelle, en Michelle zag zelfs dat een van hen een vroegere collega van haar was. Maar ze wisten ook dat beide agenten hen met wantrouwen zouden benaderen en er geen enkel probleem mee zouden hebben om een kogel door hun hoofd te schieten, wanneer de omstandigheden een dergelijke, extreme actie zouden rechtvaardigen.

De president was informeel gekleed in een sportbroek, een poloshirt en een blauwe blazer. Zijn bewakers waren identiek gekleed; je kleedde je volgens de smaak van de president. Cole ging aan een bureau zitten, terwijl Sean en Michelle tegenover hem plaatsnamen.

Cole keek hen aandachtig aan. 'Ik weet dat jullie ook met mijn voorganger te maken hebben gehad.'

Sean knikte en zei: 'Helaas wel, ja.'

'De waarheid moet altijd boven tafel komen,' verkondigde Cole. 'En het publiek eist dat ook. En dat is juist.'

'Zijn we daarom hier?' vroeg Michelle.

'Ik denk dat jullie allebei weten dat dat de reden is.' Cole keek naar een van zijn bodyguards. 'Billy, jij kent mevrouw Maxwell, neem ik aan?'

Billy keek naar Michelle, glimlachte beleefd en knikte.

Michelle glimlachte niet, maar knikte kort terug.

Sean vroeg: 'Hoe kunnen we helpen?'

'Sam Wingo?'

'We weten dat hij is verdwenen.'

'Samen met een groot deel van het vermogen van dit land.'

'We werken voor zijn zoon.'

'Ik ben ervan overtuigd dat de jongeman zich grote zorgen maakt om zijn vader.'

'En u maakt zich grote zorgen omdat de man misschien een verrader, een moordenaar en een dief is?' zei Sean.

Cole legde zijn voeten op zijn bureau en plaatste zijn vingertoppen tegen elkaar. 'Ik had niet voorzien dat dit tijdens mijn eerste jaar zou gebeuren. Er is heel veel dat ik wil doen. Ik heb wat politiek kapitaal waarmee ik dat kan doen. Dit soort potentiële schandalen neemt me alle wind uit de zeilen. De media zijn al aan het speculeren geslagen. Mijn vrienden aan de andere kant van het gangpad ruiken bloed en cirkelen al rond. Ik zeg niets. Wil afwachten hoe het uitpakt. Op een bepaald moment zal ik een verklaring moeten afleggen. Maar voordat ik dat doe, wil ik graag iets te zeggen hebben; iets positiefs bedoel ik dan. En op dit moment heb ik dat niet.'

'Waar had dat geld naartoe moeten gaan?' vroeg Sean. 'Wij hebben begrepen dat een stelletje islamitische rebellen uit een onbekend land dood op de rendez-vousplek is gevonden.'

'Wij noemen hen liever vrijheidsstrijders,' zei Cole. 'Hoewel het daar zo is dat je bondgenoot tijdens het ontbijt je vijand is tijdens het avond-eten, dus weet ik niet zeker hoe toepasselijk die benaming is. Deson-danks heb ik dat bedje gespreid en dus zal ik er nu ook in moeten liggen.'

Sean zei: 'Dus het geld was voor hen bedoeld. Om hen te helpen een islamitische regering te bevechten? Welke?'

'Ik kan jullie de naam van dat land niet vertellen. Dat spijt me. Jullie zouden dit allemaal niet eens weten als jullie niet die bijzondere relatie met Tyler Wingo hadden.'

'En u hebt hem nodig?' vroeg Michelle.

'Ik heb zijn vader nodig. Ik heb zijn vader nodig om me te vertellen waar dat geld verdomme is en wat er daar verdomme allemaal is ge-beurd. Als hij zich tegen ons heeft gekeerd, dan moeten we hem in de val laten lopen en zien uit te vinden waar het geld is. Als hij onschuldig is, dan hebben we hem ook nodig. Dan moet hij zich persoonlijk melden en vertellen wat er is gebeurd.'

'Denkt u dat hij onschuldig is?' vroeg Sean.

'Hier denken negen van de tien dat hij schuldig is,' zei Cole eerlijk. 'Zelf weet ik het niet. Hij is gescreend voor die missie. Scoorde beter dan ieder ander. Enorme vaderlandsliefde. Maar de tijd zal het leren. Het geld is weg. De vrijheidsstrijders zijn dood. En hoe langer Wingo weg-blijft, hoe sterker we ervan uit zullen gaan dat hij tegen ons is. Zo zit een mens nu eenmaal in elkaar.'

'Misschien durft hij niet te komen,' zei Michelle. 'Hij denkt misschien dat hij erin is geluisd en weet nu niet wie hij kan vertrouwen.'

'Heeft hij contact opgenomen met iemand van het ministerie van De-fensie?' vroeg Sean.

'Met zijn leidinggevende, kolonel South.'

'En wat zei hij tegen South?' vroeg Michelle.

'Hij zei tegen South dat hij erin was geluisd. Dat iemand die kennelijk van de CIA was hem op de rendez-vousplek opwachtte, tegen hem zei dat de missie was veranderd en het geld opeiste. En dat hij onder schot werd gehouden.'

'Was die man inderdaad van de CIA?' vroeg Sean.

'Nee, voor zover wij hebben kunnen nagaan niet. Wingo was gedetacheerd bij de DIA. En hoewel de DIA nauw samenwerkt met de CIA, was dat in dit geval niet zo. Het was een kleine gesloten kring: de DIA en ik. En hoewel het waar is dat Langley altijd meer budget eist, kan ik niet geloven dat zij hun toevlucht zouden nemen tot het stelen van geld van Jantje, om Pietje te betalen om het te verkrijgen,' voegde Cole er droog aan toe.

'Heeft Wingo aan South laten doorschemeren waar hij naartoe wilde of wat hij wilde doen?' vroeg Michelle.

'Kennelijk wil hij zijn onschuld bewijzen. Waar dat hem naartoe brengt, geen idee.'

'Dat hangt er waarschijnlijk gedeeltelijk vanaf wie hem erin heeft geluisd,' zei Sean.

'Als iemand hem erin heeft geluisd,' verbeterde Cole. 'Daar hebben we alleen zijn woord voor. En ik ben nog steeds één miljard euro kwijt.'

'En als extra dekmantel werden er euro's gebruikt,' zei Michelle.

'Dollars hadden misschien een beetje te voor de hand gelegen. En er was een bijzonder praktische reden voor. Eén miljard in biljetten van honderd dollar, en dat is de grootste coupure die we gebruiken, zou veel meer hebben gewogen dan tweeduizend kilo.'

'Wat ons weer terugbrengt bij de vraag wat u wilt dat wij doen,' zei Sean.

'Tyler Wingo vertrouwt jullie. Wij denken dat zijn vader opnieuw zal proberen contact met hem op te nemen. Ze zullen elkaar willen zien. En als ze dat doen, moeten wij daar ook zijn.'

'Dus u wilt dat wij Sam Wingo aan u uitleveren en zijn zoon gebruiken om dat te kunnen doen?' vroeg Michelle.

'Dat is wel het plan, ja. Ik heb gehoord dat de jongen niets aan mijn mensen wil vertellen. Jullie zijn de enigen die hij vertrouwt.'

'En als we dat vertrouwen beschamen?' vroeg Michelle. Haar stem klonk zo schril dat de twee Secret Service-agenten iets dichterbij kwamen staan.

'Dat is beter dan je land verraden,' wees Cole haar terecht.

'Was Jean Wingo hierbij betrokken?' vroeg Sean.

Cole knikte, maar zei niets.

'Ze is verdwenen.'

'Dat weten we.'

'Maar is ze niet bij u gekomen?' vroeg Sean.

Cole schudde zijn hoofd.

'Dus misschien heeft ze nog een andere partner bij deze zaak.'

'Zoals Sam Wingo?' snauwde Cole.

'Dat zei ik niet.'

'Nee, dat zei ik. Oké, gaan jullie me helpen?'

Michelle keek naar Sean en Sean keek naar haar.

Hij zei: 'Dat moeten we eerst bespreken.'

'Ik kan jullie een paar minuten alleen laten,' zei Cole.

'We zullen iets meer tijd nodig hebben dan dat,' zei Michelle, terwijl Sean haar nerveus aankeek.

Cole trok zijn wenkbrauwen op en keek vervolgens lang naar het plafond. Hij stond op, met een bijzonder teleurgestelde blik op zijn gezicht. 'Ik had iets beters verwacht, werkelijk waar. Ik ging ervan uit dat jullie een rechtstreeks verzoek van jullie hoogste baas zouden inwilligen. Ik had jullie kunnen overlaten aan iemand die lager in de pikorde zit, maar ik heb jullie helemaal hiernaartoe laten vliegen om persoonlijk met jullie te kunnen praten. Om jullie te vertellen dat jullie land jullie nodig heeft.' Hij zweeg even. 'En nu zeggen jullie dat jullie het eerst moeten bespreken.' Hij schudde vol walging zijn hoofd. 'Nou, ik geloof dat ze tegenwoordig niet meer gemaakt worden, zoals vroeger.'

'We zitten tussen twee vuren, meneer de president,' zei Sean. 'Het is niet zo eenvoudig als het misschien lijkt.'

'Billy hier laat jullie wel uit. Bedankt dat jullie zo goed waren om naar me te luisteren. Ik wacht jullie... antwoord wel af.'

Na dit bruuske bevel om te vertrekken, liepen Sean en Michelle naar de deur.

Terwijl Billy met hen door de gang liep, vroeg Michelle: 'Hoe gaat het met je gezin, Billy?'

'Goed.'

'Ik herinner me dat je vrouw een zware zwangerschap had.'

'Het gaat goed met haar.'

'Oké.' Michelle wachtte, maar hij vroeg haar niets.

Ten slotte zei ze: 'Weet je, met mij gaat het ook goed.'

Ze stapten weer in de helikopter. Zodra de deur dicht was, steeg hij op.

Sean en Michelle gingen in hun stoelen zitten en maakten hun riemen vast.

'Nou, nu weet ik hoe het voelt om een uitbrander van de president te krijgen,' zei ze.

Sean haalde zijn schouders op. 'Wat had je dan verwacht? Een me-

221

daille voor goed gedrag? Zijn positie staat op het spel. Hij is op zoek naar een manier om de dans te ontspringen. Daarom heeft hij de normale, hiërarchische structuur doorbroken.'

'En is het soms onze schuld dat deze puinzooi is ontstaan?'

'Wij zijn er vrijwillig ingestapt, dus ik zou willen zeggen dat we in elk geval gedeeltelijk verantwoordelijk zijn.'

'We hielpen een jongen zijn vader te zoeken, Sean. Ik had nooit verwacht dat dit een internationaal incident zou worden.'

Hij slaakte een zucht. 'Dat weet ik. Ik ook niet. Maar nu hebben we ervoor gezorgd dat de machtigste man ter wereld kwaad op ons is. Dat is een reden tot zorg, vind ik. Een belangrijke reden tot zorg.'

# 45

Terug in het hoofdkwartier van de FBI vroeg Sean aan agent Littlefield of ze Tyler mochten zien.

Littlefields blik voorspelde niet veel goeds.

Sean zei kwaad: 'Luister, je hebt het recht niet ons bij hem weg te houden. Hij is waarschijnlijk doodsbang op dit moment.'

'Ik zou het niet weten,' zei Littlefield ontwijkend.

Michelle vroeg: 'Waarom dan niet? Kun je het niet even vragen?'

Littlefield zei niets. Hij keek eenvoudigweg naar het plafond en leek net te doen alsof hij niet wist dat Sean en Michelle er waren.

Sean keek haar aan. 'Volgens mij stuurt hij ons een telepathische boodschap.'

'Oké, dan moeten we maar eens zien of we dat signaal kunnen opvangen.' Ze legde een vinger op haar voorhoofd en sloot haar ogen. 'Wacht, wacht, oké, ik krijg iets binnen.' Ze bukte zich en keek Littlefield strak aan, met haar handen op haar heupen. 'Hoe is de FBI er in vredesnaam in geslaagd een jochie van zestien kwijt te raken?'

Nu keek Littlefield haar aan. 'We hadden geen reden om aan te nemen dat hij zou proberen om te ontsnappen.'

'En jullie hadden ook geen reden om aan te nemen dat hij dat niet zou doen,' zei Sean. 'Maar uit het WFO, het Washington Field Office van de FBI? Dat meen je niet!'

'Hoe?' wilde Michelle weten.

'Is dat belangrijk?' vroeg Littlefield.

'Misschien helpt het ons hem te vinden.'

Littlefield zakte onderuit in zijn stoel. 'Hij zei dat hij honger had. Wilde een hotdog en friet kopen, bij de kraam buiten. Hij wilde ook wat frisse lucht. Ik stuurde een van de ouwe garde met hem mee. Onze man had twee hotdogs en een zak friet in zijn handen en wilde net betalen toen die jongen rennend de straat overstak en er als een speer vandoor ging. Midden in de spits. Nog geen minuut later was hij verdwenen. Onze man zei dat de jongen keihard kon rennen.'

'Ja natuurlijk! Hij is zestien en heeft lange benen,' zei Michelle. 'En hij

223

zit in een zwemteam, wat betekent dat hij uithoudingsvermogen heeft. Maar ik ben ervan overtuigd dat jullie dat ook allemaal weten, zodat ik me afvraag waarom je een ouwe vent met hem mee liet gaan!'

'Hij was niet gearresteerd. Hij zat niet gevangen.'

'Het was jullie taak voor zijn veiligheid te zorgen. Hij kan nu overal zijn,' zei Michelle. 'Of dood.'

'Oké, ik weet het,' zei Littlefield ellendig. 'Ik heb het verpest.' Hij keek van de een naar de ander. 'Dus wat doen we nu?'

'Nu moeten we Tyler vinden voordat iemand anders dat doet,' zei Sean. Hij voegde eraan toe: 'Ik neem aan dat we vrij zijn om te gaan?'

'Voorlopig wel. Maar ik zou me een stuk beter voelen als ik een paar agenten met jullie mee liet gaan. Voor jullie persoonlijke bescherming natuurlijk.'

'Ik wil je niet beledigen, hoor,' zei Michelle. 'Maar de Secret Service is veel beter in persoonsbescherming dan jullie; wij kunnen het dus alleen wel af.'

'Wat wilde de president eigenlijk van jullie?' vroeg Littlefield.

Michelle zei: 'Hij wilde ons feliciteren met alles wat we tot nu toe hebben bereikt.'

'Hou die onzin maar voor je! Wat wilde hij?'

'Hij wil dat we iets doen,' zei Sean. 'En daar denken we nog over na.'

'De president vraagt jullie iets te doen en jullie denken er nog over na?' vroeg Littlefield ongelovig.

'Weet je,' zei Michelle, 'zo klonk hij ook. Nou, pas goed op jezelf; wij zijn weg.' Ze legde haar hand op de deurknop en keek naar Sean. Het leek alsof ze een onzichtbare boodschap aan elkaar overbrachten.

Sean zei: 'We houden je wel op de hoogte van ons onderzoek, als jij dat ook doet.'

'Je weet dat ik dat niet kan toezeggen,' zei Littlefield.

'Goed,' zei Sean. 'Dan houden we jou ook niet op de hoogte van onze vorderingen.'

Ze vertrokken.

Toen ze door de gang liepen, vroeg Michelle: 'Waar denk je dat Tyler naartoe is gegaan?'

'Hij had een mailtje van zijn vader. Ik denk dat hij er weer een heeft gekregen.' Sean haalde zijn mobiele telefoon al uit zijn zak en controleerde het 'achterdeurtje' dat hij had ingebouwd op Tylers Gmailaccount. 'En hier is ie dan. En helaas is hij niet gecodeerd.'

'Waarom helaas?' vroeg Michelle. 'Als het niet gecodeerd is, zouden we het bericht moeten snappen, zelfs zonder Edgar.'

'Ja, dat zou je wel denken, hè?' Hij gaf haar de telefoon.

Ze keek naar het scherm en las de korte tekst.

*Vanavond om tien uur. Gebruikelijke plek.*

'Gebruikelijke plek,' zei Michelle met gefronste wenkbrauwen.

'Schijnbaar duidelijke informatie zonder context is veel beter dan code,' zei Sean. 'Er is geen logische manier om dit te ontcijferen, omdat we niet weten waar die gebruikelijke plek is.'

'Natuurlijk wel,' zei Michelle en ze gooide zijn telefoon weer naar hem toe.

Hij ving hem op en keek naar haar, terwijl zij snel het WFO uitliep.

Ze moesten met een taxi terug naar Seans huis, omdat de FBI, of eigenlijk Littlefield, had geweigerd hen terug te brengen.

Michelle zat ongeduldig op de achterbank en probeerde de taxichauffeur over te halen door rood te rijden, de maximumsnelheid te overschrijden en auto's die weigerden opzij te gaan van de weg te duwen.

'Met andere woorden,' zei Sean, 'je wilt dat hij net zo rijdt als jij.'

'Ja, eigenlijk wel.'

'En waarom heb je zo'n haast?'

'Ik heb een idee. We moeten met iemand praten.'

'Met wie?'

'Met de enige die ons wat van de context kan geven en ons kan helpen die mail te begrijpen.'

Bij Seans huis stapten ze meteen in Michelles Land Cruiser. Sean moest de troep van de vloer opzij schoppen om zijn voeten ergens neer te kunnen zetten. Een deel van de rommel viel op de oprit voordat hij het portier dichtsloeg. 'Het is maar dat je het weet,' zei hij, 'maar ik ga dat dus niet oprapen.'

'Goed van je, Sean! Blij te zien dat je een beetje minder last hebt van je compulsieve opruimwoede. Daaruit blijkt persoonlijke groei en volwassenheid.'

'Je weet dat het niet mijn opr...' Hij maakte zijn zin niet af, want ze reed de auto met een snelheid van honderd kilometer per uur achteruit de oprit af, voordat ze hem in de versnelling zette en wegspoot.

Ze trommelde met haar vingers op het stuur, bewoog haar hoofd heen en weer en glimlachte.

'Je krijgt hier echt een kick van, hè?' zei hij.

'Waarvan?'

'Snelheid, gevaar, stom doen.'

'Dat laatste snap ik niet.'

'Oké, die context? Vertel op.'

'Kathy Burnett. Ze zijn samen opgegroeid. Ze hebben een goede band. Ik durf te wedden dat als iemand ons kan vertellen waar die "gebruikelijke plek" van Tyler en zijn vader is, zij dat is.'

'Dat is inderdaad heel slim, Michelle,' zei hij.

'Vond ik ook.' Ze keek hem aan. 'Maar als we goed gokken en Sam Wingo inderdaad ontmoeten, wat doen we dan?'

'Ik heb diverse mogelijkheden overwogen. Hij wordt officieel gezocht door de autoriteiten. Onze plicht is wel duidelijk.'

'Onze plicht is nooit duidelijk.'

'Dat is heel erg waar,' beaamde hij.

'Dus nogmaals, wat doen we dan?'

'Ik heb geen duidelijk antwoord. Heel veel hangt af van het verhaal van Sam Wingo.'

'Hij is van de Special Forces, Sean. Geselecteerd voor een heel erg geheim project. Bovendien heeft hij wat eruitziet als een hinderlaag overleefd en er zijn heel veel mensen dood. Die man heeft zeker weten buitengewone vaardigheden. Als hij de verkeerde kant heeft gekozen...'

'Dan moeten we heel voorzichtig zijn.'

'Misschien wel meer dan dat.'

Hij keek naar haar. 'Wat bedoel je?'

'Sean, we moeten er misschien op voorbereid zijn dat we hem moeten ombrengen. Voordat hij ons ombrengt.'

'Hem ombrengen? In het bijzijn van zijn zoon?'

'Dat heeft natuurlijk niet mijn voorkeur.'

Sean staarde naar het landschap dat met een snelheid van honderdtwintig kilometer per uur aan hem voorbijgleed.

# 46

'Gebruikelijke plek?' echode Kathy Burnett. Ze stond op haar veranda tegenover Sean en Michelle.

Ze waren hier ongelofelijk snel naartoe gereden. Eén keer dacht Sean dat een politieagent de jacht zou inzetten toen ze langs hem heen vlogen, maar hij bleef gewoon waar hij was. Sean dacht dat dit misschien kwam doordat de agent betwijfelde of hij hen zou kunnen inhalen.

'Inderdaad. De gebruikelijke plek,' zei Michelle. 'Een plek waar Tyler en zijn vader elkaar altijd troffen. Om elkaar te ontmoeten, met elkaar te praten of samen iets te doen?'

'Waarom vragen jullie het niet gewoon aan Tyler?' zei ze, een beetje argwanend, vond Sean.

Voordat Michelle iets kon zeggen, antwoordde hij: 'Dit is voor de toekomst, Kathy. Gewoon achtergrondinformatie verzamelen, zoals iedere detective doet. We stellen altijd een dossier samen over iedereen, en daarbij hoort wat ze wel en niet leuk vinden, hun hobby's, hun gebruikelijke ontmoetingsplaatsen. Dat is op dit moment misschien niet belangrijk, maar later misschien wel. Dit is vooral voor Tylers eigen veiligheid.'

Michelle keek hem aan, maar Seans blik bleef gericht op Kathy. Hij hoopte dat ze niet al te diep zou nadenken over zijn misschien iets te uitgebreide uitleg, want als ze dat wel deed zou ze zich realiseren dat het nergens op sloeg.

Kathy knikte langzaam. 'Oké, dat snap ik wel, denk ik.'

Sean slaakte een onhoorbare zucht van opluchting. 'Maar er schiet je zo niets te binnen?'

Michelle zei: 'Ik zag een paar hengels tegen de muur in de wasruimte staan toen ik daar was.'

Kathy leek van zichzelf te balen. 'Natuurlijk! Ze gingen heel vaak vissen op een plek langs de rivier hier in de buurt. Nou ja, eigenlijk is het niet meer dan een beekje, maar ze hebben daar weleens iets gevangen. Tyler en zijn vader gingen daar vaak naartoe om wat te kletsen. Ik ben daar twee keer samen met Tyler geweest, maar ik hou niet van vissen. Ik heb gewoon zitten kijken en we hebben gepraat.'

Sean haalde zijn notitieblokje en een pen uit zijn zak. 'Kun je ons precies vertellen waar het is?'

Dat deed ze. Daarna bedankten ze haar en liepen terug naar de Land Cruiser.

'Geef me de sleutels,' zei Sean.

'Wat?'

'De sleutels,' zei hij weer en hij knipte met zijn vingers.

'Waarom?'

'Omdat we geen tijd hebben om aangehouden te worden door de politie voor te snel of roekeloos rijden.'

'Onderweg hiernaartoe zijn we toch ook niet aangehouden?'

'Gelukkig niet. Maar daar mogen we niet weer op rekenen. Sleutels alsjeblieft!'

Ze smeet ze zo hard naar hem toe dat een van de sleutels een snee in zijn vinger maakte.

'Bedankt,' zei hij kortaf.

Ze stapten in en reden weg.

Michelle keek op haar horloge. 'Halfacht al. Het wordt krap. Je weet zeker dat je niet wilt dat ik rij?'

'Heel zeker, bedankt.'

Hij gaf gas en volgde de aanwijzingen die Michelle voorlas uit zijn aantekeningen.

'Wat is ons plan?' vroeg Michelle toen Sean links afsloeg en het gaspedaal weer intrapte.

'We moeten ervan uitgaan dat Sam Wingo gewapend en paranoïde is. Hij vertrouwt zijn zoon natuurlijk wel, maar verder niemand.'

'We kunnen niet voor rechter, jury of beul spelen, Sean, niet ter plekke.'

'Jij zei verdomme zostraks dat we hem misschien wel moeten ombrengen.'

'Ik zei ook dat ik daar niet de voorkeur aan gaf.'

'We zullen moeten zorgen dat we de situatie onder controle hebben. Daarna moeten we hem zover krijgen dat hij ons vertrouwt.'

'Volgens mij zal dat niet gemakkelijk zijn.'

'Nee, inderdaad.'

'Maar als hij is teruggekomen voor zijn zoon, dan is dat toch een behoorlijk overtuigend bewijs van zijn onschuld?'

Sean keek naar haar. 'Misschien wel. Maar het is geen overtuigend bewijs, Michelle. En vergeet niet, als hij erin is geluisd, zal degene die dat heeft gedaan niet willen dat hij terugkomt en met iedereen gaat praten.'

'En als wij daar middenin komen te zitten?'

'Daar zitten we verdomme al middenin!'

Michelle haalde haar pistool uit de holster en keek of er een kogel in de kamer zat. Daarna stopte ze hem weer terug en slaakte een diepe zucht. 'Wat doen we als Wingo niet alleen komt?'

'Wie zouden er dan nog meer moeten komen?'

'Ervan uitgaande dat hij niet onschuldig is.'

Sean knikte, met een peinzende blik. 'Het probleem is dat hij dat visstekje veel beter kent dan wij.'

'Ja, maar ik durf te wedden dat hij niet is getraind om een plek in minder dan zes seconden te scannen, zoals wij.'

'We zullen ons moeten opsplitsen. Ik ben de contactpersoon. Jij dekt me.'

'Waarom niet andersom?'

Hij glimlachte. 'Ik ben echt niet te trots om toe te geven dat jij een betere schutter bent dan ik.'

Ze keek achter zich in haar auto. 'Mijn scherpschuttersgeweer ligt achterin.'

'Goed. Dat hebben we misschien nodig.'

'Denk jij dat Tyler twijfelt aan zijn vader?'

Sean schudde zijn hoofd. 'Nee. Hij idealiseert die man, dat is wel duidelijk. Ik hoop maar dat de sergeant een echte held is.' Hij keek voor zich uit. 'Dat zullen we gauw genoeg ontdekken. Daar is de afslag naar die visstek. We zetten de auto hier neer. Ik wil niet dat Tyler je wagen ziet. We lopen terug, verkennen de omgeving, kiezen een observatiepunt en wachten.'

'Misschien is Sam Wingo hier al.'

'Ja, misschien wel. En daar kunnen we dus niets aan doen.' Hij keek haar aan. 'Kun jij het doen?'

'Wat doen?'

'De trekker overhalen en Wingo doodschieten als het nodig is? Als Tyler erbij is?'

Michelle aarzelde niet. 'Ik zal niet toelaten dat jou iets overkomt, Sean. Vertrouw daar maar op.'

# 47

De man zei: 'Dit is waardevoller dan goud, weet je dat wel? Dan platina. Dan, verdomme, dan weet ik veel!'

Alan Grant zat in de auto en keek naar hem.

'Dat begrijp ik,' zei Grant. 'Meer dan platina. En toch vraag je niet meer dan de prijs van platina. Bedankt voor die deal.'

De andere man was Milo Pratt. Hij was klein, mollig en had jaren doorgebracht op plaatsen waardoor hij het platina kon krijgen dat Grant nodig had. Hij glimlachte tegen Grant. 'Weet je wel wat platina kost?'

'Veel. Veel meer dan goud, denk ik.'

'Goud is gratis hiermee vergeleken. Hoe heet je ook alweer?'

'Niet belangrijk.'

'Waarom wil je het hebben?'

'Ik ben nieuwsgierig, altijd al geweest,' zei Grant. 'Ik vind het gewoon leuk.'

Pratts glimlach werd breder. 'Maar waarom dit? Waarom deze info? Moet ik wel vragen. Dat snap je toch wel?'

'Zeker weten. Ik zou teleurgesteld zijn als je het niet had gevraagd.'

'Goed, goed. Dus waarom? Waarom, echt?'

'Ligt dat niet voor de hand?'

'Ben je een landverrader? Ik bedoel, daar zou ik geen probleem mee hebben, maar ik zou het wel graag willen weten.'

'Geen landverrader, het tegendeel eigenlijk.'

'Ben je een Fed? Is er een maffe, geheime operatie aan de gang of zo?'

Grant wees naar hem en glimlachte. 'Wat ben jij slim, zeg!'

'Het is natuurlijk wel aan veranderingen onderhevig. Daar kan ik niets aan veranderen.'

'Dat begrijp ik volkomen. Daar zal ik gewoon rekening mee moeten houden tijdens die operatie.'

Pratt liet hem een usb-stick zien. 'Hier staat het op.'

'Dat geloof ik meteen.' Grant stak zijn hand uit en nam hem aan.

'Ik weet dat het geld op mijn rekening staat, anders zou je dat ding nu niet in je hand hebben,' zei Pratt.

'Als ik jou was, zou ik hetzelfde doen. Maar met één klein verschil.'

'O, wat dan?'

Grant sloeg Pratt met zijn hals tegen het stuur, zodat zijn luchtpijp vermorzeld werd. Hij wachtte tot Pratt was gestikt en opzij viel in zijn stoel.

Grant zei tegen de dode man: 'Ik zou de handelswaar nooit persoonlijk afleveren op een eenzame plek, want dat zou ik misschien met de dood moeten bekopen. Zoals jij.'

Hij stapte uit de auto en liep weg. Een minuut later stapte hij in zijn eigen auto en reed binnen de maximumsnelheid naar zijn volgende bestemming. De renovatie van het oude radiostation verliep voorspoedig. Hij wist dat zijn mannen hard werkten, maar ze zouden nóg harder moeten werken. Zodra de renovatie klaar was, zou hij zijn technische team laten komen. Dat was een multinationale groep mensen die niemand anders dienden dan zichzelf. Daar zaten dus geen superpatriotten bij. Dat wilde hij graag zo. Als geld de motivatie was, wist je precies waar je stond. Zij waren de besten die hij kon vinden en Grant wist precies waar hij moest zoeken.

Het was nu even druk in het Pentagon als overdag. Dit was inderdaad een gebouw dat nooit sliep en waar mensen vierentwintig uur per dag kwamen, aten en werkten. Hij passeerde de security en ging meteen door naar het kantoor van zijn schoonvader. Hij mocht gewoon doorlopen, want hij werd verwacht. Hij en Dan Marshall zouden vanavond met elkaar dineren en Grant verwachtte dat hij een paar geruchten zou horen, dingen die hij moest weten.

Marshall begroette hem even enthousiast als de vorige keer, gaf hem eerst een hand en omhelsde hem toen stevig. 'Leslie zegt dat je tegenwoordig nog tot laat doorwerkt, Alan. Vergeet niet dat je wat tijd vrij moet houden voor mijn kleinkinderen.'

'Zal ik doen, Dan. Dat beloof ik. Er ligt nu even behoorlijk veel op mijn bordje, weet je. Ik wil een goed leven opbouwen. En Leslie en ik willen je nog meer kleinkinderen geven. We houden het niet bij drie. We zijn nog steeds relatief jong.'

Dan straalde. 'Mij hoor je niet klagen over nog meer klein grut om mee te spelen.'

De twee mannen liepen naar een restaurant in het Pentagon en gingen aan een tafeltje zitten ver bij de andere gasten vandaan.

'Je lijkt je ergens zorgen over te maken,' zei Grant met een onderzoekende blik op Marshall.

Marshall grinnikte, wreef over zijn gezicht en nam een slok van het biertje dat hij had besteld. Grant dronk alleen water. Toen Marshall zijn glas neerzette, grinnikte hij niet meer en keek hij veel ernstiger. 'Heb je het nieuws gelezen?' vroeg hij.

Grant knikte. 'Bizar, om het maar voorzichtig uit te drukken. Hoe is het mogelijk dat meer dan een miljard dollar uit de schatkist in Afghanistan is verdwenen, samen met een reservist?'

Marshall keek om zich heen om te controleren of er niemand zo dichtbij zat dat hij hem kon horen. 'Eigenlijk waren het euro's.'

'Euro's? Waarom?'

'Kan ik je niet vertellen.'

'Waar was dat geld verdomme voor?' Grant voegde er snel aan toe: 'Sorry, dat is natuurlijk geheim.'

'In de media stikt het van de geruchten. Heel erge. Samenzwering. Wetsovertreding. Misbruik van gelden. En het gaat heel hoog in de hiërarchie.'

'Geruchten met een beetje waarheid erin?' vroeg Grant zacht.

'Laat ik het zo zeggen, Alan. Ik kan niet zonder meer zeggen dat ze niet waar zijn.'

*Je weet de helft niet,* dacht Grant.

Grant legde een hand op de arm van zijn schoonvader. 'Dan, jij zit bij de inkoop. Jij koopt spullen in voor het leger. Jij gaat over heel veel geld. Maar jij bent hier toch niet bij betrokken, wel?'

Grant mocht Dan Marshall graag, heel graag zelfs. Maar hij mocht hem nu ook weer niet zo graag dat hij niet bereid was hem op te offeren om zijn doel te bereiken. Zo graag mocht hij niemand.

Marshall wreef weer over zijn gezicht, alsof hij er een laagje huid van af wilde wrijven. 'Weet je, Alan, ik zou zeggen dat dit probleem groot genoeg is om een heleboel lui de das om te doen.'

Grant trok zijn hand terug. 'Dat spijt me, Dan.' En ergens speet het hem echt. Maar dat was alles. Hij had zijn schoonvader in deze situatie gebracht. Hij wist dat het zover zou komen. Hij hoopte voor zijn vrouw dat haar vader grotendeels zou worden gespaard.

*Maar mijn vader en moeder werden niet gespaard. Zij werden geruïneerd, vermorzeld, en daarna pleegden ze zelfmoord. De enige slachtoffers. De enige, terwijl het er veel meer hadden moeten zijn.*

Hij vroeg: 'Hoe zit het met die reservist, die Sam Wingo? Wat is zijn verhaal?'

'Wie weet? Die klootzak is niet meer gezien sinds hij ervandoor is gegaan met dat geld van Uncle Sam.'

'Ik zag op internet dat iets van dat geld naar islamitische rebellen zou gaan. Maar er stond niet bij van welk land.'

Marshall keek hem met een ellendige blik aan. 'Dat heb ik ook gelezen.'

'Dat zullen bepaalde mensen daar niet leuk vinden.'

'Mij is weinig verteld, maar het is me wel duidelijk dat de diplomatieke kanalen zoveel gebruikt worden dat ze bijna oververhit raken. Ik heb nog steeds geen idee hoe de media dit hebben ontdekt. Het was uiterst geheime informatie.'

'Ik snap er ook niets van,' loog Grant. 'Maar ik ben ervan overtuigd dat jullie zodra jullie Wingo hebben gevonden dit allemaal kunnen laten rusten. Hebben jullie al aanwijzingen?'

'Misschien wel. Ik word op de hoogte gehouden om een aantal redenen, vooral omdat mijn positie mede afhankelijk is van de uitkomst. Wingo heeft een zoon, Tyler. Zijn moeder is overleden, maar Wingo is hertrouwd.' Zachter voegde hij eraan toe: 'Maar dat was geen echt huwelijk.'

'Wat zeg je me nou?' riep Grant uit, hoewel hij dit heel goed wist.

'Nee, dat was nep. Maakte deel uit van de missie die Wingo zou uitvoeren. Nep, maar hij wilde zijn kind ook niet alleen achterlaten. Die vrouw is nu ook verdwenen en niemand weet waar ze is.'

*Met doorgesneden keel in een degelijk graf op een afgelegen plek omdat ze me niet gehoorzaamde en me daarna probeerde te vermoorden*, zei Grant in gedachten, terwijl hij Marshall met een beleefde blik van belangstelling bleef aankijken.

Marshall vervolgde: 'En er zijn twee detectives die hier op de een of andere manier bij betrokken zijn: Sean King en Michelle Maxwell. Voormalige Secret Service-agenten die zich er nu mee bemoeien, ook al is hun verteld dat ze zich erbuiten moeten houden.'

'Maar er is niets bekend over waar Sam Wingo nu is?'

'Ze denken dat hij terugkomt naar de VS, waarschijnlijk met een privévliegtuig of een vrachtvliegtuig. Misschien heeft hij een vals paspoort waar niemand iets van af weet. Volgens alle verslagen die ik over hem heb gelezen is die vent goed, echt goed. Daarom was hij ook uitgezocht voor deze missie.'

'Hij heeft het geld misschien gestolen,' zei Grant.

'Ja, dat kan. En als hij dat heeft gedaan, dan is hij misschien teruggekomen om zijn zoon te halen en verdwijnt hij dan weer. Misschien heeft hij dat eigenlijk al gedaan.' Zijn stem werd een fluistering. 'Ik kreeg net een mailtje waarin stond dat Tyler Wingo uit het hoofdkantoor van de FBI is ontsnapt.'

Hier schrok Grant van. 'Wat?'

'Ja, ik weet het. Ze hadden hem en King en Maxwell gearresteerd of voor hun eigen veiligheid vastgezet, omdat een motel waar zij waren, werd opgeblazen. Ik ken niet alle details, maar je hebt het waarschijnlijk wel op het nieuws gezien. In het zuiden van Alexandria?'

'Inderdaad, daar heb ik iets van gezien. Ik dacht dat het een gaslek was.'

'Dacht het niet.'

'En waar zijn King en Maxwell?'

'Als ik moest raden, zou ik zeggen dat ze proberen Tyler op te sporen. Ze denken waarschijnlijk dat ze, als ze Tyler vinden, ook zijn vader hebben.'

*Dat denk ik dus ook,* dacht Grant. *Daarom laat ik hen op dit moment volgen.*

# 48

Michelle zou een operatie nooit op deze manier hebben gepland. Het was veel te snel en losjes, met te weinig voorbereiding en zonder echte afweging van de voors en tegens. En er was geen echt plan b voor het geval er iets onverwachts gebeurde. Haar schuilplaats had verschillende zwakke plekken die een man als Sam Wingo stuk voor stuk met zijn ogen dicht zou kunnen ontdekken.

Ze zat op vier meter hoogte in een vork van een boom met haar sluip-schuttersgeweer en beschreef hiermee brede cirkels over het landschap. Sean nam zijn positie in vlak bij de plaats waar vader en zoon elkaar volgens hen zouden ontmoeten. Maar daar konden ze zich heel erg in vergissen. En misschien vergisten ze zich nog erger en was deze visstek hun ontmoetingsplaats helemaal niet.

Zij en Sean communiceerden met elkaar via een oortje. Het was net alsof ze weer voor de Service werkten. En op een bepaalde manier leek het inderdaad alsof ze aan persoonsbeveiliging deden. Ze was niet van plan Sean of Tyler iets te laten gebeuren. En ze was nog steeds niet zeker van Sam Wingo. Met hem kon het twee kanten op. En afhankelijk van de kant die hij had gekozen, zou ze misschien op hem moeten schieten. In het bijzijn van zijn zoon.

Michelle keek naar haar wijsvinger om de trekker en vroeg zich af of ze dat wel kon. Maar ze wist het antwoord al. Dat kon ze. En dat zou ze doen. Op dit moment was Sean haar protegee en zij zou een kogel voor hem opvangen als dat nodig was.

Via haar oortje hoorde ze Sean zeggen: 'Ik zag iets. Maar ik kon niet zien wat het was. Alleen een flits.'

'Waar?'

Hij gaf haar de coördinaten en zij zwaaide haar telescoopgeweer in die richting.

Ook zij zag iets. Het flitste in en uit het zicht tussen de bomen door. Toen had ze hem in het vizier. 'Het is Tyler,' zei ze.

Ze waren dus naar de juiste plaats gekomen.

'En zijn vader?'

Michelle scande de omgeving. 'Nog niet gezien.'

'Hij zal de omgeving nu wel verkennen.'

'Dat is precies wat ik nu aan het doen ben,' zei een stem.

Sean wilde zich omdraaien, maar de stem zei: 'Niet doen!'

Sean verstijfde.

Michelle fluisterde in zijn oortje: 'Tien meter rechts van je, achter die eik. Kan niet bevestigen dat het Wingo is.'

Sean knikte amper zichtbaar.

'Waar is je partner?' vroeg de stem. 'Ik wil haar nú zien.'

Sean zei: 'Waarom, Sam? Wil je ons allebei doodschieten?' Dit zei hij op luide toon.

'Wie ben jij?' vroeg Wingo, die vanachter de eik zojuist een heel klein stukje van zichzelf had laten zien.

'Iemand die probeert je zoon te helpen.' Sean voegde er heel luid aan toe: 'Klopt dat, Tyler?'

'Kop dicht!' snauwde Wingo. 'Anders schiet ik een kogel in je been.'

'Je bent hier toch gekomen om Tyler te spreken? Hij is daar. Tyler, kom er maar bij.'

'Ik zei, kop dicht!' schreeuwde Wingo, die met zijn pistool op Sean gericht achter de eik vandaan kwam.

Michelle zei in Seans oortje: 'Ik heb hem onder schot, Sean.'

Hij schudde even met zijn hoofd en Michelles hand bewoog bij de trekker vandaan. 'We hadden je nu kunnen uitschakelen, Wingo. Maar daarom zijn we niet hier.'

'Onzin!'

'Dan is hier het bewijs,' zei Sean.

Michelle vuurde een kogel af die een tak schampte die vijf centimeter boven Wingo's hoofd hing. Hij viel dertig centimeter bij hem vandaan op de grond. Wingo sprong terug achter de boom.

'Geloof je ons nu?' vroeg Sean.

'Papa, papa!'

Tyler rende naar de open plek en bleef abrupt staan toen hij Sean zag. 'Wat doe jij hier?'

'Proberen je vader over te halen me niet dood te schieten.'

Tyler keek om zich heen. 'Papa! Papa, ben jij hier?'

Sean wist waarom Wingo aarzelde. 'Als jij tevoorschijn komt, zal ik mijn partner ook zeggen dat ze tevoorschijn komt, Wingo. We zijn hier écht om te helpen.'

Tyler voegde eraan toe: 'Dat is zo, papa. Ze hebben me al heel erg geholpen.'

Even later verscheen Michelle aan de rand van de open plek, met de loop van haar scherpschuttersgeweer naar beneden gericht.

Sam Wingo zag dit en kwam langzaam achter de eik vandaan.

Ze keken elkaar allemaal aan.

Sean zei: 'Uh, misschien wil je je zoon omhelzen, Sam, alleen maar om hem te bewijzen dat je geen geest bent?'

Vader en zoon bleven elkaar een onmogelijk lange tijd aankijken. Daarna stopte Wingo zijn pistool in de holster en spreidde zijn armen wijd uit.

Tyler rende naar hem toe. De twee omhelsden elkaar heel lang en de tranen biggelden over hun wangen.

Michelle liep dichter naar Sean toe en zei zacht: 'Deze zaak is zojuist wel heel erg gecompliceerd geworden.'

Hij knikte. 'Dat is het gezicht van een man die erin is geluisd en niet weet wat er in vredesnaam aan de hand is.'

'Wat betekent dat hij misschien niet méér weet dan wij.'

'Misschien. Maar nu kunnen we het hem in elk geval vragen.'

Eindelijk liet Wingo zijn zoon los, maar hij hield één arm beschermend om Tylers schouders geslagen. Hij veegde de tranen van zijn wangen, terwijl de iets beschaamde Tyler hetzelfde deed.

Wingo liep naar Sean en Michelle. 'Hoe zijn jullie hierbij betrokken geraakt?'

'We zagen je zoon over straat rennen op een donkere, stormachtige avond, vlak nadat het leger hem had verteld dat je dood was,' zei Michelle. 'Volkomen toevallig.'

Wingo knikte langzaam. 'Bedankt dat je me niet hebt doodgeschoten toen ik uit mijn dekking kwam.'

'Graag gedaan.'

'En jij bedankt dat je mij niet hebt doodgeschoten,' zei Sean tegen Wingo.

'Papa, je ziet er... anders uit,' zei Tyler.

Wingo wreef over zijn kaalgeschoren schedel en pas gegroeide baard en zei: 'Dat moet wel als er mensen naar je op zoek zijn.'

'Welke mensen?' vroeg Sean.

'Goede vraag!' zei Wingo bits.

'Je eigen mensen?' vroeg Michelle. 'Het leger? Je hebt kennelijk een enorme puinhoop gecreëerd in het Pentagon en het Witte Huis.'

'Was niet de bedoeling dat het zo zou lopen.'

'Hoe dan wel?'

'Dat is geheime informatie.'

Sean keek teleurgesteld. 'Na alles wat je hebt meegemaakt, hou je je nog steeds aan die geheime onzin?'

'Luister, ze kunnen me voor de krijgsraad slepen omdat ik dit nu met je bespreek.'

'Heb je naar het nieuws geluisterd?' vroeg Michelle.

Wingo knikte.

'Dan weet je dat er nu heel veel niet meer geheim is.'

'De DHS vertelde ons over die ruim tweeduizend kilo aan euro's.'

'Ter waarde van meer dan één miljard dollar die je op de een of andere manier bent kwijtgeraakt,' zei Michelle.

Tyler keek naar zijn vader. 'Is dat waar, papa?'

Wingo keek ongemakkelijk van Michelle naar zijn zoon, maar hij zei niets.

'Als we gaan samenwerken,' zei Sean, 'maken we misschien wel vorderingen.'

'Maar je zei dat de DHS jullie op de hoogte heeft gebracht. Dus werken jullie met hen samen.'

'Nee. En we zijn ook bij de FBI geweest. En bij de president,' zei Michelle. 'En we hebben besloten niet met hen samen te werken. In elk geval nog niet.'

Wingo leek van slag. 'Jullie hebben de president gesproken? Hierover?'

'Op zijn lange lijst met klusjes sta jij kennelijk bovenaan,' zei Michelle. 'Gefeliciteerd!'

'Shit!' zei Wingo en hij sloeg zijn handen voor zijn ogen. 'Ik kan niet geloven dat dit allemaal echt gebeurt.'

'Nou, het gebeurt dus wel,' snauwde Sean. 'En we zullen er iets aan moeten doen.'

'Hoe dan?' vroeg Wingo. 'Wat kunnen jullie doen?'

'Papa, het zijn detectives. Ze zaten vroeger bij de Secret Service. Ze zijn echt goed. Ze kunnen helpen.'

'Ik weet niet zeker of iemand me kan helpen, knul.'

'Je geeft het dus gewoon op?' vroeg Michelle. 'Nadat je helemaal vanuit Afghanistan hiernaartoe bent gekomen? Je laat dit dus ongestraft gebeuren?'

Tyler keek haar kwaad aan. 'Mijn vader is niet iemand die opgeeft.'

'Ik zeg ook niet dat hij zo iemand is, Tyler. Maar hij is de enige die daar antwoord op kan geven.'

Sean voegde eraan toe: 'We willen je helpen, als je dat wilt.'

'Waarom?' vroeg Wingo. 'Waarom zouden jullie je in een wespennest steken, terwijl het jullie probleem niet eens is?'

'Volgens mij hebben we er allang ons probleem van gemaakt,' zei Sean. 'En we kunnen onze kop niet in het zand steken en hopen dat het vanzelf overgaat. Dus de enige manier om dit op te lossen, is onze informatie te delen en uit te zoeken hoe het zit.'

Tyler pakte zijn vader bij de arm. 'Toe nou, papa. Je moet het doen!'

Een seconde later zei Michelle gespannen: 'Er komt iemand aan.'

# 49

Wingo en Tyler renden naar links.

Sean en Michelle schoten naar rechts.

De groep gewapende mannen kwam vanuit het oosten en het westen naar hen toe, en liep naar de vier vluchtende mensen. Dankzij Michelles scherpe gehoor hadden ze een kleine voorsprong. Hopelijk zou die groot genoeg zijn. Dat was op dit moment nog niet te zeggen.

Michelle duwde Sean voor zich uit. 'Ga linksaf dat pad in. Dan kom je bij mijn auto. Stap in, start de motor en wacht twee minuten op me.'

'Ik ben niet van plan hier weg te gaan, zodat jij het in je eentje tegen die kerels kunt opnemen, Michelle.'

'Ik heb mijn scherpschuttersgeweer. Bereid je er maar op voor dat je hier heel veel sneller vandaan moeten rijden dan je hiernaartoe gekomen bent. Schiet op, ga!'

'Maar...'

Ze gaf hem weer een harde duw. 'Ga!'

Sean rende over het pad en sloeg links af.

Michelle draaide zich snel om, scande de omgeving, rende naar rechts en verstopte zich achter een omgevallen boom. Die gebruikte ze als dekking en als steun voor haar wapen. Ze richtte het dradenkruis in de richting waar de mannen volgens haar vandaan zouden komen. Daarna dwong ze zichzelf rustig te blijven, ze ontspande haar spieren en wachtte.

De eerste man kwam in haar schootsveld en betaalde daar de prijs voor met een schot in zijn knie. Hij viel op de grond, schreeuwend en met zijn handen om zijn gewonde knie geklemd.

Michelle sprong meteen overeind, rende naar rechts en nam opnieuw positie in op een plaats waar twee bomen tegen elkaar aan hingen. Ze richtte haar wapen zodat ze het terrein voor haar bestreek. Ze zouden nu voorzichtig zijn, wist ze.

Ze kreeg haar volgende doelwit in het oog en schoot voordat hij weer kon verdwijnen. De kogel sloeg in de arm van de man van wie ze een paar centimeter had kunnen zien. Hij viel op de grond, greep naar zijn arm en probeerde het bloeden te stelpen.

Weer was Michelle direct na het schot in beweging gekomen. Ze luisterde naar het geluid dat ze wilde horen, dat ze zo wanhopig graag wilde horen. Een paar seconden later hoorde ze het.

Het geluid van haar Land Cruiser die werd gestart.

Dat betekende dat Sean in elk geval in veiligheid was. Nu moest zij daar ook zien te komen. Het volgende geluid dat ze hoorde, was een kogel die langs haar hoofd vloog en een brok hout rukte uit de boom waar ze naast stond. Ze kreeg een stuk schors tegen haar hoofd, zodat het bloed over haar gezicht begon te stromen. Ze deinsde achteruit, nam een nieuwe positie in, richtte en schoot vijf kogels verspreid over het gebied voor haar.

Ze hoorde weer een schot en tot haar verbazing zag ze dat er een man uit een boom viel die ongeveer vijftien meter bij haar vandaan stond. Toen hij op de grond terechtkwam, liet hij zijn wapen vallen dat even op en neer stuiterde en vervolgens tegen een boom kapotsloeg.

Ze keek achterom, naar waar het schot vandaan was gekomen.

Sam Wingo liet zijn wapen zakken en keek haar even aan.

Ze knikte als dank en toen was Wingo alweer verdwenen. Ze had geen idee waar Tyler was. Misschien had Wingo hem in veiligheid gebracht en was hij daarna teruggekomen om haar te helpen. Hoe dan ook, Michelle was hem dankbaar.

Ze draaide zich snel om en rende keihard richting het geluid van de motor van haar Land Cruiser, dat ze even goed kende als haar eigen naam. Toen ze op de open plek kwam, zag ze een man op zijn buik liggen. Heel even verstijfde ze van schrik, omdat ze dacht dat het Sean was. Toen reed de Land Cruiser achteruit en werd het portier opengeduwd.

Sean schreeuwde: 'Schiet op, instappen!'

Michelle sprong erin, Sean zette hem in de versnelling en trapte het gaspedaal diep in. De auto schoot naar voren, de achterwielen slipten even in de modder, maar toen hadden ze weer grip en reden ze keihard over de zandweg. Toen ze weer op het asfalt kwamen, keek Sean naar haar en riep: 'Je bloedt!'

'Scherp van je,' zei ze. Ze bukte zich en trok een versleten handdoek uit de troep die daar lag en wreef daarmee het bloed van haar gezicht.

'Ik kan me niet voorstellen dat die schoon is,' zei hij.

'Ik kan me niet voorstellen dat mij dat ook maar iets zou kunnen schelen,' antwoordde ze.

'Gaat het?'

Ze keek in het spiegeltje in haar zonneklep, duwde haar haar opzij en zag dat ze een snee in haar hoofd had. 'Het is maar een oppervlakkige wond. Ben geraakt door een stuk boomschors, niet door een kogel,' voegde ze eraan toe. Ze rommelde in het dashboardkastje, haalde er een bus desinfecterende spray uit, spoot dat op de wond en plakte er een pleister op. Daarna leunde ze weer achterover en slaakte een diepe zucht. 'We hebben daar zonet al onze negen levens opgebruikt.'

Hij knikte. 'En ondertussen zijn we Wingo en Tyler kwijtgeraakt. Ik hoop van harte dat ze niet dood zijn of gevangengenomen.' Hij nam opeens gas terug. 'Vind je dat we terug moeten gaan?'

'Nee. Volgens mij zijn ze al weg.'

'Hoe weet je dat?'

'Hij heeft mijn leven gered,' zei Michelle zacht.

Sean keek haar even aan. 'Wie?'

'Sam Wingo. Een van die mannen zat in een boom met zijn scherpschuttersgeweer op mij gericht. Wingo schoot hem dood voordat die man mij kon doden.'

'Nou, dan staat hij misschien toch aan de goede kant.'

Ze keek hem aan. 'Wat was er met die man bij de auto? Wat is er gebeurd?'

'Ik dacht dat ze ons hiernaartoe waren gevolgd. Ons of Tyler. Ik nam aan dat ze Wingo niet zo snel hadden kunnen lokaliseren. Ik ging ervan uit dat ze iemand bij de auto zouden achterlaten voor het geval we terugkwamen. Ik heb hem uitgeschakeld voordat hij mij kon doden.'

'Ik heb geen schot gehoord.'

'Dat komt doordat ik hem met een steen op zijn hoofd heb geraakt.'

'Was je zo dicht bij hem?'

'Nee, ik stond een meter of tien bij hem vandaan.'

'En je gooide raak?' vroeg ze verbaasd.

'Heb ik je nooit verteld dat ik pitcher was in het universiteitsteam?'

'Nee, Sean, dat heb je me nooit verteld.'

'Nou, het was fijn om te merken dat ik het nog steeds kon.'

'Wat doen we nu?'

'Ons probleem is dat ik denk dat ze ons zijn gevolgd om Wingo te pakken te krijgen.'

'Denk je dat hij denkt dat wij dit echt met opzet hebben gedaan?' vroeg ze.

'Nee. Niet met die vent die je wilde doodschieten. En ik hoorde nog meer schoten.'

'Ik heb twee van hen geraakt. Niet dodelijk, maar ze zijn wel een tijdje uitgeschakeld.'

'Dan moet Wingo weten dat wij ook in de val zijn gelopen,' zei Sean.

'Maar dat is nog steeds geen antwoord op mijn vraag. Wat doen we nu?'

'We moeten Wingo en Tyler terug zien te vinden. Alleen via hem kunnen we verder. Anders blijven we in cirkels ronddraaien tot een kogel of bom ons een keer níét mist.'

'En hoe vinden we hen?'

'Je stelt wel ontzettend veel vragen! Wil je zelf misschien ook even proberen er een paar te beantwoorden?' vroeg hij nors.

'Nou, we weten hoe Wingo er tegenwoordig uitziet. Hij heeft zijn uiterlijk behoorlijk veranderd.'

'En?'

'Als we een paar videobeelden te pakken kunnen krijgen van een paar vliegvelden, dan hebben we misschien een idee hoe hij het land weer is binnengekomen. Hij móét per vliegtuig zijn gekomen. Een vrachtschip zou veel meer tijd hebben gekost.'

'Goed denkwerk.'

'Bedankt,' zei ze kortaf. 'Dat overkomt me zo één keer per jaar.'

'En, gaan we naar McKinney of naar Littlefield met ons verzoek?'

'Ach, waarom zouden we maar een van hen dat pleziertje gunnen? Laten we naar hen allebei toe gaan en het aan hen samen vragen.'

'Oké, goed plan.'

'Dat hoop ik,' zei Michelle niet overtuigd.

# 50

Alan Grant had bijzonder geïnteresseerd naar het nieuws geluisterd. Milo Pratts lichaam was in zijn auto gevonden, met een verbrijzelde luchtpijp, dood. De politie had geen aanwijzingen en geen verdachten, en hoopte dat het publiek tips kon geven met behulp waarvan zij de moordenaar konden vinden.

Grant wist dat niemand van het publiek zich zou melden en dat er geen tips waren om de politie te helpen een verdachte aan te houden. Hij had ervoor gezorgd dat niemand hem zag. Hij had geen bewijzen achtergelaten.

Het lichaam van Jean Shepherd was niet gevonden. Hij betwijfelde of dat ooit zou gebeuren. Maar zelfs dan maakte hij zich geen zorgen. Hij had zijn sporen zorgvuldig gewist. De politie zou hem op geen enkele manier met haar in verband kunnen brengen.

Hij verliet de stad en reed door tot hij bij zijn laatste bestemming was. Hij passeerde de controlepost, reed de smalle weg in en stapte uit zijn auto. Grant maakte een rondje over zijn nieuwe terrein. Het radiostation zag er totaal anders uit dan kortgeleden. De elektriciteit deed het weer. Zijn mannen werkten precies en snel. Zodra ze klaar waren, zou het technische team arriveren en hun wonderen gaan verrichten.

De zendmast zou worden voorzien van satellietschotels. Hij keek naar een van zijn mannen die hoog in de lucht in een hoogwerkersbak hing, met een schotel naast zich in de kooi. Daarna keek Grant naar de tablet die op de motorkap van zijn auto lag. Hij had een rustig plekje nodig om deze mail op te stellen, maar die rust was hier niet te vinden door de geluiden van de arbeiders in het radiostation.

Hij maakte gebruik van een niet te traceren e-mailportal. Iedereen dacht dat tegenwoordig niets meer ontraceerbaar was, maar dat gold niet als je wist wat je deed. En dat wist hij.

Hij stelde de mail op en bracht er nog een paar veranderingen in aan. Toen hij de woorden 'Afghanistan' en 'papavers' typte, glimlachte hij. Daarna, tevreden met de inhoud van de mail, drukte hij op Verzenden. Het was net alsof hij een torpedo lanceerde. Hij ging ervan uit dat deze mail nóg verwoestender gevolgen zou hebben dan zijn eerste mail over bepaalde opstandelingen die door de Amerikaanse overheid werden gefinancierd.

Hij wiste het geheugen van zijn tablet via de NSA-methode, waardoor hij elk spoor van de mail verwijderde en stopte het apparaat in zijn zak. Zijn telefoon piepte. Hij haalde hem tevoorschijn en keek op het scherm. Zijn glimlach verdween en maakte plaats voor een frons.

King en Maxwell waren er ongelofelijk handig in om te ontsnappen, bleek. Maxwell had twee van zijn mannen neergeschoten, terwijl King een derde had uitgeschakeld. Een vierde man was omgebracht door Sam Wingo, die er ook in was geslaagd om te ontsnappen, samen met zijn zoon Tyler.

Grant stopte zijn telefoon weer in zijn zak, leunde tegen zijn auto, keek naar de donkere lucht en sloot zijn ogen. Hij neuriede de melodie van *Rhapsody in Blue*; een van zijn favoriete manieren om zich te ontspannen. Daarna opende hij zijn ogen, hij keek naar zijn radiostation en dacht kalm na over zijn volgende stap.

De mail die hij zojuist had verstuurd, zou als een bom inslaan in D.C. Daarna zouden de schokgolven zich steeds verder verspreiden. Het was tegenwoordig heel eenvoudig om een bericht viraal te maken, doordat iedereen op de sociale media zat en er altijd wel een paar nieuwsgierige ogen was dat alleen maar zat te wachten tot er weer iets belangrijks in het digitale spectrum zou verschijnen.

Dus was zijn plan wat dat betreft in orde. Dat gold niet voor bepaalde andere onderdelen.

Deze voormalige agenten van de Secret Service waren een grote stoorzender voor zijn project. Maar hij zou hen steeds tien stappen voor blijven. En Wingo zou zich nu zelfs nog meer schuilhouden. En zijn zoon bij zich houden. Het had geen zin om nu fanatiek achter hem aan te gaan. Hij kon zijn aandacht beter richten op doelwitten die minder door de wol geverfd en minder moeilijk te vinden waren: King en Maxwell.

Zij waren natuurlijk niet echt gemakkelijke doelwitten, maar Grant dacht dat de kansen nu wel in zijn voordeel zouden gaan werken. En als hij er op die manier naar keek, dacht hij, waren zij inderdaad degenen op wie hij zich moest richten. En er waren manieren om dat te doen zonder direct achter hen aan te gaan. Hij zat niet te wachten op nog meer doden onder zijn mensen.

Hij haalde zijn tablet weer tevoorschijn en typte een paar zoektermen in. Het resultaat kwam snel en was informatief. Hij keek naar haar Facebook-pagina: jong, lief, onschuldig. Zij kon niet vermoeden dat ze al heel binnenkort zou worden ontvoerd.

Daarna kon hij zich op King en Maxwell richten. En zodra hij hen in zijn macht had, zou hij hen kunnen dwingen hem naar Wingo te brengen. En als deze van het toneel was verdwenen, zou hij er veel meer vertrouwen in hebben dat zijn plan zou slagen.

Hij belde iemand op en gaf zijn instructies door. Ze zouden snel en efficiënt worden uitgevoerd; dat wist hij zeker.

Daarna keek hij naar zijn radiostation. Dit was de sleutel. Dit was waar het om ging. Als hij kon zorgen dat dit lukte, was verder niets nog echt belangrijk.

# 51

Tyler zat op de dunne matras en keek naar hem.

Sam Wingo stond bij het raam van de hotelkamer en staarde naar buiten. In zijn ene hand had hij een wapen en met zijn andere hield hij het gordijn opzij.

'Papa?' zei Tyler met trillende stem.

Wingo hief zijn hand om aan te geven dat zijn zoon zijn mond moest houden. Hij bleef nog een paar minuten bij het raam staan en keek de straat op en neer, vervolgens naar de daken en de ramen van de gebouwen aan de overkant, de auto's die beneden stonden en de mensen die op de stoep liepen.

Eindelijk deed hij het gordijn weer dicht, hij stak zijn pistool in de holster en keek zijn zoon aan. Wingo begon iets te zeggen, maar zweeg toen hij zag dat zijn zoon doodsbang was. Hij trok een stoel naast het bed en ging zitten, met zijn knieën bijna tegen die van Tyler. 'Het spijt me, Tyler. Sorry voor dit alles. Vooral alles waar ik je bij heb betrokken.'

'Ik ben... Ik ben gewoon blij dat je nog leeft, papa.'

Wingo sloeg zijn armen om Tyler heen en zo bleven ze even zitten. Toen Wingo hem losliet, haalde hij diep adem en begon te praten. 'Ten eerste, ik weet wat je allemaal op het nieuws hebt gehoord. Ik heb dat geld niet gestolen. En ik ben geen landverrader. Ik ben erin geluisd.'

'Dat weet ik, papa. Ik heb nooit geloofd dat je die dingen had gedaan.'

'Ik ga uitzoeken wie me dit heeft geflikt.'

'Dat weet ik toch.'

Ze zwegen en keken elkaar aandachtig aan.

Na een tijdje stond Wingo op en ijsbeerde door de kamer.

Tyler keek om zich heen. 'Blijven we hier? Ik bedoel, ik zal weer naar school moeten, en er komt een zwemwedstrijd aan.'

Wingo bleef staan en keek naar hem. 'We kunnen hier niet blijven, nee. En wat je school en die wedstrijd betreft...' Hij begon weer te ijsberen.

'Hoe zit het met Jean?' vroeg Tyler.

Zijn vader ging op de stoel zitten. 'Wat bedoel je?'

'Wie was zij?'

Wingo keek bijzonder ongelukkig.

Tyler zei snel: 'Weet je, ik hoorde dat ze een spion was. Dat jij dacht dat ze met jou samenwerkte, maar misschien werkte ze eigenlijk voor iemand anders. Als een dubbelspion.'

'Wie heeft je dat verteld?'

'Sean en Michelle.'

'King en Maxwell, die detectives?'

'Ja. Is dat zo? Was ze een spion?'

'Het is ingewikkeld, Tyler.'

Tyler fronste zijn wenkbrauwen en strekte zijn rug. 'Nee, papa, dat is het niet. Ze was het wel of ze was het niet.'

Wingo legde zijn handen op zijn bovenbenen. 'Jean had de opdracht bij jou te blijven zo lang ik weg was.'

'De opdracht bij mij te blijven? Waren jullie eigenlijk zelfs maar met elkaar getrouwd?'

Wingo schudde zijn hoofd. 'Nee. Zo was het niet. Het was alleen maar haar missie. Haar taak was om bij jou te blijven zo lang ik weg was.'

Tyler keek hem aan. 'Dus mama werd vervangen door iemand die haar wérk deed?'

Wingo bloosde. 'Zo was het helemaal niet, jongen.'

'En dat heb je allemaal geheimgehouden voor me? Voor je zoon? Bijna een heel jaar lang? Daar mocht ik niets van weten?'

'Het was geheim, Tyler. Ik mocht niemand buiten de ingewijden iets vertellen.'

'Geweldig, ik hoorde dus niet bij de ingewijden. Fijn te horen dat je er een goede reden voor had.' Hij stond op, liep naar het raam en keek naar buiten.

'Tyler, blijf bij het raam vandaan!' riep Wingo.

'Maak je maar geen zorgen om mij, papa; ik hoor niet bij de ingewijden. Ik maak zelfs geen deel uit van de missie.'

'Tyler, alsjeblieft, ik kón het je niet vertellen!'

'Kon je dat niet of wilde je dat niet?' Tyler draaide zich om en keek hem aan. 'Ik wist niet eens dat je nog steeds in het leger zat. Ik dacht dat je een baan had bij een bedrijf.'

'Dat maakte ook deel uit van de dekmantel,' zei Wingo ongelukkig.

'Juist, dekmantel. Voor iedereen, ook voor mij.'

'Ik heb een eed afgelegd, jongen. Om mijn land naar mijn beste vermogen te dienen.'

'Ja, en het land weegt elke keer zwaarder dan je gezin, juist. Misschien ga ik ook wel bij het leger zodra ik van school ben. Dan kan ik alles voor je geheimhouden en heb je geen enkele reden je daarover te beklagen. Want dan dien ik mijn land.'

'Tyler, ik ben niet trots op de manier waarop ik dit heb gedaan, jongen. Het geeft me een ellendig gevoel dat alles zo is gelopen.'

'Je voelt je lang niet zo ellendig als ik.'

Wingo wilde iets zeggen, maar deed zijn mond weer dicht.

Tyler keek naar buiten. 'Wat gaan we nu doen?'

Wingo keek hem aan. 'Ik móét te weten zien te komen wie me erin heeft geluisd.'

'Hoe?'

'Ik heb wel een paar aanwijzingen.'

'En wat moet ik dan doen?'

'Jij kunt niet terug naar school. Nu niet. Je moet bij mij blijven. Ik kan je beschermen.'

Tyler keek hem aan. 'Je hebt een man doodgeschoten. Dat heb ik gezien.'

Wingo stond op en ging naast hem staan. 'Het spijt me dat je dat moest zien. Maar ik moest wel. Hij stond op het punt haar dood te schieten.'

'Michelle Maxwell. Ik vind haar aardig. Hen allebei.'

'Vertrouw je hen?'

'Ja. En dat zou jij ook moeten doen. Zij kunnen je helpen. Ze zijn slim.'

Wingo trok zijn zoon bij het raam vandaan en zei dat hij weer op het bed moest gaan zitten. 'Ik betwijfel of we wel iemand kunnen vertrouwen, Tyler.'

'Zij kunnen je helpen, papa!'

'Zij hebben die mannen naar ons toe geleid.'

'Daar konden zij niets aan doen.'

'Er mogen geen fouten worden gemaakt, Tyler.'

'Mogen zij je helpen?'

'Nee, dat denk ik niet,' zei Wingo.

'Dan ga ik naar hen toe.'

'Ik zei net dat je bij mij moest blijven.'

'Ja, dat zei je. Maar dat betekent niet dat ik dat ook moet doen.'

'Je bent mijn zoon! Ik heb geen twaalfduizend kilometer gereisd om bij je te zijn om je dan weer kwijt te raken.'

'Maar ik hoor niet bij de ingewijden! Jij mag me niets vertellen! Hoe kan ik je dan helpen?'

'Je moet bij me blijven, zodat ik je kan beschermen.'

'Zíj kunnen me beschermen.'

'Tyler, dit is geen onderwerp voor discussie.'

'Hoe kun je mij beschermen en tegelijk uitzoeken wie je erin heeft geluisd? Als je mij meeneemt, breng je mij in gevaar.'

Wingo drukte zijn hand tegen zijn slaap.

'Je moet het onder ogen zien, papa: je hebt Sean en Michelle nodig.'

Wingo liet zich langzaam in de stoel zakken. 'Geloof je echt dat zij ons kunnen helpen?'

'Ja, dat geloof ik echt.'

Wingo keek naar zijn zoon omhoog. 'Vertrouw je mij?'

Tyler keek naar zijn vader. 'Ik geloof je als je zegt dat je niets verkeerds hebt gedaan. Maar ik weet niet zeker of ik je vertrouw. Tenminste, nog niet.'

Wingo knikte en sloeg zijn ogen neer. 'Dat kan ik je niet kwalijk nemen, na alles wat er is gebeurd.'

'Maar je bent nog steeds mijn vader. En we zullen hier samen doorheen moeten. Oké?'

'Oké.'

# 52

Sean en Michelle zaten aan de ene kant van de tafel met agenten Mc-Kinney en Littlefield tegenover zich.

Het was ochtend en ze zaten in een vergaderzaal in een bijkantoor van de DHS in Virginia. De twee agenten hadden een stugge blik op hun gezicht.

Sean vroeg: 'Dus nog geen Tyler Wingo?'

Littlefield zei: 'We vinden hem wel.'

Michelle zei snel: 'Je kunt maar beter zorgen dat jullie hem vinden voordat iemand anders hem vindt!'

'Wat bedoel je daarmee?' vroeg McKinney.

Ze antwoordde: 'Dat is toch niet zo moeilijk! Er zit iemand achter zijn vader aan en dat betekent dat ze zijn zoon misschien zullen gebruiken om bij zijn vader te komen.'

'Ja, daar hebben wij ook over nagedacht,' zei Littlefield. 'Dus waarom dit gesprek, nu?'

Sean antwoordde: 'Jullie weten dat we bij de president zijn geweest. Hij heeft ons gevraagd iets te doen. Dat willen we wel doen.'

Littlefield en McKinney gingen rechterop zitten.

'Oké,' zei Littlefield.

'Maar we hebben een probleempje,' voegde Michelle eraan toe.

'Wat dan?' vroeg Littlefield.

'De president wilde dat wij onze relatie met Tyler zouden gebruiken om zijn vader te pakken te krijgen.'

Sean voegde eraan toe: 'Maar jullie zijn Tyler kwijtgeraakt. En ik weet eigenlijk wel zeker dat de president dat weet, toch?'

McKinney keek naar Littlefield, die zijn ogen neersloeg.

'Agent Littlefield?' vroeg McKinney.

Littlefield zei: 'De president is een drukbezet man. We kunnen hem niet met elke kleinigheid storen.'

'Kleinigheid!' zei Sean. 'Op dit moment is Tyler Wingo de belangrijkste tiener in het hele land!'

'Shit!' mompelde McKinney, maar er speelde een glimlach om zijn mond, waarschijnlijk omdat hij dacht aan de benarde situatie waarin de FBI zich nu bevond.

Michelle richtte haar aandacht op hem. 'En ik denk niet dat de president, wanneer hij dit ontdekt, de tijd zal nemen om uit te zoeken wie hier precies schuldig aan is, agent McKinney. FBI? DHS? Dat zal hem een zorg zijn, gewoon een paar andere letters.'

De glimlach verdween van McKinneys gezicht.

Littlefield zei: 'Oké, jullie hebben je kaarten op tafel gelegd en die zijn niet mis. Wat willen jullie?'

'Enige samenwerking en informatie-uitwisseling,' zei Sean.

'Zoals?' vroeg Littlefield behoedzaam.

Michelle antwoordde: 'Zoals alle beelden van de bewakingscamera's van Dulles, Reagan National en Baltimore/Washington International van de afgelopen vijf dagen.'

'Waarom?' vroeg McKinney.

'Als Sam Wingo weer in het land is, dan denken wij dat hij met een vliegtuig is gekomen: een commercieel, een privé- of een vrachtvliegtuig.'

'Die beelden hebben we al door de gezichtsherkenningssoftware gehaald,' zei Littlefield.

Sean keek naar Michelle. 'Ik heb niet het gevoel dat ze ons een warm hart toedragen. Wat vind je, zullen we teruggaan naar de president en kijken of hij toestemming zal geven, nu deze mannen dat niet willen?'

'Goed idee,' zei Michelle en ze maakte aanstalten op te staan.

'Wacht, wacht!' zei Littlefield en hij stak zijn handen op. 'Ik neem aan dat twee extra paar ogen geen kwaad kan. Maar het zijn heel veel beelden.'

'Niet als je weet waar je naar op zoek bent,' zei Michelle.

'En dat doen jullie?' vroeg McKinney wantrouwig.

'Secret Service. Wij hebben de beste ogen in deze business,' antwoordde Michelle.

'Ja hoor!' snoof McKinney.

Sean wees naar McKinneys oor. 'Er zit nog een beetje scheercrème in je rechteroor. Heb je vanochtend zeker niet gezien. Het verbaast me dat je DHS-collega's je daar niet op hebben gewezen.' Hij keek naar Littlefield. 'Of je goede vriend van de FBI.'

McKinney stak zijn vinger in zijn oor en keek naar de crème die erop zat.

Michelle zei glimlachend: 'Die was gratis.'

Een uur later zaten Sean en Michelle voor een hele serie beeldschermen.

'Welk vliegveld eerst?' vroeg Michelle.

'Laten we Dulles nemen. Die is het dichtstbij. En Reagan doet geen internationale vluchten op de plaatsen waar Wingo vandaan moet zijn gekomen.'

Zes uur en drie koppen koffie later leunden ze verslagen achterover in hun stoel.

Michelle zei: 'Zonder gezichtsherkenningssoftware duurt dit eeuwen. Er zijn gewoon veel te veel gezichten om het zonder te doen.'

Sean knikte instemmend en dacht diep na. 'Laten we ons op de vracht-afdeling richten. Zelfs met zijn nieuwe uiterlijk denk ik niet dat Wingo een commerciële vlucht heeft genomen.'

Ze kozen dat deel van de beelden.

Ze begonnen te kijken, maar opeens schoot Sean iets te binnen. 'Deze beelden zijn misschien te recent. Wingo was toen misschien al in het land.'

Michelle greep zijn arm. 'Wacht. Kijk eens naar die auto!'

Sean ging weer zitten en keek aandachtig naar een auto die voor een van de vrachtterminals stond. 'Dat is Wingo!' riep hij.

'En zo te zien kijkt hij naar iemand. Kun je de hoek een beetje veran-deren?'

Sean drukte op een paar toetsen, zodat zij konden zien wat Wingo bekeek. Er kwam een man uit een van de gebouwen. Hij stapte in een auto en reed weg. Sean drukte nog een paar toetsen in en daarna kon-den ze zien dat Wingo de weg opreed en achter de andere man aan ging.

'Hij volgt die man,' zei Sean.

Michelle toetste iets in op haar telefoon. 'Kentekens van beide auto's,' legde ze uit.

Sean knikte en stelde de hoek van het beeld weer bij, zodat hij het bord kon zien aan de zijkant van het gebouw waar de man uit was gekomen. 'Heron Air Services,' zei hij.

Michelle zag dit en toetste nog iets in. 'Denk je dat hij met hen is mee-gekomen? Ik heb ze net gegoogeld. Zij doen onder andere internatio-nale vrachtdiensten.'

'Maar als hij met hen is meegevlogen, waarom zou hij hen dan achter-volgen?'

'Dat is waar.'

'Misschien trok hij een spoor naar dat geld na,' zei Sean. 'Misschien had Heron iets te maken met het vervoer van die miljard euro.'

'Dan moeten we diezelfde aanwijzing natrekken. Hoe wil je dit aanpakken?'

'Bedriegen en liegen, zoals altijd,' antwoordde Sean.

'Ik zou op mijn knieën naar Edgar kunnen kruipen en hem kunnen vragen of hij deze kentekens voor ons wil natrekken.'

'Goed idee. En dan zoek ik zo veel mogelijk uit over Heron Air Services.'

'En de Feds?' vroeg Michelle.

'We zeggen tegen hen dat we niets wijzer zijn geworden van deze beelden en doen net alsof we ons doodschamen.'

'Niet in een stemming om hen in vertrouwen te nemen?'

'Ik ben al vijfentwintig jaar niet in zo'n stemming.' Hij leunde achterover in zijn stoel. 'Maar we mogen niet vergeten dat die mannen ons hebben gevolgd toen we achter Wingo aan gingen, Michelle. Ze zitten nog steeds achter ons aan. En dat betekent dat we ons heel onopvallend moeten gedragen.'

'Dat is een probleem, zolang we deze zaak onderzoeken,' zei ze.

'Maar we moeten wel. Tenzij en totdat Sam begrijpt wat er aan de hand is, zullen we alles op eigen houtje moeten doen.'

'En tegelijkertijd de Feds van ons afhouden. En de president. Dat zal moeilijk worden, Sean.'

'Waar is je gebruikelijke "ik kan alles"-instelling waar ik zo gek op ben?' vroeg hij glimlachend.

'Die heb ik volgens mij laten liggen in een opgeblazen motelkamer of in dat bos waar we bijna zijn doodgeschoten.'

Hij haalde zijn schouders op. 'Jij hebt ons bij deze waardeloze zaak betrokken. Je kunt het nu dus niet zomaar opgeven.'

Ze zuchtte diep. 'Ja, ik weet het. Ik vraag me gewoon af hoe lang het geluk nog met ons is.'

# 53

Sean zat achter het stuur van een auto die ze van een vriend hadden geleend. Ze hadden die nacht in een motel geslapen en de rekening contant betaald.

Michelle zat naast hem en keek naar haar telefoon.

'En?' vroeg hij en hij keek haar verwachtingsvol aan.

'Bericht van Edgar. Het kenteken van Wingo's auto is van een auto die ongeveer een maand geleden door de politie van D.C. in beslag is genomen.'

'Hij heeft die nummerborden dus gestolen en die in plaats van zijn eigen op de auto gemonteerd. Waarschijnlijk een huurwagen. Hij gebruikt een vals paspoort en wil niet dat iemand zijn valse naam kan achterhalen, waardoor zijn dekmantel naar de maan is.'

'Klopt,' zei Michelle afwezig. 'Hij heeft waarschijnlijk een vals paspoort en een paar creditcards op die naam. Als zijn valse naam bekend wordt, kan hij niet meer aan geld komen.'

'En die andere auto?'

'Staat op naam van de Vista Trading Group, bv, uit D.C. Hun kantoor is in L Street, in het noordwesten.'

'En wat weten we over die Vista Trading Group?'

'Het zijn beveiligingsadviseurs in de militaire sector. Ze werken in veel verschillende landen, maar lijken gespecialiseerd in het Midden-Oosten.'

'Gespecialiseerd genoeg om een miljard euro te stelen?' vroeg Sean.

'Misschien wel.'

'Is er een relatie met Heron Air Services?'

'Stond niets over op de site.'

'Heb je nog meer ontdekt over Heron?'

'Het is een privéchartermaatschappij. Zij hebben tien toestellen en die kunnen allemaal zonder bij te tanken de oceaan oversteken.'

'En die man achter het stuur?'

'Geen idee. Zijn foto stond niet op een van de websitepagina's. De directeur van Vista is ene Alan Grant. Zijn levensbeschrijving staat erop.

Eind dertig. Heeft een gezin. Ex-soldaat. MBA van Wharton.' Ze liet hem haar telefoon zien. 'Dit is zijn foto. Leuke vent om te zien.'

Sean keek ernaar. 'Maar geen foto van de man in de auto die we zagen?'

Ze schudde haar hoofd. 'Niet op de website van Vista. En Heron heeft geen site, wat raar is.'

'Nou, als hij hierbij betrokken is, zal zijn foto snel op veel verschillende plekken verschijnen, inclusief in een politiedossier.'

'Hoe pakken we dat Vista aan?'

'Lastig, want een paar van die lui hebben ons misschien al gezien. Zodat mijn gebruikelijke plan om hen aan te pakken waarschijnlijk onuitvoerbaar is.'

'We kunnen bij hen posten en dan afwachten wat er gebeurt?'

'Of we kunnen proberen meer over die Grant te weten te komen. Achtergrond, zakenrelaties. Wat hij vroeger heeft gedaan. Zei je dat hij in het leger heeft gezeten?'

Ze knikte. 'Maar in zijn levensbeschrijving stond niet waar dat was of wat hij deed.'

'Het Pentagon houdt alles nauwkeurig bij. Ik kan het wel discreet natrekken.'

'Dus als zij dat geld hebben gestolen, waarom dan?'

'Tja, een miljard euro in contanten is al reden genoeg, vind je niet?'

'Maar hoe zit het dan met die blogger die die bom heeft laten vallen met het bericht dat het geld was bedoeld voor islamitische opstandelingen?'

'Daar wordt het een stuk ingewikkelder van.'

'Het Witte Huis vat dit heel zwaar op. Ik denk niet dat dit alleen maar om het stelen van geld gaat, Sean.'

'Misschien moeten we uitzoeken wie die blogger is. Hoe heet hij ook alweer?'

'George Carlton. Woont in Reston. Maar je zei dat hij zich misschien schuilhoudt.'

'Nou, als dat zo is, moeten we gewoon dieper graven. Maar als hij zijn informatie van een bepaalde bron heeft gekregen, moeten we die bron zien te vinden. En de meest directe weg om dat te doen, is via Carlton.'

'Zal ik Edgar vragen meer over Grant en Vista te weten te komen?'

'Denk je dat hij dat wil doen? De vorige keer kwam hij daardoor ook in de problemen.'

Michelle keek hem aan. 'Volgens mij wel, als we het hem allebei vragen.'

'Wij allebei? Waarom?'

'Hij kijkt naar je op, Sean.'

'Hij is twee meter vijf. Hij kijkt naar niemand op, behalve naar bepaalde basketballers.'

'Je weet wel wat ik bedoel.'

'Het verbaast me dat Bunting ons bij hem in de buurt laat komen, na wat er is gebeurd.'

'Nou, we hebben Edgars leven gered. En Edgar is een bijzonder speciaal en goed mens. Dat zal hij nooit vergeten.'

Sean keek naar buiten. 'Oké. Bel hem maar en vraag of hij tijd heeft om met ons af te spreken. Misschien kunnen we hem hier heel discreet bij betrekken. Maar hij moet wel goed begrijpen dat hij geen enkel spoor mag achterlaten. Ik wil niet dat Bunting me weer naar de keel vliegt.'

'Maar nu staat de president achter ons. Dat weegt zwaarder dan het ministerie van Defensie en Peter Bunting, toch?'

Hij glimlachte. 'Goed punt.'

'We moeten er wel voor zorgen dat we niet worden gevolgd.'

Hij zette de auto in de versnelling, terwijl Michelle Edgar belde.

Twee uur later keken ze naar Edgar Roy, die tegenover hen zat op het terras van een café, kilometers bij zijn werk voor de regering van de Verenigde Staten vandaan.

'Onze excuses voor wat er laatst is gebeurd, Edgar,' begon Michelle.

'Meneer Bunting was erg boos,' zei Edgar en hij ontweek haar blik. 'Ik vind het niet prettig als mensen zo tegen me schreeuwen.'

'Ik ook niet,' viel Sean hem bij. 'En we vinden het heel fijn dat je die kentekens voor ons hebt nagetrokken. Ik hoop dat meneer Bunting dat niet ontdekt.'

'Meneer Bunting is heel slim. Maar niet zo slim,' antwoordde Edgar.

'Betekent dit dat je je sporen goed hebt uitgewist?' vroeg Michelle.

'Ik help jullie allebei graag,' zei Edgar. 'Ik weet dat jullie proberen andere mensen te helpen. Net zoals jullie mij hebben geholpen.'

Sean keek naar Michelle. 'Dat is zo, Edgar. En we zouden niet naar jou komen als we de hulp niet nodig hadden die jij ons kunt geven. Het is belangrijk. In dit geval werken we zelfs voor de president van de Verenigde Staten.'

'Dan weet ik zeker dat meneer Bunting er geen probleem mee zal hebben dat ik jullie help. Wat moet er gebeuren?'

Ze vertelden hem over de Vista Trading Group en Alan Grant.

Michelle voegde eraan toe: 'Dus echt álles wat je maar kunt vinden over dat bedrijf en die man.'

'Dus hij is hierbij betrokken?' vroeg Edgar.

'We dénken dat dat zo is,' verbeterde Michelle hem.

'Ik kan er vandaag mee beginnen.'

'Hoe zit het met de Wall?' vroeg Sean.

'Onderhoudswerkzaamheden. Ik heb dus wel wat vrije tijd.'

'Je hoeft dus heel even de wereld niet te redden?' zei Michelle glimlachend.

'Wat?' vroeg Edgar en hij keek haar vreemd aan.

'Ach, ik maakte maar een grapje,' zei Michelle gegeneerd.

'O, oké,' zei Edgar en hij probeerde te glimlachen. 'Maar het zal misschien wel wat tijd kosten.'

Sean zei: 'Dat is goed. Wij moeten wat dingen in het Pentagon natrekken. Stuur ons maar een mailtje als je iets hebt ontdekt.'

'Maar hebben jullie je mail goed beveiligd?' vroeg Edgar.

'Uh, met een wachtwoord,' antwoordde Sean.

'Je wachtwoord is 0508. Dat is geen sterk wachtwoord.'

Sean vroeg verbaasd: 'Hoe weet je mijn wachtwoord?'

'Dat is je geboortedatum, achterstevoren. Mijn derde poging een tijdje terug was al raak. Ik had hem al na twee keer kunnen hebben, maar ik had niet verwacht dat je zo dom zou zijn.'

'Waarom heb je me gehackt?'

'Toen kende ik je nog niet zo goed. Ik wist niet of je mijn vriend was of niet. Mijn vrienden hack ik nooit.'

'Dus je hebt Michelle ook gehackt?' vroeg Sean.

Edgar keek naar Michelle. 'Nee.'

'Waarom niet?' wilde Sean weten.

'Omdat ik meteen wist dat mevrouw Maxwell mijn vriendin was.'

'Dank je wel, Edgar,' zei Michelle en ze gaf Sean speels een por in zijn zij.

'Ik verander mijn wachtwoord wel in iets wat moeilijker is,' gromde Sean.

'Goed. Maar vul hem niet alleen maar aan met je geboortejaar. Dat is niet voldoende.'

Aan Seans gezicht was te zien dat hij dat dus wel van plan was geweest. 'Wat stel je dan voor?' vroeg hij opgewonden.

'Willekeurige cijfers en letters, hoofdlettergevoelig, die niets met je persoonlijke gegevens te maken hebben. Minimaal dertig karakters. En schrijf het nergens op.'

258

Sean keek verbijsterd. 'Geweldig, maar hoe moet ik iets van dertig karakters onthouden als ik het niet mag opschrijven, omdat die supergeheime code daardoor dus niet meer geheim is?'

Edgar keek stomverbaasd. 'Kun jij geen dertig willekeurige karakters onthouden?'

'Nee, Edgar, dat kan ik niet!' snauwde Sean.

Michelle bemoeide zich ermee. 'Hij is al wat ouder, Edgar. Hij verliest elke dag in zo'n enorm tempo hersencellen, dat kun je je niet voorstellen!'

'Dat spijt me heel erg om te horen,' zei Edgar ernstig. 'Maar als het dan echt moet, kun je het bij vijfentwintig laten, maar echt niet minder!'

'Bedankt,' zei Sean kortaf. 'Ik ga het meteen doen.'

# 54

Hij was weer op de begraafplaats en keek naar dezelfde twee graven.

Op de linkergrafsteen stond dat Franklin Grant een fantastische echtgenoot, een liefhebbende vader en een ware patriot was geweest.

'Ik mis je, pa,' zei Grant. 'Ik ga je steeds meer missen. Jij zou hier moeten zijn. Je zou een geweldige opa voor mijn kinderen zijn.'

Hij keek naar het andere graf. LIEFHEBBENDE ECHTGENOTE EN MOEDER, stond op de grafsteen.

Hij had geprobeerd het beeld vast te houden dat dergelijke opschriften in zijn hoofd opriepen. Maar dat was hem niet gelukt en daar was een heel goede reden voor.

Op zijn dertiende had hij onbedoeld een foto onder ogen gekregen van zijn ouders na hun verstikkingsdood, na hun zelfmoordpact: hun gezicht lijkbleek, hun uitpuilende ogen wijd open, tegen elkaar aan gezakt.

'Jou mis ik ook, ma,' mompelde Grant. En dat was ook zo.

Maar zijn blik en zijn gedachten keerden algauw terug naar zijn vader.

Hij was een ware patriot geweest die voor zijn land had geleden. Hij was hoog opgeklommen. Hij had in het Witte Huis gewerkt. Als jongen was Grant daar samen met zijn vader geweest; hij had de hand van de toenmalige president van de Verenigde Staten geschud en het machtscentrum gezien van het sterkste land ter wereld. Dat had een onuitwisbare indruk op hem gemaakt en was een belangrijke reden geweest voor zijn beslissing om voor het leger te gaan werken. Maar de waarheid achter de tragische dood van zijn vader had een veel diepere indruk achtergelaten; eentje die brandde als een derdegraadsbrandwond. Hij betwijfelde of dat litteken ooit zou genezen.

Het enige waardoor Grant op de been was gebleven, was zijn plan. Nu werd dat uitgevoerd en het ging voorspoedig, hoewel met een paar hindernissen. Dat had hij verwacht. Een plan dat zo ingewikkeld was, kon niet worden uitgevoerd zonder dat er problemen ontstonden. Hij was erop voorbereid geweest. En het was goed.

Hij legde bloemen op de graven van zijn ouders, nam nog een keer afscheid, draaide zich om en liep terug naar zijn auto.

Een uur later kwam hij thuis en begroette zijn kinderen. Zijn zevenjarige zoon was op school, maar zijn dochter van vijf en peuter van twee holden op hem af. Hij tilde zijn zoon op, pakte zijn dochter bij de hand en liep de keuken in, waar zijn vrouw de lunch klaarmaakte.

Leslie Grant was midden dertig en nog even knap als toen hij haar ten huwelijk had gevraagd. Ze gaven elkaar een kus en toen pikte Grant een plakje komkommer uit de salade die ze aan het klaarmaken was. Daarna liep hij met zijn zoon op de arm naar de woonkamer.

Dan Marshall zat voor de grote televisie. Hij droeg een kakikleurige broek en een flanellen shirt, en met kwastjes versierde instappers aan zijn voeten.

Grant zette zijn zoon neer die snel naar zijn zus toe rende die in de speelkamer was.

Grant keek naar Marshall, die met een biertje in zijn hand naar ESPN aan het kijken was. 'Hoe gaat het met de Wizards?' vroeg Grant.

'Beter. De Nets hebben hen de vorige keer vermorzeld. Hopelijk gebeurt dat vanavond andersom.'

Marshall gaf Grant een flesje bier. Grant maakte hem open en nam een grote slok. Daarna ging hij in de leunstoel zitten en keek aandachtig naar zijn schoonvader. 'Hoe gaat het met je?' vroeg hij.

'Heb me weleens beter gevoeld,' zei Marshall.

'Werk?'

Marshall leunde achterover en keek naar Grant. 'Ik mis Maggie nog steeds,' zei hij. Hij had het over zijn overleden vrouw. 'Maar dit is de eerste keer dat ik blij ben dat ze dit niet meer hoeft mee te maken.'

Grant zette zijn bier neer. 'De vorige keer dat we elkaar spraken, had ik niet begrepen dat het zo erg was.'

'Ja, maar toen waren we in het Pentagon. Daar moet je uitkijken met wat je zegt.'

'Het is dus erger?'

Marshall zuchtte, dronk zijn flesje leeg en zette het neer. 'Het is erg, Alan. Ik heb toestemming gegeven voor deze missie. Ik had mijn twijfels, maar de bevelen van boven waren duidelijk. Het zou hoe dan ook gebeuren, met of zonder mijn handtekening eronder.'

'Waarom zou jij er dan de schuld van krijgen?'

'Je begrijpt kennelijk niet hoe de regering, en dan vooral het ministerie van Defensie, in elkaar zit.'

'Ik heb in het leger gezeten.'

'Maar nooit in de militaire bureaucratie! Die heeft haar eigen regels en veel daarvan zijn niet logisch. Maar op één ding kun je rekenen: wanneer de civiele leiding een zaak waar het leger bij is betrokken, verknoeit, krijgen de lui in uniform een groot deel van de schuld.'

'Maar feitelijk ben jij niet in uniform.'

'Maakt niet uit. Ik heb de functie en de titel, en de bal weegt ongeveer een ton en zwaait recht op me af. In het ergste geval word ik verpletterd. In het minst erge geval raak ik zwaargewond.'

'Waar draait het volgens jou op uit?'

'Dat ik de rest van mijn leven voor het Congres sta te getuigen. Als ik geluk heb, wordt er geen aanklacht tegen me ingediend. Als ik geen geluk heb, ga ik misschien de gevangenis in.'

'Jezus, Dan, daar had ik geen idee van!'

Dat was natuurlijk niet waar, maar toch had Grant medelijden met de man. 'Kan ik misschien iets voor je doen?'

Marshall gaf hem een klopje op zijn arm. 'Luister, we hebben allemaal problemen. En jij hebt een geweldig gezin en je hebt mijn dochter erg gelukkig gemaakt. Blijf jij maar gewoon doen wat je aan het doen bent. We zien wel hoe het afloopt.'

*Ik ben zeker van plan om te blijven doen wat ik aan het doen ben,* dacht Grant.

Tijdens de lunch praatten de mannen met geen woord over Marshalls probleem, niet waar Leslie en de kinderen bij waren.

Na de maaltijd nam Marshall afscheid. Grant gaf hem een hand en omhelsde hem. 'Het spijt me, Dan,' zei hij. En dat meende hij ook. Maar als het erop aankwam de dood van zijn vader te wreken, was Grant bereid iedereen op te offeren. Inclusief zichzelf.

Hij liep de achtertuin in, ging in een tuinstoel zitten en keek naar de lucht. Hij zag een vliegtuig dat aan zijn afdaling naar Dulles Airport begon.

Hij had ook het gevoel dat hij bezig was met zijn afdaling. Het radiostation was bijna klaar. Zijn tijdschema leek perfect en veelbelovend. De satelliet die hij had gehuurd was in de exacte positie gebracht om te kunnen doen wat hij moest doen. En de restjes die daar waren achtergebleven, zouden erg nuttig zijn om het noodzakelijke resultaat te kunnen boeken.

En dat noodzakelijke resultaat was dat iemand zou boeten voor een onrechtmatige daad die vijfentwintig jaar geleden was gepleegd. Dat onrecht had zijn vader het leven gekost. Zijn vader was de enige die daar echt een prijs voor had betaald. Nu was de tijd gekomen dat anderen dat ook deden. Dat was de meest dwingende kracht in Grants leven geworden. Dit was niet gewoon een doel, maar een obsessie. En obsessies hebben de neiging iemand blind te maken voor al het andere. Grant was zich daarvan bewust, maar hij vond ook dat hij er niets aan kon doen. Het was immers een obsessie.

Daarom had hij besloten de carrière en misschien zelfs het leven van zijn schoonvader op het spel te zetten om zijn doel te bereiken. Hij was zelfs bereid het geluk van zijn gezin op te offeren als het nodig was. Want Grant kon niet gelukkig zijn, tenzij hij wraak kon nemen. En hij kon maar één manier bedenken om dat te doen. Niets kon hem tegenhouden. En als iemand dat wel probeerde, dan zou hij die iemand moeten stoppen, zo nodig met geweld.

Net zoals hij had gedaan met Jean Shepherd en Milo Pratt. Net zoals hij zou moeten doen met Sam Wingo, en misschien met zijn zoon. En met Sean King en Michelle Maxwell. Hij was er vrij zeker van dat zij allemaal zouden sterven voordat dit allemaal voorbij was.

Het vliegtuig verdween achter een paar bomen. Over een paar seconden zouden de wielen de landingsbaan raken en zou het vliegtuig afremmen. Alweer een veilige landing, zoals dat miljoenen keren per jaar gebeurde.

Zijn landing zou waarschijnlijk minder soepel verlopen. Maar er was een kans, een echte kans, dat hij alles kon uitvoeren, dat hij zijn doel kon bereiken – rechtvaardigheid – en daarna weer kon doorgaan met zijn gewone leven. Dat was het ideale scenario. Nadat die last van zijn schouders zou zijn gevallen, zou hij weer kunnen leven.

Anderen zouden niet zoveel geluk hebben. Er zouden meer mensen sterven voordat dit allemaal voorbij was. Grant wist precies wie de meesten van hen waren. In de ogen van de wereld zou het een historische gebeurtenis zijn.

Maar voor hem zou het niet meer zijn dan het wreken van de herinnering aan de man van wie hij het meest hield.

# 55

'Ja, meneer, dank u wel, meneer.' Sean verbrak de verbinding en keek naar Michelle.

Ze waren zich blijven verplaatsen en zaten nu in een andere motelkamer waar ze contant voor hadden betaald.

Sean had net gebeld met president John Cole.

Michelle vroeg: 'Mogen we in actie komen van de POTUS?'

'Volgens mij wel. Nu hij achter ons staat, kunnen we bijna overal naartoe gaan en zo ongeveer alles vragen.'

'Ik vond dat je de kwestie van Tyler Wingo heel mooi hebt ontweken.'

'Ik heb er geen enkele behoefte aan om de carrière van McKinney of Littlefield naar de knoppen te helpen. Misschien kunnen ze ons nog van nut zijn. De president verwacht dat we Tyler op een bepaald moment kunnen leveren. Dat moeten we gewoon een beetje vertragen.'

'Oké, waar gaan we eerst naartoe?'

'Het Pentagon. We hebben een afspraak met het hoofd van de afdeling Inkoop die betrokken was bij dat geld dat naar Afghanistan moest en met kolonel Leon South, Sam Wingo's directe leidinggevende.'

'Kom mee, dan gaan we.'

Een uur later liepen ze onder escorte door een lange gang in het Pentagon. Maar elke gang in het Pentagon was lang. Het was het doolhof der doolhoven. Het gerucht ging dat er nog altijd werknemers uit de jaren zestig door de kelders zwierven op zoek naar een uitgang.

Ze kwamen bij een kantoor met ramen en werden naar een ernaast gelegen vergaderzaal gebracht. Daar zaten twee mannen op hen te wachten. De ene man was in uniform, de andere niet.

Dan Marshall stond op en stak zijn hand uit. 'Meneer King, mevrouw Maxwell, welkom in het Pentagon. Ik ben Dan Marshall, secretaris-generaal voor Acquisitie, logistiek en technologie. Ik geef hier heel veel belastinggeld uit.'

Ze gaven elkaar een hand.

Kolonel South stond niet op om hen te begroeten. Hij knikte alleen maar en zei: 'Kolonel Leon South. Ik begrijp dat u hier bent met de zegen van de president.'

Sean, Michelle en Marshall gingen zitten.

Sean zei: 'Dat klopt.'

South zei: 'Ik begrijp niet goed wat privédetectives te zoeken hebben bij een geheime missie. Echt niet. Kunt u me dat misschien uitleggen?'

Marshall zei: 'Nu de president hier zijn goedkeuring aan heeft gegeven, hoeven we dat toch niet te bespreken, Leon?'

Sean zei: 'Ik begrijp uw vraag wel. We zijn heel toevallig bij deze zaak betrokken geraakt. Door een aantal gebeurtenissen zijn we heel dicht bij een van de hoofdrolspelers in de buurt gekomen. De president vond dat belangrijk en daardoor zijn wij er nu bij gehaald.'

South knikte langzaam, maar bleef hen met een ondoorgrondelijke blik aankijken. 'Wat wilt u nu van ons?'

Sean zei: 'Wat achtergrondinformatie over de missie. Meer info over Sam Wingo.'

'Wingo is een verrader,' begon South.

Marshall stak zijn hand op. 'Dat weten we niet, Leon. Eerlijk gezegd weten we heel veel dingen niet.'

'Er is één miljard euro verdwenen, tegelijk met Wingo. Volgens mij weten we alles wat we moeten weten.'

'Maar hij nam contact met jou op,' zei Marshall. 'En hij zei in zeer duidelijke bewoordingen dat hij onschuldig is.'

'Natuurlijk deed hij dat, zodat wij hem met rust zouden laten!' snauwde South.

'Wanneer nam hij contact met u op?' vroeg Sean.

'Kort nadat de missie in het honderd was gelopen.'

'Wat zei hij dat er gebeurd was?' vroeg Michelle.

'Dat er onbekende mannen op de rendez-vousplek waren. Dat zij zeiden dat ze van de CIA waren en legitimatie hadden waarmee ze dat konden bewijzen.'

'Hebt u hierover al met Langley gesproken?' vroeg Sean.

South keek hem minachtend aan. 'Nee hoor, ik geloofde hem zomaar.'

Sean zei: 'Oké, wat zei Langley toen u contact met hen opnam?'

'Dat ze niet wisten waar hij het over had. Ze hadden geen enkele agent daar in de buurt.'

'Hoe vaak heeft Wingo contact met u opgenomen?' vroeg Sean.

'Twee keer. Beide keren om te zeuren dat hij onschuldig was. En om te zeggen dat hij van plan was uit te zoeken wie hem erin had geluisd.'

'Maar u geloofde hem dus niet,' zei Michelle.

'Nee, ik geloofde hem niet!'

'Kende u Wingo voor deze missie?'

'Alleen zijn reputatie. En die was heel goed. Anders was hij echt niet uitgekozen.'

'En toch neemt u gewoon aan dat hij schuldig is?' vroeg Sean.

'Verdwenen geld en verdwenen man; ja, dat klopt,' zei South kortaf.

'Laten we even aannemen dat hij de waarheid spreekt,' zei Sean. 'Wie zou er voordeel bij hebben om hem erin te luizen?'

Marshall zei: 'Iedereen die een miljard euro wil hebben. Ik zei toen al dat we een team van minstens drie man moesten sturen, maar dat voorstel werd afgewezen. Het was te veel voor één persoon, zelfs voor iemand die zo vakkundig is als Sam Wingo.'

Sean keek hem aan. 'Kende u Wingo al?'

'Alleen zijn reputatie, net als Leon.'

'En denkt u dat hij schuldig is?' vroeg Michelle.

'Ik heb me nog geen mening gevormd. Ik weet dat hij streng is gescreend en dat hij een jaar lang bezig is geweest met een regeling met een andere veldagent, die zijn privéleven ook heeft beïnvloed.'

'Dat is Jean Shepherd,' zei Michelle. 'Zijn zogenaamde tweede echtgenote.'

'Ja.'

'En zij is ook verdwenen,' zei Sean.

'Juist,' bemoeide South zich ermee. 'Misschien zitten ze nu aan de Riviera te genieten van de vruchten van hun diefstal!'

'Dus u denkt dat ze dit samen hebben gedaan?'

'Waarom niet? Ze hebben een jaar gehad om alles te plannen. Met één miljard euro hebben ze hun hele leven genoeg geld.'

'Ik zou het met u eens kunnen zijn als er niet één ding tegen zou spreken,' zei Sean.

'Wat dan?' vroeg South.

'Tyler Wingo.'

Michelle voegde eraan toe: 'Wij denken dat hij zijn zoon nooit in de steek zou laten. Hoe je het ook bekijkt, ze hadden een heel nauwe band met elkaar.'

South haalde zijn schouders op. 'Misschien is hij van plan de jongen op te halen.'

'Dus dat maakt zijn zoon een medeplichtige. Een crimineel van zestien die op de vlucht is,' zei Michelle.

'Zoveel geld kan gekke dingen doen met een mens,' antwoordde South.

'Wij hebben begrepen dat het geld bedoeld was voor bepaalde islamitische vrijheidsstrijders om daar wapens mee te kopen. Klopt dat?' vroeg Sean.

South en Marshall keken elkaar zenuwachtig aan.

'Dat betekent dus ja?' vroeg Michelle.

Marshall schraapte zijn keel. 'Dat is niet onwaar.'

'Goed, want dat heeft de president ons verteld,' zei Michelle.

'Waarom vraagt u het dan aan ons?' gromde South.

'Gewoon even controleren of iedereen nog op dezelfde golflengte zit,' zei Michelle.

'Dus een groot probleem voor het Witte Huis?' vroeg Sean.

'Niet alleen voor het Witte Huis,' zei Marshall. 'Feitelijk mogen dergelijke bedragen niet op die manier worden overgedragen. Dus zitten we allemaal in hetzelfde schuitje. Ik vraag me af of het Congres dat met een fileermes zal uitzoeken.'

'Eerder met een botte bijl,' zei South.

'Dus u bedoelt dat het feitelijk misschien illegaal was?' vroeg Michelle.

'Dat zou men kunnen aanvoeren,' zei Marshall. 'Deze vrijheidsstrijders vechten misschien tegen een regiem dat geen bondgenoot van ons is. Maar het is niet zo dat de meeste van deze rebellen engelen zijn.'

'Veel van deze rebellen willen de sharia weer invoeren in de geseculariseerde Arabische landen,' voegde South eraan toe. 'En in de landen waar de sharia al geldt, zouden ze even erg of zelfs erger kunnen zijn dan de regiems die nu aan de macht zijn. Het is dus een puinzooi, hoe dan ook.'

'Net zoals we in de jaren zeventig Osama bin Laden en de moedjahedien in Afghanistan tegen de Russen steunden,' zei Sean. 'Later gebruikten zij de wapens die wij voor hen hadden gekocht tegen ons leger.'

'De geopolitiek is geen exacte wetenschap, en zal dat nooit worden ook,' zei South.

'Sommige mensen zouden zeggen dat gezond verstand al genoeg kan zijn,' zei Michelle.

'Maar dan vergissen ze zich lelijk!' snauwde South.

'Dus uw carrière kon hier weleens op stuklopen?' vroeg Sean aan hem.

South liep rood aan. 'Ik hou me meer bezig met deze zaak weer in goede banen te leiden dan met de vraag wanneer ik weer word bevorderd.'

'Stel dat de missie volgens plan was verlopen, wat zou Wingo's rol dan zijn geweest?'

South zei: 'Om het geld naar zijn eindbestemming te brengen. Naar die vrijheidsstrijders. Een aantal van hen zou op die plek op hem wachten. Hij zou met hen meegaan om het geld het land uit te krijgen. We hadden de route al gepland en de benodigde toestemming geregeld van de verschillende stamhoofden.'

'Waarom Afghanistan? Waarom werd dat geld niet rechtstreeks naar die vrijheidsstrijders gebracht?' vroeg Michelle.

'Dat zou te doorzichtig zijn,' zei South. 'In feite zou het geld niet direct naar hen gaan. Er was nog een tussenstap gepland: met dat geld zouden wapens en munitie worden gekocht.'

'Van wie?'

South en Marshall keken elkaar weer aan, maar zeiden niets.

Sean zei: 'Tenzij mijn geheugen me in de steek laat, ligt er naast Afghanistan een heel groot land dat je niet bepaald onze vriend kunt noemen.'

'En dat is Iran,' zei Michelle.

Sean keek South recht aan. 'Vertel me alstublieft dat het hier niet gaat om vrijheidsstrijders die de regering in Teheran omver willen werpen!'

'Dat ontken of bevestig ik niet. En ik betwijfel of de president u daar een rechtstreeks antwoord op zou geven,' voegde South eraan toe.

Sean keek naar Marshall. 'Dat moeten we echt weten.'

Marshall knikte en stond op.

South legde in een kalmerend gebaar een hand op zijn arm. 'Dan, denk even na over wat je doet.'

'Leon, zij hebben de zegen van de president. En hoe kunnen zij deze zaak oplossen als ze het hele verhaal niet kennen?' Hij liep naar een muur waar een wereldkaart hing. Hij wees een paar plaatsen aan. 'Het plan was om naar het noorden te gaan. De euro's zouden worden witgewassen in Turkmenistan en Kazachstan.'

'En de Russen vonden dat prima?' vroeg Sean snel.

Marshall keek naar South. De kolonel zei: 'Dat hadden ze toegezegd. Het is complexe geopolitiek voor een groentje als jij, maar laten we het erop houden dat ze het spierballenvertoon van Iran net zo zat zijn als wij.'

Sean schudde zijn hoofd. 'Dat denk ik niet.'

'Wat?' beet South.

'De Russen houden van wapengekletter, vooral als wij ons er zorgen over maken. Kijk maar naar Syrië. Daarnaast is de economie van Rusland voor een groot gedeelte afhankelijk van olie en gas, waar ze grote hoeveelheden van hebben. Als de rechtlijnigen uit Teheran verdrongen worden en hun olie weer op de wereldmarkt komt, zal de prijs gaan dalen. En dat zal Moskou flink veel pijn doen. Hun economischstabilisatieplan is er juist op gericht om die regio te destabiliseren. Hoe zwakker de zaken er daar voorstaan, hoe meer geld zij verdienen aan hun grondstoffen.'

Marshall glimlachte en Michelle was zichtbaar onder de indruk. Ze zei: 'Hoe weet je dat allemaal?'

Sean haalde zijn schouders op. 'Ach, ik lees *The Economist* net zo graag als ieder willekeurig groentje.'

Marshall ging verder. 'De wapens zouden worden gekocht via wapenhandelaren in Turkije en daarna naar Syrië worden gebracht en vervolgens naar deze vrijheidsstrijders.'

'In Iran?' vroeg Sean. 'Die vrijheidsstrijders kwamen uit Iran?'

Marshall knikte.

'Oké, en Wingo zou hier met de neus bovenop zitten?' vroeg Sean.

'Dat klopt,' antwoordde Marshall en hij ging weer zitten.

'Een militair betrokken bij iets wat eigenlijk de geheime diensten aangaat?' vroeg Michelle.

'Vertel ons eens over de DIA,' zei Sean.

'Ik werk bij de DIA,' zei South. 'Net als Wingo. De meeste mensen realiseren zich niet dat de DIA in zowel mankracht als geld de CIA overstijgt. We hebben duizenden nieuwe veldagenten gerekruteerd en getraind voor missies in de hele wereld. We plaatsen hen in gewone legereenheden die wereldwijd worden ingezet en laten hen daar achter nadat hun eenheid is vertrokken. Dat is een fantastische dekmantel, werkelijk waar. Onze vijanden weten al heel lang dat het ministerie van Buitenlandse Zaken een dekmantel is voor geheim agenten. Wij werken met de CIA aan veel gezamenlijke operaties. En bij deze operatie hadden wij de leiding.' Hij zweeg even. 'En we hebben er een behoorlijke puinhoop van gemaakt, wat betekent dat dit weleens de laatste missie zou kunnen zijn waarbij wij de leiding hebben.'

Sean keek hem nieuwsgierig aan. 'En dat betekent dat Langley bij alle toekomstige operaties de baas is?'

'Waarschijnlijk wel.'

'Dus zij hebben er belang bij dat deze missie mislukt?'

Marshall schudde zijn hoofd. 'Dat betwijfel ik ten zeerste. Voordat dit voorbij is, heeft iedereen vieze handen. En áls ze dit hebben gedaan en de waarheid komt boven tafel, dan heeft de CIA de komende decennia geen enkele macht meer. Veel te riskant.'

'Welke stappen hebben jullie gezet om Wingo te vinden?' vroeg Michelle.

'Elke stap die we maar konden bedenken,' zei South.

'En jullie denken dat Wingo dit in zijn eentje doet?'

'Ja.'

'Dan weten we zeker dat hij onschuldig is,' zei Sean.

'Hoezo?'

'Er zijn namelijk vrij veel mensen bij betrokken. Verschillende van deze mensen hebben geprobeerd mijn partner en mij om te brengen. En niet een van hen was Sam Wingo.'

'Nou, met het geld dat hij nu bezit, kan hij iedereen inhuren om zijn vieze karweitjes op te knappen,' antwoordde South.

'Mijn gevoel zegt me iets anders,' zei Sean.

'O, nou, maar dat maakt alle verschil van de wereld, vind ik!' zei South sarcastisch.

Marshall zei: 'Denken jullie dat jullie Sam Wingo kunnen vinden?'

'We gaan ons best doen. En daar hebben we een heel belangrijke reden voor.'

'Bedoelt u omdat de president op jullie rekent?' vroeg Marshall.

'Nee,' zei Sean. 'Omdat dat betekent dat we het dan waarschijnlijk zullen overleven.'

# 56

Sean zat in zijn auto naar het gebouw te kijken toen hij een stem in zijn oortje hoorde kraken.

'De Vista Trading Group zit op de vijfde verdieping,' zei Michelle, die vlak bij de volgende kruising op het terras van een restaurant zat.

'Begrepen.'

'Het was heel behulpzaam van Edgar dat hij ons zo snel zoveel informatie heeft gegeven.'

'Ja, maar voor óns is het niet zo behulpzaam,' zei Sean. 'Vista is een legaal bedrijf. Alan Grant komt uit een bijzonder goede familie. Zijn vader zat in het leger en ging daarna bij de overheid werken. En Grant heeft geen enkele smet op zijn blazoen. Voormalig soldaat. Nu een succesvolle zakenman. Die vent heeft niet eens parkeerboetes.'

'Ja, hij is clean. Te clean naar mijn smaak.'

'Je kunt iemand toch niet kwalijk nemen dat hij zich té goed aan de wet houdt?'

'Maar er is een reden voor het feit dat Sam Wingo zich interesseert voor een van de mannen die daar werkt.'

'We weten niet waarom dat zo is. Het zou fijn zijn als we dat aan Wingo konden vragen.'

'Heb je Tyler nog gemaild?' vroeg ze.

'Twee keer. Nog geen reactie.'

'Misschien houdt iemand zijn nieuwe Gmail-account in de gaten.'

'Ik heb zijn code gebruikt. Heb alleen gevraagd of het goed met hem ging. Dat we contact wilden.'

'Wingo geeft hem misschien geen toestemming te antwoorden. Hij vertrouwt ons misschien niet.'

'Als ik hem was, zou ik niemand vertrouwen,' antwoordde Sean.

'Goed, wat doen we met Vista?'

'We wachten.'

Vier uur later, toen Michelle haar vierde kop koffie had besteld maar nog niet had aangeraakt, werd hun geduld beloond.

Seans stem kraakte in haar oor. 'Alan Grant en onze man op drie uur.'

Michelle keek onopvallend die kant op. Ze droeg een honkbalpetje en had haar lange haar eronder gestopt. Een grote zonnebril bedekte de helft van haar gezicht.

'Ik zie ze', zei ze.

Grant en zijn collega leken jonge, geslaagde zakenlieden die op straat even iets met elkaar bespraken. Michelle kon niet horen wat ze zeiden en wilde geen risico's nemen door op te staan en de straat over te steken om dichterbij te komen. Als ze haar zouden zien, verpestte ze daarmee misschien hun enige kans om hun onderzoek voort te zetten. 'Plan?' fluisterde ze.

'Als ze allebei een andere kant op gaan, neem ik Grant en jij die andere man. Als ze allebei het gebouw binnengaan, ga je achter hen aan en kijk je of je kunt zien en horen wat zij zien en horen. Datzelfde doe je als die andere man alleen naar binnen gaat.'

'Stel dat ze me herkennen?'

'Je hebt je goed vermomd en er zijn heel veel mensen in de buurt. Ik vind dat we het moeten riskeren.'

'En jij?'

'Als een van hen een auto heeft, of als zij allebei een auto hebben, volg ik Grant en jij die andere man. Staat je auto in de buurt?'

'Om de hoek. Maar ik mis mijn Land Cruiser.'

'Weet je, als je gewoon wat troep naar binnen gooit, voel je je meteen weer thuis.'

'God, wat ben je weer grappig, je zou zo als stand-upcomedian aan de slag kunnen,' beet ze terug.

'Iedereen zou een reserveberoep moeten hebben.'

'Denk je echt dat dit ergens toe leidt?'

'Als Wingo zich voor deze lui interesseert, dan doen wij dat ook.'

'Ze gaan naar binnen.'

'Succes.'

'Bedankt.'

Michelle stond op en liep achter de mannen aan. Ze drong zich in een groep mensen die na Grant en zijn collega het gebouw binnenliep.

Ze slaagde er maar net in om in dezelfde lift te springen als Grant, de andere man en tien andere mensen. Ze ging achter in de lift staan, zodat Grant en zijn gesprekspartner voor haar stonden. Ze ving flarden op van hun gesprek, maar Michelle verwachtte niet dat ze in het openbaar gevoelige informatie zouden bespreken.

Ze stapten, zoals ze wel had verwacht, op de vijfde verdieping uit de lift. Vier andere mensen stapten ook uit en dus besloot ze het risico te nemen. Ze liep achter hen aan door de gang en liep hen voorbij toen ze de kantoren van de Vista Trading Group binnengingen. Het was een dubbele deur die er indrukwekkend uitzag. Grant had kennelijk veel succes in de zakenwereld, want dit was een chic kantoorgebouw en in dit deel van D.C. waren de huren niet laag.

Ze liep de hoek om en bleef staan.

En ze kreeg de schrik van haar leven.

Ze sprong weer terug voordat de man haar kon zien.

'Ik zag net een man bij Vista naar binnen lopen,' zei ze door haar microfoontje tegen Sean.

'Oké, wie was het?'

'Dit geloof je niet!'

'Bij deze zaak begin ik te geloven dat alles mogelijk is. Wie heb je gezien?'

'Die man met wie we in het Pentagon hebben gepraat.'

'Kolonel Leon South?'

'Nee, die andere. Dan Marshall, de secretaris-generaal voor Acquisitie, logistiek en technologie. Dezelfde man die één miljard euro aan belastinggeld is kwijtgeraakt.'

'Jezus christus!'

'Dat dacht ik ook.'

'Wat is zijn relatie met Vista?'

'Toeval?' zei Michelle.

'Als dat zo is, is dat wel héél erg toevallig. We moeten heel veel dieper gaan spitten.'

'Edgar?'

'Hij is al in Grants achtergrond gedoken. Het verbaast me dat hij die connectie met Dan Marshall niet heeft gevonden.'

'Zelfs een genie mist weleens iets.'

'Of misschien is hij ook wel een paar hersencellen kwijtgeraakt.'

'Maak je geen zorgen, hij heeft er nog genoeg over.'

273

# 57

Michelle nam contact op met Edgar en vertelde hem wat ze nodig hadden. Hij beloofde er meteen aan te beginnen en haar terug te bellen zodra hij resultaat had geboekt. Ondertussen reden Sean en Michelle in Seans auto naar Reston, Virginia, voor een gesprek met de blogger, George Carlton.

Sean had hun komst aangekondigd en Carlton stond hen op te wachten voor zijn rijtjeshuis. Dat was ook zijn kantoor, vertelde hij toen hij hen mee naar binnen nam.

'Het verbaast me dat er geen busjes van nieuwszenders voor je huis staan,' zei Sean. 'Na je grote scoop.'

Carlton was klein en mollig, en een jaar of vijftig. Hij had een driedagenbaardje en zijn snor hing half over zijn bovenlip. Hij keek hen met een vreemde blik aan en bood toen zijn verontschuldigingen aan. 'Er zit een kras op mijn rechtercontactlens. Probeer een afspraak met de opticien te maken.'

Hij nam hen mee naar zijn kantoor. Het was er bomvol met stapels boeken, krantenartikelen, tijdschriften en dvd-hoesjes. Op zijn bureau stond een grote computer en op kniehoogte stond een server te zoemen.

Ze gingen allemaal zitten.

Carlton wreef over zijn snor en keek hen peinzend aan. 'Busjes van de pers zouden een erkenning van de wereld van de blogger inhouden, dus dat zal nooit gebeuren.'

'Die twee werelden kunnen het dus niet goed met elkaar vinden?' vroeg Michelle, terwijl ze zich in een stoel perste die ze moest delen met een stapel tijdschriften.

'Die twee werelden erkennen elkaar niet. Het gaat mij om de waarheid. Het gaat hen om amusement, kijkcijfers en de almachtige dollars.'

'Mij gaat het alleen maar om de waarheid,' zei Sean.

'Aan de telefoon zei je dat je misschien informatie voor me had?' vroeg Carlton.

'Quid pro quo,' zei Sean.

Carlton fronste zijn wenkbrauwen. 'Ik zit in de business van het verzamelen en doorgeven van informatie en masse, niet om het aan individuen te verstrekken. En ik ga er al helemaal niet voor betalen.'

'Nou, wij zitten in de business van het opgraven van de waarheid,' zei Michelle. 'En daar hebben we jouw hulp bij nodig.'

'Wie zijn jullie?'

Sean liet Carlton zijn badge zien.

'Privédetectives?' snoof Carlton minachtend. 'En wie is jullie cliënt?'

'Vertrouwelijk,' zei Sean. 'Maar afhankelijk van wat jij ons vertelt, kunnen wij jou misschien ook een paar dingen vertellen.'

'Zoals?'

'Zoals meer achtergrondinformatie over het verhaal waar je al over hebt geschreven, over die verdwenen miljard euro.'

Carlton glimlachte. 'Het is wel duidelijk dat jullie mijn meest recente blog niet hebben gelezen. Die heb ik net een halfuur geleden gepost en ik neem aan dat het elk moment op internet kan staan. Het aantal lezers is al ongelofelijk.'

'Nee, dat hebben we niet gelezen,' zei Sean. 'Maar ik lees dan ook zelden blogs.'

'En hij denkt dat je die blog in een brievenbus hebt gestopt,' zei Michelle.

Carlton grinnikte. 'Nou, het verbaast mij dat het hier na deze blog niet stikt van de pers. Of van de Feds.' Hij tikte een paar toetsen in en draaide het beeldscherm daarna zo dat zij konden zien wat erop stond. Sean en Michelle lazen snel zijn meest recente blog. Carlton hield hen nauwlettend in het oog. 'Jullie lijken helemaal niet verbaasd.'

Sean keek hem aan. 'Over het feit dat die miljard euro bedoeld was om wapens te financieren voor mensen die de Iraanse regering omver willen werpen en dat een tussenstap om het geld daar te krijgen, te maken had met papavers uit Afghanistan waar je heroïne van kunt maken? Nou, dat verbaast ons zeer.' Hij voegde er eerlijk aan toe: 'Vooral die info over die papavers en heroïne.'

Carlton keek hem met een slimme blik aan. 'Ik dacht dat je van de waarheid was. Want wat je net zei was dikke onzin.'

'Wie was je bron?' vroeg Michelle.

Carlton rolde met zijn ogen. 'Kom op zeg, zoiets vráág je toch niet!'

Sean stak zijn handen op en telde zijn vingers, terwijl hij naar Michelle keek en zei: 'Hoeveel was het, tot nu toe zes mensen dood en vijf zwaargewond, of vergis ik me?'

Michelle dacht even na. 'Volgens mij is het vijf dood en zes levensgevaarlijk gewond. En je mag die twee vrouwen niet vergeten die worden vermist en waarschijnlijk dood zijn. En dat is alleen maar in dit land en dus niet al die mannen die in Afghanistan zijn vermoord. Dat was pas echt een slachtpartij.'

'Dat is waar. Ik vergiste me. Nou ja, tot mijn verdediging moet ik zeggen dat de stand met de dag verandert. Ik kan het gewoon niet bijhouden.'

Carlton keek hen geschrokken aan. 'Waar hebben jullie het verdomme over?'

'Die bomaanslag op dat motel in Alexandria?' vroeg Sean.

'Dat heeft hier ook mee te maken?' vroeg Carlton met een trillende stem.

Sean zei: 'Nou ja, aangezien wij daar waren en bijna zijn omgekomen, ja, inderdaad. Dus wat je in overweging moet nemen, George, is dat wie hier ook achter zit jou informatie verstrekt met een doel dat nog niet helemaal duidelijk is. Maar wat wel duidelijk is, is dat ze er een gewoonte van hebben gemaakt losse eindjes op te ruimen.' Sean keek hem strak aan. 'Begrijp je wat ik bedoel?'

'Dat ik een los eindje ben? Maar ik ben niet meer dan een blogger. Ik weet helemaal niets wat iemand kwaad zou kunnen doen.'

'Nou, als die bron je mailt, dan laat dat een spoor achter. En dat spoor begint bij jou en eindigt bij de bron.'

'Maar ik weet zeker dat mijn bron alles doet om dat spoor te wissen.'

'Maakt niet uit. Hij kan het risico niet nemen. Ik neem aan dat hij, zodra je niet meer nuttig bent, bij je langskomt. Dan vermoordt hij je, hij zal je computer, je telefoon, je tablet en de server die ik onder je bureau zie staan, meenemen, en je huis en je bloedige overblijfselen in brand steken. Gewoon, voor alle zekerheid.' Hij keek naar Michelle. 'Wat denk jij? Dat zou jij toch ook doen, nietwaar, als jij de bron was? Geen spoor achterlaten?'

Ze zei: 'Zeker weten. Maar ik zou eerst zijn handen eraf hakken en daarna in brand steken. Maakt de identificatie van het slachtoffer een stuk moeilijker.'

Carlton zag eruit alsof hij moest kotsen, maar zei zwakjes: 'Jullie proberen me alleen maar bang te maken.'

Sean schudde langzaam zijn hoofd. 'Dat hoef ik niet te proberen. Je zou sowieso bang moeten zijn. Ik ben wel bang. En ik heb bij de Secret Service gezeten. Er zijn niet veel dingen waar ik bang van word, maar dit is er verdomme een van.'

Michelle zei: 'Je moet hier serieus over nadenken, George. Heel serieus. Iedereen die hiermee te maken heeft, gaat dood. Wij zijn drie keer bijna omgebracht en wij kunnen op onszelf passen.' Ze keek naar zijn kleine, mollige lichaam. 'Ik denk niet dat jij dat kunt.'

'Maar wat kan ik doen?' jammerde Carlton.

Sean zei: 'Download je mails op een usb-stick en geef die aan mij. Daarna pak je een tas in en boek je een vlucht naar een heel, heel verre bestemming. Daar blijf je dan minstens een maand. Kijk in de kranten of, nog beter, naar de blogs om te zien wat hier gebeurt. Als wij na die dertig dagen allemaal nog leven, kun je terugkomen. Dan zou het veilig moeten zijn.'

'Je houdt me voor de gek!'

Sean keek naar Michelle en toen weer naar Carlton.

'Of je blijft hier en sterft,' zei Michelle tegen de blogger.

Carlton zei niets.

Ten slotte stond Sean op. 'Kom mee, Michelle. Dit is tijdverspilling.'

Michelle stond op. 'Verspilde moeite. Sorry, George. Weet niet wat ik tegen je moet zeggen. Zorg dat de premie van je levensverzekering betaald is. Zeg tegen je naaste verwanten dat ze dat geld tegemoet kunnen zien. En zorg dat je opstalverzekering ook is betaald. Want ze komen echt en steken de heleboel in de fik, met jou erin.'

Ze maakten aanstalten om weg te gaan.

'Waar moet ik dan naartoe?' schreeuwde Carlton.

Sean draaide zich om. 'Waar zou je naartoe willen?'

Carlton dacht even na. 'Ik heb altijd al het Sydney Opera House willen zien.'

'Goede keus,' zei Sean.

'Geweldige keus,' zei Michelle.

'Usb-stick?' vroeg Sean, terwijl hij terugliep naar het bureau.

Carlton haalde er een uit zijn bureaula en stopte hem in zijn computer. 'Kunnen jullie me naar het vliegveld brengen? Ik kan online wel een ticket boeken, mijn paspoort heb ik hier en ik heb maar heel weinig tijd nodig om mijn tas in te pakken.'

'Waarom niet?' zei Sean.

'Zijn jullie gewapend?' vroeg Carlton.

Sean wees naar Michelle. 'Ik heb haar, dus het antwoord is ja, ik ben gewapend.'

Hij keek toe terwijl Carlton de mailtjes op de stick downloadde, die uit de computer haalde en aan Sean gaf.

Ze brachten Carlton naar het vliegveld en zetten hem daar af.

'Succes,' zei Sean.

'Ik denk dat jullie dat meer nodig hebben dan ik, vriend,' zei Carlton.

Even later was hij verdwenen in de menigte op Dulles.

Terwijl ze wegreden, vroeg Michelle: 'Denk je dat Edgar de bron van die mails kan traceren?'

'Als iemand dat kan, dan is hij dat. Het IP-adres en al die andere dingen die ik niet begrijp, zullen in dat e-mailspoor zitten. Degene die ze heeft verstuurd, zal zijn uiterste best hebben gedaan de route af te sluiten, maar misschien vindt Edgar toch iets.'

'Iemand, bedoel je.'

Sean keek naar haar. 'Onze reis naar Nieuw-Zeeland klinkt steeds aantrekkelijker, vind je niet?'

'Ja, inderdaad,' zei Michelle.

Seans telefoon ging. Hij nam op, luisterde, zei bedankt en sloeg een andere richting in.

'Wat is er?' vroeg Michelle toen hij het gaspedaal intrapte.

'Dana is wakker en wil me zien.'

'Het verbaast me dat het ziekenhuis je belt. Je bent tenslotte geen familie.'

'Dat was het ziekenhuis niet. Het was haar man, generaal-majoor Curtis Brown. En hij wil ook met ons praten.'

# 58

Curtis Brown, Dana's echtgenoot, stond samen met Michelle in de hoek van het vertrek. Sean zat naast het bed met Dana te praten. Ze was versuft, ze had pijn, maar ze leefde. Ze slaagde er zelfs een paar keer in te glimlachen, maar kromp elke keer even in elkaar.

'Had naar je moeten luisteren, Sean,' zei ze langzaam. 'Had het winkelcentrum gewoon moeten verlaten.'

'Waarom heb je dat niet gedaan?'

'Oude gewoonte, denk ik. Wilde niet dat je gewond zou raken. Maar je lijkt in orde. En Michelle?'

'Staat daar, bij de generaal, zo fit als een hoentje.'

'Blij om, heel blij,' zei ze moeizaam.

'Rust maar even uit.'

Ze greep zijn hand nog steviger beet. 'Die mannen?'

'Uitgeschakeld.'

'Hebben jullie al ontdekt wat er aan de hand is?'

'We komen steeds dichter bij de waarheid,' loog hij. Hij keek naar Brown. 'Ik weet dat Curtis hier elke minuut is geweest. Volgens mij ben je deze keer met de juiste man getrouwd. Jullie horen echt bij elkaar.'

Dana glimlachte en Brown sloeg gegeneerd zijn ogen neer. Michelle klopte hem even op de schouder en keek hem met een geruststellende blik aan.

Dana zei: 'Ik voel me goed, hoor, alleen heel erg moe.'

'Dat komt door je morfine-infuus. Geniet er maar van zo lang het duurt.'

Haar ogen vielen dicht, haar hand gleed weg en even later sliep ze.

Sean stond op en liep naar Brown en Michelle.

Brown zei: 'De artsen zeiden dat het tijd zou kosten, maar dat ze bijna helemaal zal herstellen.'

'Dat is fantastisch nieuws,' zei Sean.

Brown keek hem aan en ontweek toen zijn blik. Hij zei: 'Over waar we het eerder over hadden...'

Sean vroeg: 'Heb je iets ontdekt?'

'Koffie in het restaurant, als jullie even tijd hebben?'

'We hebben alle tijd voor je. Kom mee.'

Ze haalden hun koffie en kozen een tafeltje ver bij de andere gasten vandaan.

Brown leegde een zakje suiker in zijn kopje en begon langzaam te roeren. 'Het Pentagon is zo gesloten als een oester over deze kwestie,' zei hij.

'Dat hebben wij ook gehoord.'

'Maar er is een vers lek geweest,' zei Brown.

'Bedoel je dat wij proberen de regering van Iran omver te werpen door het witwassen van geld met papavertransporten?' vroeg Michelle.

Hij keek haar met een scherpe blik aan. 'Dus jullie hebben het gezien?'

'Ja, op de website van een blogger...'

'Nou, die blogger heeft nu een groot probleem.'

'Volgens mij weet hij dat.'

'Vrijheid van meningsuiting is één ding, maar je kunt geen gestolen nationale geheimen publiceren zonder dat je daar problemen mee krijgt.'

'Het is dus waar? Over Iran?'

Brown nam een slokje koffie. 'De mensen kijken naar de slachtpartij in Syrië en denken dat dát erg is. Maar zij weten niet wat er in Iran gebeurt. Of in Noord-Korea. Die landen hebben alle communicatie met de buitenwereld afgesloten. Je gelooft gewoon niet hoeveel doden daar vallen.'

'Dus eerst gaan we Iran aanpakken. En daarna Noord-Korea? Ik wist niet dat er in Noord-Korea een noemenswaardige oppositie was.'

'Dat zou je verbazen. Velen van hen zijn naar Zuid-Korea gevlucht, maar willen terug naar hun eigen land en daar veranderingen doorvoeren. Iran was een test om te zien of zoiets als dit kon werken. Zo ja, dan zouden we hetzelfde in Noord-Korea doen.'

'Grote gok,' zei Michelle. 'Zelfs een miljard euro is volgens mij niet genoeg voor een staatsgreep.'

'Hoefde ook niet. Alleen maar de boel wakker schudden. Als Iran of Noord-Korea dachten dat ze van binnenuit kwetsbaar waren, dan zouden ze hun retoriek misschien temperen, naar de onderhandelingstafel komen en zich als volwassenen gedragen. Zoals je al zei, is het een grote gok, maar economische sancties en dreigementen van buiten hebben geen effect gehad. Wij noemen het graag "goedkoop oorlog voeren". Hij schudde zijn hoofd. 'Ik kan er niet bij dat ik dit aan jullie vertel. Ik heb het zelf nog maar net ontdekt. Dit is zo geheim als geheim maar kan zijn. Als ze erachter komen dat ik dit aan jullie heb verteld, slepen ze me misschien wel voor de krijgsraad.'

'Van ons zal niemand dit te horen krijgen, Curtis, dat beloof ik je,' zei Sean.

'Dat waardeer ik heel erg.'

'Oké, hoe zit het met Sam Wingo?'

'Het Pentagon denkt dat hij corrupt is.'

'Dat is hij niet,' zei Sean.

'Hoe weet je dat?'

Sean keek naar Michelle en zei: 'We hebben hem ontmoet. Hij heeft Michelles leven gered toen we door een paar mannen werden aangevallen.'

'Wat? Waar? Wat voor mannen?'

'Waarschijnlijk van dezelfde groep die Dana heeft neergeschoten. Maar Wingo was erin geluisd.'

'Dus jullie werken nu met hem samen?'

'Dat proberen we, maar zoals je je wel kunt voorstellen, is hij niet echt goed van vertrouwen.'

'En zijn zoon?'

'Bij zijn vader. Maar hou dat alsjeblieft voor jezelf.'

'Ik zal wel moeten. Als ik toegeef dat ik daar iets vanaf weet, moet ik hun vertellen dat ik jullie heb ontmoet en dat zou het einde voor mij betekenen.' Hij nam nog een slokje koffie. 'En het geld?'

'Weg.'

'Weet hij wie hem erin heeft geluisd?'

'Hij heeft wel een paar ideeën. En hij is vast van plan die allemaal na te trekken.'

'Denkt hij dat het door zijn eigen mensen is gedaan? Jullie dachten dat er in mijn kantoor een lek was. Maar ik heb het gecontroleerd, Sean; dat is niet zo. Dat is onmogelijk.'

'Ik begin te denken dat dit lek ergens anders vandaan komt. Wat weet jij van Heron Air Services of de Vista Trading Group in D.C.?'

'Niets. Hebben die hier iets mee te maken? Dat kan ik wel voor je uitzoeken.'

'We hebben daar al iemand op gezet. Hoe zit het met Dan Marshall van het Pentagon? Ken je hem?'

'Een beetje. We hebben elkaar tijdens een paar vergaderingen gezien. Hij is hoofd Inkoop. En volgens iedereen, ook volgens mij, een eerlijke vent. Zeg alsjeblieft niet dat hij hierbij betrokken is.'

'Dat is nog steeds de vraag,' zei Michelle. 'Zijn carrière zal een klap krijgen door dat verdwenen geld. En zelfs nog meer als bekend wordt waar dat geld naartoe is gegaan. Dat heeft hij ons tenminste verteld.'

'Het verbaast me dat hij jullie ook maar iets heeft verteld.'

Michelle zei: 'O, we zijn vergeten je iets te vertellen. We hebben een splinternieuwe beste vriend.'

'O, wie dan?' wilde Brown weten.

'President John Cole.'

Brown keek haar ongelovig aan.

Sean vroeg: 'En kolonel Leon South? Ken je hem?'

'Nee. Zit hij bij het leger?'

'DIA.'

'Ik heb niet veel te maken met de militaire geheime dienst.' Brown leunde achterover en vroeg: 'Wat kan ik nog meer doen?'

'Je ogen en oren openhouden. Ik ben altijd telefonisch bereikbaar. Maar ik denk dat Dana je voorlopig wel bezig zal houden.'

Brown glimlachte. 'Dat hoop ik wel.'

'En hou een oogje op haar, Curtis. Degenen die hierbij betrokken zijn, komen misschien nog een keer terug.'

'Dan krijgen ze eerst met mij te maken.'

'O, daar twijfel ik niet aan!'

Toen ze het ziekenhuis uit kwamen, stonden er twee suv's naast hun auto. Twee mannen en een vrouw in pak met zonnebrillen op gingen voor hen staan.

Sean keek naar Michelle. 'Komt dit je niet bekend voor?'

'Ja, ze zien er precies zo uit als wij er vroeger uitzagen.'

'En weet je waar wij naartoe gaan?' vroeg Sean.

'Ik weet waar we naartoe gaan,' antwoordde Michelle.

# 59

Alan Grant en Dan Marshall verlieten samen de kantoren van de Vista Trading Group.

'Bedankt dat je naar het centrum wilde komen,' zei Grant.

'Nee, jíj bedankt dat ik het Pentagon even kon verlaten,' antwoordde Marshall.

'Nog steeds zware tijden?' vroeg Grant.

'Het lijkt wel alsof het met het uur zwaarder wordt. Heb je het laatste nieuws gezien?'

'Ja, van diezelfde blogger. Iran? Afghaanse papavers? Echt?'

'Dat zegt de pers. Daar kan ik geen commentaar op geven, zelfs niet naar jou toe.'

'Is er iets wat ik kan doen?'

'Nee, alleen voor mijn dochter en kleinkinderen zorgen.'

'Dit waait misschien wel over, Dan.'

'Ja, en misschien komt de zon morgenvroeg niet op.'

Ze gingen naar een restaurant in de buurt en tijdens de maaltijd praatten ze over andere dingen dan over de ramp die op Marshall afstevende. Buiten namen ze afscheid van elkaar.

'Dit gaat een enorme diplomatieke rel worden,' zei Grant.

'Daar twijfel ik niet aan. Dit geeft Teheran een uitstekende kans om hun borst op te zetten en ons met verwijten te overladen. Maar het geeft ook munitie aan die lui die ons schade willen berokkenen. Nou, ik moet maar eens terug naar de brandhaard.'

'Pas goed op jezelf, Dan. Tot gauw.'

Ze gaven elkaar een hand en Marshall liep weg.

Grant keek hem nog even na en liep toen naar zijn auto die in de ondergrondse parkeergarage stond. De rit duurde langer dan normaal, doordat er op Interstate 66 in verband met wegwerkzaamheden een paar rijstroken waren afgesloten. Eindelijk kwam hij bij zijn afslag en reed nog een stuk door. In minder dan tweeënhalf uur had hij de drukte van de hoofdstad verruild voor de vredige rust van het platteland.

Hij reed langs de bewaakte controlepost, parkeerde zijn auto voor het oude radiostation en stapte uit. Hij keek vol bewondering naar de zendmast. Die hing nu vol satellietschotels die stuk voor stuk in een bepaalde hoek hingen. Dat alles straalde macht uit.

Hij liep over het terrein en zag dat de buitenkant helemaal af was. Hij ging naar binnen en keek om zich heen naar alle activiteit. Draagbare generatoren stonden te zoemen. Elektrisch gereedschap tikte en klikte. Er werden muren opgetrokken. De kluis was bijna klaar. Mannen bewogen zich met snelle bewegingen in een soort bouwchoreografie, gemotiveerd door de gedachte aan de bonus die hun was toegezegd als ze dit eerder af zouden hebben.

Grant keek samen met de voorman naar de bouwtekeningen en liep vervolgens met hem door het gebouw om te controleren of alles in deze laatste fase precies volgens plan werd uitgevoerd. Hij gaf opdracht voor een paar aanpassingen en liep vervolgens weer naar buiten.

Hij keek naar de uitlopers van de Blue Ridge Mountains in de verte. In het oosten lag Washington, maar daar kon hij hiervandaan natuurlijk niets van zien. Wat hij wel zag was een vliegtuig dat zich klaarmaakte om op het vliegveld van Dulles te landen. Hij ademde een keer diep in en vervolgens langzaam weer uit.

Nog even en dan waren ze online en was het spel begonnen. Zijn hackers zouden in hun stoel op hun toetsenbord zitten te typen. Ze zouden daar naar binnen gaan waar ze naar binnen moesten, net als ontdekkingsreizigers zich vroeger met hun machetes een pad door dichte oerwouden hakten.

Hij had deze mensen zorgvuldig geselecteerd. Hij had hun volledige trouw gekocht. Ze interesseerden zich totaal niet voor geopolitiek en hadden geen belangen in welk internationaal spel dan ook. Grant wel, maar hij was geen landverrader. Als dit allemaal voorbij was, zou Amerika weer overeind krabbelen en verdergaan, dat wist hij zeker.

*Ik herstel gewoon een onrecht.*

Hij stak zijn hand in zijn jaszak en haalde er het kostbare document uit dat hij van Milo Pratt had gekregen. Het had Pratt zijn leven gekost. Maar zonder dit kon Grants plan niet slagen. Er konden te veel dingen misgaan, maar dit ene waarschijnlijk niet.

Datzelfde kon hij niet zeggen van bepaalde andere elementen. Sam Wingo liep nog steeds ergens rond. Net als Sean King en Michelle Maxwell. Toch had Grant wel een paar ideeën om daar een einde aan te maken.

Hij keek naar het papier. Maar hij mocht zijn einddoel niet uit het oog verliezen, de echte prijs. Hij moest het gewoon doen en daarna zou hij deze operatie beëindigen zonder een spoor achter te laten. Vervolgens zou hij doorgaan met zijn leven. Tenminste, dat was het plan.

Hij keek naar de lucht en draaide zijn gezicht in de juiste richting. Zijn gehuurde satelliet was daar, in zijn eigen veilige baan om de aarde. De restanten die zijn mensen daar hadden ontdekt waren genoeg om hem daar te brengen waar hij wilde zijn.

Hij keek naar een andere plek in de lucht. Op die plek cirkelde nog iets om de aarde heen. Er vloog daar heel veel troep rond. Ruimteafval en actieve platforms. Het Space Station. Binnenkort zouden zelfs burgers, nou ja, rijke burgers dan, een vlucht om de aarde kunnen maken.

Maar voor hem waren alleen die twee platforms belangrijk die in precieze patronen rondom de aarde cirkelden. Ze hadden niets met elkaar te maken. Tenminste, nog niet. Maar algauw zouden ze onlosmakelijk met elkaar zijn verbonden, in elk geval in zijn hoofd. De rest van de wereld zou nooit iets weten van de 'band' tussen die beide stukken metaal. Alle bewijzen zouden worden gewist dankzij een bepaalde ingenieuze methode die hij had ontwikkeld, die al het bewijs letterlijk door de hele digitale ruimte zou laten terugkaatsen en dan in een biljoen stukjes zou laten exploderen.

*Humpty Dumpty zat op een muur,*
*Humpty viel en was overstuur.*
*De paarden van de koning noch zijn lakeien*
*Konden Humpty weer in mekander breien.*

Hij keek weer naar beneden. Kon hij de problemen hier op aarde maar zo gemakkelijk oplossen.

Hij keek op zijn horloge en daarna naar de bouwactiviteiten. Even later kwam er een bericht binnen op zijn smartphone. De opdracht was uitgevoerd. Waar Grant opdracht voor had gegeven was gedaan.

Dat betekende dat hij ergens naartoe moest.

Hij moest iemand opzoeken. Wanneer die persoon zijn verzoek niet wilde inwilligen, betekende dit dat hij die iemand moest vermoorden. Nóg iemand moest vermoorden.

# 60

'Het is alweer even geleden dat we hier waren,' zei Sean toen de suv waar ze in zaten door het hek reed dat eruitzag alsof hij een op hol geslagen tank zou kunnen tegenhouden.

'Ja, en de vorige keer was niet bepaald aangenaam,' merkte Michelle op.

'Ja, dat weet ik nog.'

Ze werden door een escorte via een gang naar de westvleugel van het Witte Huis gebracht.

'Jij hebt de president nooit beschermd, wel?' vroeg Sean.

'Mijn carrière was al ten einde voordat het zover was,' zei ze. 'Een van de weinige dingen waar ik spijt van heb.'

'Het is niet zo bijzonder als wordt gezegd.'

'Leugenaar!' zei ze en ze porde speels met haar elleboog in zijn zij.

Ze werden naar een kleine vergaderruimte gebracht waar ze moesten wachten.

Terwijl Sean door de kamer dwaalde en naar diverse beroemde schilderijen aan de muur keek, vroeg Michelle: 'Herken je iemand van de beveiliging?'

'Ben al te lang weg. Al mijn tijdgenoten klussen inmiddels bij bij andere diensten. En jij?'

'De vrouw voor het ziekenhuis kwam me bekend voor, maar ik weet niet hoe ze heet.'

'Jaloers?'

'Ja, waarom niet?'

'Jij werkt fulltime met mij samen.'

'Dat is geen antwoord op mijn vraag.'

'Nou, dank je wel!'

De deur ging open en het hoofd Beveiliging kwam binnen gevolgd door president Cole en de rest van zijn mensen. Sean en Michelle stonden meteen op en wachtten tot Cole zat. Daarna gingen zij ook weer zitten.

Cole keek hen aan. 'Blogger?'

'Ja, meneer,' zei Sean.

'Wat weten jullie daarvan?'

Sean gaf niet meteen antwoord. Hij vroeg zich af wat de bedoeling van de vraag precies was. 'George Carlton. Onafhankelijk. Niet verbonden aan een persagentschap.'

'Hebben jullie hem opgezocht?'

'Dus uw mensen zijn ons gevolgd?' vroeg Michelle.

'Nee. Ze hielden Carltons huis in de gaten. Jullie kwamen op bezoek. Een van de redenen dat jullie hier nu zijn.'

Sean keek taxerend naar Cole. De man leek tien jaar ouder sinds hun bezoek aan hem in Camp David.

*Hij denkt dat dit zíjn Watergate is,* dacht Sean.

'Het verbaast me dat de Feds hem niet al hadden opgezocht.'

'Vrijheid van meningsuiting. De pers is de vierde macht,' zei Cole. 'Lastige kwestie. Ik heb geen zin de media te censureren. Er wordt me al meer dan genoeg in de schoenen geschoven zonder dat ik daar nog extra aanleiding voor hoef te geven. Maar jullie zijn de regering niet. Jullie kunnen dingen doen die wij niet kunnen doen.'

'En u daarna vertellen wat we hebben ontdekt?' vroeg Michelle.

Sean keek nerveus naar haar.

Cole zei: 'Ik dacht dat we hadden afgesproken dat jullie dat inderdáád zouden doen? Samenwerken in deze zaak. Te beginnen met het vinden van Sam Wingo door jullie relatie met de zoon.'

Sean keek weer naar Michelle, maar zei niets.

Cole voegde eraan toe: 'En voor het geval dat jullie die vriendjes van jullie in Hoover willen dekken: ik weet al dat de FBI de jongen is kwijtgeraakt.'

'We hebben geen vriendjes in Hoover, meneer,' zei Michelle. 'Tenminste, zij zijn dat niet.'

Cole haalde zijn schouders op. 'Als deze kwestie een positief einde heeft, wordt als het aan mij ligt niemand ergens op aangekeken.'

'Dat is heel genereus van u, meneer,' zei Sean, hoewel de blik op zijn gezicht zijn woorden weersprak.

Cole leek het niet te zien en als dat wel zo was, leek het hem niets te kunnen schelen.

Sean vroeg: 'Dus Iran? Is dat waar we mee bezig zijn?'

'Nee, zo eenvoudig ligt het niet.'

'Geld voor wapens voor opstandelingen in Iran. En Noord-Korea is het volgende land op het lijstje?'

'Wie heeft jullie dat verteld?'

287

'Wij zijn privédetectives, meneer. Wij moeten onze bronnen beschermen.'

'Net zoals we dat met u doen,' voegde Michelle eraan toe.

'Het is dus niet zo eenvoudig dat u het ons kunt uitleggen?' vroeg Sean.

'Waarom zou ik?'

'We moeten precies weten wat er aan de hand is als we hier iets aan willen doen, meneer de president.'

Cole bleef hem een paar seconden aankijken en leunde toen naar achteren tegen de rugleuning van de bank. 'Zoals al in die stomme blog stond, waren die euro's bedoeld om papavers te kopen voor de productie van heroïne. Niet echt natuurlijk, want die papavers zouden nooit worden gebruikt om drugs van te maken. Tenminste, niet door ons.'

'Maar jullie hadden een manier nodig om die euro's wit te wassen,' suggereerde Sean. 'Voordat ze hun uiteindelijke bestemming hadden bereikt.'

Cole knikte. 'De aangekochte papavers zouden in handen komen van een derde partij.'

'Laat me raden,' zei Sean. 'Een internationale wapenhandelaar?'

'En daarna zouden de wapens, die tegen de papavers waren geruild, naar Iran gaan.'

'En wat zou die wapenhandelaar dan met die papavers doen?'

'Ik zei dat wij de papavers niet zouden gebruiken om er heroïne van te maken. Ik kan natuurlijk niet voor anderen spreken.'

'Mag ik een openhartige opmerking maken, meneer de president?' vroeg Sean.

'Aangezien je niet meer bij de Secret Service zit, kun je wanneer je maar wilt openhartige opmerkingen maken.'

'Degene die dit plan heeft bedacht, moet worden ontslagen, meneer.'

'Het is een belachelijk plan,' zei Michelle. 'Het kan op zoveel momenten misgaan. En dat is dus ook gebeurd.'

Cole werd rood, maar zijn woede verdween alweer snel. 'Ik heb het ontslag van deze persoon twee dagen geleden geaccepteerd. Niet dat het belangrijk is, want de verantwoordelijkheid ligt bij mij. Ik heb het plan goedgekeurd.'

Even bleef het stil in het vertrek.

Cole vroeg: 'Die blogger?'

'Uitgespeeld,' zei Sean. 'Hij kende zijn bron niet.'

'Geloof je hem?'

'Ik kan zien wanneer iemand bang is,' zei Sean. 'Hij wist er niets van. Was gewoon op zoek naar de eerstvolgende primeur.'

'Hebben jullie aanwijzingen wie die bron is?'

'Zijn we mee bezig.'

'Als die per mail heeft gecommuniceerd, dan kunnen mijn mensen de bron wel opsporen, maar...'

'Die lastige kwestie,' zei Michelle. 'Vrijheid van meningsuiting. De pers is de vierde macht.'

'Juist. Een schandaal is één ding, misschien overleef ik dat wel. Maar een schandaal verbloemen is onvergeeflijk!'

'Laat ons dan onze gang gaan, meneer de president,' zei Sean.

'Kunnen jullie Sam Wingo vinden?'

'Dat denk ik wel.'

'Denken jullie dat hij hierbij betrokken is?'

'Volgens ons is hij erin geluisd.'

'Door wie?'

'Dat is nog niet duidelijk. Maar we hebben een paar aanwijzingen en die zijn we nu aan het natrekken.'

De president stond op. 'Dan moet ik jullie maar niet langer ophouden. En ik heb een afspraak buiten de deur.'

Sean en Michelle stonden op.

'Dank u wel, meneer,' zei Sean.

'Laat het maar even weten als ik iets kan doen. Ik kan niet zomaar alles opzijzetten, maar deze kwestie is wel een van mijn prioriteiten.'

'Begrepen.'

Sean en Michelle liepen achter Cole en zijn beveiligers, die in een diamantvormig patroon om hem heen liepen, door de gang.

Ze gingen naar buiten, waar de stoet auto's al klaarstond.

De presidentiële limo, die het Beest werd genoemd, stond met draaiende motor te wachten. De politie van D.C. had alle straten waar ze doorheen zouden rijden al afgezet. Het Beest stopt niet voor een rood verkeerslicht en ook niet voor iets anders.

Voordat het portier dichtging, keek Cole naar hen op. 'Ik reken op jullie.'

Daarna reed de stoet auto's weg.

Michelle keek de lange rij auto's die snel wegreden met een verlangende blik na.

'Het ís indrukwekkend,' zei Sean.

'Ja,' zei Michelle.

'Maar het maakt je snel oud.'

Ze snoof. 'Inderdaad.'

'Deze kant op,' zei een Secret Service-agent.

Ze werden teruggebracht naar hun eigen auto die bij het ziekenhuis geparkeerd stond.

Terwijl ze in de Land Cruiser stapten, zei Sean, toen hij de gelaten blik van zijn partner zag: 'Dat was je verleden, Michelle. Je kunt niet in het verleden leven.'

'Natuurlijk wel, Sean. Als je niet echt enthousiast uitkijkt naar je toekomst.'

# 61

'Zijn schoonvader?' vroeg Sean.

Hij en Michelle zaten tegenover Edgar Roy in zijn boerderij ten westen van D.C. De woning wekte een vreemde indruk, doordat het interieur en de meubels rustiek waren, maar het er toch vol stond met glimmende computerapparatuur.

Toen ze bij het ziekenhuis waren weggereden, hadden ze een sms van Edgar gekregen: hij had nieuws. Ze waren meteen naar zijn boerderij gegaan.

Edgar zat aan zijn bureau, dat in feite niet meer was dan een rechthoekige, zwart geverfde, zeven centimeter dikke plaat multiplex die op een paar schragen rustte. Er stonden naast elkaar drie computerbeeldschermen op.

Edgar knikte, maar keek vreemd geïrriteerd. 'Ja, Dan Marshall is Alan Grants schoonvader.'

'Zijn schoonvader?' riep Sean nog een keer.

'Ja. Alan Grant is negen jaar geleden getrouwd met Leslie Marshall. Ze hebben drie kinderen. Dan Marshall is weduwnaar; zijn vrouw Maggie is twee jaar geleden aan kanker overleden.' Hij zweeg even. 'Het spijt me dat ik die connectie niet eerder heb ontdekt. Ik kan er niet bij dat ik dat over het hoofd heb gezien.'

'Het is wel goed, hoor,' zei Michelle kalmerend. 'Daaruit blijkt alleen maar dat je net zo menselijk bent als wij.'

'Ja,' beaamde Sean. 'Alleen ben je vier keer zo intelligent als wij.'

Dit leek Edgar op te vrolijken en hij zei met een zelfverzekerder stem: 'Alan Grant heeft in het leger gezeten en is eervol ontslagen. Hij is directeur van de Vista Trading Group. Ik kan geen verband ontdekken tussen Vista en Heron Air Services.'

Sean zei: 'En Grants ouders? Je zei toch dat je iets over hen had ontdekt?'

'Een zelfmoordpact, zij hebben samen zelfmoord gepleegd, in 1988 toen Grant dertien was.'

Michelle zei: 'Een zelfmoordpact? Waarom?'

'Franklin Grant was in de jaren tachtig assistent van de NSC, de National Security Council. Hij raakte betrokken bij Irangate en ik neem aan dat hij daar niet mee kon leven, en zijn vrouw ook niet. Heel, heel triest allemaal.'

Michelle keek naar Sean. 'Oké, is dat belangrijk?'

'Misschien wel.'

Sean keek Edgar aan. 'Wat kun je ons nog meer vertellen over Franklin Grants werkzaamheden bij de National Security Council?'

'Het meeste is nog altijd geheim, Sean. Voor zover ik heb begrepen was Franklin Grant in die tijd misschien op de hoogte van een complot, maar was hij er geen voorstander van. Ik ben een beetje dieper gaan graven dan de kranten en de andere media in die tijd. Het ziet ernaar uit dat Grant heeft geprobeerd tegen zijn superieuren te getuigen, maar dat ze hem als zondebok hebben gebruikt.' Edgar sloeg zijn ogen even neer en zei: 'Ik weet hoe dat voelt.'

'Dat weten we, Edgar,' zei Michelle. 'Hij was dus de zondebok en liet vervolgens een jonge en opeens verweesde Alan Grant achter.'

Sean dacht diep na. 'Ik herinner me dat ik in de krant over de affaire heb gelezen, hoewel ik pas naar Washington kwam toen het al voorbij was. De naam Franklin Grant kan ik me niet herinneren.'

Edgar keek naar zijn beeldscherm. 'Er was ook niet zoveel te vinden. Er waren toen interessantere zaken. Reagan en al zijn hooggeplaatste overheidsfunctionarissen. Oliver North. Norths secretaresse. Manuel Noriega. Zo te zien is Franklin Grant domweg ondergesneeuwd.'

'Maar hij was wel de enige die de ultieme prijs betaalde, hè?' vroeg Michelle.

Sean zei: 'Ik kan me herinneren dat er, ondanks het feit dat tijdens dat onderzoek ongelofelijk veel documenten zoek zijn geraakt of gemaakt, vrij veel hoge pieten in staat van beschuldiging zijn gesteld of veroordeeld, onder anderen de minister van Defensie. Maar enkele van deze veroordelingen zijn in hoger beroep ofwel vernietigd ofwel nietig verklaard. En degenen waarbij dat niet gebeurde, hebben gratie gekregen van de volgende president. Volgens mij werd North veroordeeld tot gevangenisstraf, maar hij kreeg ook gratie of zoiets.'

Edgar zei: 'Hij werd veroordeeld tot een voorwaardelijke gevangenisstraf en heeft een werkstraf gekregen. Maar zijn vonnis is later nietig verklaard en alle beschuldigingen tegen hem zijn ingetrokken.'

'Dus Franklin Grant was écht de enige die alle schuld kreeg,' zei Sean.

'Misschien voelde hij zich schuldig, ook al was hij de klokkenluider,' zei Michelle.

'Of was hij meer integer dan alle andere betrokkenen,' zei Sean. 'Maar waar het om gaat is dat dit Alan Grant een sterk motief geeft om alles te plannen wat er nu gebeurt.'

'Ik moet bekennen dat ik te jong was om de affaire te volgen. Wat is er toen precies gebeurd?' vroeg Michelle.

Sean keek Edgar aan. 'Ik was niet te jong. Maar jij hebt het net allemaal uitgezocht. Misschien kun jij het beter uitleggen dan ik, Edgar. Ik kan me alle details niet meer zo precies herinneren.'

Edgar keek hem medelijdend aan. 'Je bent inderdááд heel veel hersencellen kwijtgeraakt.'

Michelle hoestte om te verbergen dat ze in de lach schoot.

Sean zei verontwaardigd: 'Oké, luister, ik ben het normale aantal hersencellen kwijtgeraakt voor iemand... voor iemand van mijn leeftijd.'

'Daar zijn medicijnen voor,' zei Edgar ernstig. 'En ik ken wel een paar specialisten op dat gebied.'

Michelle moest weer een lach onderdrukken.

'Irangate, oké? Kunnen we het daarover hebben?' zei Sean verwachtingsvol. 'Want het is tijdverspilling om het te hebben over het aantal hersencellen dat ik kwijtraak.'

Edgar leunde achterover. 'Het klinkt ingewikkeld, maar eigenlijk is het heel eenvoudig. Het begon als een manier om Amerikaanse gijzelaars te bevrijden die werden vastgehouden door een radicale groepering die banden had met Iran. Het oorspronkelijke plan was dat Israël wapens naar Iran zou sturen en dat de VS Israël tegen betaling vervangende wapens zouden doen toekomen. Vervolgens veranderde het in een zuiver wapens-voor-gijzelaars-complot waarbij er wapens aan Iran zouden worden verkocht, iets wat volgens de Amerikaanse wetgeving verboden was, en in ruil voor die verkopen zouden er gijzelaars worden vrijgelaten. Vervolgens werd het plan weer aangepast. Nu werd er een tussenhandelaar in Iran ingeschakeld om de wapens te verkopen, en een deel van de opbrengst werd gebruikt om geld naar de contra's in Nicaragua door te sluizen. Het doel hiervan was Manuel Noriega en zijn Panamese defensiemacht te helpen bij het afzetten van de sandinisten, die geen vrienden van ons waren. Maar het Congres had extra steun aan de contra's door de Amerikaanse geheime diensten verboden. Dat was dus de reden van dat geheime plan, om dat verbod te omzeilen, terwijl tegelijk werd geprobeerd de vrijlating van de gijzelaars uit Iran te bewerkstelligen door die wapenverkoop.'

'En dat noem je eenvóúdig?' riep Michelle.

'Uh, ja,' zei Edgar nuchter.

'Even eenvoudig als politici die alles lijken te kunnen maken,' merkte Sean op. 'En Noriega bleek later helemaal niet zo'n goede vriend te zijn.'

Edgar knikte. 'Niet ongebruikelijk. We hielden toch ook van Saddam Hussein, tot we niet meer van hem hielden.'

'Herinner me daaraan als ik ooit in de regering zou willen stappen,' zei Michelle.

'Of dictator zou willen worden,' zei Sean. Hij leunde achterover in zijn stoel en keek Michelle aan. 'Irangate in de jaren tachtig. En nu heeft George Carltons bron beweerd dat de VS via de verkoop van Afghaanse papavers hebben geprobeerd om geld aan een groepering die tegen het Iraanse bewind is te geven voor de aankoop van wapens. Om de regering daar omver te werpen. Dat is niet echt parallel.'

'Maar misschien wel het beste wat hij gezien de omstandigheden kon doen,' zei Michelle. 'Hij was niet de initiator van dat complot, Sean. Misschien had hij het net ontdekt en was dat voor hem de reden om te doen wat hij doet.'

'Hebben we het nu over Alan Grant?' vroeg Edgar.

Sean knikte. 'Hij speelt onder één hoedje met iemand met banden met Heron Air Services. Sam Wingo volgde die man en misschien heeft die hem ook wel naar Grant geleid, dat weten we niet.'

Edgar zei: 'Maar ik kon geen enkele relatie ontdekken tussen Vista en Heron.'

'Misschien is er ook geen zichtbare relatie. Of misschien hebben ze hun sporen heel goed uitgewist. Misschien was dit zelfs de luchtvaartmaatschappij die is gebruikt om dat geld uit Afghanistan te krijgen. Wingo zei dat de kerels die de lading van hem hebben afgenomen met CIA-legitimaties zwaaiden.'

Michelle zei: 'Maar dan is dat geld misschien niet eens in Iran gearriveerd.'

'Nee. Volgens mij is het hier ergens terechtgekomen.'

Michelle zei: 'Luister, misschien is dit gewoon een uiterst ingewikkelde diefstal. Grant is Marshalls schoonzoon. Marshall was op de hoogte van de euro's. Misschien heeft hij daarover iets aan Grant verteld en heeft Grant vervolgens de roofoverval gepland en het geld gepikt.'

Sean schudde zijn hoofd. 'Dat zou geloofwaardig zijn, als we dat nieuws over zijn ouders niet hadden gehoord. Dat lijkt mij een behoorlijk sterk motief. Ik denk niet dat het alleen maar om een miljard euro gaat. Als het een eenvoudige diefstal was, waarom zou hij George Carlton dan al die info voor zijn blog geven? Nee, hij brengt Cole en zijn regering in diskrediet. En Grant heeft het geld niet nodig, toch Edgar?'

'Zijn bedrijf lijkt erg succesvol; hij heeft diverse grote klanten bij de overheid. En zijn huis is bijna een miljoen dollar waard en de hypotheek is drie jaar geleden helemaal afgelost. Zijn financiële verleden is uitstekend: hij heeft geen openstaande boetes en er lopen geen strafzaken tegen hem. Ik heb zelfs zijn belastingaangiftes gehackt en met zijn inkomen staat hij in de groep van hoogste vermogens.'

'Heb jij zijn belastingaangiften gehackt?' vroeg Michelle. 'Is dat niet illegaal?'

'Niet echt. Ik heb min of meer carte blanche om te kijken waar ik wil kijken. De nationale veiligheid is een behoorlijk grote vrijbrief. En dat privilege heb ik gewoon een beetje opgerekt voor het werk dat ik voor jullie deed,' voegde hij er weinig overtuigend aan toe.

Sean haalde de usb-stick uit zijn zak. 'En nu hebben we dit.'

'Wat staat erop?' vroeg Edgar gretig, terwijl hij hem aannam van Sean en in zijn computer stopte.

'De mails van de bron van die blogger. Er staat het gebruikelijke IP-spoor op. We hoopten dat jij ons zou kunnen vertellen waar dat vandaan is gekomen. Ik betwijfel of de afzender het gemakkelijk heeft gemaakt, maar als het maar enigszins kan, zouden we het fijn vinden als jij het adres kunt traceren.'

Edgar sloeg op zijn toetsenbord, terwijl zijn blik op het beeldscherm gericht bleef. 'De gebruikelijke protocollen werken niet.'

'Hoe weet je dat?' vroeg Michelle.

'Omdat ik die net heb geprobeerd.'

Sean en Michelle keken elkaar aan.

Sean zei zacht: 'Volgens mij krijgt hij elke dag juist méér hersencellen in plaats van minder. Misschien pakt hij wel wat van mij af, door osmose of zo.'

'Weet je eigenlijk wel wat osmose is?' siste ze.

'Dat wist ik wel toen ik nog op de middelbare school zat.' Iets luider zei hij: 'Als je het hebt ontdekt, laat het ons dan alsjeblieft zo snel mogelijk weten.'

Sean en Michelle stonden op en vertrokken.

'Waarom voel ik me altijd zo dom als ik bij hem in de buurt ben?' zei Sean.

'Omdat we dat ook zijn, vergeleken met hem.' Ze bleef opeens staan.

Sean botste tegen haar op. 'Wat doe je nou?' riep hij uit. 'Michelle, ben je...?'

Hij hield zijn mond toen hij zag wat zij zag.

Sam Wingo stond hen aan te kijken.

# 62

'Je bent moeilijk te vinden,' zei Sean.

'Nou, hier ben ik dan!' zei Wingo. Hij zette een stap in hun richting.

'Ja, hier ben je dan,' zei Sean. 'En hoe komt het dat je hier bent?'

'Ik ben jullie gevolgd. Maar verder deed niemand dat, voor het geval je daar bang voor was.'

'Dan ben je echt heel goed, want we hebben je niet gezien,' zei Sean. 'Waar heb je ons opgepikt?'

'Bij het ziekenhuis. Tyler vertelde me over je vriendin. Ik ben even op de uitkijk gaan staan en toen kwamen jullie eraan. Was dat de Secret Service die jullie daar afzette?'

'Inderdaad,' zei Sean.

'Waar zijn jullie geweest?'

'Geheim.'

Michelle keek over Wingo's schouder. 'Waar is Tyler?'

'Op een veilige plek. Ik moest eerst iets zeker weten voordat ik hem meeneem.'

Sean zei: 'Je bedoelt dat je eerst wilde weten of je ons kon vertrouwen. En, doe je dat?'

'Ik heb hulp nodig. En dat zeg ik niet gauw. En Tyler gelooft dat jullie oké zijn. Dus geloof ik dat jullie oké zijn.'

'En als ik nou eens zeg dat wij er nog niet uit zijn of we jou kunnen vertrouwen?' zei Sean.

'Dat zou ik geloof ik wel kunnen begrijpen.'

'Op de video van de bewakingscamera's van het vliegveld zagen we dat je een man achtervolgde,' zei Michelle. 'Heron Air Services. Die jou naar de Vista Trading Group leidde?'

Sean keek zenuwachtig om zich heen. 'We staan hier wel een beetje open en bloot. Kunnen we ergens anders naartoe gaan, bij voorkeur naar een plek met vier muren en een deur met een slot erin?'

Michelle haalde haar sleutels tevoorschijn en glimlachte naar Wingo. 'Hoop dat je me bij kunt houden.'

Ze reden terug naar het motel waar Sean en Michelle logeerden en gingen naar Seans kamer. Michelle ging op het bed zitten, Wingo stond naast de deur en Sean nam plaats in een stoel.

'We luisteren.'

'Jullie weten al wel vrij veel.'

'Maar de interessantste delen waarschijnlijk niet,' antwoordde Michelle.

'Ik heb het nieuws gezien. Over Iran.'

'Wist je dat dat onderdeel was van de missie?' vroeg Sean.

Wingo knikte.

'En wat vond je daarvan?' vroeg Michelle.

'Het hoorde niet bij mijn werk om daar iets van te vinden. Ik ben soldaat. Ik heb me vrijwillig gemeld voor een missie. Mijn enige zorg was die tot een goed einde te brengen.'

'Waar je niet in bent geslaagd,' zei Sean.

'Geloof me, daar ben ik me van bewust,' snauwde Wingo.

'Vista?' begon Sean.

'Weet ik niet veel van. Tyler heeft dat bedrijf gegoogeld, maar er was niet zoveel te vinden.'

'Maar kennelijk is er wel een relatie met Heron Air Services,' zei Michelle.

Wingo knikte. 'Zoals je al zei, achtervolgde ik een vent van Heron naar Vista. Dat was de relatie.'

'En die vent van Heron was interessant omdat...?'

'Hij was een van de lui die me in Afghanistan opwachtten. Ik nam aan dat een particuliere chartermaatschappij een goede manier was om geld te vervoeren, vooral als het om meer dan tweeduizend kilo gaat. Een vriend in het buitenland had me bovendien getipt dat Heron erbij betrokken was. Dat bracht me in de eerste plaats op hun spoor.'

Sean zei: 'De directeur van de Vista Trading Group is Alan Grant. Ken je hem?'

'Nee. Wat is zijn belang in deze zaak?'

Michelle antwoordde: 'Dat kon weleens erg persoonlijk zijn en zou weleens decennia terug kunnen gaan.'

Wingo begreep er duidelijk niets van.

'Lang verhaal,' zei Sean. 'Maar Grant heeft mogelijk wel een persoonlijke vendetta en misschien gebruikt hij die miljard euro wel om die uit te vechten.'

'Oké,' zei Wingo langzaam. 'Maar kunnen jullie dat bewijzen?'

'Nog geen kruimel ervan,' zei Michelle.

'Weet je wat zijn uiteindelijke doel kan zijn?' vroeg Wingo.

'Geen flauw idee,' zei Sean. 'Maar als hij daarvoor een miljard euro en publiciteit nodig heeft waardoor de VS openlijk worden beschuldigd van zaken die tot een oorlog met Iran of tot nieuwe terreuraanslagen zouden kunnen leiden met als gevolg vele doden, dan denk ik dat je dat niet te licht moet opvatten.'

'En hoe moeten we dat voorkomen?' vroeg Wingo. 'Wat "dat" ook is?'

'Als Grant of een collega van hem de bron was van die blogs over dat verdwenen geld en de omverwerping van de Iraanse regering, dan is dat iets wat we aan de autoriteiten kunnen overlaten. Dan kunnen zij Grant te pakken nemen.'

'Hoe wist hij het eigenlijk, van die euro's?'

'We hebben net ontdekt dat Dan Marshall zijn schoonvader is.'

'Secretaris-generaal Marshall?' riep Wingo uit.

'Juist.'

'Hij was op de hoogte. Dat weet ik zeker. Denk je dat hij samenwerkt met Grant?'

'Geen idee,' antwoordde Sean.

Wingo vroeg: 'Dus wat doen we ondertussen? Gewoon afwachten tot er iets gebeurt?'

Michelle antwoordde: 'Persoonlijk hou ik niet van wachten.'

'Zij is meer iemand van "ik neem hem te grazen en leg daar later wel verantwoording voor af",' vertelde Sean, wat hem op een nijdige blik van zijn partner kwam te staan.

Wingo keek naar Michelle. 'Dat is een eigenschap die ik heel erg bewonder.'

Ze glimlachte. 'Nog bedankt dat je mijn leven hebt gered tijdens onze eerste ontmoeting. Had die man in die boom helemaal niet gezien.'

'Nee, jij had wel iets anders te doen,' zei Wingo. 'En volgens mij heb je ook mijn leven gered.'

'We kunnen elkaar later wel complimentjes geven,' zei Sean. 'Ik wil een plan bedenken om Grant uit de tent te lokken om te zien of hij echt wil gaan doen wat hij volgens mij wil gaan doen.'

Wingo's telefoon ging.

'Het is Tyler.' Hij keek naar het bericht. 'O, shit!'

'Wat is er?' vroeg Sean.

Wingo antwoordde niet. Hij stuurde een sms terug en toetste toen een nummer in. 'Toe nou, toe nou, neem je telefoon op!'

Hij sprong op de voicemail.

Wingo zei: 'Blijf waar je bent, dan komen wij naar je toe. Doe niets en ga nergens heen, oké? Hoor je me? Ga nergens naartoe!'

Hij stopte zijn telefoon weg en keek op.

'Wat is er?' vroeg Sean.

'Kathy Burnett belde hem op. Ze zei dat ze hem meteen in Tyson's Mall moest spreken.'

'Waarom?' vroeg Michelle.

'Ze zei dat de CIA haar had opgezocht. En dat zij willen dat ik naar hen toe ga om met hen te praten.'

'Hoe hebben ze de link met Kathy gelegd?' vroeg Michelle.

'Weet ik niet.'

'En waarschijnlijk is het de CIA helemaal niet,' zei Sean.

'Nee, dat denk ik ook niet.'

'Maar je zei dat zij hem belde en waarschijnlijk met hem heeft gepraat. Klonk het dringend? Bang?'

'Dat schreef hij niet.'

'Denk je dat hij al onderweg is naar haar?' vroeg Sean.

Wingo kalmeerde en keek naar hem. 'Ja, daar ben ik wel bang voor.' Hij keek naar de sms. 'Verdomme, hij is nog niet verzonden. Hij is nog steeds bezig. Tenzij het allemaal onzin is.'

Michelle zei: 'Wij hebben ook ontdekt dat je hier slecht bereik hebt.'

'Maar jullie hebben wel een voicemail ingesproken,' zei Sean.

'Tyler zet zijn telefoon altijd op stil; hij weet misschien niet eens dat ik hem heb gebeld.'

Hij gaf een stomp tegen de muur. 'Waarom luisteren kinderen tegenwoordig niet meer naar hun ouders? Waarom nemen ze hun telefoon niet op? Waarom al dat stomme ge-sms?'

'Zei hij ook waar in Tyson's Mall?' vroeg Michelle op een kalmerende toon.

'Starbucks vlak bij Barnes & Noble.'

'Laten we gaan.'

Daarna renden ze alle drie de kamer uit.

# 63

Eerder die dag verliet Kathy Burnett haar huis en liep ze haar straat door. Ze had een tennisracket onder haar arm en een blikje tennisballen in haar hand. Ze wilde in het park, drie straten verderop, tegen de oefenmuur gaan slaan.

En ze wilde nadenken over Tyler. Hij was niet op school geweest en ze vroeg zich af waarom niet. Ze was bij zijn huis langsgegaan, maar er was niemand thuis geweest, hoewel de auto van de Wingo's wel op de oprit had gestaan.

Alle Wingo's, zo leek het, waren verdwenen.

Ze sloeg de hoek om en kwam bij een bosje dat door liep tot de volgende straat. Ze was zo diep in gedachten dat ze het busje helemaal niet hoorde dat naast haar stopte en ook niet dat het portier openschoof.

Even later werd ze opgetild en drukte iemand een vochtige doek tegen haar gezicht. Ze haalde diep adem en viel flauw. Het portier schoof weer dicht en het busje reed weg. Kathy's tennisracket en ballen bleven achter op de stoep.

Het busje reed ruim een uur door, over afgelegen wegen en vermeed drukke gebieden. De eindbestemming was het hutje in de bossen vlak bij de plaats waar Jean Shepherd was begraven. De blokhut was donker, maar er stond een auto voor geparkeerd.

Het busje stopte en er stapte een man uit. Hij schoof het portier open, tilde de nog steeds bewusteloze Kathy eruit en droeg haar de blokhut binnen.

Ze werd vastgebonden op een stoel en geblinddoekt. Haar mond werd niet dichtgeplakt. Ze wilden dat ze zou praten. En er was niemand in de buurt die er zich iets van zou aantrekken als ze zou schreeuwen.

De chauffeur van het busje stapte naar achteren en leunde met zijn schouder tegen de enige deur van de blokhut. Alan Grant pakte een stoel en zette hem ongeveer dertig centimeter van de stoel vandaan waar Kathy onderuitgezakt in zat.

Hij keek naar haar gezicht, dacht na over de vragen die hij haar zou stellen. Hij was niet bang dat hij Sam Wingo niet zou kunnen vinden; in elk geval nóg niet. Maar hij had bijna geen tijd meer en hoopte dat het sneller zou gaan met de hulp van Kathy Burnett.

Hij wachtte geduldig tot ze bij bewustzijn kwam. Haar hoofd viel opzij toen ze wakker werd. Daarna hield ze haar hoofd rechtop en keek ze om zich heen, maar ze kon natuurlijk niet meer zien dan de binnenkant van de doek die haar gezicht bedekte.

Grant raakte haar arm even aan, waardoor ze schrok en ze begon te gillen.

Hij had dat met opzet gedaan. Hij wilde dat ze een beetje rustig was, maar ook bang, geïntimideerd en wanhopig.

'Wie ben je?' vroeg Kathy met trillende stem.

'Iemand die even met je wil praten, Kathy.'

'Alsjeblieft... Doe me alsjeblieft geen pijn.'

'Niemand gaat je pijn doen, Kathy. Ik wil alleen maar met je praten. En je moet iets voor me doen.'

'Wat?'

'Tyler Wingo. Hij is toch je vriend?'

Ze knikte, haar lichaam trilde zo dat de poten van haar stoel zachtjes bewogen.

'Nou, ik wil hem helpen.'

'Nee, dat wil je niet! Waarom zou je me ontvoeren en vastbinden als je hem wilt helpen?'

Grant glimlachte. Ze liet nu een beetje pit zien. Maar ze zou wel weer bang worden. Dat was altijd zo. 'Het is ingewikkeld, Kathy. Heel ingewikkeld. Dat is altijd zo met dit soort dingen. Weet je waar Sam Wingo van wordt beschuldigd?'

'Maar dat geloof ik niet!' zei ze kwaad. 'Het is een goede man. Hij zou dat geld nooit stelen. Hij was een soldaat.'

'Ik geloof je, Kathy. Ik denk ook dat hij het niet heeft gedaan. Maar andere mensen denken van wel. En die andere mensen kunnen hem en Tyler kwaad doen. Dat wil ik voorkomen.'

'Niet waar!' snauwde ze. 'Je wilt hen kwaad doen.'

'Ik ga je blinddoek afdoen en je iets laten zien, oké?'

Grant knikte tegen de andere man die zich omdraaide en het vertrek verliet. Grant ging achter Kathy staan. 'Kijk niet achterom, Kathy. Blijf voor je uit kijken. Wat je zult zien, zal je hopelijk van mijn goede bedoelingen overtuigen.'

Hij hield iets voor haar en maakte met zijn andere hand haar blinddoek los.

Kathy knipperde een paar keer snel met haar ogen en keek toen naar wat Grant haar liet zien. 'Ben je van de CIA?' riep ze ademloos, terwijl ze naar de legitimatie keek.

'Ja. Undercover, en daarom kan ik je mijn gezicht niet laten zien. Sam Wingo is betrokken bij iets heel ernstigs. Wij denken dat hij erin is geluisd, maar dat kunnen we niet bewijzen. Wingo vertrouwt niemand, ons ook niet. Maar we moeten op de een of andere manier contact met hem maken. Zodat hij naar ons toe komt en met ons samenwerkt.'

'Maar waarom heb je mij daarbij nodig?'

'We hebben geprobeerd contact met hem op te nemen, maar zoals ik al zei, vertrouwt hij niemand. Ik denk dat hij jou wel vertrouwt, Kathy.'

'Wat moet ik dan doen?'

'Kun je contact opnemen met Tyler en hem vertellen dat je een afspraak met hem wilt maken? Jij mag zelf beslissen waar. Zoek maar een openbare gelegenheid uit, zodat jullie je allebei veilig voelen.'

'Maar wat moet ik dan tegen hem zeggen?'

'Dat zijn vader contact met ons moet opnemen. Dat hij naar Langley moet komen. Je hebt toch wel van Langley gehoord?'

'Dat is jullie hoofdkantoor.'

'Dat klopt, Kathy. Daar zijn mensen die het belangrijk vinden wat er met Sam Wingo gebeurt. Zij willen dit in orde maken. Maar hoe langer hij zich niet meldt, hoe erger het wordt. Dat begrijp je toch wel?'

Ze knikte langzaam, en keek nog steeds naar de CIA-badge die hij haar liet zien. Grant deed dit heel bewust. Hij wilde er zeker van zijn dat zij dacht dat hij echt van de CIA was en dus een van de 'goeien'.

'Je doet het dus? Hem bellen?'

'Dat denk ik wel. Maar ik kan niet beloven dat hij iets met me zal willen afspreken.'

'Uiteraard, maar volgens mij wil hij dat wel. Volgens mij vindt hij je aardig en vertrouwt hij je. Ik weet dat hij het beste wil voor zijn vader en dat geldt ook voor ons. En zijn vader zal Tyler vertrouwen, dat weet ik zeker.'

Grant hield haar haar telefoon voor die hij eerder van haar had afgepakt. 'Ga Tylers nummer bellen.'

'Ik zou hem een sms kunnen sturen.'

'Volgens mij moet hij je stem horen. Als je hem een sms stuurt, zal hij niet zeker weten dat jíj die hebt verstuurd.'

'Dat is zo. Daar had ik niet aan gedacht. Maar waar moet ik met hem afspreken?'

'Wat vind je van Tyson's Mall? Daar is toch een Starbucks? Ik weet wel dat het niet heel dicht in de buurt is van waar jullie wonen, maar het is wel een centrale plek waar heel veel mensen zijn.'

'Ja, daar zijn we inderdaad weleens geweest.'

'Dan brengen we jou naar het winkelcentrum en zetten je daar af. Dan praat jij met hem. Vertel hem wat ik heb gezegd. En daarna ga je naar huis. Verder regelen wij het dan wel. Hoe klinkt dat?'

'Dat klinkt wel goed,' zei ze opgelucht.

Grant glimlachte. 'Dat dacht ik al. En je land waardeert het echt dat je helpt.'

Hij drukte op de sneltoets voor Tyler.

Hij moest het nummer twee keer bellen voor Tyler opnam.

'Kathy?'

Ze bracht de boodschap zo kalm mogelijk over.

'Ik zie je daar,' zei Tyler. Hij hing op.

Kathy keek naar Grant.

'Je hebt het juiste gedaan,' zei hij. *Voor mij.*

# 64

Tyler rende het winkelcentrum binnen en keek om zich heen. Hij was helemaal verbaasd dat Kathy hem had gebeld. De CIA wilde met zijn vader praten! Hij kon het bijna niet geloven. Kathy had gezegd dat ze dachten dat hij erin was geluisd. Als hij naar de CIA ging, was de kans groot dat het allemaal weer in orde kwam.

De Starbucks was verderop. Hij keek argwanend om zich heen. Hij vertrouwde Kathy volkomen, maar na al die idiote dingen die er waren gebeurd wist hij dat hij heel voorzichtig moest zijn. Het was gelukkig vrij druk in het winkelcentrum en daardoor voelde hij zich veilig.

Toen hij een hand op zijn arm voelde, draaide hij zich snel om. Hij zag een politieagent.

'Tyler Wingo?' vroeg de man.

Tyler stamelde: 'Uh... ja?'

'Je moet met me meekomen, knul.'

'Waarom?'

Een andere man in een pak verscheen achter hem en liet zijn legitimatie zien.

'FBI. Special agent Martin. U moet met ons meekomen, meneer Wingo. Naar het WFO in D.C. voor verhoor.'

'Waarom?'

De man keek hem ongelovig aan. 'Over uw vader, meneer Wingo. Waar zou het anders over moeten gaan? Dat u een drugskartel leidt of zo?'

'Nee. Maar ik heb een afspraak met iemand bij Starbucks.'

'We weten alles van juffrouw Burnett. We hebben haar al opgehaald. Zij heeft een groot probleem, meneer Wingo. Weet u wat medeplichtigheid na het feit betekent?'

Tyler zag eruit alsof hij moest overgeven. 'N-nee. Is dat erg?'

'Dat zou heel erg kunnen zijn, afhankelijk van hoe dit uitpakt. Kom mee.'

Ze namen Tyler mee het winkelcentrum uit en daarna stapten ze alle drie in een zwarte SUV met getinte ramen. Hij reed meteen weg.

Tylers telefoon trilde in zijn zak. De sms van zijn vader was eindelijk binnen. Hij kreeg niet de kans hem te beantwoorden. De sms bleef onbeantwoord, net als het bericht dat zijn vader op Tylers voicemail had achtergelaten.

Dertig minuten later renden Sean, Michelle en Wingo het winkelcentrum binnen.

Michelle hief waarschuwend een hand op. 'Wacht. Laten we dit goed doen. Misschien hebben ze Tyler gebruikt om jou uit je schuilplaats te krijgen, Sam, en dat betekent dat dit een hinderlaag kan zijn.'

'In een druk winkelcentrum?' vroeg Wingo.

Sean zei: 'Dat hebben ze ons al een keer geflikt. Het lijkt die mannen niets te kunnen schelen waar ze je pakken of wie er nog meer gewond raken.'

Ze verspreidden zich en liepen naar de Starbucks waar Tyler het in zijn sms over had gehad. Ze hadden maar een paar seconden nodig om te constateren dat geen van beide tieners er was.

Wingo zei: 'Ze hebben ze al te pakken.'

'Dat weten we niet zeker,' zei Michelle.

'Natuurlijk wel. Ze hebben mijn zoon te pakken. Shit!' Hij zakte tegen een muur in elkaar en sloeg een hand voor zijn gezicht.

Sean legde een hand op Wingo's schouder. 'We krijgen hem terug, Sam. We moeten wel rustig blijven en bespreken hoe we dat gaan doen.'

'Ik kan niet helder nadenken. Niet nu Tyler...'

'En dat is dus precies wat ze willen,' zei Michelle.

'Laten we buiten verder praten,' stelde Sean voor.

Ze liepen terug naar Michelles auto en stapten in.

Michelle ging achter het stuur zitten, Sean naast haar en Wingo achterin.

Sean keek achterom naar Wingo. 'Stel dat ze Tyler hebben, dan zullen ze contact met je opnemen om een deal te sluiten.'

'Prima, ik in ruil voor Tyler.'

'Dat zullen ze voorstellen.'

'En dat zullen we hun geven. Tyler komt vrij. Daar is geen discussie over mogelijk. En Kathy ook, als ze haar hebben.'

'Misschien willen ze dat niet. Misschien willen ze jullie allebei.'

'Tyler weet hier niets vanaf.'

'Daar kunnen ze niet zeker van zijn. Ze zijn misschien bang dat jij hem iets hebt verteld.'

'Luister, ik ben alleen maar de zondebok. Ze zijn steeds van plan geweest mij de schuld in de schoenen te schuiven.'

Sean zei: 'Maar ze kunnen er niet van uitgaan dat het allemaal perfect uitpakt. Tyler is hun verzekering.'

Michelle vroeg: 'Wat heb je gezien toen je in Afghanistan was?'

'Een stelletje kerels. Ze zwaaiden met hun CIA-legitimatie. De leider heette Tim Simons. Tenminste, dat stond op zijn legitimatiebewijs. Ze zeiden dat het plan was veranderd. Dat ik de lading aan hen moest overhandigen.'

'Hoe ben je ontsnapt?'

'De auto zat vol explosieven en ik had de detonator in mijn hand met de knop ingedrukt. Als ze me doodschoten, zou mijn vinger er afglijden.'

'En boem!' zei Sean. 'Een idiot switch.'

Wingo knikte.

'Zou je hem herkennen? Die Simons?' vroeg Michelle.

'Ja. Maar dat heb ik ook al aan mijn superieur verteld.'

'Kolonel Leon South?' vroeg Sean.

'Inderdaad.'

'Wat nog meer?'

'Ik had daar een contactpersoon die me heeft geholpen het Midden-Oosten uit en de VS weer binnen te komen. Hij vertelde me dat er misschien een relatie was tussen het verdwenen geld en Heron Air Services.'

'Dus daarom zat je daar in Dulles de boel in de gaten te houden,' zei Michelle.

'Inderdaad. Toen zag ik een van die kerels die me in Afghanistan stonden op te wachten uit dat gebouw van Heron Air Services komen.' Wingo gaf een klap op zijn bovenbeen. 'Dat vergat ik helemaal!'

'Wat?' vroeg Michelle.

'Toen ik die man van Heron volgde, reed hij naar D.C. en liep het kantoor binnen van de Vista Trading Group, zoals ik al zei. Toen hij daar wegging, ben ik hem achternagegaan. Maar toen ontdekte ik dat ik werd gevolgd en moest ik ermee stoppen. Maar ik ben op het nippertje ontkomen.'

'Dus zij weten dat je hen achtervolgt. Dat je op de hoogte bent van de relatie tussen Vista en Heron. Dat alleen is al voldoende reden om op hun dodenlijst te komen, Sam,' zei Sean.

'Waarschijnlijk wel,' zei Wingo mistroostig.

Sean keek naar Michelle. 'Halen we de Feds hierbij? Als de kinderen echt zijn ontvoerd?'

'Nee! Als je dat doet, vermoorden ze hen gewoon, Sean,' zei Wingo. 'Dit is geen gewone kidnapping. De inzet is nu veel hoger. Deze mannen hebben helemaal geen belang bij losgeld. Ze willen mij. Zoals je al zei, vinden zij het geen enkel probleem om meer slachtoffers te maken.'

'Dan is het de vraag wat we doen als zij hun eis bekendmaken,' zei Sean.

'We moeten zeker weten dat Tyler en Kathy, als ik mezelf opgeef, daar veilig uit komen,' zei Wingo.

'Dat is gemakkelijker gezegd dan gedaan,' zei Michelle.

'Maar het is mogelijk,' zei Sean. 'En het meest ideale is als jullie alle drie veilig wegkomen.'

'Wanneer bellen ze, denken jullie?' vroeg Wingo.

'Niet meteen. Ze willen dat je je zorgen gaat maken. Nadenkt over de gevolgen als je niet meewerkt.'

'Maar dat geeft ons meer tijd ons voor te bereiden,' zei Michelle.

'Dat is zo,' zei Sean. 'En die tijd moeten we goed gebruiken.'

'Hebben jullie ervaring met ontvoeringszaken?' vroeg Wingo.

Sean en Michelle keken elkaar even aan. 'Laten we zeggen dat dit niet onze eerste keer is.'

Michelle zette haar auto in de versnelling en ze reden weg.

# 65

'Wie bén jij? Je bent helemaal niet van de FBI!' gilde Tyler.

Tyler en Kathy zaten geblinddoekt vastgebonden op een stoel.

Alan Grant zat tegenover hen. 'Het ligt iets ingewikkelder.'

'Jullie zijn slechte mensen,' zei Tyler woedend. 'Jullie hebben mijn vader erin geluisd.'

'Maar hij is nu toch terug? Hij was bij je. Dat is toch zeker goed?'

'Jullie proberen hem te vermoorden.'

'Je vergist je.'

'Dat is dikke onzin!'

Grant keek op naar een van zijn mannen die op de achtergrond had gestaan, maar nu naar voren kwam en Tyler zo hard bij de schouder greep dat hij naar adem hapte van de pijn.

'Genoeg,' zei Grant alleen maar, waarop de man hem losliet.

Grant keek weer naar Tyler. 'Waarom denk je dat we je vader iets willen aandoen?'

'Omdat jullie al hebben geprobeerd hem te doden.'

'Hoe weet je dan dat wij dat waren?'

'Dat weet ik gewoon! Wie zouden het anders kunnen zijn?'

'Misschien zijn eigen regering wel. En je hebt gelijk, wij zijn de overheid niet.'

'Wie zijn jullie dan wel?' Deze vraag stelde Kathy, die nog niet eerder iets had gezegd.

Grant keek naar haar. 'Aha! Dát is een goede vraag: wie wij zijn? Wie denk je dat we zijn als we niet van jullie overheid zijn?'

'Spionnen, terroristen!' riep Tyler. 'En dus zijn jullie slechte mensen!'

'Soms staan spionnen wel aan de goede kant,' zei Grant. 'Zelfs spionnen moeten weleens kinderen ontvoeren als er geen alternatief is.'

'Dikke onzin,' zei Tyler weer.

'Je bent al net zo koppig als je vader.'

'Je kent mijn vader helemaal niet!'

'Integendeel, ik ken hem juist heel goed. Net zoals de vrouw die net deed alsof ze je stiefmoeder was.'

'Net deed alsof?' vroeg Kathy.

'Ze is verdwenen,' zei Tyler.

'Dat weet ik. Heb je enig idee waar ze naartoe is gegaan?'

'Nee, jij wel?'

'Je bent heel moedig, Tyler, ook al ben je zoals ik weet heel bang.' Grant stak zijn hand uit en raakte Tylers arm even aan.

De jongen kromp in elkaar.

'Ik heb geen idee hoe dit gaat aflopen, Tyler, maar ik weet dat je je vader op een bepaald moment weer zult zien, dat beloof ik je.'

'Waarom?'

'Zoals ik al zei, ik moet hem spreken. En zodra dat is gebeurd, kunnen jullie elkaar weer zien.'

'O, is dat zo!' zei Tyler minachtend.

'We gaan hem bellen. En dan zal hij zeggen dat hij met jou wil praten.'

'Dan zal ik tegen hem zeggen dat hij heel ver uit de buurt moet blijven.'

'Weet je dat wel zeker?'

'Ik ben heus niet bang voor je.'

Grant liet Tyler los, legde zijn hand op Kathy's hoofd en kneep er zachtjes in. 'Maar je vriendin wel, Tyler. Weet je, je moet ook aan je vriendinnetje denken.'

Door deze opmerking leek al Tylers moed te verdwijnen.

Grant liet Kathy los, draaide zich om en liep de kamer uit. De andere man volgde hem en deed de deur achter zich op slot.

Toen Tyler hoorde dat de deur op slot werd gedraaid en de mannen wegliepen, zei hij: 'Het spijt me zo, Kathy. Ik wilde je hier echt niet bij betrekken.'

Kathy vocht tegen haar tranen en slaagde erin te zeggen: 'Het is wel goed, Tyler. Jij had hier niets mee te maken.' Ze snikte.

Tyler wilde haar even aanraken, maar dat kon natuurlijk niet doordat zijn handen waren vastgebonden. 'We moeten hier zien weg te komen, want ik weet zeker dat ze ons nooit laten gaan.'

'Maar hoe dan?' vroeg Kathy.

'We moeten een manier bedenken! Onze ouders zitten in het leger; zij hebben ons van alles geleerd. Mijn vader wel in elk geval. Jouw moeder ook?'

'Zij heeft me op taekwondo gedaan. En ik weet hoe ik in het bos in leven kan blijven zonder eten en water. Maar daar hebben we nu niet veel aan.'

Ze hoorden dat er een auto werd gestart en wegreed.

Tyler zei: 'Ik voel dat je vlak naast me zit. Als ik mijn hoofd naar je toe buig, kun je dan met je tanden mijn blinddoek losmaken, denk je?'

'Ik kan het proberen.'

Het duurde vijf minuten, maar toen kon Kathy eindelijk met haar tanden bij de knoop achter Tylers hoofd.

'Ik voel dat hij loskomt,' zei ze na een tijdje.

Na nog een minuut, gleed de doek van Tylers gezicht en viel in zijn schoot.

Hij knipperde even met zijn ogen en keek naar haar. 'Goed van je,' zei hij zacht. Hij keek om zich heen. Ze waren in een kleine ruimte en de enige meubels waren de stoelen waar ze op zaten. Er was wel een raam, maar dat was geblindeerd.

'Oké, nu ga ik jouw blinddoek losmaken. Buig maar met je hoofd naar mij toe. Dat is makkelijker nu ik iets kan zien.'

Nog geen minuut later was Kathy's blinddoek los.

Ze zaten elkaar aan te kijken, zichtbaar opgelucht door deze kleine overwinning.

'Nu moeten we onze boeien losmaken,' zei Tyler.

'Zullen we met onze rug naar elkaar toe gaan zitten? Dan kan ik die van jou losmaken. Ik heb heel sterke vingers.'

'Goed, maar we moeten het rustig aan doen. Misschien horen ze het geschraap van onze stoelen over de vloer.'

Ze verplaatsten hun stoelen zo zacht mogelijk tot ze met hun rug naar elkaar toe zaten. Tyler kon voelen dat Kathy probeerde de touwen om zijn polsen los te maken.

'Ze zitten heel strak,' zei ze, 'maar ik voel ze al een beetje meegeven.'

Het duurde dertig minuten en Tyler hoorde dat Kathy hijgde van inspanning. Maar toen waren zijn handen vrij. Hij maakte de touwen om zijn enkels los en daarna hielp hij haar.

'Wat moeten we nu?' fluisterde ze.

Tyler wees naar het raam. 'Als we daardoorheen kunnen komen, moeten we keihard wegrennen.'

'En wat als er buiten een wachter staat?'

Tyler trok zijn ene broekspijp omhoog. Aan zijn onderbeen zat een busje gebonden. 'Pepperspray. Mijn vader is een beetje paranoïde.'

Ze slopen naar het raam, heel langzaam, omdat de plankenvloer heel oud was en gemakkelijk kraakte.

Tyler trok de doek voor het raam opzij en keek naar buiten. 'Het is donker,' fluisterde hij. 'Dat is goed voor ons.'

Hij bekeek het slot van het raam. Het was een eenvoudig ding, zodat hij hem nog geen minuut later open had. Hij schoof het raam zo stil mogelijk omhoog en klom naar buiten. Daarna hielp hij Kathy.

Ze bleven staan en keken om zich heen. Voor de blokhut stond een zwarte SUV. Dit was de auto waar Tyler bij het winkelcentrum in was gestapt. Ze waren weggereden en daarna hadden ze hem geblinddoekt en even later was hij bewusteloos geraakt.

'Zo te zien zijn we in een bos,' zei hij zacht tegen Kathy.

Ze knikte, huiverde en vroeg: 'Welke kant op?'

'Hé!'

Ze draaiden zich om en zagen een man op de veranda staan.

'Rennen, Kathy,' schreeuwde Tyler.

Ze draaide zich om en rende weg. De man sprintte achter haar aan. Tyler ging voor hem staan en spoot de pepperspray in zijn ogen. De man gilde, struikelde en botste tegen Tyler op zodat ze allebei op de grond vielen. Tyler stompte en sloeg de verblinde man, totdat hem iets opviel.

Kathy rende niet meer.

Een man die zich in het donker had verstopt, drukte een wapen tegen haar hoofd.

Tyler hield meteen op met vechten.

'Grote vergissing, Tyler; een onvergeeflijke vergissing,' zei Alan Grant.

'Doe haar alsjeblieft niets,' gilde Tyler, terwijl de tranen hem in de ogen sprongen.

Toen hoorde hij een schot.

# 66

'Het is al vierentwintig uur geleden!' riep Sam Wingo uit.

'Dat is waar,' zei Sean rustig.

Ze zaten in het motel waar ze hadden overnacht, in afwachting van een telefoontje of een sms van Tyler.

Michelle stond tegen de muur van de motelkamer geleund. 'We hadden je toch gezegd dat ze dat zouden doen om je murw te maken.'

'En we weten nu dat Kathy bij hen is,' voegde Sean eraan toe. 'Op het nieuws zeiden ze dat ze wordt vermist.'

Wingo zag er vreselijk uit. 'Ik ken haar ouders; haar moeder zit bij de luchtmacht. Het enige wat ze van haar hebben gevonden, was... was een tennisracket en een blikje tennisballen op de stoep.'

'En niemand heeft iets gezien of gehoord,' zei Michelle. 'Daaruit blijkt wel dat deze kerels echte beroeps zijn.'

'Maar het goede nieuws is dat ze wel weten dat wij elkaar hebben ontmoet, maar niet dat we nu samenwerken,' zei Sean. 'We zullen een backup regelen, iets wat ze waarschijnlijk niet verwachten.'

'We hebben niet veel tijd om ons voor te bereiden,' zei Michelle. 'Zodra ze ons bellen, zullen ze verwachten dat we er al heel gauw zijn.'

'Hoe kunnen wij weer degenen worden die aanvallen?' vroeg Wingo. 'Ik hou er niet van om op anderen te reageren, vooral niet als ze mijn zoon hebben.'

'We moeten nog steeds voorbereidingen treffen,' zei Sean.

'Waaruit bestaat onze voorbereiding dan? Wat gaan we doen?' vroeg Wingo.

'Vrij veel dingen eigenlijk,' zei Sean.

'En waarop zijn die voorbereidingen dan gebaseerd?' vroeg Wingo.

'Op het feit dat we Secret Service-agenten zijn geweest,' antwoordde Michelle.

'Ik zit bij de Special Forces. Wij hebben veel meer ervaring met man-tegen-mangevechten dan jullie.'

Michelle keek hem aan. 'Maar je mocht de mannen die samen met jou vochten, neem ik aan?'

'Natuurlijk. Je bent bereid te sterven voor de man die naast je vecht.'

'Ja, maar heb je ooit een kogel moeten opvangen voor iemand die je niet mocht?' vroeg Sean.

'Dat is balen,' zei Michelle. 'Maar het staat wel in je functieomschrijving.'

'En je leert ervan,' zei Sean.

'Zoals?' vroeg Wingo.

'Zoals dat je de ander nooit moet laten zien waar jij naar kijkt. Daarom droegen we allemaal een reflecterende zonnebril. Oké, laten we maar weer aan de slag gaan.'

Grant was bij het radiostation.

De bouwwerkzaamheden waren klaar. De bouwvakkers waren weg en vervangen door een ander team. Dat bestond niet uit gespierde jongemannen. Zij waren niet gewapend. Zij gedroegen zich niet macho. Hun brein was hun wapen. Hun toetsenbord was hun kogel. Zij waren cyberstrijders.

Hij maakte een ronde door het oude gebouw dat dankzij alle nieuwe leidingen een hightechcentrum was geworden. Het had slechts één doel.

Gerichte chaos: één daad die wereldwijd rampzalige gebeurtenissen zou veroorzaken. Maar daar hield Grant zich niet echt mee bezig, daar mochten anderen de vruchten van plukken. Het enige wat hij wilde, was een onrecht herstellen en van dat doel zou hij zich niet laten afleiden.

Een scanner buiten de kluis scande zijn iris. Daarna liep hij naar binnen. Dit was de enige ruimte waar alleen hij naar binnen kon. Hij ging voor een rij computers zitten en keek achtereenvolgens naar alle beeldschermen. Er werd vooruitgang geboekt. Zijn vogel in de lucht was op zoek naar wat hij nodig had. Het was vergelijkbaar met een privédetective die op zoek was naar aanwijzingen die hem op een degelijk spoor zouden zetten van een verdachte, zodat die kon worden gearresteerd en veroordeeld.

Alleen bestonden deze aanwijzingen uit allemaal nullen en enen in plaats van uit vlees en bloed, en zijn speurwerk bleef beperkt tot het draadloos controleren van data op internet. Het systeem dat ze probeerden te kraken, had meer dan dertig miljoen coderingen. Er waren veel manieren om daar binnen te komen, maar zodra ze binnen waren, moest de malware die ze daar wilden achterlaten wel verborgen blijven. En dat beperkte de mogelijke manieren om erin te komen.

Grant bleef kijken naar de unieke confrontatie die op het computerscherm plaatsvond. Dit was een delicaat ballet van gechoreografeerde bewegingen, schijnbewegingen, onderzoekende bewegingen, tegenaanvallen en de ander aftasten. Eigenlijk was het veel intrigerender dan de inslag van bommen en kogels op aarde. Dat waren slechts bijzonder effectieve instrumenten om dood en verderf te zaaien. Maar zij misten de intellectuele zuiverheid, het hoge niveau van perfectie dat noodzakelijk was om zoiets als dit uit te voeren.

Met elk ander doelwit zou Grant inmiddels al zijn geslaagd. Maar zijn doelwit was niet zomaar een doelwit. Dit doelwit was zwaarbeveiligd. Er werden wel vaker aanvallen op uitgevoerd. Sterker nog, het was een van de beroemdste doelwitten ter wereld. En het was nog nooit écht bedreigd. Maar dat betekende niet dat het onaantastbaar was. Dat maakte het alleen maar een uitdaging en Grant hield van uitdagingen. En zelfs de beste beveiliging werd soms onachtzaam als jaar na jaar verstreek zonder dat er ooit een serieuze aanval op werd uitgevoerd. En dat was de reden dat hij een kans had om te doen wat niemand voor hem ooit had gedaan.

En hij zag, vol vertrouwen, dat de barrières die op het scherm te zien waren, een voor een neergingen. Sterker nog, als het in dit tempo doorging, was hij eerder binnen dan hij had verwacht.

Hij haalde het schema tevoorschijn waarvoor hij Milo Pratt had omgebracht. Hij scande de kolom tot zijn blik bleef rusten op een mogelijkheid die haalbaar leek. Hij leunde achterover in zijn stoel en droomde van wat zo lang onmogelijk had geleken.

Wraak. En gerechtigheid. Twee van de sterkste verlangens ter wereld. Ze sloten elkaar niet uit. Nee, dacht Grant, samen functioneerden ze bijzonder goed. Zijn vader had zelfmoord gepleegd vanwege een schandaal dat hij niet zelf had veroorzaakt. Nu probeerde de huidige president eenzelfde, al even misleidende manoeuvre op het geopolitieke wereldtoneel uit te voeren. Nou, deze keer zou de regering daar de prijs voor betalen. Dat Grant over dit plan had gehoord, was de voornaamste reden geweest voor de timing van zijn operatie. Het was geen dag te vroeg gekomen. Zijn verdriet over de dood van zijn ouders begon onverdraaglijk te worden.

Nou, dat was nu bijna afgelopen.

# 67

'Waar vindt de ruil plaats?' vroeg Wingo.

Het telefoontje was eindelijk gekomen, de volgende avond, toen de regen buiten neerkletterde en de temperatuur sterk was gedaald.

De vervormde stem klonk mechanisch, maar de woorden die hij uitsprak, waren verbijsterend. 'Er vindt geen ruil plaats.'

Sean en Michelle, die het gesprek konden volgen doordat Wingo zijn telefoon op de speaker had gezet, keken elkaar even aan.

'Waar heb je het verdomme over?' snauwde Wingo. 'Ik ben bereid naar je toe te komen als je mijn zoon vrijlaat!'

'Misschien dacht jíj dat, maar wij dus niet.'

'Wat dan wel?' brulde Wingo.

'Hou je koest, Wingo. Het enige wat je hoeft te doen is niets doen. Jij doet helemaal niets. Als je dat doet, zie je je zoon terug, levend. Zo niet, dan is hij dood.'

Wingo sloeg zijn handen voor zijn gezicht en haalde diep adem.

Michelle legde troostend een hand op zijn schouder.

'Hoe weet ik of ik je kan vertrouwen?' vroeg Wingo.

'Hoe weten wij of we jóú kunnen vertrouwen?'

'Zelfs áls ik niets doe, hoe weten jullie dan dat ik dat doe?'

'Dat weten we, Wingo. We hebben mensen in de buurt. Jij praat met niemand. Als je ergens naartoe gaat, de FBI over je zoon vertelt, iemand ook maar iets vertelt waar ze iets aan hebben, dan weten we dat. En dan betekent dat het einde van je zoon. Dat garandeer ik je.'

Sean wees naar de telefoon en toen naar zijn oor. Hij zei, zonder geluid te maken: 'Tyler.'

Wingo zei: 'Ik wil met mijn zoon praten. Nu meteen. Anders is er geen deal.'

Er verstreken een paar seconden en toen hoorden ze Tylers stem. 'P-papa?'

'Tyler, ben je in orde?'

'Ik ben heel erg bang! Deze mensen...' Ze hoorden geschuifel en daarna niets meer.

'Tyler? Tyler!' schreeuwde Wingo in de telefoon.

De mechanische stem zei: 'Niets doen, Wingo. Dan krijg je hem terug.'

'En Kathy Burnett?'

'Gewoon niets doen. Dan krijg je je zóón terug.' Daarna werd de verbinding verbroken.

Wingo ging langzaam rechtop zitten.

Sean wreef over zijn kaak en zei: 'Oké, dat was een onverwachte ontwikkeling.'

Michelle keek Wingo aan. 'We krijgen hem wel terug, Sam.'

'Dat kun je niet weten,' zei Wingo bitter. 'En zo te horen, is Kathy dood.'

Michelle keek naar Sean, maar zei niets. Het klonk inderdaad alsof Kathy Burnett dood was.

Wingo keek op. 'Dus kunnen we niets meer doen. Behalve wachten en hopen dat ze zich aan hun woord houden.'

'Dat geldt voor jou, maar niet voor ons, Sam,' zei Sean. 'Wij kunnen deze zaak niet laten rusten.'

'Maar dan brengen jullie Tyler misschien in gevaar.'

'Hij is al in gevaar,' zei Michelle. 'En in alle eerlijkheid: ik zie nog niet gebeuren dat ze hem vrijwillig laten gaan, of jij je nu wel of niet gedeisd houdt. Jij wel?'

Wingo staarde haar aan; de rimpels in zijn voorhoofd verhardden zich een moment en verzachtten toen weer. 'Nee, ik ook niet.'

'We hebben de meeste kans om Tyler en Kathy terug te krijgen door hen te gaan zoeken.'

'Hoe dan?' gromde Wingo. 'Jullie hebben geen enkele aanwijzing.'

Sean ging naast hem zitten. 'Ik weet dat je onder grote spanning staat. Ik ben nooit vader geweest en dus kan ik niet weten wat jij nu voelt. Maar ik vraag je of je ons wilt vertrouwen, Sam. Wij weten wat we doen. En wij gaan ons best doen om hen allebei terug te krijgen. Levend en wel.'

Michelle knielde aan de andere kant van Wingo en zei: 'De enige reden waarom ik me bij deze zaak heb laten betrekken, was Tyler. Ik voelde dat er iets met hem aan de hand was. Ik wist hoe erg hij je miste, Sam. Hoe belangrijk het voor hem was dat jij niet dood was. Ik zal alles doen, zelfs mijn leven op het spel zetten, om hem te redden.'

Wingo knikte langzaam. 'Oké. Oké, ik vertrouw jullie. Maar zorg alsjeblieft dat jullie hem veilig terugbrengen.'

Ze lieten Wingo in de motelkamer achter en stapten in Michelles Land Cruiser.

'We hebben die man heel veel beloofd,' zei Sean. 'En nu moeten we zien dat we ons aan die belofte houden.'

'En Kathy dan?'

'Wij zeiden "allebei". Dat betekent wat het betekent.'

'Maar als ze dood is?'

'We kunnen het alleen maar proberen, Michelle. Meer kunnen we niet doen.'

'Gaan we nu eerst naar Edgar? Om te zien of hij erin is geslaagd het IP-adres van Carltons bron te traceren?'

'Als dat zo was, had hij wel contact met ons opgenomen. We hebben onszelf ermee als we over zijn schouder willen meekijken. Een genie kan maar beter alleen werken.'

'Wat doen we dan?'

'We hebben nog een aanwijzing die we niet hebben nagetrokken.'

'Welke dan?'

'De relatie tussen Heron Air Services en de Vista Trading Group.'

'Edgar kon niets negatiefs vinden.'

'Dat komt doordat hij alleen aan het oppervlak keek. Wij zullen dieper moeten graven om viezigheid te vinden.'

'Hoe dan? We waren toch bang dat iemand ons zou herkennen?'

'Daarom doen we het ook onopvallend.'

'Oké, wat is het plan?'

'Dat hangt af van de situatie ter plaatse.'

'Met andere woorden, je hebt nog geen plan bedacht en je hebt tijd nodig om iets te bedenken.'

Hij snauwde: 'Zodra je zélf een plan hebt bedacht, moet je het maar zeggen!'

Ze slaakte een zucht en keek naar buiten. 'We mogen dit niet verknallen, Sean. Daarvoor staat er te veel op het spel.'

'Er staat altijd veel op het spel.'

'Ik bedoelde de kinderen.'

'We hebben dit al vaker bij de hand gehad. En er is nog nooit iemand doodgegaan. We hebben hen altijd gevonden en veilig thuisgebracht.'

'Ik weet het. Ik hoop alleen maar dat we dat deze keer ook kunnen doen.'

Een paar seconden bleef het stil. Toen zei Sean: 'Weet je, ik denk dat dat wel gaat lukken.'

Ze keek hem even aan. 'Je hebt net iets bedacht, hè?'

'Ja, ik heb net iets bedacht.'

317

# 68

Sean reed, terwijl Michelle de omgeving in de gaten hield.

'Leuke buurt,' zei hij toen ze langs een paar grote huizen met dure, aangelegde tuinen reden. Hij keek om zich heen. 'Heel erg leuk.'

'Ja, als je daarvan houdt...' antwoordde Michelle.

'Wat, zonder stapels afval?'

'Haha, wat ben je weer grappig.'

Ze reden de wijk uit en een andere in.

'Even verderop is het, aan de linkerkant,' zei Michelle. 'Derde huis.'

Sean zette de auto achter een pick-uptruck en deed de motor en het licht uit.

Michelle haalde een nachtkijker tevoorschijn en keek naar de overkant. 'Dit is dus het huis van Leon South?' zei ze. 'En wat hoop je hier te vinden?'

'Hopelijk een aanwijzing, zodat we weten waar we hierna naartoe moeten.'

'Ik dacht dat Dan Marshall ons lek was en niet South?'

'Hoe meer ik erover nadenk, hoe meer ik denk dat dat te erg voor de hand zou liggen. En we hebben hem allebei ontmoet. Jij hebt op hun lichaamstaal gelet. Wat denk jij?'

'Dat Marshall eerlijk was. Dat South eromheen draaide: blik naar rechts en naar de grond. Armen over elkaar. Te veel een verdedigende houding.'

'Die indruk had ik ook. Maar goed, het lek kwam ergens vandaan en ik durf te wedden dat het kolonel South was.'

'De reden?'

'Marshall heeft al genoeg geld verdiend. Hij kan zodra hij wil met pensioen. South is nog steeds omhoog aan het klimmen. Maar hij is eenenvijftig, dus misschien heeft hij het gevoel dat hij niet hogerop kan komen. Misschien wil hij meer geld als hij met pensioen is, dan Uncle Sam hem kan bieden.'

'En waarom houden we zijn huis in de gaten?' vroeg Michelle.

'Om te zien of er iets gebeurt. Hij is gescheiden en zijn beide kinderen

318

zijn al volwassen en het huis uit. Dus we kijken of er iemand bij hem langskomt op deze donkere en stormachtige avond, zodat we weten wat we hierna moeten doen.'

Twee uur later was er niemand in- of uitgegaan. Het licht in het huis brandde en ze hadden beweging in het huis gezien, maar het was slechts één persoon, waarschijnlijk South zelf. Zijn dienstauto stond op de oprit.

Sean rekte zich uit. 'Wil je ermee stoppen? Het ziet er niet naar uit dat hij ergens naartoe gaat.'

Michelle wilde net iets zeggen toen ze de koplampen van een naderende auto zagen.

Sean keek op zijn horloge. 'Bijna middernacht. Misschien komt er een buurman thuis.'

Ze bukten zich toen de auto langzaam langs hun auto reed.

Michelle keek door haar kijker. 'Shit!'

'Wat?'

'Dat is die vent van Heron Air Services.'

'Weet je dat zeker?'

'Verdomde zeker.'

'Maar hij stopt niet voor het huis van South.'

'Het is hem écht, Sean!'

Sean startte de auto, reed weg en volgde de andere auto. Hij zei: 'Wij zijn de twee enige auto's hier. Straks ziet hij ons nog.'

'Dan moet je wat meer afstand houden. We zijn bijna bij een grote kruising en daarna is er waarschijnlijk wat meer verkeer, zodat we minder opvallen. Ik wil die vent niet kwijtraken.'

Hij deed wat ze had gezegd

'Hij slaat links af.'

'Begrepen.'

Ze kwamen bij de kruising. Gelukkig stond het licht op groen en hoefden ze niet achter hem te stoppen, want dan had hij hen misschien herkend, ondanks het feit dat hun koplampen in zijn achteruitkijkspiegel schenen. Beide auto's sloegen rechts af en Sean nam gas terug, glipte achter een groene Chevy zodat hij niet meer gezien kon worden, maar zo dat hij de andere auto toch niet uit het oog verloor.

Michelle liet haar kijker zakken en klapte haar laptop open. Ze begon fanatiek te typen.

'Wat ben je aan het doen?' vroeg Sean.

'De website van de Department of Motorvehicles, de DMV, aan het hacken om het kenteken na te trekken.'

'Weet je dan hoe je dat moet doen?' vroeg hij verbaasd.

'Dat heeft Edgar me laatst laten zien. Ik weet het; het is niet helemaal legaal.'

'Dat kun je wel zeggen, het is zelfs helemaal niet legaal.'

'Luister, ik probeer alleen wat meer grip op deze zaak te krijgen. Je moet dus niet zo zeuren.'

'Nee. Ik vind het zelfs heel cool. Kun je mij laten zien hoe dat moet?'

Ze keek hem even aan. 'Jóú laten zien hoe dat moet, mister Computer Dummy?'

Hij fronste zijn wenkbrauwen. 'Ik weet heus wel wat van internet... dingen.'

'Sean, je weet pas sinds vorige week wat emoticons zijn.' Ze bleef dingen intoetsen tot er een webpagina op het scherm verscheen. 'Trevor Jenkins, eenenveertig. Hij woont in Vienna, Virginia.'

'Kun je een Google-ding doen en meer over hem te weten komen?'

'Een Google-ding...?'

'Dóé het nou maar, Michelle! Ik achtervolg een verdachte en dat is kennelijk het maximale wat mijn steeds kleinere aantal hersencellen aankan.'

Ze typte nog wat in. 'Niet veel te vinden. Hij is geen beroemdheid met een eigen website en Twitter-account. Wacht even, hij zit wel op Linked-In, en ik gelukkig ook.'

Ze meldde zich aan en las de tekst.

'En?' vroeg Sean.

'Voormalig militair. West Point. 101ste Airborne. Hij is nu bestuursvoorzitter en CEO van Heron Air Services. Single. Geen kinderen. Heeft een commercieel vliegbrevet. Hij is lid van een aantal industriële handelsgroeperingen. Heeft kennelijk een tijd in het Midden-Oosten gezeten, tijdens een paar gevechtsmissies.'

'Alan Grant is ook voormalig militair. Zou hij in het 101ste hebben gezeten?'

Michelle typte nog iets in en ontdekte dat Grant ook op Linked-In zat. 'Niets. Grant zat bij de infanterie. Maar soldaten van de luchtmacht en van de landmacht kunnen elkaar natuurlijk best kennen. Het blijft het leger.'

'Klopt. Oké, hij slaat af.' Sean nam dezelfde afslag naar links als Jenkins had gedaan.

Michelle keek om zich heen. 'Volgens mij gaat hij naar huis, Sean. Het adres in zijn DMV-dossier is hier vlakbij.'

'Ik rij de andere kant op en dan achterom terug, zodat hij geen argwaan krijgt.'

Sean reed naar de achterkant van het huis en kwam daar net op tijd aan om te zien dat Jenkins zijn auto in de garage van een vrij nieuw huis reed, waar aan beide kanten een oudere woning naast stond.

Ze reden het huis voorbij en bleven doorrijden.

'Wat zijn we daar wijzer van geworden?' vroeg Michelle. 'Behalve Jenkins' identiteit, achtergrond en waar hij woont?'

'Hij was in de wijk waar South woont.'

'Maar hij heeft hem niet opgezocht. Hij is er gewoon voorbijgereden.'

'Dat is inderdaad vreemd. Misschien hield hij dat huis alleen maar in de gaten.'

'Misschien wel,' zei Michelle niet echt overtuigd.

'Nee, ik denk het ook niet,' zei Sean, die haar bedenkelijke blik zag.

'Maar we weten dat er een relatie is tussen Jenkins en Vista en waarschijnlijk ook met Alan Grant. Dat zijn allemaal voormalige militairen.'

'En Wingo zei dat Jenkins een van de mannen in Afghanistan was die die euro's van hem hebben gestolen.'

'En misschien heeft een vliegtuig van Heron Air Services dat geld hier wel naartoe vervoerd.'

'Misschien wel, misschien niet. Ik neem aan dat een van hun grotere vliegtuigen zelfs wel meer dan twee ton aan euro's kan vervoeren. Denk jij dat het hele bedrijf erbij betrokken is?'

'Jenkins is de hoogste baas. Misschien heeft hij dat vliegtuig hier zelf wel naartoe gevlogen. Hij heeft tenslotte een vliegbrevet. En hoe kun je zoiets beter de douane laten passeren? Die vent kent misschien wel een miljoen manieren om dat spul het land in te krijgen.'

'Maar hierdoor komen we geen stap dichter bij Tyler en Kathy.'

Sean zei: 'Het is een legpuzzel. We moeten eerst alle stukjes vinden en pas daarna kunnen we het hele plaatje zien.'

'Ik vraag me af of we genoeg tijd hebben om alle puzzelstukjes te vinden, Sean.'

'Houden we Jenkins de hele nacht in de gaten en wachten we af waar hij morgen naartoe gaat? Misschien leidt hij ons wel naar die kinderen.'

'Of misschien blijkt dat dit één grote tijdverspilling is geweest.'

Hij keek haar aan. 'Heb jij een ander voorstel?'

Ze zuchtte en schudde haar hoofd. 'Nee. Hé, twee straten verderop is een Dunkin Donuts die dag en nacht open is. Ik kan er wel even naartoe lopen om wat koffie en eten voor ons te halen, terwijl jij hier blijft en Jenkins in de gaten houdt.'

'Oké,' zei Sean afwezig.

Ze maakte haar gordel los en keek hem aan. 'Wat is er?'

'Weet het niet zeker. Er was daar iets.'

'Waar?'

'Bij het huis van South. Nee, nog daarvoor.'

'Wat is daarmee?'

'Ik had gewoon het gevoel dat ik die wijk kende. Dat ik daar eerder was geweest.'

'Wanneer? Waarom?'

Sean schudde zijn hoofd. 'Kan er niet opkomen.' Hij glimlachte gelaten. 'Afname van hersencellen. Misschien is dat echt aan de hand.'

'Nou, dan moet je je vingers maar in je oren stoppen, zodat je er niet nog meer kwijtraakt. We hebben alle denkkracht nodig om deze zaak tot op de bodem uit te zoeken.'

# 69

Sean kreeg een por tegen zijn schouder. Hij begreep eerst niet wat er gebeurde, doordat hij nog ergens tussen slapen en waken in zweefde. Na nog een por was hij wakker. Toen hij om zich heen keek, zag hij Michelle.

Ze zat naast hem met haar camera met telelens in haar hand. Ze zei: 'Hallo, Schone Slaper. Klaar om aan het werk te gaan?'

Ze hadden wisseldiensten gedraaid, twee uur op, twee uur af.

'Hoe laat is het?' vroeg Sean. Hij knipperde met zijn ogen, gaapte en ging rechtop zitten.

'Een paar minuten over acht.'

Sean keek naar buiten. Het regende nog steeds en het was nog donker. 'Iets gebeurd bij Jenkins?'

'Nog niet. Precies om zeven uur ging het licht aan. Waarschijnlijk had hij zijn wekker gezet. Ik heb foto's gemaakt van alles wat me relevant leek.'

'Op straat nog beweging gezien?'

'Vroege forensen en slaperige kinderen die naar de bushalte liepen. Een paar joggers die in de regen hardliepen om gezond te blijven, voordat ze door longontsteking de pijp uitgaan.' Michelle haalde een chocoladeproteïnereep uit het handschoenenkastje, trok het papiertje eraf, liet het op de vloer vallen en nam een hap chocolade. Ze keek naar Sean, die naar de troep op de grond keek. En ze hield hem haar snack voor. 'Hapje?'

'Ik eet nog liever muizenkeutels. Trouwens, dat zit daar waarschijnlijk gewoon in: een heleboel proteïne in poep.'

'Wat doen we als hij naar buiten komt?'

'Hem volgen.'

'Dan ziet hij ons misschien.'

'Dat kan, maar we moeten het risico nemen. Op dit moment is hij de enige echte aanwijzing die we hebben.'

'Maken we niet een enorme fout door Littlefield en de FBI er niet bij te halen?'

Sean wreef de kreukels uit zijn nek, sloeg zichzelf een paar keer in zijn gezicht om echt wakker te worden en leunde achterover in zijn stoel. 'Aan de ene kant heb ik het gevoel dat het ontzettend stom is dat we dat niet doen.'

'En aan de andere kant?'

'Aan de andere kant weet ik nog niet wat slim is.'

'Kijk, hij komt eraan!'

Ze zakten onderuit in hun stoel toen de garagedeur omhoogschoof en zijn auto naar buiten kwam. Hij passeerde hen en reed de wijk uit.

'Hé, heb je je inbrekersset bij je?' vroeg Sean.

'Ik heb altijd wel iets in mijn zak zitten.'

'Ga jij naar binnen en kijk wat je kunt vinden. Dan achtervolg ik Jenkins en zien we elkaar daarna terug.'

'Oké, maar hoe kom ik dan terug?'

'Bel maar een taxi.'

'Nou, dank je wel!'

'En zorg dat je niet wordt betrapt. Inbreken is een ernstig misdrijf; sterker nog, het is een misdaad.'

Michelle stapte uit de Land Cruiser en bleef even staan, terwijl Sean achter de andere auto aan reed. Ze keek naar links en naar rechts, en was blij dat het een grijze ochtend was en er zelfs wat nevelslierten hingen tussen de bomen die op de erfafscheiding tussen de huizen stonden. Ze liep naar de voordeur van Jenkins' huis en klopte aan, alleen maar voor het geval iemand naar haar keek.

Ze tuurde door een van de ramen naast de voordeur en zag het paneel van de alarminstallatie op een van de binnenmuren. Er knipperde een rood lampje, wat betekende dat hij ingeschakeld was.

*Waarom gemakkelijk als het moeilijk kan?*

Ze glipte naar de achterkant van het huis, maar bleef daarbij wel in de schaduw.

Door het alarmsysteem waren de deuren aan de voor- en achterkant geen optie. Ze kon haar inbrekersset niet gebruiken.

Dus bleef er maar één mogelijkheid over.

Ze zag het kleine raampje dat via de veranda aan de achterkant bereikbaar was.

Badkamer, dacht ze.

Ze keek achterom. Daar stonden geen huizen, alleen een paar bomen die haar een goede dekking gaven.

Haar mes maakte korte metten met het slot van het raam. Ze schoof het open en hoopte maar dat de ramen niet op de alarminstallatie waren

324

aangesloten, klauterde naar binnen en stond in de gang naast het toilet. Ze deed het raampje achter zich dicht, liep naar de deuropening en keek waar die op uitkwam. Ze keek naar het plafond en de hoeken van de gang op zoek naar bewegingsmelders.

Toen ze die niet zag, liep ze voorzichtig de hal in. Ze verstijfde toen ze getrippel hoorde.

Het hondje vloog de hoek om en bleef keffend voor haar staan. Daarna rolde het op zijn rug, waarop ze zich bukte om zijn buikje te aaien.

'Oké, mannetje, wil je me vertellen waar alle duistere geheimen zijn verstopt?'

Snel doorzocht ze de kamers op de benedenverdieping, maar vond niets.

Tijdens haar zoektocht op de bovenverdieping ontdekte ze Jenkins' werkkamer. Het was een klein vertrek met een bureau, een stoel en een plank vol boeken, vooral over vliegtuigen en luchtvaartvoorschriften.

Op het bureau stond een Apple-computer. Ze ging zitten en sloeg een paar toetsen aan, maar er was een wachtwoord nodig en dat had ze niet. Ze probeerde er een stuk of zes, gebaseerd op Jenkins' geboortedatum en andere persoonlijke gegevens die ze kende uit het DMV-dossier. Die werkten geen van alle, wat haar niet erg verbaasde.

Ze trommelde met haar vingers op het bureau. Als ze haar auto hier had, zou ze de hele computer kunnen meenemen en Edgar ermee aan het werk zetten. Maar ze kon niet over straat lopen met een 24-inch Apple-computer onder haar arm en een taxi aanhouden.

Edgar!

Ze belde hem op en zei: 'Ik heb een probleempje. Ik pas op het huis van een vriend van me en hij zei dat ik zijn computer mocht gebruiken, maar hij is vergeten me zijn wachtwoord te geven. En hij neemt zijn telefoon niet op en reageert niet op mijn mailtjes. Maar goed, kun jij me helpen?'

'Welk merk is het?'

'Een Apple.'

'Dat gaat wel even duren.'

'Geweldig,' zei ze wanhopig. 'Hoe lang?'

'Minstens een minuut.'

Michelle glimlachte. 'Ik hou van je, Edgar.'

Het bleef lang stil.

'Eerlijk gezegd heb ik al een relatie, mevrouw Maxwell.'

'Uh... fijn voor je, Edgar. Jammer dan.'

Hij vertelde haar precies wat ze moest doen en in minder dan een minuut kwam de harde schijf tot leven.

'Ik kan erin. Dank je wel!'

'Graag gedaan. En mevrouw Maxwell?'

'Ja?'

'U bent niet echt ergens aan het oppassen, hè?'

'Uh...'

'Dat dacht ik al. Dus ik heb u zojuist geholpen in iemands computer in te breken?'

'Het is allemaal voor een goed doel, Edgar.'

'Oké, als u het zegt.'

'Tot ziens, Edgar.'

'Tot ziens. En ik zal het u laten weten wanneer mijn relatie met de vrouw die ik nu heb, eventueel strandt.'

'Uh, fijn.'

Michelle bekeek zo veel mogelijk mappen met documenten. In de bureaula vond ze ook een usb-stick en ze downloadde zo veel mogelijk bestanden die haar relevant leken.

Ze schrok toen ze in de verte een sirene hoorde. Ze trok de usb-stick uit de computer, veegde met haar jasje haar vingerafdrukken van het toetsenbord, stond op en rende de kamer uit. Ze sprong de trap af en hoorde dat de sirene steeds dichterbij kwam.

*Heb ik een stil alarm geactiveerd of zo?*

Het hondje hapte naar haar hakken toen ze naar de badkamer rende, het raampje openmaakte en zich naar buiten werkte. Ze sprong van de veranda af en rende niet naar de straat, maar naar het bosje achter het huis. Ze kwam aan de andere kant het bos uit en liep snel naar dezelfde kruising als eerder.

Ze zag geen taxi, maar stapte in een bus die haar naar de metro bracht. Daar nam ze een taxi en liet zich terugbrengen naar hun kantoor. Onderweg belde ze Sean op. 'Waar zit je?' vroeg ze.

'Ben net bij Heron Air Services op Dulles. Het was verschrikkelijk druk op de weg. En jij?'

Ze vertelde hem snel wat ze had gedaan en waar ze was, terwijl ze met de usb-stick speelde. 'Ik ga met de huurauto die we hier hebben achtergelaten naar Edgar. Misschien ontdekt hij iets op die usb-stick waar we wat aan hebben.'

'Goed idee. Ik kom zo snel mogelijk naar je toe.'

Michelle verbrak de verbinding.

Sean legde zijn telefoon naast zich neer en bijna op hetzelfde moment werd er een wapen tegen zijn hoofd gedrukt.

# 70

Periferisch zicht. Noodzakelijk voor allerlei functies.

Een quarterback moet het hebben om niet te worden vermorzeld door een aanvallende footballspeler.

Een scheidsrechter moet het hebben om alles wat er op het veld gebeurt te kunnen zien.

En een Secret Service-agent moet het hebben om te voorkomen dat zijn protegee en hemzelf iets overkomt.

Sean kon zonder zijn hoofd te bewegen het wapen en de persoon die hem onder schot hield zien. Hij sloeg met zijn elleboog op de toeter en dat geluid verscheurde de relatieve ochtendstilte op het vliegveld.

Door de herrie bewoog de hand van de andere man een heel klein beetje, maar dat was genoeg om Sean de ruimte te geven die hij nodig had om te doen wat hij daarna deed.

Hij greep het shirt van de man vast en trok hem keihard naar voren.

De man knalde met zijn hoofd tegen het harde metaal van de deurstijl van de Land Cruiser.

Er spatte bloed op Sean, en stukjes tand. Daarna ging de man neer en viel slap op het asfalt.

Sean had de wagen al in de versnelling gezet en de wielen draaiden al. Hij gaf plankgas en racete de parkeerplaats af. Hij keek in de zijspiegel en zag dat de man langzaam opstond en wankelend een paar stappen zette voordat hij weer op de grond viel.

Dit was niet Jenkins, maar iemand anders.

'Shit!' mompelde Sean. Hij was ontdekt. Dat voorspelde niet veel goeds voor degenen om wie hij gaf, vooral niet voor Tyler en Kathy.

Hij pakte zijn telefoon en belde Michelle. Hij praatte onder het rijden en vertelde haar wat er was gebeurd. 'Ik zag die vent pas op het allerlaatste moment. Dat was stom van me.'

Ze zei: 'Ik leidde je af met mijn telefoontje.'

'Ik kan echt wel praten en breien tegelijk, hoor!' snauwde hij. 'Tenminste, dat kón ik altijd,' voegde hij er somber aan toe.

'Moeten we dit aan Wingo vertellen?'

'Nee, hij staat toch al op het punt het op te geven. Dit zou weleens de druppel kunnen zijn.'

'Oké, wat doen we nu?'

'Ik zie je wel bij Edgar. Hopelijk kan hij iets voor ons uit die bestanden halen, waardoor we een directe lijn naar die klootzakken krijgen voordat het te laat is.'

Een uur later stopte Sean voor Edgars boerderij. De wolken waren grotendeels verdwenen en de zon probeerde ertussendoor te schijnen. Hij zag dat Michelles huurauto er al stond. Hij had ook niet anders verwacht met haar rijstijl. Hij voelde even aan de motorkap. Die was niet meer warm. Ze was hier dus al een tijdje; waarschijnlijk had ze de hele weg keihard gereden. Zonder een bekeuring te krijgen. Hij schudde zijn hoofd en liep door.

Hij klopte aan en liep naar binnen.

Michelle stond over Edgars schouder gebogen.

Edgar tuurde naar de verschillende beeldschermen op zijn multiplex bureau. En zei: 'Ze was niet aan het oppassen. Ze had ingebroken. Dat is een misdaad.'

'Ja, dat zei ik ook al tegen haar. Is die koffie vers?' vroeg Sean toen hij zag dat ze een kop koffie in haar hand had. 'Ik kan niet meer helder denken.'

Edgar keek hem met een veelbetekenende blik aan.

Sean wilde iets zeggen, maar besloot kennelijk dat het niet de moeite waard was.

Michelle zei: 'Hij heeft een Keurig-koffiemachine. Zet zelf maar een kop.'

Sean liep de kamer uit, zette een kop koffie voor zichzelf, kwam terug en ging op de rand van Edgars bureau zitten. 'En, wat hebben we?'

'Heel veel dossiers die we moeten doornemen,' antwoordde Michelle.

'En dat andere?' vroeg Sean. 'Dat IP-adres van de bron van die blogger?'

'Ik ben al door drie van de vijf firewalls heen,' zei Edgar.

'Hé, dat is geweldig!'

Edgar zei: 'Maar die laatste twee zijn heel lastig. Die man weet wel wat hij doet!'

Seans opwinding verdween. 'Tja, als het jóú niet lukt, dan lukt het niemand, Edgar.'

'Ik zei niet dat het me niet zou lukken, ik zei alleen dat het heel lastig was.'

Michelle pakte haar koffie en wees naar het beeldscherm. 'Maar misschien hebben we hier iets waar we wat aan hebben.'

Sean tuurde naar het scherm. 'Waar kijk ik naar?'

'Het lijkt op een factuur voor kerosine,' zei Edgar.

'Maar de schijn zou weleens kunnen bedriegen,' voegde Michelle eraan toe.

'Wat bedoel je?'

Edgar sloeg een paar toetsen aan, waarna de pagina waar ze naar keken, in een wirwar van allerlei onbegrijpelijke tekens veranderde.

'Zoiets heb ik weleens eerder gezien,' zei Sean. 'Als mijn computer op hol slaat en een puinhoop van mijn documenten maakt.'

'Dat betekent alleen maar dat de computer de codering van de documenten niet meer kan lezen,' legde Edgar uit. 'En daar kunnen allerlei redenen voor zijn, zoals schade aan het document of een probleem met je processor. En als je weet wat je moet doen, dan kun je het vermogen van je computer om die code goed te lezen, ongedaan maken. Dat heb ik zonet gedaan. Maar het is ook iets anders.'

'Wat dan?'

'Een code,' zei Michelle.

'Je bedoelt dat ze een code in die chaos verbergen?' vroeg Sean.

'In internettaal noemen we dat *gold in the trash*,' zei Edgar. 'Eigenlijk is het best cool, want dat is iedereen wel een keer overkomen. Het is gewoon een softwarefoutje. En dan denk je dat dat alles is.'

'Maar jij zag dus dat het meer was,' zei Michelle.

'Ach, met de Wall zie je zo ongeveer alles,' zei Edgar bescheiden.

'Dus wat zegt deze code?' vroeg Sean.

'Dit is een boodschap aan een onbekende. Maar volgens mij is het dezelfde persoon als op dat IP-spoor van die blogger, want het zijn dezelfde firewalls om toegang tot de bron aan de andere kant te blokkeren.'

'Maar wat staat er?' drong Sean aan.

'Het is een aantal cijfers,' zei Edgar.

'En die betekenen?'

'Als ik moet raden, zijn het satellietcoördinaten; die heb ik eerder gezien,' zei Edgar. 'Ik heb het bericht nog niet helemaal ontcijferd en dus ken ik de locatie van die satelliet nog niet, áls dat het tenminste is.'

Sean keek op. 'Een satelliet? Wat heeft dat met dit alles te maken?'

'Ogen in de lucht,' zei Michelle. Ze nam met een peinzende blik een slokje koffie. 'Hoeveel kost zo'n satelliet?'

'Dat kan heel duur zijn,' zei Edgar. 'Die moet eerst worden gebouwd en dat is niet goedkoop. Daarna moet je hem in de ruimte zien te krijgen, wat ook niet goedkoop is. De meeste mensen die behoefte hebben aan een satelliet huren ruimte op een bestaand platform.'

'Kan dat dan?' vroeg Michelle. 'Ruimte op een satelliet huren, net zoals je een flatje huurt?'

Edgar knikte, maar bleef bezig. 'Gebeurt heel vaak. Er zijn bedrijven die dat doen. Bepaalde satellieten die de overheid gebruikt, worden gehuurd van commerciële bedrijven.'

'De overheid?' vroeg Sean. 'Maar hoe beveilig je die dan?'

'Daar zijn allerlei manieren voor. Soms huren ze de hele satelliet.'

'Zal wel goudgeld kosten,' zei Sean.

'Een miljard euro of zo?' zei Michelle.

Sean keek haar met een scherpe blik aan. 'Denk je dat? Dat iemand een satelliet heeft gekocht? Waarom?'

Michelle nam nog een slok koffie. 'Weet ik niet. Maar als satellieten heel duur zijn, dan is het natuurlijk heel fijn als je een miljard euro hebt.'

'Inderdaad,' zei Edgar.

Sean zei: 'Edgar, hoe duur is het om een satelliet te huren of te kopen?'

Edgar begon met zijn linkerhand op de toetsen van een ander toetsenbord te slaan, terwijl de resultaten op een ander beeldscherm verschenen. En ondertussen zat hij nog steeds met zijn rechterhand op het eerste toetsenbord te werken. Zijn blik schoot heen en weer tussen de beide beeldschermen.

'Dat hangt vooral af van het formaat en het bereik van die satelliet,' vertelde Edgar. 'Eentje bouwen kost een half tot twee miljard. Ze kunnen heel klein zijn en een ton wegen, maar ook zo groot zijn als een vrachtwagen en een paar ton wegen. Maar er zijn ook andere soorten en die noem ik *burners*.'

'Waarom?' vroeg Michelle.

'Die kun je goedkoop laten bouwen, zeg voor een miljoen dollar of minder. Daarna stuur je ze samen met andere betaalde vracht in een gehuurde raket de ruimte in. Dat platform verhuur je aan zoveel betalende klanten als je maar kunt krijgen, soms voor een paar honderd dollar per week. Zo krijg je je investering er weer uit en maak je een leuk winstje. En een paar jaar later valt de satelliet terug naar de aarde en verbrandt in de atmosfeer. Vandaar de term burner.'

'Maar die goedkope satellieten hebben niet hetzelfde bereik als de duurdere.'

'Natuurlijk niet. Zelfs in de ruimte geldt dat je krijgt waar je voor betaalt. Exclusief zwaartekracht.' Edgar glimlachte en keek naar Sean. 'Dat was een grapje.'

'Ja, dat begreep ik. Dus hoeveel satellieten zijn er in de ruimte?'

Edgar sloeg een paar toetsen aan. 'Meer dan duizend. De meeste zijn eigendom van en worden gebruikt door de VS, Rusland en China, voor civiele, commerciële en militaire toepassingen en regeringsdoeleinden. Maar veel landen zijn alleen eigenaar van delen van satellieten. De meeste commerciële satellieten bevinden zich in de zogenaamde geosynchrone baan, in tegenstelling tot de lage baan waar regeringen de meeste platforms hebben.'

'En satellieten worden voornamelijk gebruikt voor...?' vroeg Michelle.

'Communicatie,' zei Edgar meteen. 'Het in hoog tempo verplaatsen van informatie over de wereld. Telefoondiensten, navigatie, computernetwerken, van alles. De Wall is er afhankelijk van, en ik dus ook.'

Sean dacht hardop na: 'Als Alan een satelliet heeft gehuurd of gekocht, wat zou daar de reden van kunnen zijn?'

'Spionage?' opperde Michelle.

Sean keek weifelend. 'Voor wie? En waarom die miljard euro stelen? Edgar zei dat je voor veel minder geld ruimte in een satelliet kunt huren. En Grant móét de bron zijn van die blog. De regering zit daardoor in grote problemen. Je zag zelf hoe ongerust president Cole was. En als dit alles wraak is voor wat er tijdens Irangate met Grants vader is gebeurd, dan moet die satelliet passen bij het plan dat die man heeft bedacht.'

Sean zette zijn koffiekopje neer en wees naar het beeldscherm. 'Edgar, kun je een lijst met commerciële satellietoperators vinden?'

'Ja.'

'Kun je ook achterhalen wie in de afgelopen weken ruimte op een satelliet heeft gehuurd?'

'Dat kan ik proberen.'

'Oké,' antwoordde Sean en hij pakte zijn koffiekopje weer.

Michelle vroeg: 'Waar denk je aan?'

'Communicatie, daar worden satellieten voor gebruikt. Ik denk dat Grant zich bezighoudt met communicatie; hij regisseert deze show. Hij heeft George Carlton alle geheimen over die mislukte missie in Afghanistan verteld.'

Michelle knikte, ze begon het te begrijpen. 'Jij denkt dus dat hij die satelliet gebruikt om iets anders te communiceren?'

'Inderdaad. Ik weet alleen niet wat. En misschien is het niet alleen maar informatie.' Hij keek naar Edgar. 'Met een satelliet kun je de dingen op aarde regelen, toch?'

'Ja. De regering gebruikt ze voor het besturen van de elektriciteitsvoorziening, het kernwapenarsenaal, commando- en controlefuncties: allerlei dingen waar wij afhankelijk van zijn.'

Michelle vroeg: 'Denk je dat hij probeert het Amerikaanse kernwapenarsenaal over te nemen?'

'Nee. Die zitten in overheidssatellieten en die zijn ontzettend goed beveiligd. Bovendien zijn er op de grond ook nog handmatige beveiligingsmaatregelen.'

'Wat dan wel, Sean?'

'Dat weet ik niet,' zei hij, zichtbaar gefrustreerd. 'Maar wat het ook is, ik weet zeker dat het verdomde belangrijk is!'

'Wat doen wij, terwijl Edgar hiermee bezig is?'

'Met Wingo praten. Hem vertellen wat er is gebeurd.'

'Dan draait hij misschien wel door, zoals je zei.'

'Het hangt er maar van af hoe we het verwoorden, Michelle. We zullen het heel diplomatiek moeten brengen.'

'Je wilt dus dat ik met hem praat?'

'Uh, nee.'

'Waarom niet?' wilde ze weten.

'Je moet dit niet verkeerd opvatten, maar jij bent zo ongeveer even diplomatiek als die rotzak die de baas is van Noord-Korea.'

'Dat is misschien wel zo, maar ik ben ook heel veel onverzettelijker.'

# 71

Alan Grant was niet blij met wat er die dag allemaal was gebeurd.

Sean King was bij Heron Air Services geweest, maar was alweer ontkomen.

Er was ingebroken in de woning van Trevor Jenkins en hoewel het leek alsof er niets ontbrak, kon hij daar niet zeker van zijn.

Hij pakte de telefoon en activeerde een elektronisch filter om zijn stem te vervormen. Toen de telefoon nog maar één keer was overgegaan, nam Sam Wingo al op. 'Ja?'

'We hebben een probleem, Wingo.'

'Wat dan?'

'Twee problemen eigenlijk. King en Maxwell.'

'Ik weet niet waar je het over hebt.'

'Ik heb je gevraagd niets meer te doen.'

'Dat doe ik ook niet. Ik heb niets gedaan sinds je vorige telefoontje.'

'Maar je vrienden wel.'

'Het zijn mijn vrienden niet.'

'Wil je dat ik een lichaamsdeel van je zoon naar je toestuur om je te laten zien wat ik bedoel?'

'Nee, doe hem alsjeblieft niets aan!'

'Ik weet dat je samenwerkt met King en Maxwell, dus probeer me maar niet voor de gek te houden. Als jij soms denkt dat ik niets doe, terwijl zij proberen mij te vinden, dan vergis je je gruwelijk.'

'Wat wil je dat ik doe?'

'Ontsla hen, zorg dat ze hiermee ophouden.'

'Hoe?'

'Dat laat ik aan je eigen fantasie over. Als je wilt, kun je hen doden. Mij maakt het niet uit. Als ik ontdek dat ze zich hier nog een keer mee bemoeien, wordt Tyler in een lijkenzak bij je thuisbezorgd. Begrepen?'

'Ja,' zei Wingo met schorre stem.

Sean en Michelle stopten op de parkeerplaats en stapten uit de auto.

Sean zei: 'Ik weet echt niet hoe we dit met Sam moeten bespreken.'

'Moet je ook niet aan mij vragen. Ik ben tenslotte even diplomatiek als die klootzak uit Pyongyang.'

'Luister, dat bedoelde ik niet letterlijk.'

'Echt wel!'

Sean klopte aan bij Wingo. 'Sam, wij zijn het.'

'Kom binnen, de deur zit niet op slot,' riep Wingo.

Ze liepen naar binnen en Michelle deed de deur achter hen dicht. Toen ze zich weer omdraaide, zag ze dat Sean zijn handen omhooghield en ze keek naar Wingo.

Hij hield hen onder schot.

'Is er een probleem?' vroeg Sean.

'Ik ben opgebeld. Jullie zijn aan het rondsnuffelen geweest. Ze zeiden dat Tyler als jullie daarmee doorgaan in een lijkenzak bij me wordt teruggebracht.'

Sean keek naar het pistool. 'Sam, we hebben je verteld wat we gingen doen. We hebben samen besloten dat dat de beste manier was om hem veilig terug te krijgen.'

'Nee, júllie hebben besloten dat dat de beste manier was. Ik had daar niet echt iets over te zeggen.' Hij zwaaide met het wapen. 'Nu wel.'

Michelle zei: 'Je speelt hen precies in de kaart, Sam. Als we niets doen, komt Tyler nooit terug.'

'Ik zal jullie eens vertellen wat ik weet. Als wij niet stoppen, is hij dood. Als wij wel stoppen, heeft hij nog een kans.'

'Dat geloof je niet echt,' zei Sean.

'Jij hoeft me echt niet te vertellen wat ik wel of niet geloof!' brulde Wingo. 'Ik laat niet toe dat jullie ervoor zorgen dat mijn zoon ter dood wordt veroordeeld.'

Ze zei: 'Dat heb je zelf al gedaan, Sam, doordat je doet wat je nu doet.'

'We hebben aanwijzingen,' voegde Sean eraan toe. 'Sterke. We komen dichterbij.'

'Jullie kunnen zeggen wat je wilt, maar ik moet aan mijn zoon denken.'

'Denk je soms dat wij dat niet doen?' vroeg Sean. 'Je zoon was de reden dat we hiermee zijn begonnen.'

Wingo sloeg zijn ogen even neer. 'Luister, ik geef jullie de schuld niet, oké? Ik weet dat jullie proberen te helpen. Maar nu zit ik gewoon tussen twee vuren.'

Michelle zei: 'Tja, die situatie heb jij gecreëerd. Wij niet. En Tyler al helemaal niet. Het is jouw beslissing geweest om die missie aan te nemen.'

Wingo's blik verhardde zich. 'Denk je soms dat ik dat niet weet? Meteen nadat ik die beslissing had genomen, had ik er alweer spijt van.'

Sean ging op de rand van het bed zitten. 'Dus wat jij wilt doen, is hier gewoon zitten wachten en hopen dat die mensen die al eerder hebben gemoord je zoon vrijlaten? Is dat je strategie?'

Wingo liet zich zwaar in een stoel zakken die tegen de muur stond, maar hield zijn pistool op hen gericht. 'Ik heb toch geen keus?'

'Stel dat we de rollen omdraaien?'

'Hoe?'

'We weten nu zeker dat Alan Grant hierbij betrokken is.'

'Oké, wat hebben we daaraan?'

'Hij heeft ook een gezin.'

'Nou en?'

Sean keek hem aan. 'Jij staat met je rug tegen de muur. Je kunt geen kant op. Je bent totaal wanhopig.'

'Ik begrijp je niet.'

'Hij heeft gedreigd je zoon te vermoorden.'

'Ja, dat heeft hij inderdaad!' snauwde Wingo. 'Maar wat kan ik daaraan doen?'

Sean zei: 'Ik heb er geen zin meer in om steeds weer te reageren op wat die klootzakken allemaal doen. Ik stel voor om in de aanval te gaan.'

'Hoe dan?' vroeg Michelle.

Sean zei: 'Sam kan dreigen dat hij Grants gezinsleden vermoordt.'

Michelle verstijfde.

Wingo begreep het niet. 'Hij zal nooit geloven dat ik dat zou doen.'

'Ben je wanhopig?'

'Natuurlijk ben ik dat.'

'Nou, wanhopige tijden vragen om wanhopige maatregelen.'

'Zelfs áls ik dat zou willen doen, hoe neem ik dan contact met hem op?'

Sean wees naar Wingo's telefoon. 'Daarmee.'

Michelle zei: 'Sean, we gaan Grants kinderen niets aandoen.'

'Natuurlijk niet. Ik zei "dreigen". Meer niet.'

'Maar...' begon Michelle.

Sean viel haar in de rede: 'Laten we dat dreigement versturen. En afwachten wat er gebeurt.'

Michelle begreep het opeens. Ze keek naar Wingo, die er zo te zien nog steeds niets van snapte.

Na een tijdje stopte Wingo zijn pistool weg en pakte zijn telefoon. 'Zeg maar hoe ik dit moet doen.'

'Eerst moeten we ergens naartoe,' zei Sean.

# 72

Alan Grant zat in de kluis en keek naar het beeldscherm van een computer toen de telefoon in zijn zak opeens overging. Hij haalde hem tevoorschijn en keek naar het bericht op het scherm.

*Een kind voor een kind. Jij pakt mijn kind, ik pak jouw kind. En jij hebt, anders dan ik, er drie om uit te kiezen.*

Grant sprong zo snel overeind dat zijn knie tegen de rand van het bureau knalde. Licht hinkend verliet hij het radiostation en liep snel naar zijn auto. Hij startte de motor en belde ondertussen naar huis. Er nam niemand op. Hij probeerde het mobieltje van zijn vrouw. Die nam ook niet op.

Hij reed snel, maar het duurde toch nog twee uur voordat hij op zijn oprit stopte en uit de auto sprong. Toen hij naar de voordeur liep, zag hij hen.

Zijn vrouw stond bij hun twee jongste kinderen en hun zwarte labrador. De jongste zat in zijn kinderwagen. Zijn dochtertje van vijf hielp mee duwen. Zo te zien hadden ze een wandeling gemaakt.

Toen ze haar man zag, vroeg Leslie Grant verbaasd: 'Alan, wat doe jij hier?' Toen ze zijn bezorgde blik zag, voegde ze eraan toe: 'Is alles in orde, liever?'

'Waar is Danny?' vroeg hij, verwijzend naar hun oudste.

Ze keek hem verbaasd aan. 'Nog op school. De schoolbus brengt hem vanmiddag thuis.' Ze liep naar hem toe, achter hun dochter aan die naar haar vader toe rende.

Grant wreef over zijn gezicht en dwong zichzelf te glimlachen terwijl hij haar optilde.

Leslie kwam bij hem staan. Grant aaide zijn hond en probeerde zijn vrouw onbezorgd aan te kijken.

'Alan, alles oké?' vroeg ze zacht.

'Papa is oké,' zei hun dochter. Ze heette Margaret, maar werd Maggie genoemd, naar haar oma. Ze sloeg haar handjes om het gezicht van haar vader heen. 'Papa is oké,' zei ze weer.

'Papa is heel erg oké,' zei Grant. Hij sloeg zijn ene arm om zijn vrouw, terwijl hij Maggie nog op zijn andere arm had. 'Zeg,' zei hij, 'wat zou je ervan vinden als ik jullie drieën eens mee uit lunchen nam? Heb je daar zin in?'

'Dan moet je me vijf minuutjes geven om me op te tutten,' zei Leslie.

'Oké. Ik moet nog wat dingen uit de auto halen. Over twintig minuten?'

'Prima.'

Ze nam de kinderen en de hond mee naar binnen, maar voordat ze de deur dichtdeed keek ze nog even zenuwachtig naar haar man.

Grant stond naast zijn auto toen hij de telefoon in zijn zak voelde trillen.

Hij keek naar de sms die hij net had ontvangen.

*Leuk gezinnetje, Alan. Laten we zorgen dat dat zo blijft. Wees niet bang, ik laat je hondje wel met rust.*

Grant draaide zich vliegensvlug om in een poging de verzender van de sms te ontdekken.

Maar hij zag niemand.

Hij stopte de telefoon weer in zijn zak.

Dit compliceerde de zaak. Ze hadden een impasse bereikt over de kinderen, maar dat had geen invloed op zijn totale plan. Alle elementen waren op hun plek.

En zelfs als Wingo erin was geslaagd de zaak tot hem te herleiden, dan had hij geen enkel bewijs in handen. Grant kon de trekker overhalen en er zou geen enkele aanwijzing zijn dat hij iets illegaals had gedaan.

Als dit achter de rug was, zou hij wel bedenken wat hij met Wingo zou doen. En met King en Maxwell.

Verderop in de straat, achter een rij geparkeerde auto's, liet Michelle haar verrekijker zakken en keek naar Sean, die achter het stuur zat. Wingo zat achterin, ook met een verrekijker naar Grant te kijken.

'Je had gelijk, Sean,' zei Michelle. 'Dat heeft hem uit zijn schuilplaats gejaagd. Als een jachthond die een kwartel uit zijn dekking jaagt.'

'Dit was precies waar ik op hoopte,' zei Sean tevreden.

'Denk je dat hij zich nu terugtrekt?' vroeg Michelle.

'Hij heeft een gezin, net als ik,' zei Wingo. 'Hij wil heus niet dat hen iets overkomt.'

'Dat snap ik,' zei Michelle.

'Maar je betwijfelt of hij zijn hele plan nu laat varen,' zei Sean. 'Dat bedoel je toch?'

Michelle knikte. 'Dus dat betekent dat die gijzelaars geen enkele invloed hebben op dat wat hij wil gaan doen.'

'Satelliet, verdwenen geld, samenzwering binnen de regering, lekken,' zei Sean.

'En het motief is de zelfmoord van zijn vader en moeder na Irangate,' zei Michelle. 'Dat is behoorlijk veel.'

'Maar we kunnen hier onmogelijk mee naar de FBI,' zei Sean. 'Littlefield verklaart ons voor gek. Of, en dat zou veel erger zijn, hij gaat op onderzoek uit en laat de hele zaak in het honderd lopen.'

'Die satelliet,' zei Wingo. 'Proberen jullie die te vinden?'

'Proberen, ja. We proberen ook de bron van die blogger te vinden, maar iets zegt me dat we nu naar zijn huis zitten te kijken. Dus dat deel is opgelost.'

Michelle zei: 'Maar als Edgar een link kan vinden tussen Grant en George Carlton, dan is dat bewijs.'

'Bewijs van een lek, geen bewijs van een zware misdaad. En tenzij bewezen kan worden dat Grant geheime informatie heeft gestolen, zal de vrijheid van meningsuiting voorkomen dat hij wordt vervolgd,' zei Sean.

'Wat moeten we dan doen?' vroeg Wingo.

'We moeten zien uit te zoeken waar die satelliet voor is. Als we daarin slagen, kunnen we een paar schijven slaan en zijn koning schaak zetten.'

'Je haalt dammen en schaken door elkaar,' zei Michelle.

'Ja, dat klopt, komt omdat ik niet weet wat voor spelletje Grant eigenlijk speelt.'

'Wat kunnen we doen?' vroeg Wingo.

Sean dacht even na. 'Satelliet.'

Michelle keek hem vragend aan. 'Ja. Maar dat hebben we al geregeld.'

'Nee, ik heb het niet over díé satelliet. Ik heb het over een andere.'

Ze legde haar hand op zijn voorhoofd. 'Heb je koorts?'

'Ik vraag me af waar Grant net vandaan kwam. Niet van zijn kantoor in het centrum. Hij heeft er na die sms ruim twee uur over gedaan om hier te komen. Op dit moment van de dag kost het hem hoogstens dertig minuten om hier vanuit D.C. naartoe te komen.'

'Dat is waar,' zei Michelle met een peinzende blik. 'Nou, hij rijdt in een vrij nieuwe Mercedes. In die modellen zit altijd een navigatiesysteem.'

'En een navigatiesysteem is afhankelijk van satellieten,' zei Sean.

'Maar hoe kunnen we het voor elkaar krijgen dat een satelliet zijn...' Michelle maakte haar zin niet af toen ze zag dat Sean haar met een veelbetekenende blik aankeek. 'Edgar,' zei ze.

'Wat is die Edgar waar jullie het steeds over hebben eigenlijk?' vroeg Wingo. 'De naam van een computersysteem of zoiets?'

'Of zoiets, ja,' antwoordde Sean.

# 73

Ze reden naar Edgars boerderij, en zetten Wingo onderweg af bij het motel.

Zodra hij begreep wat ze wilden doen, was Edgar bereid hen te helpen.

'Eigenlijk zou je bij ons op de loonlijst moeten staan, Edgar,' zei Michelle voor de grap. 'Volgens mij werk je vaker voor ons dan voor de Amerikaanse regering. We zouden een geweldig team vormen.'

Edgar keek haar met een bevreemde blik aan. 'Hoeveel betalen jullie?'

Sean bemoeide zich ermee. 'Ik kan me niet voorstellen dat we je net zoveel kunnen betalen als je nu verdient. Wij hebben niet zoveel geld als Uncle Sam.'

'En gelukkig ook niet zoveel schulden,' zei Michelle droog.

'Wat zijn de aanvullende arbeidsvoorwaarden?' vroeg Edgar. 'Ik krijg achtentwintig doorbetaalde vakantiedagen en een goed pensioen. Ook kan ik gratis ontbijten en lunchen. En ik heb een huurflat in het centrum met een prachtig uitzicht.'

'Uh, volgens mij maakte Michelle maar een grapje, Edgar,' zei Sean met een verbijsterde blik op zijn gezicht.

Maar Edgar leek hem niet te horen. 'Ik zal erover nadenken,' zei hij.

Sean keek Michelle zenuwachtig aan. 'Wat is er net gebeurd?' vroeg hij zachtjes.

'Geen idee,' fluisterde ze terug.

Op normale geluidssterkte vroeg Sean: 'Je denkt dus echt dat je dit kunt doen, Edgar? Die man volgen?'

'Jullie hebben me het kenteken van Grants auto gegeven. Daarmee kan ik heel gemakkelijk aan het framenummer komen. En daarna kan ik van alles doen.' Zijn vingers vlogen over de verschillende toetsenborden.

'Zeg, heb je nooit RSI-klachten?' vroeg Michelle, die naar hem zat te kijken.

'Nee,' zei Edgar.

'Hoe lang duurt het om hem via de gps te traceren?' vroeg Sean.

'Niet lang,' antwoordde Edgar. 'Ik geef je wel een seintje als ik klaar ben.'

Ze liepen naar hun auto en reden weg.

Michelle zei: 'Volgens mij denkt hij dat we hem een baan hebben aangeboden.'

'Je bedoelt dat hij denkt dat jíj hem een baan hebt aangeboden.'

'Ik maakte maar een grapje. En we kunnen hem nooit betalen.'

'Dat weet ik,' zei Sean. 'Maar we kunnen die man niet blijven vragen al die dingen gratis voor ons te doen.' Hij zweeg even en voegde er hoopvol aan toe: 'Of wel?'

'Nee, dat kan niet,' zei ze gedecideerd.

Sean zette de radio aan.

Het nieuws was bezig. Het werd gedomineerd door het steeds groter wordende schandaal rondom de regering-Cole. De oppositie in het Congres drong steeds sterker aan op een hoorzitting en er werden al dagvaardingen opgesteld. Een Congreslid had zelfs al gezegd dat impeachment tot de mogelijkheden behoorde. De regering van Iran was ook geïrriteerd door de oorlogsdreiging en keurde de Amerikaanse acties af. En de bondgenoten van de VS distantieerden zich van de hele zaak. Coles woordvoerder zei alle gebruikelijke dingen, die allemaal zwak en ontwijkend klonken.

'Slap geklets,' zei Michelle.

'Ja, ze hebben behoorlijk stomme dingen gedaan,' zei Sean. 'Een democratie kun je niet kopen, zelfs niet met een miljard euro.'

'Goed gezien,' zei ze.

'Komt wel vaker voor.'

'Goed, wat doen we nu? Gewoon duimen zitten draaien tot Edgar klaar is?'

'Nee. We gaan allebei iets anders doen.'

'Waar ga jij dan naartoe?'

'Ik ga op Wingo passen, zodat hij geen stomme dingen doet.'

'En ik?'

'Wil jij voor me naar het ziekenhuis gaan om te kijken hoe het met Dana gaat?'

Michelle vroeg lichtelijk in paniek: 'Ik? Ze laten me heus niet bij haar, Sean.'

'Tuurlijk wel, als zij dat wil.'

'Maar waarom ga jij er zelf dan niet naartoe?'

'Ik ben... Wil jij het alsjeblieft voor me doen, Michelle?'

Ze wilde weer protesteren, maar toen ze de blik op zijn gezicht zag, zei ze: 'Tuurlijk, ik ga wel. Zet me maar af bij mijn auto. Maar als er iets is, bel je me, oké?'

'Afgesproken. En, Michelle, bedankt!'
'Graag gedaan.'

Een uur later liep Michelle het ziekenhuis binnen en ging naar de intensive care. Ze was bang dat ze Curtis Brown zou tegenkomen. Maar ze kwam erachter dat hij niet in het ziekenhuis was. Een verpleegkundige vertelde Michelle dat hij eerder die dag was vertrokken, maar later terug wilde komen.

Ze belden Dana's kamer en zij was bereid Michelle te ontvangen.

De verpleegkundige zei waarschuwend: 'U kunt niet lang blijven, hoor. Ze heeft haar rust nodig.'

'Dat begrijp ik,' zei Michelle.

Ze liep Dana's kamer binnen en keek even naar alle slangetjes en apparaten waar haar lichaam mee verbonden was en die haar moesten helpen te herstellen. Het was nog niet eens zo lang geleden dat Michelle in een ziekenhuisbed had gelegen, gekoppeld aan vrijwel dezelfde medische apparatuur, terwijl zij voor haar leven vocht.

Ze trok een stoel bij het bed en ging zitten.

Dana keek naar haar. Ze had een gezondere kleur, dacht Michelle, ook al leek ze nog steeds heel zwak.

'Sean niet bij je?' vroeg Dana.

'Nee, nu niet. Hij komt je nog wel een keertje opzoeken.'

Dana knikte langzaam, maar leek ook een beetje teleurgesteld.

'Ik hoorde dat de generaal hier zonet was?'

Dana probeerde een beetje rechtop te gaan zitten, maar Michelle legde kalmerend een hand op haar schouder. 'Ik zet het bed wel iets hoger, oké?'

Michelle drukte op een knopje, zodat Dana's bovenlichaam iets omhoogkwam.

'Curtis is geweldig geweest,' zei Dana.

'Dat geloof ik graag. Maar jij ook.' Michelle gaf haar een geruststellend kneepje in haar arm.

'Hebben jullie al meer ontdekt?'

'We werken er nog aan, maar we hebben steeds meer.'

'Sean zal alles wel vinden, dat weet ik zeker.'

'Zo te zien heb je een goede relatie met je ex,' zei Michelle, met een enigszins scherpe klank in haar stem.

'Eerlijk gezegd hadden we helemaal geen relatie. Niet voordat hij contact met me opnam. Sinds onze scheiding had ik niets meer van hem gehoord.'

Michelle wilde iets zeggen, maar beheerste zich. Ze keek naar de monitoren en de infusen, en besloot er niet op door te gaan. De vrouw was nog steeds heel zwak.

'Je mag me alles vragen, Michelle.'

Ze keek op en zag dat Dana naar haar keek.

Ze zei: 'Het is een goede man en het was oerstom van me om hem te laten gaan.'

'Je hebt er dus spijt van?'

'Dat woord gebruik ik liever niet. Ik heb Curtis. Ik moet naar de toekomst kijken, niet naar het verleden.' Het bleef een tijdje stil, en toen vroeg Dana: 'Zijn jullie meer dan alleen maar zakenpartners?'

'Vind je dat belangrijk?'

'Wil je me dat glas water geven?'

Michelle hield haar het glas voor, terwijl Dana met behulp van een rietje een slokje nam. Ze leunde weer achterover en haalde een paar keer diep adem. Een van de monitoren begon alarmerend te piepen en Michelle stond vlug op. 'Moet ik een verpleegkundige halen?'

'Nee. Dat ding piept al twee dagen. Ze hebben het te laag ingesteld, zeiden ze, maar er is nog niemand geweest om dat aan te passen.'

Michelle ging weer zitten.

Dana keek naar haar pols waar een infuus was ingebracht. 'Ik geloof dat ik het inderdaad belangrijk vind, Michelle, maar waarschijnlijk niet om de reden die jij denkt.' Ze draaide haar hoofd naar rechts en keek haar aan. 'Ik ben heel gelukkig met Curtis. Ik zou graag willen dat Sean ook gelukkig is.'

'Hij is gelukkig.'

'Gelukkig zijn in je eentje en gelukkig zijn met iemand anders zijn twee verschillende dingen. Dus, zijn jullie meer dan zakenpartners?'

'Ik weet niet wat we zijn, Dana.'

'Is dat jouw versie van de feiten of die van Sean?'

Michelle fronste haar voorhoofd en zei: 'Luister, ik weet dat je bent neergeschoten en zo, maar je hebt daar niet echt iets mee te maken, hè?'

'Heeft Sean je verteld waarom we zijn gescheiden?'

'Nee, niet echt.'

'Helemaal mijn schuld.'

'Het is niet gemakkelijk om getrouwd te zijn met een Secret Service-agent.'

'Ik heb hem bedrogen. Meerdere keren. Ik zal nooit, maar dan ook nooit de blik op zijn gezicht vergeten toen hij erachter kwam. Ik weet dat hij zich enorm verraden voelde.'

343

Michelle ging rechtop zitten. 'Dit hoeven we echt niet te bespreken.'

'Als je van hem houdt, Michelle, moet je het jezelf gemakkelijk maken en hem dat gewoon vertellen. Ik zag hoe hij met je omgaat. Ik ken hem. Ik weet dat hij bepaalde gevoelens voor je heeft.'

'Je hebt ons maar één keer samen gezien en dat was maar heel kort.'

'Ik had niet veel tijd nodig.'

Michelle sloeg haar ogen neer en haalde haar vingers door haar lange haar. 'Bedankt voor je goede raad.'

'Maar je doet er niets mee?'

'Ik kan je niets beloven, sorry. Maar je hebt je boodschap duidelijk overgebracht.'

Michelles telefoon ging. Ze haalde hem tevoorschijn in de hoop dat het Sean was.

Dat was niet zo.

De naam die opsprong in het scherm zou ieders aandacht trekken.

Het was het Witte Huis.

# 74

Sean zat naast Sam Wingo. Ze zaten in Seans auto en hielden Jenkins' huis in de gaten.

'Wat heeft dit voor zin?' vroeg Wingo.

'Driekwart van het werk van een privédetective levert niets op. Maar je moet het wel doen om die andere vijfentwintig procent te krijgen die wel iets oplevert. Datzelfde geldt eigenlijk bij de Secret Service. Negentig procent verveling, tien procent actie.'

'Nou, ik zie niet dat dit meer oplevert dan tijdverspilling.'

'Wil je me soms wijsmaken dat je toen je in het leger zat nooit geduldig hoefde te zijn?'

Wingo zuchtte en schudde zijn hoofd. 'Eerlijk gezegd was het negenennegentig procent verveling en één procent actie.' Hij keek Sean aan. 'Sorry, ik heb last van mijn zenuwen.'

Sean klopte hem op de schouder. 'Je zoon is voorlopig veilig. We hebben wat tijd gerekt. Als we alleen maar...' Hij zweeg toen zijn telefoon ging.

Hij keek naar het scherm. 'Het is Edgar. Misschien heeft zijn zoektocht naar de satelliet iets opgeleverd of kon hij Grants auto traceren.'

Maar Edgar had dat nog niet voor elkaar. Hij had wel iets anders. 'Ik zat even in Jenkins' dossier te kijken en heb iets ontdekt waar jullie misschien wat aan hebben.'

'Wat dan?' vroeg Sean.

'Een rekening voor de onroerendezaakbelasting voor een ander pand dan Jenkins' huis.'

'Waar?'

'Een terrein in Rappahannock County, Virginia. Ik heb het op internet gevonden in een oud overzicht van onroerend goed. Het is een blokhut. Heel afgelegen.'

'Heeft het een adres?'

'Ik mail je de locatie wel. Succes!'

Sean verbrak de verbinding en vertelde Wingo wat Edgar hem zojuist had gezegd.

'Denk je dat hij Tyler en Kathy daar misschien gevangenhoudt?'

'Landelijk en afgelegen. Misschien was Grant daar wel toen onze mail hem de stuipen op het lijf joeg. Het is ruim een uur hiervandaan.'

'Wat gaan we doen? Binnenvallen?'

'Nee. We moeten dit op de juiste manier doen.' Sean belde Michelle. Hij werd meteen doorgeschakeld naar de voicemail. Misschien is ze nog in het ziekenhuis bij Dana, dacht hij. Hij toetste een ander nummer in. En hoorde een stem.

'Special agent Dwayne Littlefield,' zei de stem.

'Agent Littlefield, met Sean King.'

'Ben je net uit de lucht komen vallen of zo? Mijn goede naam staat op het spel, net als die van de president van de...'

Sean viel hem in de rede. 'Volgens mij weet ik waar Tyler en Kathy worden vastgehouden.'

'Waar?'

'Als de kinderen daar echt gevangen worden gehouden, zijn daar gewapende bewakers.'

'We hebben mensen die daarin gespecialiseerd zijn, King. Hoe zeker ben je hiervan?'

'Dat weten we pas als we er zijn.'

'We? Nee, laat ons dit maar alleen afhandelen.'

Sean had de telefoon op de speaker gezet en toen Wingo deze laatste zin hoorde, greep hij de telefoon voordat Sean hem kon tegenhouden. 'Het is mijn zoon en dus ben ik er ook bij! Het kan me geen zak schelen wat jij ervan vindt!'

'Wie ís dit verdomme?' Littlefield zweeg even. 'Sam Wingo? Ben jij dat? Weet je eigenlijk wel hoe diep je in de problemen zit? En Sean King? Een voortvluchtige onderdak verlenen? Dat is belemmering van de rechtsgang. En dan heb ik nog niet alles genoemd. Ik neem je te grazen, King!'

Sean griste de telefoon uit Wingo's hand en keek hem met een verwijtende blik aan. 'Luister, Dwayne, laten we ons nu eerst maar eens richten op het levend en wel bevrijden van die kinderen. Als je daarin slaagt, denk ik dat de president een veel positiever beeld van de FBI zal hebben. En daarna kunnen we die andere kleinigheden wel oplossen.'

'Kleinigheden?'

'Focussen, Dwayne. De kinderen?'

'Ik kan er wel een HRT naartoe sturen; een antiterreureenheid. Zij zijn gespecialiseerd in het bevrijden van gijzelaars en hebben enorme vuurkracht.'

346

'Nee, zo gaan we het niet doen. Als je vuur met vuur bestrijdt, zit iedereen straks onder de brandwonden.'

'Wil jij me soms vertellen hoe ik mijn werk moet doen?' snauwde Littlefield.

'Het nichtje van de vorige president is ontvoerd geweest. Weet je dat nog?'

'Ja.'

'Nou, mijn partner en ik hebben haar veilig en wel teruggekregen, dus we zijn niet echt onervaren op dit gebied. We kunnen je helpen.'

'Dit gaat volstrekt buiten de regels om.'

'Deze hele verdomde zaak gaat volstrekt buiten de regels om!'

'Hoe wil je dit dan aanpakken?' vroeg Littlefield.

'Ik en Wingo. Jij en McKinney. We gaan naar binnen, snel en zonder waarschuwing, en halen de kinderen eruit.'

'Hoe zit het met je partner, Maxwell? Ik heb gehoord dat ze heel goed is.'

'Ik heb geprobeerd haar te pakken te krijgen. Maar we moeten snel in actie komen.'

'Ik zou er liever 's nachts op af gaan.'

'En dat is dus precies wat ze verwachten. Als we naar binnen gaan als het nog licht is, zijn ze er niet op bedacht.'

'Ik vind dit maar niets.'

Sean keek naar Wingo. 'We hebben hier een vent van de Special Forces. Plus jij, ik en McKinney. We zijn geen amateurs. Die andere kerels zijn inmiddels behoorlijk gedecimeerd, dus ik denk dat ze niet veel mensen meer overhebben. We kunnen dit aan, Dwayne. Zo dadelijk krijg ik de plattegrond van die hut gemaild. We bespreken de zaak, verkennen de omgeving en gaan in de aanval.'

'Als je je vergist...'

'Dan neem je me te grazen. Maar voorlopig doen we het op mijn manier.'

'Oké. Zeg maar waar en wanneer.'

Dat deed Sean en hij legde daarna zijn telefoon neer.

Wingo keek hem aan. 'Heb je er echt zoveel vertrouwen in als je doet voorkomen?'

'Zeker weten van niet.' Sean zette de auto in de versnelling en scheurde weg.

# 75

Twee uur later begon het te onweren. Sean keek omhoog en dankte God in de hemel. Het was een korte onweersbui, maar hij maakte ontzettend veel kabaal. Het zou binnen een halfuur voorbij zijn en dan zou de hemel openbreken in een spectaculaire, helderblauwe kleur en de wind gaan liggen. Maar op dit moment werd elk geluid dat ze onderweg naar de blokhut maakten overstemd door de keiharde regen, de stormachtige wind en de donderslagen.

Hij en Wingo waren nu samen met agenten Littlefield en McKinney. De man van de DHS was zelfs nog sceptischer geweest dan zijn collega van de FBI, maar dat was veranderd nadat Sean hem had verteld wat er kon gebeuren: als zij de kinderen zouden redden, waren zij de helden. Als de kinderen er niet waren, dan hadden ze Wingo te pakken, en hem als medeplichtige.

Maar toen Sean langzaam de heuvel opliep naar de blokhut, wist hij bijna zeker dat de kinderen daarbinnen waren.

Wingo liep rechts van hem. Ze hadden hun wapens onder hun regenjas, zodat ze droog bleven. McKinney en Littlefield liepen vanaf de andere kant naar de blokhut.

Edgar had hem een mailtje gestuurd met de plattegrond van de blokhut die hij ergens op internet had opgeduikeld. Het was verbijsterend wat die zachtaardige reus allemaal kon doen met zijn toetsenbord en met zijn hoofd, waar meer in zat dan in zo ongeveer welk hoofd dan ook.

Sean wilde dat ze hem wél konden betalen.

De blokhut bestond uit twee vertrekken die even groot waren. Sean wist bijna zeker dat de kinderen in de achterste kamer werden vastgehouden, omdat de enige buitendeur in de andere kamer was. Je stopt een gevangene niet in een kamer met een weg naar buiten.

Toen Sean zo dicht bij de blokhut was dat hij het raam aan de achterkant kon zien, wist hij het zeker. Er zat multiplex voor gespijkerd. Hij keek naar Wingo. 'Zie je dat?'

Wingo knikte. 'Het probleem is dat de bewakers hen zullen doodschieten, zodra we dat multiplex daarvoor weg proberen te halen.'

'Niet als we die bewakers eerst uitschakelen.'

'Misschien is een van hen bij de kinderen.'

Sean keek naar de auto die voor de blokhut stond. Helaas was het Grants Mercedes niet. 'Een vierzitter,' zei Sean. 'De kans is groot dat er twee bewakers zijn. Ze moeten ook de kinderen verplaatsen, dus dan worden het vier zitplaatsen.'

Sean had contact met McKinney en Littlefield, en zei in zijn headset: 'We zijn in positie.'

'Wij ook,' antwoordde McKinney.

'Zo te zien zijn er twee bewakers en zitten de gijzelaars in de achterste kamer.'

'We zien het. Hoe wil je dit doen?'

Sean keek nog eens beter naar de blokhut. Hij probeerde door een van de voorste ramen te kijken. Maar de onweersbui, die er weliswaar voor zorgde dat ze ongemerkt dichterbij konden komen, maakte dat vrijwel onmogelijk. Hij keek achterom naar Wingo en gebaarde dat hij bij hem moest komen.

De soldaat sloop naar hem toe, steeds dekking zoekend, precies zoals hij dat waarschijnlijk in het Midden-Oosten had gedaan. Hij bleef naast Sean staan. 'Wat is het plan?'

'Doe alsof het een veldslag is. Wat zou jij dan doen?'

Wingo bekeek de omgeving. 'Normaal gesproken zou je schoten uitlokken, zodat je weet wat hun positie is, gevolgd door gericht vuur of door een luchtaanval.'

'Vergeet die F-16's maar, vriend. Helaas heeft geen van onze twee federale vrienden een thermische kijker meegenomen. Dan hadden we kunnen zien waar iedereen zich bevond.'

Een felle bliksemflits raakte een boom in de verte en kliefde de stam doormidden, waarna die in brand vloog. Een oorverdovende donderslag volgde. De gespleten boom viel op de grond waar de vlammen snel door de zware regen werden gedoofd.

Sean keek er nog even naar en toen weer naar Wingo. 'Dit is wat we gaan doen. Bedankt Moeder Natuur.'

Michelle werd in een zwarte suv naar het Witte Huis gebracht door vier Secret Service-agenten, van wie ze er twee kende.

'Wat is er aan de hand?' vroeg ze onderweg aan een van hen.

De man haalde zijn schouders op. 'Dat is niet aan mij.'

De andere voegde eraan toe: 'Dat hoor je snel genoeg. De Man zal je dat zelf wel vertellen.'

De Man was president John Cole. En aan de grimmige blik van de vier agenten te zien, dacht Michelle niet dat de Man in een bijzonder goede bui was.

Ze hadden haar opdracht gegeven haar mobiele telefoon uit te zetten. Geen communicatie. Geen foto's. Geen opnames, op geen enkele manier. Ze hoopte maar dat Sean haar niet belde zolang ze onbereikbaar was.

Ze stopten bij 1600 Penn, en Michelle werd naar een voorkamer van de Oval Office gebracht. Ze vertelden haar dat ze moest wachten en dat de president al snel naar haar toe zou komen.

*Zeg maar tegen hem dat hij zich niet hoeft te haasten*, zei Michelle in gedachten toen de deur dichtging en ze alleen achterbleef. Ze keek naar haar telefoon. Ze had zin hem aan te zetten, maar wist dat ze hier in de gaten werd gehouden. Ze bevond zich in het Witte Huis dat bedreigd werd en waar ergens vandaan gelekt werd, zodat iedereen bijzonder paranoïde was. Als ze probeerde haar communicatielijnen weer te openen, lieten ze haar misschien wel verdwijnen. Nou ja, misschien zouden ze niet zoiets drastisch doen, maar ze wilde geen olie gooien op wat toch al een groot vuur leek te zijn. Ze slaakte een zucht, ging zitten en wachtte tot de machtigste man ter wereld zou binnenkomen en haar dag verder zou bederven.

Edgar Roys vingers hamerden op het toetsenbord met, zelfs voor hem, een ongewone felheid. Maar het ging niet goed. Edgar was eigenlijk nooit eerder verslagen als hij elektronisch op jacht was. Mensen probeerden dingen voor hem geheim te houden, maar daar slaagden ze nooit in. Als hij naar een hele rij beeldschermen keek, waar in digitale pakketjes informatie uit alle hoeken van de wereld op verscheen, kon hij daar toch nog logische conclusies uit trekken. Zijn geest was op een unieke manier in staat om in een complete chaos op hoog niveau te functioneren. Hij kon orde en logica scheppen en resultaten behalen in situaties waar dat onmogelijk leek.

Hij was erin geslaagd Grants Mercedes te traceren. Dat was relatief gemakkelijk geweest. Die stond nu op een bijzonder landelijke plek zo'n honderd kilometer ten westen van het adres van de blokhut waar hij het eerder met Sean over had gehad. Hij had Sean de informatie gemaild en zich toen weer aan zijn taak gewijd. De satelliet.

Toch kon hij de satelliet niet vinden die Alan Grant kennelijk had gehuurd. Grant had natuurlijk een valse naam gebruikt of – nog logischer – een lege vennootschap. Edgar had gekeken naar zuiver commerciële satellieten en daarna naar platforms van de overheid, en nu besloot hij te kijken naar de categorie daartussenin: commerciële satellieten die aan de regering waren verhuurd. Sean had hem verteld dat Grant kwaad was op de regering, dus misschien wilde hij proberen wraak te nemen.

Terwijl Edgar op zoek was, viel zijn blik ergens op. Hij drukte een paar andere toetsen in en zijn blik schoot heen en weer tussen twee beeldschermen. Voor een gewoon mens is dit heel moeilijk, maar voor Edgar was dit juist ontspanning. Hij was eraan gewend naar vijftig beeldschermen tegelijk te kijken. Hij dacht na over het verzoek van Sean: Alan Grants Mercedes met gps traceren. Dat had hij gedaan. De politie deed dat heel vaak. De gps-chip in de computer van een auto maakte dat relatief gemakkelijk. De computersystemen in moderne auto's waren bijzonder complex, maar doordat ze verbonden waren met andere systemen, was het mogelijk ze te hacken; precies zoals Edgar nu had gedaan.

Maar toen de data op het scherm verschenen, kreeg Edgar een bijzonder ongeruste blik in zijn ogen.

*Dit was toch zeker niet mogelijk?*

## 76

'Ik ruik rook, jij ook?' vroeg de ene man.

De twee mannen zaten in de voorste kamer van de blokhut. Ze droegen allebei een schouderholster. Een van hen zat een tijdschrift te lezen en de andere speelde een videospelletje op zijn smartphone.

De andere man keek op en snoof. 'Ja, ik ook.'

Ze keken naar buiten. 'Die boom is net door de bliksem geraakt. Misschien is het dat.'

De andere man schudde zijn hoofd. 'Te ver hiervandaan. En met al die regen is dat vuurtje zo uit. Niet veel rook.'

Ze stonden op en keken om zich heen.

'Daar!' riep de eerste man.

Door een kier in de muurplanken kringelde rook naar binnen. Ze liepen er snel naartoe en keken wat er aan de hand was.

'Ik zal proberen het te blussen, maar volgens mij brandt het in de muur zelf. Klotehut. Misschien heeft het onweer kortsluiting veroorzaakt.' Hij keek bezorgd naar zijn collega.

'We kunnen maar beter naar die andere locatie gaan. Ik haal ze wel op.' Hij rende naar de andere kamer en kwam even later terug met Tyler en Kathy, die geblinddoekt, gekneveld en vastgebonden waren. Kathy had een verband om haar arm, waar ze door Alan Grants kogel was geraakt. Het was een schampschot, want hij was niet in haar vlees gedrongen, maar had haar huid wel verbrand en de wond had erg gebloed en deed veel pijn.

'Kom mee,' zei de man en hij sleurde hen met zich mee. 'Opschieten!'

Zijn partner stond al bij de buitendeur. Hij zei: 'Ik breng ze wel op de hoogte als we onderweg zijn.'

Ze stapten de veranda op en bereidden zich erop voor dat ze drijfnat zouden worden terwijl ze naar de auto renden. Daar hadden ze zich niet druk over hoeven maken, want ze zouden de auto nooit bereiken.

Een vuist ramde de kaak van de eerste man. Hij ging neer alsof hij door een grizzly was geraakt. De tweede man schreeuwde, liet de kinderen los en wilde zijn pistool pakken. Toen hij zag dat er vanaf een paar centimeter afstand drie wapens op zijn hoofd waren gericht, besloot hij zijn handen in de lucht te steken.

Sam Wingo stond over de man gebogen die hij zonet met zijn vuist buiten westen had geslagen. Hij keek naar Sean. 'Dát was lekker!'

'Papa!' Tyler had de prop uit zijn mond gespuugd toen hij de stem hoorde.

Wingo rende naar zijn zoon en maakte zijn boeien los.

Sean deed hetzelfde voor Kathy. Ze had tranen in haar ogen en greep naar haar arm.

Toen Wingo zijn zoon omhelsde, sloeg Sean zijn armen om Kathy heen. 'Het is oké, Kathy. Alles komt weer goed.'

Ze jammerde en zei: 'Hij heeft op me geschoten.'

Sean keek naar haar verbonden arm en drukte haar nog steviger tegen zich aan. 'En daar zal hij voor boeten. Hij gaat voor heel veel dingen boeten.'

Ze zetten de kinderen in de auto.

Sean doofde het kleine vuurtje dat hij had aangestoken met oude lappen, papier en een beetje benzine dat hij had ontdekt in een jerrycan achter een oud schuurtje dat op het terrein van de blokhut stond.

Wingo kwam naar hem toe. 'Briljante tactiek,' zei hij.

Sean stampte de laatste vlammen uit en doofde de restanten van het vuur voor de zekerheid met wat water. Ook al had de regen alles natgemaakt, hij wilde niet het risico lopen dat de blokhut echt in de brand zou vliegen.

'Elke tactiek is briljant als ie werkt.'

Wingo greep hem bij de schouder. 'Bedankt, Sean. Ik...'

Sean legde een hand op Wingo's schouder. 'Ik weet het, Sam. Ik weet het.'

McKinney en Littlefield hadden de twee mannen handboeien omgedaan en in hun suv gezet.

Sean stak zijn hoofd naar binnen en zei zacht: 'Ik heb even in mijn mail gekeken. Heb een aanwijzing over onze man dankzij de gps in zijn auto. Hij staat bij een oud AM-radiostation ergens op het platteland.'

Littlefield knikte en haalde zijn telefoon tevoorschijn. 'Geef me het adres maar, dan stuur ik er zo spoedig mogelijk een HRT naartoe.'

Dat deed Sean en daarna vroeg hij, met een blik op beide verdachten: 'Hebben ze hun mond al opengedaan?'

'Ze willen een advocaat,' zei Littlefield. 'En dat kan ik hun niet kwalijk nemen. Ontvoering. Poging tot moord. Samenzwering om een terroristische daad te plegen.' Dit alles zei hij luid, zodat ze het konden horen.

Tegen McKinney zei hij: 'Hé, als we hen terroristen noemen, of vijandige strijders, hebben ze dan eigenlijk wel recht op een advocaat?'

Sean zei: 'Weet je, ik heb rechten gestudeerd. Misschien kunnen jullie proberen hen rechtstreeks naar Gitmo te sturen.'

'Ik ben Amerikaans staatsburger!' schreeuwde een van de mannen.

'Maakt niet uit,' zei McKinney. 'Als jij van plan was een aanval op dit land uit te voeren, dan is dit gebruikelijk.' Hij glimlachte tegen Sean. 'Dit kon weleens heel erg leuk worden.'

'Misschien wel,' zei Sean. 'Toch hebben we hem nog niet gevonden.'

'Maar we hebben de kinderen terug,' zei Littlefield.

'Dat weet ik. En dat is het belangrijkst.'

'Maar?' vroeg McKinney

'Maar ontvoering was niet het echte plan, toch?'

Alan Grant zat naar het computerscherm te kijken. Dit was waarschijnlijk een van de laatste keren. Hij bevond zich in de kluis van het oude radiostation. De gespannen activiteit in het andere deel van het station was voorbij. Het was leeg. Hij was als enige nog aanwezig. Zijn team had gedaan waarvoor ze waren gekomen.

Hij keek nog een laatste keer naar het tijdschema en bevestigde dat. Hij keek op zijn horloge. Nog even en dan was het allemaal voorbij. Zijn nachtmerrie, waar hij al tientallen jaren door werd gekweld, was bijna afgelopen. Hij was er niet zonder kleerscheuren van afgekomen. En hij wist niet zeker of hij niet alsnog in de gevangenis zou belanden. Maar uiteindelijk zou het allemaal de moeite waard zijn. Zijn kinderen zouden nog altijd hun moeder hebben. Ze had meer dan genoeg geld. Zij zouden het wel redden. Ze zouden gepest en gemeden worden door wat hij had gedaan, want hij was de enige die de rechtvaardigheid ervan kon inzien. En op een bepaalde manier voelde hij zich gelukkig. Gelukkig, omdat de huidige president dezelfde blunder had gemaakt als zijn voorganger zoveel jaar geleden. Maar daarvoor zou misschien nooit wraak worden genomen.

Hij belde naar de blokhut. Er werd niet opgenomen. Hij belde weer. Geen reactie. Een beetje in paniek nu, downloadde hij dat wat hij nodig had op zijn laptop, hij pakte zijn sleutels en rende naar zijn auto. Een vrachtwagen met oplegger en een begeleidend team zou hier over twintig minuten zijn om alles ongedaan te maken wat hier had plaatsgevonden, en het gebouw helemaal te strippen.

Hij reed naar een vooraf klaargemaakte locatie in D.C. Vanaf deze plek zou hij doen wat hij moest doen met behulp van een soort afstandsbediening. Van daaruit kon hij de hoofdstad heel goed zien. Nog even en dan zou het een chaotische hoofdstad zijn.

Hij maakte zijn verrekijker klaar en keek op zijn horloge. Het was bijna zover.

Edgar was net klaar met zijn toetsenbord en keek nu verbijsterd naar het scherm. Dit was een elektronische omweg zoals hij nog niet eerder was tegengekomen. Hij moest wel bewondering hebben voor de genialiteit van de mensen die dit hadden gedaan. Zij hadden gebruikgemaakt van iets wat het beste beschreven kon worden als elektronische DNA-sporen die achtergebleven waren op een door de regering eerder gehuurde satelliet. Die hadden ze gebruikt om ongeveer net zoals een virus of een kankercel een andere satelliet te infiltreren; een heel bijzondere satelliet die was toegewezen aan slechts één gebruiker. En om een heel goede reden. Anders zou er iets rampzaligs kunnen gebeuren.

Maar misschien was dat al gebeurd.

# 77

'Mijn excuses dat ik u heb laten wachten, mevrouw Maxwell.'

President Cole zag er gekweld en afwezig uit toen hij de Oval Office binnenstapte.

'Geen probleem, meneer,' zei Michelle, die snel opstond.

'En meneer King?'

'Niet hier. We hebben ons opgesplitst. Vandaag moet u het alleen met mij doen.'

Cole knikte, maar zei niets. Hij leek diep in gedachten.

'Slechte dag, meneer?' vroeg ze, in een poging zijn aandacht weer bij dit gesprek te krijgen.

Hij schrok op, keek haar aan en probeerde te glimlachen. 'Dat kun je wel zeggen. Maar in deze functie is alles relatief. Op een echt slechte dag sturen we jonge mannen en vrouwen op pad om voor hun land te sterven.'

'Dus ik neem aan dat een gewoon schandaal niet heel erg is.'

'Nee, maar het leidt wel af. En het geeft mijn politieke vijanden ammunitie in handen. Hoewel ze dat niet nodig lijken te hebben om op mij te schieten.'

'Wat kan ik voor u doen, meneer? Ik weet dat elk moment van uw dag tot op de minuut is volgepland.'

'Ja, en ik ben dan ook bang dat we hier een mobiele bespreking van moeten maken.'

Toen pas viel het Michelle op dat Cole een smoking droeg. 'Meneer?'

'Officiële bijeenkomst vanavond in Mount Vernon, het grote huis van president Washington. Ik ben de hoofdspreker. Zin in een ritje in het Beest?' Hij glimlachte. 'Mijn mensen geven u wel een lift terug.'

'Ja, meneer.'

Toen ze naar buiten liepen, naar de wachtende stoet auto's, haalde ze haar telefoon tevoorschijn, ze zette hem aan en typte snel een sms naar Sean en Edgar. Ze drukte op Verzenden, glimlachte even en stopte de telefoon weer in haar zak.

Een Secret Service-agent die ze kende, hield het portier van de limo voor haar open. De president stapt altijd als laatste in. Zodra hij zit, gaan de auto's rijden. Michelle kon haar glimlach niet verbergen toen ze de wagen inging en op de stoel tegenover die van de president ging zitten, zodat ze achteruit zou rijden.

Zodra hij was ingestapt, werd het portier dichtgedaan en verdwenen alle geluiden van buiten. Die zouden ze pas weer horen als de portieren weer opengingen, want de raampjes die zo dik waren als een telefoonboek zouden niet naar beneden gaan. De stoet begon te rijden.

Het Beest leek vanbuiten op de Caddy DTS die hij was, maar was in elk ander opzicht uniek. Voor driehonderdduizend dollar waren een paar interessante wijzigingen aangebracht. De limo woog ruim achtduizend kilo en was helemaal geseald voor het geval iemand het voertuig met biochemische wapens zou willen aanvallen. De benzinetank was volledig afgedicht met schuim. Zelfs als de tank werd geraakt, zou de auto niet ontploffen. Er was een voorraad zuurstof en brandblussers in de kofferbak, plus een zakje bloed met de bloedgroep van de president. In de voorste bumper waren nachtkijkers en traangaskanonnen ingebouwd. De buitenkant van de auto was een combinatie van keramiek, titanium en het oude, betrouwbare staal. De banden hadden een huid van kevlar en konden niet lek raken. De portieren waren loodzwaar dankzij de bijna twintig centimeter dikke bepantsering. De buitenste lagen van de ramen waren kogelvrij en konden een hagel van kogels tegenhouden, terwijl de binnenste lagen gemaakt waren van een speciaal soort plastic dat elke kogel zou opvangen als een vlieg in een spinnenweb.

De twee nadelen waren de lage snelheid en het hoge benzineverbruik. Door het enorme gewicht reed het Beest maximaal honderd kilometer per uur en slechts drie kilometer op een liter benzine.

Michelle keek naar de chauffeur en de andere agent die voorin zaten. Daarna keek ze naar buiten naar de dertig auto's waar de stoet uit bestond. Vervolgens naar het chique interieur van het achterste gedeelte.

Cole zat enigszins geamuseerd naar haar te kijken. 'Eerste keer in het Beest?' vroeg hij.

Ze knikte. 'Ik heb de Service verlaten voordat ik werd ingeroosterd als bewaker in het Witte Huis.'

'Ik kan me mijn eerste keer nog herinneren. Ik dacht dat ik droomde.'

'Is nu afgezaagd geworden, natuurlijk.'

'Absoluut niet. Het is een eer en een voorrecht, en verdomde cool.' Hij leunde achterover in zijn stoel en keek naar buiten. 'Ik kan nooit ergens stiekem naartoe gaan. Ik mag niet eens op de openbare weg rijden.'

Michelle leunde ook achterover. 'Misschien maar goed ook. U zou toch niet willen dat u gedwongen was een smoesje te verzinnen waarom u te hard reed?'

Hij glimlachte en keek toen naar de agent die voorin zat. 'Raampje omhoog, Frank,' zei Cole.

Het glazen tussenschot gleed omhoog.

Cole wachtte tot het schot helemaal dichtzat en keek toen naar Michelle. 'Ik ga heel open met u praten, mevrouw Maxwell.'

'Ja, meneer.'

'Mijn regering heeft een groot probleem.'

'Die indruk kreeg ik al.'

'We probeerden iets positiefs te doen, iets waardoor een ander land vrij zou worden.'

'De beste bedoelingen, de slechtste resultaten.'

'Mijn tegenstanders roepen altijd dat ik het leger moet sturen en Amerika's gigantische, militaire macht moet inzetten. Maar als we daadwerkelijk iets doen, met hetzelfde resultaat maar tegen veel lagere kosten, dan dreigen ze met impeachment.'

'Volgens mij noemen ze dat politiek, meneer.'

'Alleen heb ik deze keer mijn nek te ver uitgestoken en heb ik geen medestanders. En het staat op springen.' Hij keek haar wanhopig aan. 'Hebben u en uw partner al iets ontdekt?'

'Inderdaad, meneer.' Ze vertelde hem alles wat ze hadden gevonden, ook over de ontvoering van Tyler Wingo en zijn vriendin Kathy.

'Mijn god, daar wist ik niets van. En jullie denken dat Sam Wingo erin is geluisd en dat deze Alan achter dit alles zit? Vanwege een politiek schandaal dat ruim twintig jaar geleden tot de dood van zijn ouders heeft geleid?'

'Ja, dat denken we inderdaad.'

'En hij is de bron van het lek naar die blogger?'

'Daar gaan wij ook van uit.'

'En jullie bewijzen?'

'Die zijn we aan het verzamelen. Weet u, als ik mijn partner mag bellen, heeft hij misschien nog meer te vertellen.'

'Ga uw gang.'

Michelle belde Sean.

Hij nam op bij de tweede keer overgaan. 'Ik heb je sms gezien,' zei hij. 'Het Beest, hè? Met de president?'

'Ja, dat klopt,' zei ze blij.

'Nou, wij hebben ook geweldig nieuws. We hebben Tyler en Kathy. Ze zijn allebei oké. Ze zijn in het Fairfax-ziekenhuis. Kathy was gewond aan haar arm, maar het komt wel weer goed met haar. Ze worden zwaar bewaakt door de FBI. Haar ouders zijn ingelicht en zijn nu bij haar in het ziekenhuis.'

'Dat is geweldig nieuws, Sean!'

'En we hebben twee van Grants mannen te pakken. Littlefield en McKinney gaan hen de duimschroeven aandraaien. Als zij gaan praten, hebben we een direct lijntje naar Grant.'

'Het wordt steeds beter.' Ze wendde zich tot Cole: 'Meneer, ze hebben de kinderen bevrijd. Ze zijn veilig. En ze hebben de kidnappers te pakken. De FBI houdt hen vast. Zij leiden ons misschien rechtstreeks naar Grant.'

'Goddank!' zei Cole. 'Dat is een wonder.'

Michelle keek naar buiten. Ze reden net over de Memorial Bridge naar Virginia. Behalve de presidentiële stoet reden er geen andere auto's op de weg, want het Beest deelde de weg niet met gewone stervelingen. Het was inmiddels een prachtige dag geworden nu het niet meer regende en de zon op het koude oppervlak van de rivier de Potomac scheen.

'Dus waarom ben je bij de president?' vroeg Sean.

Op Michelles scherm verscheen een sms van Edgar. Haar ogen werden groot en haar maag verkrampte.

'Michelle?'

'O, shit!' riep Michelle.

'Wat is er?' vroeg Cole.

'Michelle, gaat het wel?' vroeg Sean.

Michelle zei tegen de president. 'We moeten naar...'

Ze kreeg niet de kans haar zin af te maken.

# 78

Het stuur van het Beest werd uit de handen van de chauffeur gerukt en maakte een scherpe bocht naar links. Tegelijkertijd werd het gaspedaal diep ingedrukt en de ruim zevenduizend kilo zware auto accelereerde en klapte met maximumsnelheid tegen de stenen brugleuning. Deze leuning was wel sterk, maar niet ontworpen om een auto die zo zwaar was en zo snel reed tegen te houden. Het voorste deel van het Beest knalde dwars door de stenen muur heen en de voorwielen kwamen los van de grond. De achterwielen bleven draaien, kregen weer grip en even later kwam het Beest helemaal los van de brug. Hij bleef even in de lucht hangen, met de neus naar beneden. Een paar seconden later viel hij en klapte met de voorkant op het water. De achterkant volgde en de auto stabiliseerde op het water.

Het Beest kon veel indrukwekkende kunstjes. Maar op het water drijven hoorde daar niet bij, zodat de auto snel zonk.

'Michelle!' schreeuwde Sean in de telefoon. Er kwam geen antwoord. Sean zei tegen Wingo: 'Er is iets helemaal mis. Ze is bij de president en...' Zijn telefoon ging. Er kwam nog een telefoongesprek binnen. Het was Edgar.

'Edgar, wat is er aan de hand?'

'Ik heb Michelle net een sms gestuurd,' zei hij. 'Ze is bij de president.'

'Dat weet ik. Ze belde me net. Maar toen gebeurde er iets. Ik kan haar niet bereiken.'

Edgar zei niets. 'Edgar, ben je daar nog?'

Toen Edgar daarna weer iets zei, klonk zijn stem gespannen. 'Sean, ik krijg net een nieuwsflits binnen op mijn beeldscherm.'

'Waar gaat het over?' vroeg Sean ongerust.

'De limo van de president is net van de Memorial Bridge gereden en in de Potomac gevallen.'

'Wat! Hoe kán dat nou?'

'Daar sms-te ik haar net over.'

'Waar héb je het over?'

'De satelliet, Sean. Ze hebben de satelliet gehackt die de presidentiële limo gebruikt voor navigatie en communicatie. Het is te ingewikkeld om uit te leggen hoe ze dat hebben gedaan.'

'Oké, ze hebben die satelliet gehackt. Maar wat houdt dat in?'

'Die limo heeft meer dan dertig miljoen regels code, Sean. De computer regelt alles in die auto. Als je de hersens hackt...'

Sean maakte de zin voor hem af. '... dan heb je de macht over de auto,' zei hij verdoofd.

'Ja. Snelheid. Besturing. Remmen. Alles.'

'Grant,' zei Sean met zijn blik op Wingo gericht. 'Die klootzak heeft net wraak genomen op een president die absoluut niets te maken had met de dood van zijn ouders.' Met trillende stem voegde hij eraan toe: 'En Michelle is bij hem.'

Edgar vroeg: 'Wat ga je nu doen?'

Sean liet de telefoon vallen, trapte het gaspedaal in en de auto schoot naar voren.

Wingo had de radio aangezet en ze luisterden naar de nieuwsflits. Het zag er slecht uit. Er was snel een reddingsactie op touw gezet, maar ze zouden zware apparatuur nodig hebben om de auto van de bodem van de rivier te krijgen. Het goede nieuws was dat de auto zijn eigen zuurstofvoorraad had en compleet geseald was zodat er geen water naar binnen kon dringen.

Wingo zei: 'De FBI zal alles doen wat in zijn macht ligt. En je hebt het gehoord op de radio: de auto is geseald en ze hebben hun eigen zuurstof.'

Sean keek strak voor zich uit. 'Ten eerste kan de klap door de stenen brugleuning het Beest kapot hebben gemaakt. Het is een tank, maar zelfs een tank kan beschadigd raken.'

'En ten tweede?'

'De computer controleert alles in het Beest, Sam. Als jij de computer de baas bent, ben je de baas over het Beest. En Alan Grant is veel te slim om dat over het hoofd te hebben gezien.'

Toen de limousine de bodem van de rivier raakte, maakte Michelle haar gordel los en keek ze hoe het met de president was. Hij was bewusteloos. Ze checkte zijn pols. Die was sterk, hoewel zijn gezicht lijkbleek was. Ze legde haar handen om zijn hals, op zoek naar fracturen of zwellingen, maar vond niets. Daarna deed ze iets wat ze zelf amper kon geloven.

Ze gaf hem een klap in zijn gezicht. Niet één keer, maar twee keer.

Na de tweede klap kwam hij bij en keek haar versuft aan. 'Wat is er verdomme net gebeurd?' hijgde hij.

'Bent u gewond, meneer de president? Hebt u het gevoel dat er iets gebroken is, gekneusd, pijnlijk?'

Voorzichtig bewoog hij zijn armen en benen. 'Pijnlijk, maar alles voelt in orde,' antwoordde hij. 'Wat is er gebeurd?'

Michelle haalde diep adem. 'We zijn van de brug gereden. We liggen in de Potomac.' Ze keek naar buiten, maar zag alleen maar zwart. 'Sterker nog, op de bodem van de Potomac,' zei ze.

'In de Potomac?' vroeg hij ongelovig.

Michelle vond het knopje voor het glazen tussenschot in de console. Vreemd genoeg werkte dat nog steeds. Het Beest had nog steeds power, maar als ze hier nog een tijdje bleven liggen, zou dat snel afgelopen zijn. De motor was afgeslagen en ze betwijfelde of die onder water opnieuw zou aanslaan. En trouwens, waar moesten ze naartoe rijden?

Het glas gleed naar beneden en ze kroop naar voren om te kijken hoe het met de agenten was die voorin zaten. De airbags waren geactiveerd zag ze meteen, zodat ze hoop kreeg.

Maar die hoop verdween zodra ze het bloed en hun geopende ogen zag.

Ze controleerde hun pols, maar wist eigenlijk al dat ze dood waren. De airbags waren opengegaan toen ze tegen de brugleuning klapten. Die klap hadden ze waarschijnlijk wel overleefd. Maar wat ze niet hadden overleefd, was de klap op het water. Toen waren er geen airbags meer over. Ze keek naar de zijraampjes en het stalen frame eromheen. Daar zat bloed op. Daar waren ze kennelijk tegenaan geslagen. De dood was waarschijnlijk onmiddellijk ingetreden.

Zij en de president waren alleen op de bodem van de rivier.

Ze kroop met eerst haar voeten terug naar het achterste deel van de limo.

'Hoe gaat het met hen?' vroeg Cole gespannen.

Michelle schudde haar hoofd en zei: 'Ze hebben het niet overleefd, meneer.'

'O mijn god.'

Michelle keek om zich heen naar het comfortabele leer met de dikke kussens en vulling. Dankzij deze kleine cocon leefden ze nog, terwijl de agenten die voorin zaten de volle impact van de botsing hadden gevoeld.

Michelle keek naar haar telefoon. Geen streepjes, natuurlijk niet. Soms was haar bereik al slecht op het land, laat staan onder water. Maar...

Ze maakte de middenconsole open. Daar zat een telefoon in en die haalde ze eruit. 'Nu kunnen we de fabrieksgarantie even testen,' zei ze.

De president maakte zijn vlinderdas en het bovenste knoopje van zijn

362

overhemd los. 'Het begint hier een beetje benauwd te worden,' zei hij.

'Ik weet zeker dat ze al een reddingsteam aan het samenstellen zijn, meneer. Er zullen al heel gauw duikers ter plaatse zijn.'

Michelle had geroeid en kende de Potomac goed. Ze wist dat het grootste deel van de rivier bijzonder ondiep was. De maximale diepte van de Chesapeake Bay hier vlakbij was maar zo'n zes meter. De plaats waar ze nu lagen, was niet veel dieper. Maar het kwam er feitelijk op neer dat ze in een tank zaten met ruim zes meter water boven zich, zodat een reddingspoging een ingewikkelde klus zou zijn.

Ze keek naar de portieren. Twintig centimeter dikke pantserplaten. Ze waren niet gemakkelijk te openen, zelfs niet met hydraulische hulp. Nu er tonnen water tegenaan drukten, zouden ze zonder zware machines onmogelijk geopend kunnen worden. En dat zou tijd kosten. En dan zou er water naar binnen stromen. In gedachten zag ze al dat de auto vol water kwam te staan terwijl het portier langzaam werd geopend. De kans was groot dat ze verdronken, terwijl hun redders slechts een paar centimeter bij hen vandaan waren.

Misschien kwamen ze met zo'n machine zoals je weleens bij een auto-sloperij ziet, met een magneet aan het uiteinde en zouden ze daarmee proberen om de auto uit het water te krijgen. Maar werkte zoiets ook onder water? En zou die magneet sterk genoeg zijn om een toch al lood-zware auto uit ruim zes meter diep water te tillen?

De beste kans hadden ze waarschijnlijk als ze een kabel aan de voor-kant van het Beest bevestigden en hem aan land zouden trekken, met een machine die op de oever bleef staan.

Maar ook dat zou tijd kosten.

Hoewel ze nooit eerder in het Beest had gezeten, wist ze dat de zuur-stof uit de draagbare voorraad automatisch vrijkwam zodra de zuurstof in de cabine onder een bepaald niveau kwam. Dus hadden ze wel wat tijd. Nu was ze blij dat de auto zo goed geseald was. Ze keek om zich heen. Voor zover ze nu kon zien, sijpelde er geen water naar binnen.

Weer keek ze naar de telefoon. Ze zou proberen contact op te... Ze ademde in. Ze schrok en keek naar Cole. Hij leek nog bleker dan hier-voor. Nu dacht ze pas echt na over wat hij zojuist had gezegd.

*Het begint hier een beetje benauwd te worden.*

'Meneer, kunt u naast me komen zitten?'

Ze hielp hem met het losmaken van zijn gordel en ondersteunde hem toen hij naar de andere kant van de cabine kroop. Ze liet de achterbank zakken en kroop in de bepantserde kofferbak. Ze zag de brandblussers en de bus met de voorraad bloed. Ze kroop verder en maakte de vloerbedekking van de kofferbak los. Daar waren de zuurtstoftanks. Ze bekeek ze nauwkeurig. Ze waren zo te zien vol, maar leken niet geactiveerd. Ze tikte met haar knokkels op een van de tanks en drukte haar oor tegen de leidingen die de cabine inliepen. Ze hoorde er geen lucht doorheen stromen.

De meeste mensen zouden nu in paniek raken. Maar net zoals een piloot die een neerstortend vliegtuig moest redden, was Michelle juist voor crisissituaties getraind. Ze had het te druk met het redden van de president en zichzelf, om te gaan gillen.

Er zat geen handmatig bedienbare opening op de zuurstoftanks, zodat ze die niet zelf kon openmaken. Ze vervloekte deze duidelijke miskleun. Ze haalde oppervlakkig adem en voelde dat ze een beetje licht in het hoofd werd. Het was om gek van te worden dat hier voldoende zuurstof was, maar dat ze er niet bij konden komen.

Ze gaf er een schop tegenaan in de hoop dat de zuurstof zou beginnen te stromen, maar toen ze haar oor weer tegen de leidingen legde, hoorde ze niets. Hoe was het mogelijk dat de fail-safe niet functioneerde? Het was hetzelfde als wanneer alle motoren van een vliegtuig er tegelijkertijd mee ophielden. Zoiets gebeurde gewoon niet!

Toen dacht ze weer aan Edgars sms: *zorg dat je uit die limo komt. Daar is een probleem mee.*

Op de een of andere manier, tegen alle verwachtingen in, was het machtige Beest gesaboteerd.

Ze kroop terug in het achterste compartiment.

De president keek haar aan. 'De zuurstof doet het niet, hè?' vroeg hij.

Ze schudde haar hoofd. 'Nee.'

'Is de chauffeur onverwacht ziek geworden?'

'Dat denk ik niet, meneer.'

'Hoe is dit dan gebeurd? Zijn we ergens door geraakt?'

'Ik denk dat het Beest... op de een of andere manier door een derde partij is overgenomen.'

'Overgenomen? Hoe dan?'

'Dat weet ik niet zeker.' Michelle keek weer naar de telefoon, pakte hem en toetste het nummer in, hopend dat het communicatiesysteem van het Beest het geld waard was.

'Hallo?' De stem klonk in paniek, wanhopig.

'Sean, ik ben het.'

'Michelle, vertel op! Hoe is de situatie bij jullie?'

Dat vertelde ze. Twee agenten dood. President oké. Zuurstof werkt niet.

'Grant heeft het Beest overgenomen,' vertelde Sean. 'Daarom is hij van de brug gereden.'

'Edgar stuurde me een sms toen ik met jou sprak, dat er een probleem was met de limo. Wat is er daarboven aan de hand?'

'Ik ben net ter plaatse. Het is afgezet, zoals je je wel kunt voorstellen. Ik heb geprobeerd Littlefield te pakken te krijgen en hij heeft ervoor gezorgd dat ik op de brug sta. Ik sta nu naar je te kijken. Er zijn duikboten onderweg, maar die moeten uit de rivier de Anacostia komen. Dat duurt wel even, maar ze proberen ze sneller hier te krijgen. Er ligt een politieboot boven jullie die probeert radarbeelden van jullie locatie te krijgen. Er komen ook helikopters aan met grijphaken.'

'Het Beest weegt achtduizend kilo.'

'Dat weet ik. Ze zullen militaire vrachthelikopters nodig hebben en ik betwijfel of die het kunnen. Jullie zitten onder tonnen water.'

'Dan moeten we dus op de duikers wachten,' zei ze, terwijl haar hoop verdween. 'Maar als ze een kabel aan de bumper vastmaken, kunnen ze ons er vanaf de rivieroever uittakelen...'

'Michelle, nu moet je even heel goed naar me luisteren. Jullie hebben niet genoeg tijd om te wachten tot ze jullie eruit hebben gehaald. Jij moet jezelf en de president eruit zien te krijgen.'

'Geweldig, Sean, zeg maar gewoon even hoe!' snauwde ze.

'Het is een kleine kans, maar de enige kans die je hebt. Hoeveel zuurstof hebben jullie nog, denk je?'

Ze keek naar de lijkbleke Cole. 'Als we niet te veel ademhalen een paar minuten, meer niet.'

'Oké, je moet het volgende doen.'

# 79

Alan Grant had onrustig maar gefascineerd toegekeken toen de presidentiële limo door de brugleuning van de Memorial Bridge was gereden en in het modderige water van de Potomac was gevallen. Met nog een paar toetsaanslagen op zijn laptop had hij de zuurstoftoevoer afgesloten. Hij maakte zich niet druk om de communicatiemogelijkheden van de auto. Hij wílde dat ze met elkaar praatten. Hij wílde dat ze de wanhoop hoorden. Dat zou niets veranderen. Het was te laat. Het zou een halfuur duren voordat ze een reddingsoperatie op touw hadden gezet. Maar dan zou de president en iedere andere inzittende van die auto allang zijn gestorven aan de koolmonoxidevergiftiging die ze zelf hadden veroorzaakt.

Hij klapte zijn laptop dicht en keek nog een paar seconden naar de ultieme chaos op de brug en de rivieroevers. De mediabusjes kwamen er al aan. Het publiek stond er al zo dicht mogelijk op. Helikopters van de politie en de nieuwszenders vlogen al rond, alsof dat iets opleverde.

Het machtige Beest, gedood door zijn eigen gewicht terwijl de president erin zat.

De FBI, de DHS, de Secret Service, de Metro Police, het leger en misschien wel zes andere diensten renden in het rond en probeerden iets te doen. Maar feitelijk deden ze helemaal niets.

Als het niet zo sneu was, zou het misschien leuk zijn, dacht hij.

Grant zette zijn auto in de versnelling en reed langzaam weg. Hij had opnieuw geprobeerd om zijn mannen in de blokhut te bellen, en zij hadden nog steeds de telefoon niet opgenomen. Dat was bijzonder zorgwekkend.

Zijn mobieltje ging. Hij nam op. Het was Trevor Jenkins, die hij bij het radiostation had geposteerd.

'Hebben ze het al leeggehaald?'

Jenkins' stem klonk gespannen. 'Nee. En volgens mij gaat dat ook niet lukken.'

'Waarom niet?' snauwde Grant.

'Omdat hier een lange rij SUV's naartoe komt. Volgens mij is het een HRT.'

'Maak dat je daar wegkomt, Trevor. Nu!' schreeuwde Grant. Hij legde zijn telefoon neer, helemaal in paniek.

Zijn discrete aftocht was nu onmogelijk geworden. Ze hadden hem betrapt.

Maar hij had zijn man te pakken. Hij had zijn doel bereikt.

De president was dood. Zijn vader was gewroken. Het had slechts vijfentwintig jaar en een levenslange obsessie van een zoon gekost om dat voor elkaar te krijgen. Maar nu was het gebeurd.

Eindelijk.


Michelle had de president naar de stoelen voorin gekregen, nadat ze de lichamen van de twee agenten op de vloer had gewerkt. Ze had hem opdracht gegeven zijn lichtgewicht kogelvrije vest uit te trekken. In het water zou dat ding zijn doodvonnis betekenen.

Ze had een Remington uit een vak naast de stoel van de chauffeur gehaald. Sean had haar verteld dat ze dat pistool daar kon vinden. Hij had haar ook iets anders verteld. Een plan; een plan dat ze nu ten uitvoer zou brengen.

Ze had de stoelen achterin naar voren geklapt, zodat de kofferbak zichtbaar was. Ze had de president uitgelegd wat ze wilde doen. Hij had die strategie geaccepteerd, omdat hij wel inzag dat dit de enige kans was die ze hadden. Maar aan de blik in zijn ogen kon ze zien wat hij dacht.

Zij was jong, fit en sterk.

Hij was echter een man van middelbare leeftijd met een buikje. En hoewel hij waarschijnlijk een beetje aan sport deed, was wat hij nu moest doen om in leven te blijven wel iets meer dan dat.

Michelle had over dit alles nagedacht, nadat Sean met haar had gepraat, en had haar eigen plan bedacht. In gedachten ging ze stap voor stap na wat er zo meteen zou gebeuren. Ze hadden nu nog licht, dankzij de gesealde accu van het Beest. Maar zodra ze had gedaan wat ze zo dadelijk ging doen, zaten ze in het pikkedonker. Dus moest ze alles goed in haar geheugen prenten, zowel de ontsnapping samen met de president als de weg naar boven, naar het wateroppervlak.

Zeven meter, dat was de afstand tot het wateroppervlak in dit deel van de rivier. Dat klonk niet ver, maar als je je adem inhield en jezelf naar boven worstelde, leek het wel een kilometer, vooral als iemand zich aan je vastklampte.

Ze keek naar Cole. Ze had een stuk touw gevonden, klittenband en een zaklamp. Sean had haar verteld dat ze dit achter een stoelpaneel zou vinden. Ze had het ene uiteinde van het touw om het middel van de president gebonden en het andere uiteinde aan haar eigen middel. Ze had het touw met opzet kort gehouden. Ze moesten voorkomen dat het ergens achter bleef haken als ze in het donker uit de auto kropen. Als dat gebeurde, waren ze allebei dood. Ze had de klep van de kofferbak van de vergrendeling afgehaald, maar de waterdruk hield hem stevig dicht. In elk geval zat hij nu niet meer op slot.

'Meneer, als ik schiet, gaan de lampen waarschijnlijk uit en stroomt het water naar binnen. Adem drie keer diep in en hou de laatste keer uw adem in. Daarna ga ik naar voren en kruip ik eruit en dan naar boven. U kunt met uw voeten trappelen en uw armen bewegen zodra we uit de auto zijn. Dan gaan we meteen naar boven. Ik ben de hele tijd vlak bij u. Ik laat u niet alleen. Ik laat u niet doodgaan. Oké?'

Hij knikte, terwijl het zweet op zijn voorhoofd stond. 'Oké.'

Ze had de zaklamp met klittenband aan haar hoofd vastgemaakt en hoopte maar dat hij onder water bleef branden.

'Ik tel tot drie,' zei Michelle en ze richtte de Remington. 'Eén... twee... drie.'

Ze schoot op de zuurstoftanks. Er was een knal, daarna een lichtflits. De gastank was geseald tegen een explosie en de tank zat vol zodat er heel weinig waterdamp was. En hoewel het Beest was ontworpen om een granaat te kunnen weerstaan die van buiten kwam, hadden de ontwerpers van de auto niet gedacht aan een zuurstofexplosie die van binnenuit kwam.

De ontgrendelde klep van de kofferbak werd eraf geblazen, waarop er meteen water naar binnen stroomde.

Michelle liet het wapen vallen en spoot naar voren, waarbij ze de president achter zich aan trok. Ze bevond zich meteen in het koude water. De zaklamp bleef schijnen, zwakjes weliswaar, maar het gaf genoeg licht.

De Potomac had niet alleen stromingen aan het oppervlak, maar ook onder water. Die waren verrassend sterk. Dat had al verschillende onvoorzichtige zwemmers het leven gekost. Maar Michelle was niet onvoorzichtig en ook een sterke zwemmer. Ze vocht zich een weg door het interieur van de auto, en maakte gebruik van de stoelen en het frame om vooruit te komen.

Ze bleef even in de kofferbak staan, iets wat ze nu kon doen omdat de klep eraf was. Daarna plantte ze haar voeten stevig neer en zette zich hard af, zodat zijzelf en de president naar boven schoten. De bodem van de kofferbak bevond zich ongeveer zestig centimeter van de bodem van de rivier. Dat betekende nog bijna zeven meter te gaan.

Ze maakte krachtige slagen met haar armen en benen. Ze voelde dat de president achter haar hetzelfde deed, hoewel iets zwakker.

Zeven meter werd vierenhalve meter. Michelle voelde dat haar armen en benen pijn gingen doen door de kou en de moeite die het kostte om een volwassen man met zich mee te slepen.

Vierenhalve meter werd drie meter. Ze zag al een beetje licht boven haar hoofd.

Ze gaf nog een sterke trap en probeerde er niet aan te denken dat haar longen weleens konden barsten.

Drie meter werd minder dan twee. Maar haar hoofd klopte zo hard dat ze dacht dat er een ader zou knappen. Ze voelde ook dat de president slap werd, hij trapte niet meer met zijn voeten.

Ze voelde dat ze naar beneden werd getrokken.

Ze verzamelde al haar kracht en duwde zichzelf naar boven, trap na trap, slag na slag. Als ze doodging, zou ze alles hebben gegeven wat ze in zich had, net zoals ze tijdens de Olympische Spelen had gedaan. Haar zwemteam had in de finale verloren en zilver gewonnen, maar het was nog steeds een ongelofelijke ervaring geweest. Maar vanavond was de tweede plaats niet goed genoeg. Zij ging voor goud.

Twee meter werd anderhalf, daarna één. Ze gaf nog een keiharde trap en brak door het wateroppervlak. Ze greep het uiteinde van het touw beet en trok uit alle macht. Door die inspanning kwam ze weer onder water, maar het slappe lichaam van de president schoot langs haar heen en zijn hoofd kwam boven het wateroppervlak. Hij hoestte en gaf over.

Opeens werden ze beide door sterke handen vastgegrepen. Michelle werd half uit het water getrokken door iemand met een ijzersterke greep. Ze keek om zich heen en zag de duiker van de politie naast zich. Andere handen pakten haar vast en daarna werd ze helemaal uit het water en in de reddingsboot getrokken.

Even later gleed president Cole naast haar in de boot. Ze hoestte wat water op, ademde grote teugen lucht in en kwam een beetje overeind. 'Meneer de president? Bent u oké?'

Hij probeerde rechtop te gaan zitten, maar twee verplegers die naast hem knielden, drukten hem met zachte hand neer. Terwijl ze hem onderzochten, keek hij naar Michelle en glimlachte zwakjes. 'Als u wilt, mag u lid worden van mijn beveiligingsdienst, mevrouw Maxwell,' zei hij schor.

Toen ze in dekens werd gewikkeld, ging Michelle op haar rug liggen en deed haar ogen dicht. En toen glimlachte ze.

*Ik heb in elk geval eindelijk een ritje in het Beest gemaakt,* dacht ze.

# 80

Tijdens een besloten ceremonie in het Witte Huis werden Sean en Michelle bedankt voor het feit dat ze de hoogste baas van het land van een zekere dood hadden gered. En gelukkig voor president John Cole stond iedereen weer achter hem na deze laatste moordaanslag en de dramatische en heldhaftige manier waarop hij aan de dood was ontsnapt. Zelfs zijn felste tegenstanders drongen niet langer aan op een onderzoek en impeachment, voor nu dan.

Na afloop van de ceremonie gaf Cole Sean een hand en bedankte hem voor zijn snelle denkwerk en zijn goede advies aan Michelle. Daarna ging Cole dwars tegen het protocol in en omhelsde Michelle innig, terwijl mevrouw Cole datzelfde deed bij zowel Michelle als Sean. 'Dank jullie wel,' zeiden de president en de first lady tegelijk.

Littlefield en McKinney hadden de ceremonie bijgewoond. Beide agenten waren geprezen voor hun aandeel bij het ontdekken van de samenzwering die tot doel had om ten eerste het land in een kwaad daglicht te stellen en mogelijk een oorlog te veroorzaken, en ten tweede om de president te vermoorden.

Helaas hadden de ontvoerders hun mond gehouden. En het team verhuizers bij het radiostation had niet geweten wat ze verhuisden. Dat beweerden ze tenminste. De miljard euro, of wat daarvan over was, was nog steeds verdwenen. En, het allerbelangrijkst, Alan Grant was nog niet gevonden.

Toen ze na de ceremonie naar haar Land Cruiser liepen, zei Michelle: 'Je ziet er goed uit in een pak. Zou je vaker moeten dragen.'

Hij glimlachte en zei hoofdschuddend: 'Heb ik te vaak gedaan bij de Service. Mijn wapenrusting was een confectiepak, stropdas en nette schoenen. En een zonnebril. De rest van mijn leven zal ik vrijetijdskleding dragen.'

Ze hield de medaille omhoog die de president hun had gegeven. 'Behalve als je zoiets krijgt.'

'Alleen dan. Heb je nog last van je injecties?'

Michelle en Cole hadden verschillende antibiotica gekregen, enkele via een injectie. Ze hadden beiden in de Potomac gezwommen en wat water binnengekregen. En hoewel de rivier schoner was dan tientallen jaren geleden toen het nog licht radioactief was geweest, kon je het nog steeds beter niet drinken.

'Mijn achterste heeft weleens beter gevoeld, laat ik het daar maar op houden.'

Ze stapten in haar auto.

'Ik wil je al een tijdje iets vragen.'

'Oké,' zei Sean.

'Hoe kwam je op het idee om die zuurstoftanks op te blazen om ons uit het Beest te krijgen? Ik kan me niet voorstellen dat jullie op die ontsnappingswijze hebben geoefend toen jij nog bij de beveiliging zat.'

'Dat klopt,' gaf Sean toe, terwijl hij zijn gordel vastmaakte. 'Echt niet. Air Force One heeft scenario's voor als ze op het water moeten landen, maar het Beest niet.'

'Hoe kwam je daar dan bij?'

'Laten we het maar houden op mijn briljante, doortastende geest die elke kritieke situatie aankan en snel als een laser naar een oplossing toewerkt.'

Michelle deed haar gordel om en startte de wagen. 'Nu moet je oppassen, Sean, anders doe ik je iets.'

Hij zuchtte. 'Oké, maar jij bent de enige die dit mag weten.' Hij zweeg even. 'Ik heb het van *Jaws*.'

Ze leunde op het stuur en keek hem aan. '*Jaws*?'

'Ja, de film *Jaws*. Roy Scheiders personage is de sheriff van een klein stadje en hij zit vast midden op de oceaan en de haai zit hem achterna. Maar die haai heeft een zuurstoftank in zijn bek doordat hij een duikboot tot zinken heeft gebracht. Hij schiet, raakt de tank. Boem! Geen haai meer...'

'Dus ik zit hier met je te praten en lig niet in het lijkenhuis dankzij een bioscoopfilm van Spielberg?'

'Kan ik het helpen? Die stunt heeft diepe indruk op me gemaakt!'

Ze klopte even op zijn schouder. 'Nou, gelukkig maar.'

Zodra ze de stad uit waren, vroeg ze: 'Wat gaat er nu met Sam Wingo gebeuren?'

'Niets. Ze weten dat hij erin is geluisd. Ze weten dat hij onschuldig was. Ze weten dat zijn zoon was ontvoerd om hem tot niets doen te dwingen. Verdorie, die vent verdient net zo'n medaille als wij en het leger weet dat heel goed. Het komt wel goed met hem. En Tyler heeft zijn vader terug.'

'Ja, en volgens mij is Cole niet alleen blij omdat hij nog leeft, maar ook dolgelukkig omdat het schandaal rondom die verdwenen miljard euro is weggeëbd.'

'Daar was alleen een nog groter nieuwsitem voor nodig. Herinner je je Chandra Levy en dat congreslid dat haar volgens sommigen had vermoord?'

'Nee, niet echt.'

'Dat komt doordat dat hét verhaal was tot 11 september korte tijd later gebeurde.'

'Dus het ontbrekende stukje is...'

'Alan Grant, ja. Zijn vrouw is natuurlijk ondervraagd. Van wat Littlefield me kon vertellen, is zij al even verbijsterd als ieder ander. Maar zijn schuld is duidelijk vastgesteld.'

'En Dan Marshall, het waarschijnlijke lek en zijn partner in deze zaak?'

'Hij is verhoord en zal ongetwijfeld nog vaker worden verhoord.'

'Door de politie?'

'Ja. Maar ook door ons.'

'Wat?'

'Wij zijn ingehuurd om een klus te klaren, Michelle. Die klus hebben we nog niet afgerond, dat vind ik tenminste niet.'

'Ik dacht dat jij hier in eerste instantie niets mee te maken wilde hebben.'

'Maar nu wel. En ik maak een grote uitzondering voor iedereen die probeert de president te vermoorden.' Hij draaide zijn gezicht naar haar toe en keek haar aan. 'Of jou.'

'Dus we gaan naar Marshall?'

'Ja, maar eerst wil ik met Edgar praten.'

'Hij heeft ontdekt hoe Grant de satelliet heeft gehackt die werd gebruikt voor het Beest.'

'Dat weet ik. In dat radiostation hebben ze allemaal superhightechapparatuur gevonden. Ik durf te wedden dat een groot deel van die miljard euro daarnaartoe is gegaan. En ook naar de huur van de satelliet. En de man die hem verhuurde, herkende Grant van een foto. Hij wist alleen niet waar dat ding voor zou worden gebruikt.'

'Dan moet hij zijn klanten beter screenen,' zei ze.

'Ik weet bijna zeker dat Grant dit niet in zijn eentje heeft gedaan. Hij moet hebben samengewerkt met een knappe hacker. De FBI probeert een aantal bekende computercriminelen te lokaliseren.'

'Die zijn waarschijnlijk allang verdwenen.'

'Misschien wel,' beaamde Sean. 'Maar ik hoop echt dat ze Grant vinden. Hij heeft op Kathy geschoten en ook zij heeft hem geïdentificeerd aan de hand van zijn foto. Daaruit maak ik op dat hij niet van plan was die tieners weer vrij te laten.'

'En hoe zit het met je oude makker Trevor Jenkins?'

'Verdwenen tegen de tijd dat het HRT bij het radiostation arriveerde.'

'Denk jij dat hij en Grant samen op de vlucht zijn?'

'Misschien wel. Maar het zal heel moeilijk voor hen worden om het land uit te komen. Iedereen kijkt naar hen uit.'

Ze zette de auto in de versnelling en gaf gas. 'God, wat is het fijn om weer op het droge te zijn.'

# 81

'Ik ben heel blij dat u het hebt overleefd, mevrouw Maxwell,' zei Edgar met zoveel emotie als hij kon tonen.

'Ik ook, Edgar, bedankt. En je weet dat je me Michelle mag noemen.'

Ze zaten aan de keukentafel in Edgars boerderij.

'Jij hebt dit allemaal eerder dan wie ook weten uit te zoeken,' zei Sean. 'Dat hebben we ook tegen de president gezegd. Je moet niet schrikken als je een telefoontje krijgt.'

'Al gebeurd,' zei Edgar. 'Hij wilde dat ik naar het Witte Huis kwam, maar ik zei tegen hem dat ik de kippen moest voeren.'

Sean trok bleek weg. 'Edgar, zeg alsjeblieft niet dat je tegen de president van de Verenigde Staten hebt gezegd dat je niet naar het Witte Huis kon komen, omdat je de kippen moest voeren!'

'Nee hoor, dat heb ik niet gedaan.'

'Goddank!'

'Dat heb ik tegen zijn stafchef gezegd en die zal het denk ik wel aan de president hebben doorgegeven.'

Sean schudde met een vermoeide blik zijn hoofd, terwijl Michelle op haar lip beet om niet in lachen uit te barsten.

'Het kost heel veel tijd als je goed voor je kippen wilt zorgen, Sean,' legde Edgar uit. 'Het was gewoon een slechte timing. Ik ga nog wel een keer naar het Witte Huis, ooit.'

Sean vroeg: 'Hoe heb je eigenlijk ontdekt wat Grant had gedaan?'

'Dat was meer toeval dan opzet. Maar toen jij me vroeg Grants auto te traceren door gebruik te maken van de gps-chip die erin zit, begon ik vanuit die invalshoek naar de zaak te kijken. Er zit heel veel hardware in moderne auto's en ook veel software om ze te laten functioneren zoals moet. In de duurste modellen zit ongeveer honderd megabyte aan binaire codes die over meer dan vijftig computerunits lopen. Maar dit geeft hackers ook diverse punten om binnen te dringen. Telematica, Bluetooth, *keyless entry*, zelfs bandensensoren die op een draadloze verbinding werken. Je kunt ook worden gehackt via je cd- of dvd-speler. Maar de meeste hackers zullen een auto aanvallen door iets wat de

*On-Board Diagnostics*-poort wordt genoemd. Dat is een toegangspoort waar garagebedrijven hun diagnostische computer aan de computer van de auto koppelen, zodat die met elkaar kunnen communiceren.'

'Klinkt meer als een patiënt en zijn arts,' zei Sean. 'Niet als een auto.'

'We hebben kennelijk een hele ontwikkeling doorgemaakt sinds de Mustang uit 1966,' voegde Michelle eraan toe. 'Toen ik op de uni zat, reed ik daarin, nadat mijn broer erin had gereden. Die had iets wat een 8-sporencassettespeler werd genoemd.'

Sean keek haar aan. 'Op dit soort momenten realiseer ik me hoeveel ouder ik ben dan jij.'

Met een vriendelijke glimlach zei ze: 'Je bent nog in goede conditie voor een man van jouw vergevorderde leeftijd.'

Sean zei tegen Edgar: 'De FBI haalt het Beest helemaal uit elkaar om te kijken waar die aanval vandaan is gekomen.'

'Het is allemaal begonnen met een commerciële satelliet die door de regering was gehuurd,' zei Edgar. 'Na afloop van de huurtermijn moeten alle gevoelige materialen eruit worden gehaald, maar Grant heeft kennelijk nog wat restjes gevonden. Hij heeft die restjes gebruikt om te infiltreren in de satelliet die alleen wordt gebruikt voor de gps-navigatie en de controlefuncties van de presidentiële limo. Ik durf te wedden dat de technici van de FBI daar malware zullen vinden die Grant in staat heeft gesteld op afstand alle functies van de auto te beheersen.'

'Dat denk ik ook,' zei Michelle. 'Die auto begon opeens zichzelf te besturen. De agent die aan het stuur zat, kon er niets aan doen. Het gebeurde gewoon. Hij veranderde van richting, ging sneller rijden en opeens doken we het water in. En het zuurstofsysteem functioneerde ook niet.'

'Daar speelde die malware volgens mij ook een rol bij,' zei Edgar.

Michelle zei: 'Als ze het Beest kunnen hacken, is geen enkele auto veilig.'

'Dat is waar,' zei Edgar nuchter. 'Daaruit blijkt wat de voor- en nadelen van technologie zijn. Daar vertrouwen we op eigen risico op.'

'We hebben nog steeds niet ontdekt wie het lek was,' zei Michelle. 'Grant was op de hoogte van Wingo's geheime missie in het Midden-Oosten. Die informatie moet hij ergens vandaan hebben gekregen.'

'Misschien uit het reisplan van de president?' vroeg Edgar. 'Hij wist precies wanneer de limo over de brug zou rijden.'

'Het was algemeen bekend dat de president die avond naar die bijeenkomst in Virginia zou gaan,' zei Sean. 'Maar hij kon niet weten wanneer de stoet het centrum zou verlaten. Misschien stond er iemand op de uitkijk.'

Michelle zei: 'Maar tenzij hij informatie van een insider had, kon hij dat niet weten tót de dag waarop het plaatsvond. De agenda van de president wordt niet officieel bekendgemaakt. Net zomin als de route die de stoet auto's zou volgen. Maar misschien had hij verschillende opties bedacht om Cole te pakken te nemen en heeft hij de beste uitgezocht.'

'Waarschijnlijk heeft hij de agenda van de president van iemand gekregen. Maar die iemand is dan misschien iemand anders, dan degene die op de hoogte was van die missie in Afghanistan.'

'Ik denk nog steeds dat het Dan Marshall was,' zei Michelle. 'Hij is Grants schoonvader. Ik zeg niet dat hij dat met opzet heeft gedaan. Grant had toegang tot informatie van binnenuit en heeft daar gebruik van gemaakt. En als hij het klaarspeelt om de presidentiële satelliet te hacken, dan heeft hij Marshalls computer in het Pentagon misschien ook gehackt.'

'Als hij dat heeft gedaan, zouden ze het weten,' zei Edgar. 'Het Pentagon wordt weleens gehackt, maar dat weten ze vrijwel onmiddellijk.'

Michelle leek niet overtuigd, maar zei: 'Oké, als dat het geval is, wat gaan wij dan doen? Op wie richten we ons? Zullen we naar Trevor Jenkins' huis gaan en even rondsnuffelen?'

Sean zei: 'Dat heeft de FBI al gedaan. En ik betwijfel of hij terugkomt om schone kleren op te halen. Hij zit nu misschien wel in Venezuela en is bezig voorgoed te verdwijnen. Met zijn aandeel van die miljard euro kun je wel een leuke verdwijntruc kopen.'

'Toch kan het geen kwaad,' zei Michelle. 'Tenzij jij een beter idee hebt.'

'Ik wist dat je dat zou zeggen,' antwoordde hij.

Ze stond op en pakte haar autosleutels. 'Kom op, dan gaan we vissen.'

# 82

Ze reden naar het huis van Jenkins. Het was inmiddels donker, het begon harder te waaien en het zag ernaar uit dat het al gauw weer zou gaan regenen.

Michelle rilde even en keek naar Sean. 'Ik heb je nooit echt bedankt,' zei ze.

'Waarvoor?' vroeg hij nieuwsgierig.

Ze keek hem ongelovig aan. 'Ach, dat weet ik niet goed... Misschien omdat je mijn leven hebt gered?'

'Jij hebt je eigen leven gered, Michelle. Ik heb alleen maar een suggestie gedaan.'

'Het is heel lastig om jou een complimentje te geven.'

'Ach, deze keer ben je gelukkig niet neergestoken. De kans was alleen groot dat je zou verdrinken.'

'Ga je weer zeuren?'

Hij zuchtte en probeerde te glimlachen, maar dat mislukte.

'Sean, deze discussie hebben we al eerder gevoerd.'

'Ja, en we zijn nooit tot een oplossing gekomen.'

'Er is geen oplossing als we doorgaan met wat we doen. En vergeet je voorstel dat jij privédetective blijft, terwijl ik koekjes ga bakken.'

'Ik heb helemaal niet gezegd dat je koekjes moest gaan bakken.'

'Goed, omdat ik niet kán bakken. Jij bent de kok, niet ik!'

Hij wilde net iets terugzeggen toen hij uit het raam keek en hem iets te binnen schoot. 'Verdomme,' mompelde hij.

'Wat is er?' vroeg Michelle.

'Weet je nog dat we Souths huis in de gaten hielden en ik zei dat ik een vreemd gevoel had toen we door bepaalde wijken reden?'

'Ja, alsof je daar eerder was geweest, maar je kon je niet herinneren wanneer of waarom.'

'Nou, volgens mij weet ik het weer. Alleen hoop ik van harte dat ik me vergis.'

'Heeft dit te maken met Grant?'

'Nee, met het lek.'

Hij pakte zijn telefoon en toetste een nummer in. 'Edgar, met Sean. Denk je dat je vanavond nog één keer iets kunt hacken?' Hij voegde eraan toe: 'Het Pentagon. Dit moet je voor me doen.'

Het duurde twee uur, maar toen belde Edgar Sean terug en gaf hij hem de antwoorden op zijn vragen. Hij was er ook in geslaagd aanvullende informatie over de persoon in kwestie te vinden. 'Mensen zouden hun sporen online beter moeten verbergen,' zei Edgar. 'Twee proxyservers, drie spook-IP-adressen, een digitale confluentie in Hongkong en een *byte dispersal*-programma dat willekeurig meelift met overtollige datastromen die weer bij elkaar komen op een platform in Dubai, dat is tegenwoordig echt niet meer voldoende.'

Sean wreef over zijn slaap. 'Oké, Edgar, ik heb geen idee wat je zojuist allemaal hebt gezegd, maar kunnen ze erachter komen dat jij hen hebt gehackt?' vroeg Sean.

'Daar hoef ik niet bang voor te zijn,' zei Edgar. 'De nationale veiligheid...'

'... weegt zwaarder dan al het andere,' maakte Sean zijn zin af.

Hij legde zijn telefoon neer en keek Michelle aan.

Ze zei: 'Aan je stuurse blik te zien is je wens niet uitgekomen. Je had het bij het rechte eind, hè?'

'Ik vertel je onderweg wel welke afslagen je moet nemen.'

'Sean?' vroeg ze niet-begrijpend.

Hij keek grimmig. 'Niet nu, Michelle. Niet nu.'

Ze liepen naar de voordeur van het grote hoekhuis. Sean drukte op de bel. Ze hoorden voetstappen aankomen. Even later deed Curtis Brown, Dana's tweesterrenechtgenoot, de deur open.

Hij leek verbaasd hen te zien. 'Jezus, ik dacht dat jullie nu wel een rondje langs alle nieuwszenders zouden maken. Nationale helden. Verdomd indrukwekkend.'

'Mogen we binnenkomen, Curtis?' vroeg Sean ernstig.

Brown zette een stap achteruit. 'Natuurlijk, wat is er?'

'Ik weet dat het al laat is, maar ik wilde je gewoon nog een paar dingen vragen. Over Dana.'

'Oké. Het gaat veel beter met haar. De artsen denken dat ze over een week of zo naar het revalidatiecentrum kan.'

'Dat is geweldig.'

Hij deed de deur achter hen dicht en ging hen voor naar de woonkamer.

Sean keek om zich heen naar de comfortabele meubels. Alles was met smaak ingericht. 'Is dit Dana's werk?' vroeg hij.

'Ja. Ik kan soldaten voorgaan in de strijd, maar ik kan absoluut geen kamer inrichten of kleuren uitzoeken die bij elkaar passen.'

Curtis ging zitten en gebaarde dat zij dat ook moesten doen. 'Oké, wat kan ik voor jullie doen?'

'Je hebt ons niet verteld dat je het leger gaat verlaten,' begon Sean.

Brown keek verbaasd. 'Hoe hebben jullie dát ontdekt?'

'Is het waar?'

'Ja. Twee sterren vind ik wel genoeg. Als ik nog hogerop zou willen en er nog één of twee sterren bij wil hebben, moet ik het hele circus opnieuw afdraaien. En ik ben ziek van dat spelletje.'

'En dan verhuis je naar Maleisië?'

Nu stond Brown op en keek strak naar Sean. 'Je hebt me bespioneerd. Mijn persoonlijke bestanden gehackt.'

'Ik niet, nee, ik zou niet eens weten hoe ik dat moest doen. Maar een vriend van me is daar heel goed in. Alleen is Maleisië niet je eindbestemming. Daar blijf je maar een paar weken. Je hebt onroerend goed gekocht, via een lege vennootschap, op een Indonesisch eiland. Een groot huis, aan de oceaan. Veel duurder dan een majoor-generaal zich zou kunnen veroorloven, zelfs als je een trust fund hebt.'

'En wat zo interessant is, is dat Indonesië geen uitleveringsverdrag heeft met de VS,' voegde Michelle eraan toe.

Brown ging weer zitten en zei niets.

Sean stond op en keek om zich heen. 'Toen we het huis van Leon South in de gaten hielden, reden we door deze wijk. Ik herkende hem, maar wist niet waarvan. Maar ik ben er jaren geleden een keer doorheen gereden.'

'Waarom?'

'Ik had gehoord dat Dana was hertrouwd. Ben het nagegaan, kreeg het adres. Wilde gewoon even kijken of het goed met haar ging.' Sean zweeg en sloeg zijn ogen neer, met een blik vol ongeloof over zijn eigen woorden.

Michelle hield hem nauwlettend in de gaten. Ze vroeg: 'Gaat het?'

Hij ging rechtop staan. 'Het gaat prima. Maar goed, ik reed hierlangs. Leuke buurt, prachtig huis. Jij had een goede, degelijke reputatie. Het zag ernaar uit dat ze een heel goed huwelijk had gesloten.'

'Net als ik.'

Sean draaide zich om en keek hem aan. 'Waarom heb je dan geen retourvlucht geboekt, Curtis? En waarom ben jij de enige die vertrekt?

Waar zijn Dana's tickets? Jij vertrekt over twee dagen. En je zei zonet zelf dat ze dan nog niet eens uit het ziekenhuis is, laat staan uit het revalidatiecentrum.'

Brown zei niets.

'Die nacht reed Jenkins langs Souths huis, maar hij stopte daar niet. Dat komt doordat Jenkins bij jou was geweest, Curtis. Hij had je al gesproken. Jij was Grants bron bij het Pentagon, niet Dan Marshall. Jij hebt ons verteld dat je samen met Marshall een paar besprekingen had gevoerd. Je hebt ons niet verteld dat jij ook op de hoogte was van Sam Wingo's missie. En dan heb ik het niet over die geruchten die Dana je had ontfutseld.'

'En de prijs die Grant daarvoor heeft betaald, is een nieuw leven voor je kopen op je eiland in Indonesië. Een nieuw leven voor één persoon,' voegde Michelle eraan toe.

'Betaald met vijftig miljoen dollar die op een buitenlandse rekening is gestort, nadat Sam Wingo in een hinderlaag was gelopen. Het geld werd overgemaakt naar een lege vennootschap die ook van jou was. Dat bedrag was een deel van die miljard euro, toch? Enig idee waar de rest kan zijn?'

Brown keek hen alleen maar aan.

Sean liep naar hem toe. 'Toen Dana voor mij begon rond te snuffelen, dacht je toen dat je ongelofelijk veel pech had? Dat de ex van je vrouw vragen begon te stellen over de zwendel waar je tot je nek toe in zat. Je zult je wel rot geschrokken zijn. Heb jij die aanslag in dat winkelcentrum georganiseerd? Om ons alle drie tegelijkertijd uit te schakelen? Zat je later naast haar bed in het ziekenhuis te hopen dat ze het niet zou redden, Curtis?'

Brown zei versuft: 'Ik hou van Dana. Ik ga naar het buitenland om alles voor te bereiden. Daarna kom ik terug om haar te halen. Ik heb niemand geregeld om op haar te schieten. Toen jullie me vertelden dat ze was gevolgd naar dat winkelcentrum...' Hij maakte zijn zin niet af en de tranen stroomden over zijn wangen.

'Dus je partner heeft je verraden?' vroeg Michelle.

Sean zei: 'Toen hij ontdekte dat jij met Dana over Wingo's missie had gepraat, zal hij wel woest zijn geworden.'

'Ik wist niet dat ze het voor jou deed,' zei Brown. 'Ik wist niet eens dat jullie elkaar hadden gesproken tot...'

'Tot je partner je dat vertelde. En hij stuurde dat moordcommando naar dat winkelcentrum.'

Sean zei: 'Kwam Jenkins die avond bij je om je de les te lezen, generaal?

Of wilde hij zich er alleen maar van verzekeren dat je net deed of je met ons samenwerkte om argwaan te voorkomen?'

'Ik... Ik heb niet...'

'Wist je wat Grant deed met de informatie die je hem gaf?' vroeg Michelle. 'De president vermoorden? Dat is landverraad. Dat betekent de doodstraf.'

Brown schrok en leek zich te realiseren wat hij allemaal had gezegd. Toen zei hij vastberaden: 'Ik weet niet waar je het over hebt. Nu wil ik graag dat jullie weggaan.' Hij stond op.

'Je gaat die vlucht naar Maleisië niet halen,' waarschuwde Sean.

'Waarom niet? Jullie kunnen niets bewijzen. Ja, ik heb wat land gekocht, nou en? En die vijftig miljoen op die buitenlandse bankrekening? Ik heb geen idee waar je het over hebt. Ik heb gewoon goede investeringen gedaan en wat land tegen een bijzonder goede prijs kunnen verkopen.'

'Jij hebt me een linkse gegeven, omdat ik Dana in gevaar had gebracht,' zei Sean.

'Nou en?'

Sean haalde uit en sloeg Brown neer. 'Ik doe nu gewoon even hetzelfde,' zei hij en hij wreef over zijn hand.

Brown sprong op en Sean bereidde zich voor op zijn aanval, toen ze alle drie verstijfden.

Iemand zei: 'Stoppen!'

Ze draaiden zich om en zagen Alan Grant in de deuropening staan.

Hij had een doosje in zijn hand met een knopje erop. Met zijn vinger hield hij het ingedrukt. Met zijn vrije hand zwaaide hij zijn jas open. Hij had drie pakketjes C-4 aan zijn lichaam bevestigd.

# 83

Sean en Michelle liepen meteen een stukje bij Grant en zijn explosieven-riem vandaan, maar Curtis Brown bleef stokstijf staan. 'Wat doe jij hier?' vroeg hij langzaam.

Grant wees naar Sean en Michelle. 'Ben hen gevolgd. Heb jij me ver-raden, Curtis? Want ik kan me niet voorstellen dat zij zonder hulp kon-den doen wat ze hebben gedaan.'

'Ik weet niet waar je het over hebt, Alan,' antwoordde Brown met een blik op de detonator in zijn hand.

Grant zag dit. 'Idiot switch. Wel passend eigenlijk, want ik heb ge-hoord dat Wingo dit ook in Afghanistan heeft gebruikt om te kunnen ontsnappen. Anders zou hij nu dood zijn, volgens plan, en zou ik hier nu niet staan als een bom van vlees en bloed.' Hij keek naar Brown. 'Jammer dat je niet op de hoogte was van Wingo's fail-safe, Curtis. Maar ja, je hebt me op allerlei manieren in de steek gelaten.'

'Zo hoeft het niet te eindigen, Grant,' zei Sean.

Grant keek hem aan. 'Leuk om je persoonlijk te ontmoeten, meneer King. We hebben tegenwoordig best veel contact met elkaar via sms en e-mail.' Hij zweeg even en zei opeens woedend: 'Vijfentwintig jaar. Een kwart eeuw heb ik hiermee geleefd, met deze schande. Met dit onrecht.'

Michelle zei: 'Maar waarom is het rechtvaardig om een man te ver-moorden die niets te maken had met de zelfmoord van je ouders?'

'Ik kon de toenmalige president niet doden, toch? Hij was al dood, en dus is het een symbolische daad, mevrouw Maxwell. Dit is allemaal begonnen met Iran en nu eindigt het ook met Iran. Tenminste, dat was het plan. Dankzij de heldhaftige ontsnapping van president Cole, met jouw hulp, hoeft hij niet te boeten voor zijn daden. De schuldigen gaan alweer vrijuit en moedige, eerlijke mensen sterven.'

'Ik was degene die in de rivier lag!' snauwde Michelle.

Hij keek haar recht aan. 'Ik had eraan moeten denken dat die zuurstof-tanks als explosief konden worden gebruikt, maar dat heb ik niet ge-daan. Mijn complimenten voor jullie vindingrijkheid.' Hij maakte een spottende buiging voor hen.

'Wil je nu echt dat je gezin je zo ziet sterven, Grant?' vroeg Sean. 'In een bal van vuur? Als een zelfmoordenaar? Je hebt tegen die mensen gevochten toen je het uniform nog droeg. Nu doe je hetzelfde als zij. Wil je dat zij zich je zo herinneren?'

'Ik heb niet veel keus.'

'Ik heb je niet verraden, Alan,' zei Brown.

'Ik geloof je niet. Ik heb je goed betaald voor je diensten. Was het te veel gevraagd om in ruil daarvoor loyaal te zijn?'

'Ik heb je niet verraden!' schreeuwde Brown.

'Hij vertelt de waarheid, Grant,' zei Sean. 'Wij hebben het zelf uitgedokterd. Wingo is Jenkins gevolgd naar Vista Trading. Dat was de link naar jou. We wisten wat er met je ouders was gebeurd. Dat was algemeen bekend. Dat gaf ons het motief. We traceerden je huurcontract voor die satelliet via een lege vennootschap. Jenkins had de blokhut gekocht, dat ontdekten we dankzij zijn computerbestanden. O ja, de politie heeft vandaag een ondiep graf gevonden met daarin het lichaam van Jean Shepherd.'

'Nog iemand die de weg kwijtraakte,' zei Grant.

'Wij hadden haar ontmaskerd,' zei Michelle. 'Daarom sloeg ze op de vlucht.'

'Waarom zijn jullie dan hier?' vroeg Grant. 'Als jullie hier niet zijn om bij te praten met je medeplichtige?'

'Wij zijn hier om hem te vertellen dat de FBI hier elk moment kan arriveren,' zei Sean. 'Om hem te arresteren, omdat hij met jou heeft samengespannen om de president te vermoorden.' Hij keek naar Grant. 'Dacht je soms dat ik hem had neergeslagen omdat hij mijn vriend was?'

Brown trok bleek weg. 'De FBI?'

Sean keek naar hem. 'Dacht je nou echt dat we hiernaartoe zijn gekomen om je het vuur na aan de schenen te leggen en je dan gewoon te laten lopen? De FBI heeft onze informatie gebruikt om nog dieper te graven. Zij hebben de bewijzen om je aan het kruis te nagelen.'

'Je liegt!' brulde Brown.

'Nu weet je hoe het voelt, Curtis, als iemand je leven ruïneert,' zei Grant.

Brown vroeg hem: 'Heb jij opdracht gegeven voor die aanslag op Dana? Is het jouw schuld dat ze bijna dood was?'

'Ze werkte samen met deze twee. En wat deed jij? Die trut van alles over Wingo vertellen. Dát was het verraad.'

'Dus je wilde haar gewoon dood hebben? Om die reden?'

'Ik heb voor veel minder gemoord. Net zoals nu.'

Sean zei: 'Grant, dit wil je niet echt doen.'

Grant had niet gezien dat Michelle dicht genoeg bij hem was gaan staan om hem aan te vallen.

Ze raakte hem op borsthoogte, en ze legde haar lange, sterke vingers op de detonator zodat het knopje ingedrukt bleef. Maar Grant was ook sterk en lenig. Hij draaide zich vliegensvlug om en duwde haar van zich af. Maar de volgende aanval had hij niet voorzien.

Curtis Brown gilde en raakte Grant zo hard dat de twee mannen achterovervielen en door een ruit in de voortuin terechtkwamen.

Sean sleurde Michelle van de vloer en ze renden naar de keuken. Hij duwde haar op de grond, dook naar voren en beschermde haar lichaam met het zijne.

Toen de springstof ontplofte, werd de hele voorgevel van het huis weggeblazen. De muren stortten in en het dak viel naar beneden. Glasscherven en andere brokken puin zo groot als een vuist vlogen alle kanten op.

'Weg hier, schiet op!' riep Sean. Hij greep Michelles hand en ze renden via de achterdeur naar buiten, sprongen van de veranda en renden door de achtertuin. Sean gaf haar een voetje over de schutting en klauterde er vervolgens zelf overheen. Hij viel op zijn buik in het gras aan de andere kant net op het moment waarop de beschadigde gasleidingen in Browns huis ontploften.

Het huis werd compleet weggeblazen. De explosie was zo hevig dat de ruiten uit de buurhuizen sprongen, ook al was de afstand meer dan dertig meter en stonden er groepjes bomen tussen. De restanten van het vernielde huis vlogen al snel in brand.

De schutting waar Sean en Michelle achter lagen, werd doorboord met glasscherven en stukken metaal. Een stuk van de bovenste rand werd eraf gescheurd.

Michelle hielp Sean opstaan. 'Gaat het?'

Hij knikte, terwijl hij zijn hand die in een vreemde hoek hing ondersteunde. 'Maar volgens mij is mijn hand gebroken,' zei hij.

Michelle belde 911 en vertelde over de explosie.

'Is de FBI echt op weg hiernaartoe?' vroeg ze aan Sean.

Hij schudde zijn hoofd.

Ze zuchtte diep en ging, steun zoekend, met haar rug tegen een boom staan. 'Is dit gedoe nu eindelijk afgelopen?' vroeg ze met schorre, vermoeide stem.

Sean schudde zijn hoofd. 'Nog één te gaan.'

# 84

Voor Seans gevoel was dit de langste wandeling van zijn leven.

De ziekenhuisgang was bijna helemaal verlaten. Michelle was niet bij hem. Zij wachtte buiten, in haar Land Cruiser. Ze had aangeboden mee te komen, maar dit was iets wat hij alleen moest doen. Hij had zijn hand gebroken toen hij over de schutting sprong en die zat nu in een *soft cast*. Gelukkig was zijn hoofd er niet af geblazen en had hij alleen een gebroken hand. Hij liep de laatste gang in naar haar kamer.

Dana Brown lag in een gewone ziekenzaal. Ze was eindelijk buiten levensgevaar. Ze zou het overleven; fysiek in elk geval wel.

Sean klopte aan, hoorde dat ze 'Binnen!' zei, opende de deur en liep de kamer in.

Eén blik op haar gezicht vertelde hem alles wat hij moest weten. Ze had al gehoord dat haar man dood was en dat hij had samengewerkt met Alan Grant. Toen hij naar Dana's bed liep, ging ze langzaam rechtop zitten. Ze omhelsden elkaar heel lang. Hij liet haar huilen en voelde ook tranen in zijn eigen ogen prikken.

Toen ze elkaar loslieten, trok hij een stoel bij en ging naast haar zitten. Hij hield haar hand vast en keek haar onderzoekend aan. Ze was in de afgelopen weken veel ouder geworden. Dat zou waarschijnlijk voor iedereen gelden in zo'n situatie. Maar zelfs al was er op haar geschoten en was ze bijna gestorven en was ze nu haar man kwijtgeraakt, toch kon hij de vrouw zien op wie hij jaren geleden verliefd was geworden.

Ze zei aarzelend: 'Ze zeiden dat hij niet heeft geleden.'

'Dat klopt, Dana. Het was... Nou ja, het was heel snel voorbij.'

'En jij was erbij?'

'Ja. We waren bij Curtis toen Alan Grant opeens arriveerde.'

'Alan Grant. De medeplichtige van mijn echtgenoot,' voegde ze er verbitterd aan toe.

'Ik denk niet dat Curtis wist wat Grant van plan was, Dana. Hij gaf hem gewoon wat informatie over die missie in Afghanistan. Curtis dacht dat het alleen maar ging om diefstal van overheidsgeld en dat hij daar een deel van zou krijgen.'

'Maar wel een crimineel, Sean. Ik kan er niet bij dat hij dat zou doen. Echt niet!'

'Zoveel geld kan heel verleidelijk zijn. Ik zeg niet dat het niet verkeerd was, want eigenlijk is het dat wel, maar ik kan toch begrijpen dat hij erdoor in de verleiding is gekomen.'

'Ik geloof dat ik dat ook zou moeten begrijpen, als je nagaat hoe vaak ik in mijn leven aan verleidingen heb toegegeven,' zei ze enigszins schuldbewust.

'Maar feit is dat ik hier zonder Curtis nu niet zou zijn. Hij heeft zijn leven opgeofferd voor ons leven. Als de soldaat die hij was. Hij schakelde Grant uit en offerde daarmee zijn eigen leven op. Dus ja, hij heeft een paar verkeerde dingen gedaan. Een paar heel erg stomme dingen. Maar je moet het hem nageven, en ik weet dat hij Grant wilde vermoorden, omdat Grant heeft geprobeerd om jou te vermoorden, Dana. Daarom viel Curtis hem aan. Hij wilde wraak nemen.'

Ze knikte en er stroomden weer tranen over haar wangen. 'Dat weet ik,' zei ze, amper hoorbaar. 'Dat weet ik.'

Sean hield haar nog even vast en liet haar huilen. Hij probeerde haar verdriet over te nemen, maar wist ook dat dat niet kon.

Toen Dana zich eindelijk van hem losmaakte, zei hij: 'Er was een beloning uitgeloofd voor het opsporen van de mensen die hierachter zaten. Er is besloten dat jij die krijgt, als weduwe van Curtis.'

Ze keek verbaasd. 'Maar Sean, jij en Michelle hebben jullie leven gerisk...'

Hij kneep nog harder in haar hand. 'En Curtis heeft zijn leven opgeofferd voor ons. En het is meer dan genoeg geld om de rest van je leven van te leven. Je hoeft je nooit weer zorgen te maken om geld, oké?'

Het was heel moeilijk geweest om de betrokkenen over te halen hier hun handtekening onder te zetten. Velen wilden niet dat Browns weduwe dit geld kreeg, omdat hij medeplichtig was geweest. Maar Sean had de grootste troef uitgespeeld die hij had: een persoonlijk verzoek aan president Cole. Zodra deze ermee had ingestemd, was iedereen het er algauw mee eens geweest.

Ze veegde met een trillende hand een paar tranen van haar gezicht. 'Dat is heel gul. Heel erg gul.'

'Je financiën zijn dus geregeld. Maar hoe moet het nu met jou?'

Ze haalde haar schouders op, met een angstige blik op haar gezicht. 'Dat weet ik niet. Ik kan op dit moment niet echt helder nadenken.'

'Natuurlijk niet. En daar hoef je nu ook niet over na te denken. Jij moet eerst maar eens zorgen dat je weer beter wordt. Je gaat binnenkort naar het revalidatiecentrum. En ik ga met je mee.' Hij liet zijn gewonde hand zien, die haar nog niet eerder was opgevallen.

'O mijn god, wat is er gebeurd?'

'Ach, ben gewoon dom geweest. Maar we gaan samen revalideren, wat vind je daarvan?'

'Dat lijkt me geweldig,' zei ze een beetje buiten adem.

'Je bent niet alleen, Dana. Oké? Je bent niet alleen.'

Ze leunde achterover in de kussens. 'Weet je, ik heb altijd gedacht dat we samen kinderen zouden krijgen; een groot gezin zouden hebben.'

'Het leven loopt niet altijd zoals je zou willen. Sterker nog, dat is bijna nooit zo. Ik wilde proffootballer worden. Maar ik werd uiteindelijk een menselijk schild in pak.'

Ze draaide haar gezicht naar hem toe en keek hem aan. 'Het spijt me.'

'Wat spijt je?'

'Je weet wel wat ik bedoel, Sean. Dat weet je best.'

'Waar twee kijven, hebben beiden schuld.'

'Ik wilde dat het zo was, maar in dit geval was dat niet zo.'

Hij klopte op haar hand.

'Je bent veel te goed voor me,' zei ze.

'Je bent een goed mens.'

'Ik ben veranderd, bedoel je,' zei ze met een zwakke glimlach.

'Een goed mens,' zei Sean zacht.

Het was een poosje later toen hij weer door de gang liep en het ziekenhuis verliet. Het was een frisse en heldere dag. Hij kon geen wolkje ontdekken, terwijl hij zich niet kon herinneren dat het de afgelopen week ooit onbewolkt was geweest.

Hij stapte in de Land Cruiser waarin Michelle op hem zat te wachten.

Ze vroeg: 'Hoe ging het?'

'Zo goed als verwacht kon worden.'

Ze zette de auto in de versnelling. 'Ga je haar weer opzoeken?'

Hij keek naar haar. 'Ik heb tegen haar gezegd dat we samen gaan revalideren. Mijn hand, haar lichaam.'

'Lijkt je dat verstandig?'

Fronsend vroeg hij: 'Waarom niet? Zij heeft niemand op dit moment. Ze moet nu niet alleen zijn.'

'Denk je dan niet dat je haar valse hoop geeft?'

'Valse hoop, waarop?'

'Dat jullie weer bij elkaar komen.'

'Michelle, dat gaat echt niet gebeuren!'

'Weet ze dat?'

'Nou, als je bedoelt of ik tegen haar heb gezegd dat er geen enkele kans is dat we ons weer verzoenen, nee, dat heb ik niet gedaan. Ik dacht dat de timing misschien niet zo handig was nu haar man nog maar net is opgeblazen,' zei hij stuurs.

Michelle reed de parkeerplaats af. 'Ik zeg het alleen maar. Het kan zijn dat je haar straks nog veel meer pijn doet.'

'Is dit vrouwenlogica waar ik om de een of andere reden niets van snap?'

'Ik dacht eigenlijk dat ik vrij duidelijk was.'

'Oké, laat ik dan ook duidelijk zijn. Voel jij je bedreigd door Dana?'

'Nee, tenzij ze als partner bij ons komt werken.'

'Het is dus alleen zakelijk?'

Ze keek hem aan. 'Wat zou het anders kunnen zijn?'

'Prima. Dan kan ik je luid en duidelijk vertellen dat zij nooit deel zal uitmaken van de firma King & Maxwell.'

Hij keek opzij en zag dus niet dat Michelle op haar lip beet en inwendig kreunde.

'Luister, het spijt me, Sean. Zo bedoelde ik het niet. Die woorden kwamen zomaar uit mijn stomme mond.'

'Zou niet de eerste keer zijn.'

'Hé, ik verdien het niet dat je...' Ze zweeg toen ze zag dat hij haar glimlachend aankeek.

'Jaloezie is goed voor een relatie: voor een zakelijke relatie en elke andere relatie,' zei hij.

'Je bent een klootzak, weet je dat?'

'Ik wil best toegeven dat ik af en toe een klootzak ben.'

'Als je niet al gewond was, kreeg je een klap!'

'Je hebt me wel vaker een klap gegeven als ik gewond was.'

'Ja, maar je bent nu ouder. Ik wil je geen blijvend letsel toebrengen.'

Hij pakte haar hand. 'Weet je wat ik wenste toen ik naast je ziekenhuisbed zat te wachten tot je wakker werd?'

Ze keek hem ernstig aan. 'Wat dan?'

'Dat ik de eerste zou zijn die je zag als je bijkwam.'

'En dat was ook zo,' zei ze schor.

'Ja, dat was ook zo,' zei hij.

'Dus je wens kwam uit.'

'Mijn wens kwam uit zodra je je ogen opensloeg.'

'Als we zo doorgaan, ga ik straks huilen. Het zou de eerste keer zijn dat je dat ziet.'

'Niet de eerste keer.'

Ze keek hem lang aan. 'Ik weet het.'

Seans telefoon ging. Het was Edgar.

'Neem maar op,' zei Michelle. Ze draaide haar hoofd weg en veegde haar ogen droog.

'Hallo, Edgar.' Sean luisterde. 'Ja, klopt, maar... Nou, dat weet ik, maar... Oké, maar ik denk dat je niet begreep dat het maar een... Hallo?' Hij legde de telefoon neer met een ongeruste blik op zijn gezicht.

'Wat is er?' vroeg Michelle. 'Vertel alsjeblieft niet dat het Pentagon Edgar heeft gearresteerd.'

'Nee, dat is niet gebeurd.'

'Wat was er dan?'

'Hij heeft ons aanbod geaccepteerd.'

'Wat?'

'Herstel: om precies te zijn, zei hij dat hij "de baan die mevrouw Maxwell heeft aangeboden", accepteert.'

'Dat was geen aanbod voor een baan. Dat was een grapje. Dat weet je best.'

'Nou, hij dus niet. Hij heeft zijn ontslag al ingediend bij Peter Bunting en de Amerikaanse regering, en morgenochtend komt hij naar kantoor om met zijn werk te beginnen. Ze waren natuurlijk niet blij met zijn besluit, omdat hij ongeveer de beste analist op deze planeet is. En dus zijn ze helemaal niet blij met ons. Ik zie al gebeuren dat we de rest van ons leven geplaagd worden door onderzoeken van de Belastingdienst en het Congres, en worden afgeluisterd door de FBI.'

'O mijn god,' zei Michelle hopeloos.

'Ja,' zei Sean, met een diepe zucht.

# Dankwoord

Dank aan Michelle, omdat je me altijd vertelt hoe het echt is.

Aan Mitch Hoffman, die me op mijn creatieve tenen laat lopen.

Aan Michael Pietsch, Jamie Raab, Lindsey Rose, Sonya Cheuse, Emi Battaglia, Tom Maciag, Martha Otis, Karen Torres, Anthony Goff, Bob Castillo, Michele McGonigle, Kallie Shimek, en iedereen bij Grand Central Publishing, omdat jullie je werk zo goed doen. En speciale dank aan David Young; jouw invloed reikt zelfs tot over de Atlantische Oceaan, mijn vriend.

Aan Aaron en Arleen Priest, Lucy Childs Baker, Lisa Erbach Vance, Nicole James, Frances Jalet-Miller, John Richmond en Melissa Edwards, omdat jullie me altijd steunen.

Aan Anthony Forbes Watson, Jeremy Trevathan, Maria Rejt, Trisha Jackson, Katie James, Natasha Harding, Aimee Roche, Lee Dibble, Sophie Portas, Stuart Dwyer, Stacey Hamilton, James Long, Anna Bond, Sarah Willcox en Geoff Duffield van Pan Macmillan, omdat jullie me in Groot-Brittannië naar nummer één hebben gebracht. Bedankt voor het geweldige bezoek afgelopen voorjaar.

Aan Praveen Naidoo en zijn team bij Pan Macmillan in Australië. Een speciale dankkreet omdat zij me daar naar nummer één hebben gebracht: cheers!

Aan Arabella Stein, Sandy Violette en Caspian Dennis, omdat ze zo ongelofelijk geweldig zijn.

Aan Ron McLarty en Orlagh Cassidy, omdat jullie audiowerk altijd uitmuntend is.

Aan Steven Maat, Joop Boezeman en het A.W. Bruna-team, die ervoor zorgen dat ik in Nederland aan de top blijf. Bedankt voor jullie enorme gastvrijheid afgelopen voorjaar.

Aan al mijn andere uitgevers van over de hele wereld die ik heb ontmoet tijdens de Londen Book Fair, omdat ze mij zo goed in hun markt zetten. Het is verfrissend om te zien dat boeken niet alleen niet dood zijn, maar dat ze zelfs bloeien.

Aan Bob Schule, die altijd de pagina's omslaat.

Aan Chuck Betack, die mijn militaire vragen heeft beantwoord.

Aan Jim Haggar; bedankt voor het tijdschriftartikel. Het kwam precies op het goede moment en heeft mijn fantasie flink geprikkeld.

Aan Dick DeiTos en Todd Sheller, die me een kijkje achter de schermen hebben gegeven bij het indrukwekkende Dulles Airport.

Aan Tyler Wingo. Ik heb je naam altijd geweldig gevonden. Hopelijk heb je genoten van het personage.

Aan John Cole, ik hoop dat je hebt genoten van je promotie.

Aan MK Hesse, hopelijk vond je het leuk om je naam te zien in de pagina's.

Aan Kristen, Natasha en Lynette, omdat jullie ervoor zorgen dat ik me altijd goed gedraag.

En aan Laura Jorstad voor een geweldige redactieklus. Vooral je tijdlijn was indrukwekkend!